小熊英二

Eiji Oguma

第 II 冊
大學民主化與自我否定的鬥爭

1968
日本現代史的轉捩點，
席捲日本的革命浪潮

19_68

1968〈上〉
若者たちの叛乱
とその背景

小熊英二 著／黃耀進 譯

1968年1月18日，阻止美國核動力航母「企業號」入港鬥爭。三派全學聯學生們試圖衝入美軍佐世保基地，與機動隊在佐世保橋上爆發衝突，遭到鎮暴水車的強烈水柱攻擊。（三留理男攝影／每日新聞社提供）

1968年9月12日，日大鬥爭。高喊日大民主化的學生舉行示威遊行，在駿河台與機動隊發生激烈衝突，整個地區猶如戰場。（每日新聞社提供）

1968 年 3 月，東大鬥爭。醫學部學生為抗議不當懲處，在安田講堂前示威遊行，一邊高喊「粉碎懲處」。（每日新聞社提供）

1968 年 11 月 12 日，民青與全共鬥派學生在全校封鎖問題上針鋒相對，雙方在東大綜合圖書館前揮舞角材混戰。（每日新聞社提供）

1969 年 1 月 19 日，東大安田講堂遭受機動隊裝甲車的水柱攻擊。（每日新聞社提供）

目次

第Ⅱ冊　大學民主化與自我否定的鬥爭

第Ⅲ部

第Ⅰ冊　經濟高度成長與「現代的不幸」

後記
相關年表
註釋

19_68

第III部

第八章　「激盪的七個月」
——羽田、佐世保、三里塚、王子

本章將講述從一九六七年十月的羽田鬥爭起，至一九六八年四月的王子野戰醫院鬥爭為止的事件。

這段時期被稱為「激盪的七個月」，是一九六八年五月至六月開始的日大、東大全共鬥運動的導火線。特別是在第一次羽田鬥爭中，首次公然出現學生手持武鬥棒、蒙面、戴頭盔的形象，由此確立了所謂的「全共鬥風格」。

此外，這個「激盪的七個月」中，以三派全學聯為核心的青年們吸引了大眾媒體的關注，在一段不長的時間內甚至獲得一般大眾的支持，但於一九六八年底後就迅速失去大眾支持。本章也將對此說明，以俾讀者理解這樣的過程。

第一次羽田鬥爭

所謂的「第一次羽田鬥爭」，是指一九六七年十月八日為了阻止佐藤榮作首相出訪大洋洲及東南亞各國，三派全學聯各新左翼黨派（中核派、社學同、社青同解放派）的學生闖入羽田機場的事件。

特別是因為出訪地包括南越，此為越戰非參戰國的首相首次前往進行官方訪問，所以把活動定位為阻止日本支持越戰的鬥爭。

首相出發前一日的十月七日，約六百名越平聯成員及數十名結構改革派成員，由首相官邸一路前往美國大使館進行合法示威遊行。八日，他們也於羽田機場周邊遊行[1]。然而總體而言，此次反對運動相當微弱。總評在六日舉行抗議遊行，共產黨則因八日在奧多摩湖畔舉辦「赤旗祭」，只有三十人左右在羽田機場大廳，機場外則聚集了約三百人抗議[2]。

如後所述，當三派的學生與機動隊進行對抗時，民青及共產黨在多摩湖畔「唱歌跳舞」，因此遭到非難。但根據當時的民青運動者川上徹回憶，「從幾個月前就已經預定此次黨的秋季大型活動」，因此各地學生基層組織者或民青班接獲總動員指令，各大學的民青班「已決定動員人數並分配門票進行販售」[3]。站在共產黨的角度來看，因上述原因已不可能終止「赤旗祭」。

同時，三派全學聯向警方申請八日於羽田機場進行遊行，但六日遭退回不予受理，因此他們抱著舉行非法遊行的覺悟[4]。但是實際的遊行狀況卻相當慘澹。

首先是動員人數不足。一九六七年七月的三派全學聯大會上，委員長秋山勝行說「就算只靠三派，也要從全國動員五千人給大家看看。」但實際動員的人數，亦即從全國努力徵集來的人數未達目標半數[5]。根據東大教養學部的中核派運動者當時寫的手記，十月七日校內集會也僅來了約三十人，即便在中核派的據點校法政大學舉行集會，從全國二十多所大學也僅來了八百人左右[6]。

其次，三派的夥伴之間出現對立。三派全學聯成立於一九六六年十二月，但三派間的對立終於越演越烈，一九六七年夏天舉行三派全學聯大會時，社青同解放派通過黨內文件宣言「與中核派斷絕關係。」[7]

因此，十月七日無法召開統一集會，三派只能在各自的據點大學：法政大、中大、明大分別舉行集會。某法政大的女學生運動者，其父母因擔心女兒而於十月七日前往大學拜訪，當時法政大中核派運動者如此回應他們[8]：「跟A同學很熟啊，不過她是不同派系的。如果參加了鬥爭，今天應該是去中大吧。」

前一天的六日甚至發生了武裝內鬥事件。關於此內鬥的細節，當時的報導與各新左翼黨派成員的日後回憶有若干出入。綜合概觀雙方的說詞，由共同部分加以類推後，大致可得出如下概要[9]。

一九六七年九月，中核派在其據點校法政大因學生的處分問題監禁了校長，脅迫進行「團交」，之後警隊出動，逮捕多達二百五十八名學生。其他派系批評，這個在佐藤首相出訪南越前的行動是一種「玉碎主義」。而據藏田計成稱，此事件意味著「中核據點大學的自治會遭解放＝受共產同威脅的狀態」，為此三派內部的對立更為激化[10]。

對此，當十月一日在日比谷野外音樂堂舉行阻止佐藤訪越鬥爭誓師集會時，中核派散發批評社青同解放派的傳單，指責他們是「社民（社會民主主義。不靠暴力革命，以參與議會實現社會主義為目標。被馬克思列寧主義批評為右派）的牆頭草」。十月六日，日比谷野外音樂堂舉行社共兩黨的抗議首相訪越集會時，中核派也散發傳單，直指「玉碎主義」的批評乃是社學同或社青同解放派的分裂行動。

這些傳單惹惱了社學同與社青同解放派，社青同解放派的都學聯委員長因此毆打中核派的三派全學聯書記局員。據當時社學同運動者荒岱介稱，原本社學同與社青同解放派就討厭中核派，對他們的批評一如第四章的引用般，即「中核派把三派全學聯宣傳得好像只有他們這派一樣，所以各派的運動者也有反彈的聲音，例如『說什麼他們是全學聯的主流派』、『為什麼一副那麼黨派式的作風？』」

十月七日，為了八日的行動舉行了全學聯書記局戰術會議。但中核派的幹部並未出席此會議，因此解放派的三派全學聯書記長及書記局員前往法政大召喚他們，結果中核派抓住他們並施以私刑。聚集在中大的社學同、社青同解放派，外加社學同ML派與第四國際一干人等聽聞此事，立刻拆解中大禮堂的長椅製作武鬥棒，一起趕至法政大。之後雙方持武鬥棒推擠僵持，並未發生亂鬥，而解放派的幹部因此獲釋。

據當時的三派全學聯副委員長且是社學同運動者的成島忠夫稱，「〔三派〕全學聯內部，中核對反中核聯合的對抗關係，此時完全白熱化。」如第十三章會提到的，三派全學聯在「激盪的七個月」後，一九六八年七月分裂成中核派全學聯與反帝全學聯（以社學同與社青同解放派為核心）。

據說，此時中核派幹部的北小路敏擔憂鬥爭前的「同室操戈」，說服大家「至少不要發生亂鬥。」法政大學的學生部長們也說服雙方避免亂鬥。此時從早大前來的無黨派運動者內田雅敏也匆忙趕到，制止雙方[11]。

就這樣，三派忙著內鬥，根本無法執行合作鬥爭。結果中核派的秋山委員長與社學同的成島副委員長溝通後，決定八日行動的責任分配[12]。只是，幹部間雖然溝通過，但根據中核派同情者的底層運動者回憶，「社學同與解放派採用什麼路線戰鬥，我們全然不知。」[13]

第一次羽田鬥爭是首次正式使用武鬥棒對抗機動隊的鬥爭。但這似乎不是事前就計畫好的狀況。根據共產同運動者府川充男的回憶，與中核派對峙的四派抱著武鬥棒撤回中大，這些武鬥棒捆包好後便放在中大學生會館前。據稱，深夜舉行的共產同學生對策部會議上決定「將武鬥棒帶至現場」，但並未決定「用在對抗機動隊上」。實際上，十月八日早晨自中大出發的社學同等三派全學聯的部隊還忘了帶武鬥棒，中途才由留在中大的學生們帶著武鬥棒追上本隊，將其交給本隊[14]。

同時，早大社學同運動者荒岱介回憶道，七日晚間全學聯書記局下達「明天以武鬥棒對抗機動隊」的命令。荒認為這是因為「內鬥時都用上了武鬥棒，所以對抗機動隊時也沒理由不用。」接著荒寫道，七日夜晚「拆毀中大教室內的長椅與桌子，打造了數百根武鬥棒。當夜眾人興奮地幾乎睡不著。」[15]

另根據共產同運動者三上治回憶，七日晚間共產同的學對會議上「談到既然內鬥時帶上角材，那就試著讓大家帶角材去吧」，但「學對成員在會議中提出，懷疑〔學生們站在機動隊面前時〕會放棄而扔掉角材。」[16]接著十月八日早晨，本隊將角材忘在學生會館便出發，數名學生之後追上交付武鬥棒，這部分府川與三上的回憶一致。

如此，即便府川、荒、三上的回憶有所出入，但共通之處是共產同及其學生組織社學同的武鬥棒原本用於內鬥，直到前一天都沒想過用來對付機動隊。根據中核派同情者、高四生中野正夫的回憶，不久前的一九六七年九月，中核派在法政大也對民青使用武鬥棒進行大規模內鬥，在內鬥中武鬥棒已很常見[17]。日語中的武鬥棒稱為「Geba棒」，名稱來自德語的「暴力」（Gewalt），此前雖用於學生運動內部，但根據府川的說法，那是用來「毆打其他黨派」的，並無毆打警隊的意思[18]。

在荒岱介的回憶錄中寫道，七日晚間，即便提出備妥武鬥棒與機動隊對峙的方針，「但沒人願意輕易接受衝破機動隊人牆的方針。因為雖然大家都有強烈意識要阻止佐藤榮作訪越，不過沒人認為可以粉碎機動隊。」[19]對一直以來屢遭機動隊擊垮的運動者們而言，戰勝機動隊根本是未知的領域。

因此如三上回憶中所提及般，共產同高層擔憂學生們會在機動隊面前放棄武鬥棒逃竄，也不無道理。三上在回憶錄中說明，「要學生以角材與頭盔武裝，不可能是由黨派做出的政治性決定」，「不過是某人想到了就這麼一提，也就這麼一試罷了。」[20]

七日晚間，法政大約六百名中核派也決定在遊行中手握與社學同及社青同解放派對峙時使用的角材。屬於中核派的秋山三派全學聯委員長表示，「社學同那些傢伙，看到這種武裝，大概也不敢出手吧。」一位見證此次遊行的某法政大學生評論，「宛如印地安人出征前的舞蹈」，「如果再來個火堆，就一模一樣了。」[21]

十月八日早晨，三派自各大學出動。大部分學生都頭戴頭盔，抵達羽田機場時也握起武鬥棒。在早大的革馬派約四百人，則另行出發。

三派全學聯的副委員長，隸屬社學同的藤本敏夫回憶，「頭盔是因為〔一九六七年二月至七月的〕砂川鬥爭時大量出現頭蓋骨凹陷的重傷者，從中學習教訓後開始使用的，不過幾乎全體學生都戴上，大概始於『十．八第一次羽田鬥爭』。」[22]中核派的同情者中野正夫也提及，一九六七年九月法政大的中核派與民青內鬥上，雖然戴頭盔的人數很多，但「當時戴頭盔者大概就是〔示威〕列隊的前三、四排而已。」[23]與武鬥棒相同，頭盔也在內鬥中成為日常。而面對機動隊幾乎全員戴上頭盔始於十月八日這點，幾乎每個人的回憶都一致。

朝羽田機場前進的他們，內心有著什麼樣的想法，今日我們已無從得知。可能有年輕氣盛感到興奮的人，也有抱著彷彿校慶延長的心情的人。前東大教養學部自治會委員長，時任評論家並前往採訪學生運動的大野明男則寫道，他們內心的源頭是「憎恨」與孤立感。大野在對羽田事件的報導中，如此寫下對學生心中「情感」的推測[24]：

從觀念上來說，世界上過半的國家（包含日本）都憎恨把世界當自家後院的美國。我痛恨美國在全世界推行反共政策……支持各地的保守派建立軍事政權，鎮壓人民的解放鬥爭。我也痛恨（我認為）斷送社會主義國家的史達林。

我痛恨在日本扎根的保守派政府。我也痛恨日本壟斷資本和帝國主義勢力，（我認為）他們現在已經恢復到與美國平起平坐的地步。

而肉體上，深感切膚之痛的，是對機動隊的憎惡。直到現在好幾次、十幾次被機動隊的傢伙當作「玩物」暴虐對待。……

從日常生活而言，我厭惡那些對這些重大問題漠不關心的學生。對只會追求分數的上班族候補生們，無論如何都感到憎恨。想狂吼站起來吧！我也憎恨那些不僅不這麼訴求，還壓抑學生奮起，把憤怒轉移的既存左翼，亦即社、共兩黨。

即便是一同戰鬥的夥伴，我也痛恨那些理論分歧、情勢分析相左、在行動上搞分裂、給予不同評價的傢伙。為什麼不跟我們抱持同樣的想法！明明只有我們才是正確的！

在十月八日這天，單軌電車與巴士的出口都設下警方臨檢的體制，只要看似學生的人都不得進入機場。革新政黨人士或越平聯的年長者雖得以入場，但不可能靜坐抗議，只得在接送廊道上大吼「佐藤別去越南！」機場大廳聚集由各團體、個人組成的抗議團約六百人，機場外由共產黨約三百人，及構改派自治會共鬥、反戰青年委員會約八百人，進行非暴力的靜坐抗議[25]。

此外，也有由無黨派的學生、市民、勞工貫徹非暴力行動，不與三派全學聯合作自行展開的集會[26]。日高六郎等知識分子在前一天到首相官邸提出抗議。但根據社會黨系的某運動者稱，「雖然有許多集團在不同場所進行抗議，但在戰術上處於意志完全不統一的狀況，幾乎完全不知道其他集團在做什麼，這就是當天的實際狀況。」[27]

不過這天最引人注目的，還是三派全學聯。

首先，三派全學聯中的社學同、社青同解放派約一千名學生，於上午八時左右抵達京濱急行線大森海岸站，此處十分接近前往羽田機場的高速公路鈴之森出入口。根據曾是社學同幹部之一的成島忠夫回憶，社學同九月全國大會後，機關報上提出了「衝入機場」的方針。但九月大約兩次的正面攻擊中，都被機動隊澈底打敗，因此他們才思考從鈴之森出入口沿高速公路從側面通路進入機場的奇襲作戰[28]。

藉由這樣的戰術，學生們以頭盔、角材與機動隊進行對峙。但如前所述，他們心中真正想的是「沒人認為可以粉碎機動隊」。

但現實卻與預期相反，八日當天，警備本部收到學生們搭乘京濱急行的情報，預料他們將從鈴之森出入口進行突破，故將集結的兩千名機動隊中分出兩百人前往鈴之森。但抵達大森海岸站的學生們以投石與武鬥棒衝擊機動隊，很快便突圍。荒岱介回憶道，「進入機場的通道上，機動隊員紛紛倒地。簡直是一面倒的勝利。拿著武鬥棒朝逃走的機動隊員脖子毆打，他們便啪嗒啪嗒倒地。」[29]

此時機動隊敗北的原因，除了僅由約兩百名機動隊員迎戰約一千名學生的人數差距外，另一個原因就是未預料到學生會以投石、武鬥棒進行攻擊。當時的機動隊只有攜帶警棒與木製的小盾牌，這樣的裝備並無法抵擋投石與武鬥棒。

日後內田雅敏表示，「權力當局也知道學生們帶了武鬥棒與頭盔。只是完全沒預料到竟會對機動隊用上這些東西。」[30]如果事先便計畫以武鬥棒對付機動隊，恐怕警方就會有所準備，但這次只是內鬥之後留下的尾巴，屬於意外的行動，如此反而帶來幸運的勝利。

三派全學聯的學生們對於自己以武力擊垮機動隊感到興奮。三派全學聯委員長秋山勝行日後表示，包含十月八日的鬥爭在內，「學生以實力粉碎機動隊，出現了前所未有的局面，某位學生談及當時的體驗，說『這是第一次去追擊逃走的機動隊』。」[31]

然而，社學同與社青同的學生突破機動隊的人牆進入高速公路後，卻往遠離羽田機場的相反方向奔馳。這是因為事先探勘場地，掌握侵入機場路線的只有幾位幹部，他們因前一晚的會議而疲憊不堪，導致追不上先行部隊，無法給他們適當的指引[32]。

當學生們發現方向錯誤又回頭時，機動隊已經重整態勢，將他們趕出高速公路。學生們重新整隊朝機場進發，在穴守橋與機動隊發生衝突，雖然學生引火燒了機動隊裝甲車的輪胎，但也遭高壓水柱與催淚瓦斯彈擊退[33]。這是自六〇年安保以後，警隊再次對抗爭隊伍使用催淚瓦斯彈[34]。

社學同與社青同解放派突破機動隊的消息，被誤傳成成功闖入機場，這個錯誤消息也傳到了中核派耳中。上午九點左右，革馬派約四百人已在稻荷橋與機動隊展開衝突，在荻中公園集會的約一千名中核派被社學同闖入機場的消息所刺激，全體趕赴弁天橋[35]。中核派的學生也在公園拿到「角材上僅用兩、三根小釘子釘合、粗紙大小的合板標語牌」，他們把那些標語牌拆下，拿著剩下的角材當作武鬥棒，之後與機動隊爆發衝突[36]。

此處同樣迅速突破僅約兩百人的機動隊，根據某運動者的回憶，未預料到會遭武鬥棒攻擊的警方「明顯沒什麼緊張感」，但等學生拿著角材衝上去後，「被偷襲的身穿戰鬥服警官，連拔出警棍的時間都沒有就遭爆打。」[37]甚至有人說「第一次看到計畫被打亂而逃走的機動隊。」[38]

機動隊會敗給中核派，除了武鬥棒的效果之外，可說三派全學聯的分裂行動也是原因之一。三派全學聯因內部分裂而無法統一行動，從高速公路一側發動奇襲的社學同及社青同解放派，與從弁天橋闖入的中核派，完全是各自為政。加上原本就未加入三派全學聯的革馬派從稻荷橋闖入，這樣的結果導致警方受到三個方向的奇襲。因為學生內部分裂而導致警方戰力分散，實屬意料之外的效果。

然而警方最大的誤算是，他們預測佐藤首相的飛機起飛後，學生的行動就會降溫。如果認為學生們的目的在於阻止佐藤首相訪問越南，那麼理所當然會如此下判斷。但實際上等佐藤首相的座機起飛後，學生們的行動反而更為激烈。

在社學同與社青同解放派突破的穴守橋與中核派突破的弁天橋，學生以稀釋劑等化學品澆淋機動隊的裝甲車並陸續放火。最終學生奪下並駕駛遭機動隊放棄的噴水車，其他學生們便緊跟噴水車陸續前進。

不過重新整頓好的機動隊發動反攻，以警棍亂毆學生，有學生與機動隊員從橋上墜河，還不斷有學生穿著鞋子就逃入民家。中核派的運動同情者回憶，當時在機動隊的逆襲下「示威隊伍開始如鳥獸散」，「因為怕被當作證據，逃跑途中扯下頭盔、扔掉武鬥棒。」[39]

即便在這樣的情況下，新左翼黨派指揮部仍呼喊要求學生衝入機場。日後參加聯合赤軍的橫濱國大學生吉野雅邦說，他參加了中核派的隊伍，實在不忍看到學生們慘遭機動隊鎮壓，遂「回頭對背後正大喊著『衝啊！』的三派全學聯委員長秋山勝行說，『這樣下去不行啊，不想辦法解套的話』，但他卻回答『可以的！沒有別的辦法了！』總之他就只是不斷吼著『衝啊！』」[40]

最終，機動隊也在弁天橋用上催淚瓦斯彈逼退學生，這場亂鬥在下午終於停息。不過，在首次對機動隊展現優勢作戰的學生中，有一位表示「呀！太有趣了。好久沒揍人了。唉呀，實在有趣。」這名學生日後加入了赤軍派[41]。

但在這樣的漩渦中，也有尊重人命的場面。根據荒岱介的回憶，當有人要把倒下的機動隊員踢下高速公路的高架時，有名女學生喊出「請停手！這種幹法不是跟（虐殺越南人的）美國帝國主義一模一樣嗎？」因此制止對方。荒日後表示「在今天回顧，那聲音宛如天使之聲。」大野明男的報導中也寫道，「見到落入河水的機動隊員，學生之中也有人對他們投擲石頭，但見到大概不會游泳的機動隊員，也有已經上岸的學生又立刻跳回河水中救人的。」[42]

在這樣的鬥爭中，女學生在亂鬥或投石能力上被視為弱勢，因此多擔任救護班處理受傷學生，或者擔任撿拾石塊的「彈藥班」。當時《每日新聞》的記者寫道，見到「身穿紅襯衫、藍牛仔褲、白外套，這些女孩們在高樓與公寓的叢林中，沉默不語地不斷撿拾石頭，以搬運班的籃子或自己外套捲著石頭，持續搬運」的身姿，讓人腦海中浮現出「『大後方婦人』的奇妙聯想。」[43]

在這場混亂中，警方約六百人受傷，學生方有五十八人遭逮捕，並出現大量傷患。僅救護車搬運的傷者，就高達警察一百五十一人、學生七十五人、附近居民二十四人[44]。

衝突現場的附近商店街受害頗大，機動隊與示威隊伍的推擠造成「龐大壓力，把商店鐵門都擠彎」的事件頻傳[45]。而在上午十一點半，中核派隊伍中的京都大學大一生山崎博昭死亡。關於山崎的死因與他的死亡造成的影響，將於後文說明。

佐藤首相班機起飛後，鬥爭反而激化，原因出在包含三派全學聯在內的學生們的社會運動觀。若把阻止佐藤訪問南越的行動當成是欲獲取具體成果的政治運動，那麼佐藤起飛後仍與機動隊發生衝突乃至有人犧牲，幾乎沒有任何意義。

但三派全學聯並未採取此種運動觀。他們主張闖入機場，但闖入後打算做什麼，閱讀他們的回憶錄之後仍不甚明瞭。大野明男在第一次羽田鬥爭剛結束的報導中敘述道[46]：

……警方最大的判斷錯誤，似乎在於他們「判斷」「不論如何先讓佐藤首相起飛，之後學生大概就會放棄，不再進行反抗吧」，這點看來確實是個誤判。

那麼學生一方又如何「判斷」呢？因當事者泰半遭逮捕，故無法得知實情。然而……去年的反對核潛艦停靠橫須賀港鬥爭中，鑽過大門警備竄入基地的學生，卻顯出一副無所適從、閒得發慌的情景，就此某位消息靈通人士推測，「學生設想著與敵人的防備正面激烈衝突，只要突破即可，但突破後卻全然缺乏計畫。」

如第三章所述，六〇年安保鬥爭時，領導共產同的全學聯主流派幾度衝入國會，但闖入後僅在國會大樓內舉行了幾次抗議集會而已。三派全學聯也是，推測他們只思考盡可能靠近羽田機場，除此之外並無計畫。

不過，將這樣的行徑定位為「純粹」或者「稚拙」似乎也不恰當。他們，特別是新左翼黨派的幹部們，其實有自己的打算。

首先，正如第三章說明的，新左翼黨派一直以來採取激烈的抗爭行動，因為他們抱持把這種行動當作喚醒大眾政治意識的引爆器之「先驅性論」。如此，向民眾展示激烈的鬥爭有其重要性，至於要從鬥爭中獲得什麼，則是次要問題。

此外還有另一個效果，即只要他們展現「戰鬥的姿態」，便可昭告天下在多摩湖畔舉行「赤旗祭」的共產黨是「不戰鬥的組織」。第四章中介紹過的社會學者高橋徹在當時的雜誌上寫道，羽田鬥爭的「真正目的，與其說是要達成阻止佐藤首相訪問越南這種現實政治上的效果，不如說是要挑戰當今迷茫於『中庸的沙漠』、『飽食終日無所作為』、安居樂業的整個左翼政治。」[47]

羽田鬥爭剛結束後，三派全學聯幹部們的發言中也可見上述意圖。例如三派全學聯委員長秋山勝行便表示，「在政治上無法阻止訪問越南，算是敗北吧。但我認為在思想上是取得勝利的。我們激起激烈的兩極分裂。」[48]

秋山更進一步主張[49]，「就此可以看清整個事態：全學聯堅持實施羽田鬥爭，另一方面共產黨則在舉行『赤旗祭』，社會黨在逃避鬥爭。」「除了賭上性命與既存權力進行戰鬥外，其他都是一種勾結，頂多只是追求『不要輸得那麼難堪』的運動，明確為這兩類運動的質的差異劃下區別，這就是羽田鬥爭的意義。」

秋山在上述認知下又指出，今後面對大學新生的方法，「不再是說服後採取行動，而是在激動中施以震撼教育，迫使他們做出選擇」，即強迫他們是要加入戰鬥的中核派，還是安穩地支持不作戰的社共，在兩者中擇一。隸屬社青同解放派的三派全學聯書記長高橋幸吉也認為「讓群眾見到革命與反革命的兩極」，訴求對比「不戰鬥的社共」與「戰鬥的三派全學聯」[50]。

而新左翼黨派的幹部內還有層次更低的打算。那就是自家派系若能打出耀眼的一戰，就能吸引學生擴大勢力，從而便能掌握學生運動內部的主導權。

大野明男對於三派全學聯在與各新左翼黨派競爭中表現出的過激行為，推測他們的算計是「想藉由較他派更激烈的戰鬥被認可為全學聯的主流派」。高橋徹也評論道，「羽田抗爭中還有另一個目的，那就是在學生戰線內部取得主導權。」[51]果真如此的話，那麼前述「應想辦法避免犧牲過多的正面衝突」的建言，卻終究不被秋山委員長接受，也屬理所當然。

此種與其他派系對抗的意識，也滲透到底層運動者中。社學同的學生們在穴守橋放火焚燒機動隊裝甲車後，便對在稻荷橋的革馬派叫囂：「喂！革馬，你們幹得出來嗎？」[52]。

不過，若不思考此種政治考量，其實最吸引底層學生內心的是，即便在機動隊逆襲下處於劣勢，中核派領袖仍在弁天橋做鼓動演說[53]，表示「我們在機動隊面前展現我們的存在。我們表明了身而為人應有的姿態。」

根據當時見到現場狀況的劇作家佐藤信所言，站在前來反擊的機動隊面前「學生們是臉色發青，全身顫抖，到了無法動彈的狀態。」但聽了這段鼓動演說後，學生們又再度衝向機動隊發起亂鬥[54]。

六〇年安保鬥爭時的運動者野口武彥在當時的座談會聽聞此事後，如此表示[55]：「如何在那個現場確認自身的存在感，非常具有重量。此番演講中『存在』這個詞語，我認為是首次出現於鼓動演說上。」

當時的學生在經濟高度成長下面對包含認同危機在內的「現代的不幸」，因此「我們在機動隊面前展現我們的存在。我們表明了身而為人應有的姿態」這段鼓動演說才起了作用。當時「認同（identity）」一詞尚未普及，江藤淳、小田實等自美國歸國的文學家，以及高橋徹等社會學者僅使用「自我同一性」這個生硬的翻譯詞語，用來取代「實存」、「主體」等詞彙。

「在機動隊面前展現我們的存在」這段話，在學生運動中廣為流傳。日後以「全共鬥世代」代表性和歌作家而聞名的道浦母都子，其和歌集《無援的抒情》中開頭的短歌即是「壓迫而來的〈機動隊〉盾牌／不斷畏懼／在不斷畏懼中確認／我的存在」[56]。

清一色批評的大眾傳媒

對於實行上述第一次羽田鬥爭的三派全學聯，媒體報導完全站在了批評的立場。不只批判使用頭盔與武鬥棒是暴力行為，也揭發新左翼黨派間的爭權實態。此外還依照警方公告，報導死亡的京大學生山崎博昭是遭學生奪取的警方車輛所壓死。

報紙的報導、社論、記者的意見等，大致如下[57]：「死亡的激烈衝突 目無法紀的火焰」、「計畫性的暴力行為」（《朝日新聞》十月九日）；「完全就是黑道團體」、「這也算學生運動嗎」、「毫無理性的『暴力團體』」、「爭奪嫡系權利 宛如黑社會」（《讀賣新聞》十月九日）；「令人感到厭惡的愚昧英雄主義」、「因熾烈的派閥紛爭導致行動升級」、「他們總說『促成民眾奮起的引爆器』，但這種行為究竟如何能讓人理解？完全失去引人共鳴的基礎」（《每日新聞》十月九日）。

總結報紙的論調，即斷言三派全學聯乃「暴徒」，希望政府能嚴懲。此外還刊登了因學生與機動隊的衝突而無法營業的店家說法、對穿著鞋就闖入民家逃難的學生感到困擾的當地居民的心情。當時的週刊雜誌記載，「總之，狀況很慘。報紙上沒有半行贊同三派系全學聯行動的報導。」「與過往（六〇年）安保鬥爭時，報紙『善意的』態度相較，感覺完全不同。」[58]

「這也算學生運動嗎」的標題，展現出社會上尚殘留著過往認為大學生應當是兼備智慧與仁德的菁英儲備軍思想。而大學生「宛如黑社會」的暴力行為，與新左翼黨派貪圖主導權而行動的模樣，則飽受批評。

媒體上出現許多對學生「稚拙程度」的批評。作家兼日本大學教授三浦朱門評論道，「可以理解他們想追求的道理，但行動上過於幼稚。因升學考試的壓迫導致社會視野狹隘，所以才殘留這樣的幼稚吧。」作家平林泰子則斷言，「因為是學生所以社會往往寬大看待，但他們也太過任性了。」作家石原慎太郎表示，「他們幹的事情既非行為也非行動。跟長春藤盟校風格服裝、『瘋癲族』一樣，不過是種『流行風潮』。所以就像裙子越來越短一般，他們的行動也越來越激進。」[59]

大學成為「暴力學生」的據點一事，也遭到批評。十月十日《讀賣新聞》社論以〈已然不是學生運動〉為題，主張「各學生團體的據點大學淪為暴力事件的事前準備場所，亦必須追究大學的管理責任。」某月刊雜誌評論道，「學生在準備鬥爭，大學當局卻無所作為袖手旁觀，實在是太欠缺社會常識了。」[60]

大學相關人士，如東大校長大河內一男也在十月十四日的《朝日新聞》發表談話，指出「致力社會改革而與校外團體結合的學生運動，以自治之名受到保護，但他們卻依靠這點把大學當作據點來利用，此等行徑造成很大困擾。」十月的國立大學校長會議上也不斷出現類似意見。文部省則語帶滿足地表示「大家認真反省這點相當好」，「身為文部省，在這層意義上希望大學出手相助。」[61]

而秋山三派全學聯委員長在《讀賣新聞》訪談中表示：「我們不認同當今體制，所以也不認同法律。為了破除錯誤的體制，使用暴力是正確的」[62]。他提出這段發言後，又引來更激烈的反彈。

十月十六日《每日新聞》的社論主張，「政府當認定『此已超過學生運動範疇，屬於有計畫的暴力集團行為，表達澈底追究刑事責任的態度』，對此，社會應該不會有任何異議。毋寧說，這才是理所當然的做法。」十月九日的《讀賣新聞》報導也論斷「這不是示威遊行，其中也不存在民主主義。有的僅是拿著不成理論的理論，把年輕與自由當作特權而暴走的新暴力集團。」[63]之後警方提出拘票，逮捕了秋山委員長。

而同情的意見中，有許多也一邊批評學生稚拙的暴力，一邊認為該同情他們的純真。評論家本多顯彰評論道，「因為大眾未正面面對，所以他們認為只能靠自己做點什麼，我想他們帶有這樣的使命感吧。這源於被其他人忽視的絕望孤立感。所以，我雖然不認可他們的暴力，但必須認可他們那份純真。」官房長官木村俊夫雖也評論三派全學聯的革命思想是「不可容許的反社會思想」，但同時表示「但從質性而言，我認為那些學生中有許多優秀人才。吊兒郎當的人不會披上革命思想。在這層意義上必須加以同情。」[64]

此外，東京大學教授日高六郎表示，「包含美國在內的各國都對羽田事件感到震驚，並首次得知日本國內對首相出訪西貢有著嚴厲的反對意見」，他批評大眾傳媒未把反對越戰的輿論向海外報導，主張「讓言論機能與輿論的力量復甦，彼時『暴力』肯定會消退。」[65]包含日高在內，如大江健三郎、小田實、竹內好、鶴見俊輔、羽仁五郎等進步知識分子於十四日發表〈關於羽田事件之聲明〉，主張「不應該一味批評學生行動超越尺度，更要投入百倍的力量，對日本政治做出抗議。」[66]

此外，深受社學同馬戰派歡迎的經濟學者岩田弘以〈不戰鬥的革新政黨的不知廉恥程度〉為題，提出如下評論[67]：

羽田事件為世人揭露了一件非常清楚的事實。經由兩千多名年輕人的一些木棒和投石，以及一位犧牲者和警車冒出的黑煙，這些都代替國民群眾向日本的統治者表達抵抗與否定之意，藉此也向全世界人民，特別是向越南人民，挽救了日本人的名譽與良心。

……那些以批評他們為業的知識分子，以及革新團體的領導者們，對於唯有透過這兩千多名年輕人的「暴力」，才能對全世界代為辯解我們的名譽與良心一事，難道不感到一絲羞恥嗎？

作家柴田翔也表示，「我對佐藤也感到憤怒，但自問我究竟做了什麼？其實我並沒有做出任何有效的反對運動。」「在這點上，我感到內疚。」評論家飯田桃亦發言道，「八萬名受日共影響的人們，如果在羽田機場附近進行抗議遊行，或許山崎君就不會被殺了。」「大人們擺脫自身責任，指責學生是暴徒，這是雙重意義上的卑劣。」[68]

確實，十月八日社共兩黨並未實施有效的反對運動。特別是舉行「赤旗祭」的共產黨，更被三派全學聯學生輕蔑與不滿。社會黨也只提出「責任全在佐藤內閣」、「佐藤內閣必須負責，迅速總辭」

的聲明而已[69]。

而當得知大眾傳媒對學生的強烈抨擊後，社會黨慌忙發表書記長的談話，指出「社會黨被說成支持學生的暴力，讓人心痛。」原本非難新左翼黨派的共產黨青年學生部長也批評，三派全學聯「並不是什麼學生運動，而是反共、反民主主義的暴力黑道團體。」[70]

社會黨與新左翼黨派較無競爭關係，因此比共產黨更同情三派全學聯。社會黨的總務局長石橋政嗣表示，「我們可不像代代木（共產黨）那麼冷酷、冷血。」此外，事件當日在羽田機場的井岡國民運動局長表示，「即便學生們的運動做得太過頭，但對於該結果，革新黨還是應當加以庇護」，「像共產黨那樣認定那就是『托洛斯基分子的過激行動』，也太過簡化。不過，這也代表作為應領導學生運動的政黨，並未負起自身責任。」[71]

這類認為「大人」領導不足的批評，也出現在知識分子的評論中。東大教授篠原一評論，「誰都可以指責此次事件在政治上有多幼稚，但事後處理上要發揮大人的成熟度，沒有成熟的社會人士就不可能妥善處理。」作家兼精神科醫師灘．稻田表示，「如果我是遊行的領導者，大概會採取游擊戰術吧」，他認為讓數十個人乘船登陸機場舉行抗議遊行便已足夠，批評三派全學聯的「玉碎主義」[72]。

然而，學生們並不同意「大人」必須「領導」的意見。三派全學聯的學生不僅對共產黨，也對發表聲明的社會黨表示輕蔑，認為他們是在內心反對越戰，卻不與自民黨政權作戰的一般「大人」。秋山委員長等人也發言宣揚「在敵人最強之處進行作戰」的戰鬥態度[73]。若站在這種立場上，只會認為所謂採取游擊戰的建議，根本是胡說八道。

此外，學生們有一種傾向，即不把批評當作一種傷害。三派全學聯副委員長藤本敏夫回憶，當日後讀到報紙「在頭版大肆報導羽田的事情，讓我重新感受到原來我們幹出了這麼驚天動地的事情。」[74]

原本學生就認為他們稱為「布爾新」（「布爾喬亞新聞」的簡稱）的媒體，根本沒有正確報導他們的行動，故對這些媒體抱持著批評的態度。十月八日當時在羽田的一位學生給《越平聯新聞》的投稿中如此敘述[75]：

「羽田的居民確實如大眾傳媒報導般，認為『學生很過分』。然而，為何一邊說著『為什麼在學生如此反對的情況下佐藤還要去越南？』『為何警隊要以如此激烈的方法鎮壓學生』，一邊又逮捕進醫院的學生，或者拚命關注只有些許擦傷的警察，但總不見去幫助受傷的學生呢？如果大眾傳媒的報導只傳達了部分真相，不報導事件本質……那真的是不可原諒。」

另一個值得關注的焦點，是輿論如何評價死亡的京大學生山崎博昭。一九六〇年安保鬥爭中，樺美智子死亡時，許多國民都表示追悼之意，讓許多人回想起當時輿論對岸信介內閣的批評。但此次大眾傳媒與政府的大多數反應，都顯現出他們認為樺美智子之死與山崎博昭之死是完全不同的兩碼事。

十月八日，當傳出學生中有人死亡的消息時，警方想起樺美智子之死並感到擔憂。但當獲得情報知悉，他是被學生搶走的警車所壓死後，警方都放下心中的大石。木村官房長也發表談話，指出「完全變成暴徒的學生」殺了自己的學生夥伴，這點與「樺美智子事件在本質上截然不同。」[76]秋山三派全學聯委員長主張山崎是「被機動隊所撲殺」，但大多數的媒體都選擇無視這個主張。

輿論也表現得很冷淡。前運動者野口武彥評論道，「與樺美智子時的狀況相比，山崎的死亡既不具戲劇性也缺乏榮譽，說嚴重些，甚至帶著一種很嚴重的、慘澹的陰鬱。」[77]《週刊朝日》報導，「當安保鬥爭中樺美智子死亡時，隔天事發現場的國會南門前擺滿了花圈，但這個早晨（羽田事件隔天早晨），卻不見任何憑弔山崎的花束。」[78]由新聞工作者大森實主辦的《觀察者》雜誌上所做的民意調查，認為學生行動「不好」的意見達七十八%[79]。

有許多意見指出，因經濟高度成長導致對政治運動的評價發生了改變。評論家上杉悠指出，「包含知識分子在內的一般國民不斷朝My Home化、小市民式日常」邁進，自六〇年安保起「經過八年歲月，對（因政治而死亡的）評價也出現重大變化。」[80]新聞工作者大宅壯一評論，「在日本，經濟上安定的中產階級佔全體國民的九成，滿腦子充滿休閒情調。在這個國家究竟有多少人認真思考要發動革命」，「我們已經受夠了『革命扮演遊戲』了。」[81]

十月八日晚間，某廣播DJ發言道[82]：「看了電視新聞，感覺就像外國發生的事情呀。如此和平的日本，竟然發生那樣的騷動……。今天是時隔多日的秋高氣爽週日，觀光地到處充滿人潮。」引用此DJ發言的週刊雜誌指出[83]：「『這是革命。使用暴力也是不得已的』──學生這種公然放話的激情與行動……我們實在難以理解。」「尋常的安穩日常，與學生們瘋狂般的非日常世界，到底在何處，如何進行連結呢？」

在經濟高度成長下和平且豐饒的日本，為何要嘶吼著革命與機動隊發生衝突呢？報導中「大人」提出的共通疑問，便是此點。他們也揣測著各種解釋。

「大人」之中，有人把三派全學聯當作「暴徒」，有人評論這是幼稚又不知世事的「革命扮演遊戲」，有人說雖然不贊同他們的手段但該同情他們的純真，有人解釋既存革新勢力的不作為造成了他們的「暴走」。不過，即便他們的揣測能說明某些側面，但同樣都忽略了最大的問題。

亦即，正是因為在經濟高度成長下和平且豐饒的日本，而且唯有在「包含知識分子在內的一般國民不斷朝My Home化、小市民式日常」邁進的狀況下，青年們才會直接面對「現代的不幸」，為了確認自己的「存在」與認同而採取直接行動。另一點是，如果說起「生活困難」，當時大多數的年長者腦海中只會浮現戰爭和貧困等所謂的「近代的不幸」，無論他們的思想偏左偏右，都無法想像青年們的苦楚。

而年輕人們對第一次羽田鬥爭，則展現出與「大人」不同的反應。

「十．八震撼」

大眾傳媒的反應與年輕學生們的反應大相逕庭。參加第一次羽田鬥爭的橫濱國大學生回應當時雜誌的訪問時，有如下敘述[84]：

——為何去羽田機場？

「很明顯日本逐漸成為越戰的參戰國。越南出現特需，即便油罐車在新宿發生大火，也要幫美軍噴射機加滿燃料。佐藤出訪越南不過只是其中一例。我們的目的在於反戰與和平。……」……

——日共（日本共產黨）指責你們只是徒給政府鎮壓的藉口。

「害怕鎮壓，就是政府打造的思想陷阱啊。……我過往也以為日本是自由、和平、平等的好國家。但，想到要『做一場反戰遊行吧』就立刻被管制。這算什麼？至此我終於知道，以為自由什麼的，是徹頭徹尾的錯誤啊。」

當時的年長者幾乎皆經歷過二戰，但即便日本政府支持越戰，只要日常生活不受飢餓與空襲之苦，他們就能切身感受到「和平且豐饒的日本」。但對既無戰爭體驗也無飢餓經驗，接受民主教育洗禮的年輕世代而言，童年被教導的日本形象與當今政府和社會現實卻存在隔閡，這種巨大衝擊迫使他們採取行動，亟欲奪回他們想像中的「原本的日本」形象。

普通學生的反應也與年長者相異。特別是在之後的報導中，披露了死亡的京大學生山崎博昭的人品。山崎一部分的日記被刊登於一九六七年十月二十七日的《週刊朝日》，內容給學生們帶來了巨大衝擊。

山崎雖從高中時代便參與反戰活動，但與大眾傳媒報導的「暴徒」、「黑道」形象相去甚遠。山崎成長於貧困家庭，靠獎學金就讀大學，正義感頗強，高中成績也名列前茅。高中時代起他遍讀存在主義哲學書籍，雖然辯論時論理明晰，但不喜與人強辯，在同班同學中相當具有人望。

山崎高中時代的同班同學與老師如此回憶他的性格[85]：「班會討論時山崎君擅長辯論，但絕非一心想駁倒對方。」「給全班出問題時，博昭君即便立刻理解答案，只要還有人解不開問題，他就不會舉手回答。他總是留心給大家思考的時間，等有人舉手後他才隨之舉手。」

高三時，山崎在自治會祭上以班級代表的身分焚燒越戰參戰國的國旗，訴求反戰精神，此舉招惹學校關注。山崎對全班說「我會負起全部責任」，因此深獲同學信任，全班同學甚至決議發動罷課以聲援山崎[86]。

山崎這樣的性格，即便進入京大，加入中核派後也未曾改變。運動的夥伴也表示，「要說學生運動中全然沒有英雄主義，那是在扯謊。……但山崎君卻非如此，總是慎之又慎地保持低調。」「他是絕對不會躁動的男性。總是保持冷靜、安靜。」[87]

而公開的山崎日記中則赤裸裸地自我揭露，「我知道我自己缺乏勇氣」，「出生在地球上經過十八年又十個月，這段歲月我究竟做了些什麼？」「一味在懷疑與不關心之間動搖，借用他人的話語來自我辯解，這樣的我，究竟是誰？」加上他死亡時帶著的背包中，除了放著馬克思、托洛斯基、列寧外，還有齊克果與施克萊（Judith N. Shklar）等存在主義哲學書籍，以及德語、法語教科書，可見他熱中學習與真摯的性格[88]。

如前所述，警方公布的山崎死因是遭學生搶奪的警方噴水車壓死，但三派全學聯則主張是遭警方毆打致死。調查死因的司法解剖時，並未准許律師或辯方律師在場，但從疑似殺害山崎而被逮捕的學生，最後因證據不足而被釋放來看，三派全學聯的主張似乎更有說服力[89]。

閱讀有關山崎人品與日記的報導後，青年們得知他賭上性命採取行動，因而引發熱烈的共鳴。日後成為日大全共鬥運動者的日本大學經濟學部學生安藤根八如此寫道[90]：

小學、中學時代雖有否定天皇制、憐憫窮人、反對戰爭、人類平等之類的觀念思維，但高中時代因家中的經濟糾紛加上反抗期，逐漸沉迷在追求女孩與時尚之中。只為了「想離開父母」而進入日本大學，每天混在酒、女人、時尚、麻將、小鋼珠中，追求布爾喬亞式的學生形象，過著怠惰的日子。……

一九六七年十月八日，在羽田的阻止佐藤訪越鬥爭中，京大學生山崎博昭君死亡。他的死給我的內心帶來重大衝擊。

出生在地球上經過十八年又十個月，這段歲月我究竟做了些什麼？當下我沒有背負責任，也不對未來負責，一味在懷疑與不關心之間動搖，借用他人的話語來自我辯解，這樣的我，究竟是誰……。

山崎君的日記內容深入我的內心。在他的心中，有值得賭上性命而盡力一搏的東西！那麼，我有嗎？

之後安藤思考，「我想理解山崎君的行動，我想知道當他在警棍下聽到自己骨頭碎裂之聲，即將死亡之際，他究竟想著什麼」，安藤因此參與了日大鬥爭。他又提及，「當時我的心中與其說要改革日本大學，不如說充滿了一種自己又更接近山崎君一步的感覺。」[91]

如第一章所述，他們這個世代在初等教育中被教導平等、反戰、和平的理念，並在日後的成長中捲入將他人踢落才能成功的升學考試。許多青年持續感到自我厭惡，又因消費文化而迷茫在「現代的不幸」一中。對這樣的青年而言，山崎的死，能讓他們感到「原本應有的自我之死」。

日後成為東大全共鬥運動者的某東京大學一年級學生的手記中，也可見到相同旨趣的發言。這位學生如此記錄聽聞山崎之死時感受到的衝擊[92]：

除了語言課程之外，都在大教室上使用麥克風的典型量產課程。因為這個緣故竟讓我的內心變得如此空虛。以前允諾自己，升上大學後要做這個，要做那個，特別是一直因為拚命唸書而無法閱讀小說、詩歌，之後想要閱讀這些文學。這樣的想法，難道是讓我壓抑自身慾望，讓我不斷邁向升學考試路途的藉口？……

一九六七年十月八日。京大學生山崎君在第一次羽田鬥爭中遭警方殺害。——他是我的高中學弟，我記得他的臉也聽過他的名字。

他的死，毫不見外地踏進我的內心。

此時，我身為良知派認為〔越南〕戰爭不好。……但卻沒有做出任何實際行動。因為我認為，就算示威遊行也沒什麼幫助，不如我們直接成為官僚，進入決策中樞做出各種改革，這樣更有效果。……

然而，我只是用這樣的想法來掩飾自己什麼都不做——連表達自身意志都沒有——自我合理化罷了。在他的死亡面前，所有的道理、藉口都失效了，實在是太過沉重了。

不只是大學生，山崎之死也給高中生造成廣泛衝擊。某高中生在當時的雜誌《年輕廣場》的座談會上，談到自己為何會對山崎死亡感到震撼[93]：

「其一是京大學生所代表的意義。他是所謂一流大學的一年級學生。如果他努力用功唸書，肯定會走上出人頭地的坦途。即便如此，為何背棄自己被承諾的未來而去參加鬥爭？我的思考就是從這個簡樸的疑問出發的。」

這段發言可讀出，「一流大學的學生」拋棄菁英坦途，賭上生命參與反戰運動，給每日苦於升學考試的高中生帶來震撼與衝擊。

此外，活在升學競爭與無趣大學生活中的青年認為，山崎之死為他們提示了「人的生存方式」。一九六八年十月，京都越平聯機關報刊登的學生文章，有如下表述[94]：「他（山崎）的死亡，是拒絕現實世界中非人的生存方式，對全世界所有為了追求更符合人的生活方式而付諸行動的人而言，這種死亡的可能性，任誰都可共享。因此，我絕對不會忘卻他的亡故。」

山崎高中母校的同班同學為他製作的追悼文集中，有如下內容[95]：「在十月八日／我出生了。」「人生中最糟糕的一天。十月八日。被塗黑的日曆。」「你流的血，是反對佐藤訪越的人，以及反對侵略越南、反對日本援助的人們的，所有人的血。而你遭受的死亡之刃，也是刺向我們全員的死亡之刃。面對於此，究竟是屈服，或者做出抵抗——在『和平』、『文明』且『繁榮』的日本，我，以及所有的人們，都被迫在兩者間做出選擇。」

此追悼文集的某篇文章敘述道[96]：

> 理所當然地，他一開始並未預設自己會死亡吧。即使如此，在那座橋上，他並未走入隊伍的後端，而是自行走到前頭。一如電視新聞上所見，看到那個武裝警察，任誰都會覺得「會被他殺死」吧。山崎約莫也是這麼想的。即使如此，他仍站在前頭作戰。……聽到他的死訊時，我心中只感到「對不起！」「真的很抱歉！」然後有股想要放聲嘶吼，向外狂奔的衝動。

許多年輕人懷著潛在的反越戰意識，在升學考試與量產型教育的現實之前卻沒有採取任何行動，因而都抱持著罪惡感。對上述文章的作者而言，山崎之死引發他「對不起！」「真的很抱歉！」的感受。

山崎之死促成許多青年參與運動。當時的早大生，日後成為和歌作家的道浦母都子在一九七〇年如此書寫山崎死亡給她的衝擊[97]：「我還不理解馬克思主義、反帝、反史達林，在充滿混亂焦躁的心情中，打開七〇年鬥爭的運動已經開始，其中有人能為此賭上性命，尖銳地刺激了我。我感到自己必須開始做些什麼。」「之後我變得積極參與集會、遊行。」

剛進大學的新生也受到衝擊。日後成為社會學者的上野千鶴子與山崎同為京大一年級學生，她回憶道「我出生後第一次參加遊行，就是在京都的山崎博昭追悼遊行。一個月後發生第二次羽田鬥爭，我也前往羽田機場了。」[98]

山崎之死同樣給老經驗的運動者們帶來衝擊。隸屬社學同ＭＬ派的東大研究生柏崎千枝子，自一九六二年的反對大學管理法運動開始參與運動。她如此敘述聽到山崎死亡新聞時的感慨：「我思考著，『殺死山崎君的，並不是什麼國家權力。對於那些賭上性命要與越南人民站在一起的人，選擇旁觀的你，才是殺死他的凶手。』二十四歲的我不如一個十八歲的青年，感覺輸給了十八歲的青年。」[99]

因山崎之死而開始參加運動的案例多不勝數。一橋大學越平聯的井上澄夫在一九六九年寫道[100]：「我開始參加越平聯運動的契機，是一九六七年十月八日山崎君之死。」「從他死亡那天我開始轉變。」「我和越平聯的夥伴或各新左翼黨派的人聊過，發現直接受到十·八影響而開始參與反戰運動或革命運動的人，驚人地多。」

一九六七年時是大四生，畢業後進入朝日新聞社的川本三郎在一九八八年的回憶錄中如此敘述[101]：「此事件（山崎博昭之死）給學生們的衝擊相當巨大。『他死的時候，你又在做些什麼？』這個問題困擾著所有人。此即所謂的『十・八震撼』。對被喚為全共鬥世代的人們而言，忘不了一九六七年十月八日。這天成為了一個『紀念日』。」

屬於少數派的「十・八震撼」組

然而對這個「十・八震撼」，當時並非所有青年都抱持共同感受。根據當時的《朝日Journal》的報導，中核派據點的法政大舉行「山崎君虐殺抗議集會」，但參與者只有約八十人。普通學生則表示「每天都看著那夥人（中核派）的那種幹法，所以並不讓人感到驚訝。」[102]

日後成為東大全共鬥運動者的大原紀美子，聽聞山崎死訊後也在一九六九年的手記中寫道，「那天之後我每天都思考著鬥爭與我的關係」，十月九日她寫下東大本鄉校區的情況[103]：

> 昨天十月八日，羽田的戰鬥中，山崎君死了。而這裡卻如此安靜，這究竟是怎麼回事？彷彿沒發生任何事情般。……
>
> 不過，最終還是辦了集會。「十・八山崎君虐殺、追悼集會」——非常匆忙之下準備的立牌以黑框包圍，潦草寫上的文字宛如象徵人死的空虛般，如此悲傷。多用點心書寫明明會更好些，可是……。……

運動者們輪番拿著麥克風演說。散發傳單，人們逐漸聚集，但只有五、六十人參加集會。許多人只是路過瞄一眼，之後便匆匆離開。

在第一次羽田鬥爭後，六〇年安保鬥爭時的運動者森田實接受週刊雜誌採訪，表示「總之，大多數的學生都因My Home主義而逃避集會，所以無法聚集人潮。」然而，上野千鶴子在京都參與的山崎博昭追悼遊行，參加的學生約五百人，《週刊朝日》報導「反日共派全學聯平日的動員能力也達不到這個人數。革馬派全學聯委員長成岡庸治也在事件後不久的訪談中承認，「現在許多學生都處於不關心政治的狀態，羽田的行動現在無法立即取得全部學生的支持，我們也在正視這個事實。」[104]一部分反應熱烈，另一部分卻漠不關心，這種乍看之下相互矛盾的現象，野口武彥有如下紀錄。他當時在都立高中擔任兼任講師，在班上問學生對羽田事件有何看法，結果是全班都對該事件抱有一定關心與知識，但對三派全學聯的評價卻一分為二。

據野口稱，班上超過半數人的回答屬於鸚鵡學舌式地重複大眾媒體的論調，批評學生的暴力。但有大約五個學生，激情表示支持羽田鬥爭，其中一人說，「如果沒有意外考上大學的話，七〇年我將是大二學生。那個時候，即便不願意我們也會站到第一線吧。所以，羽田發生的事情並非跟自己無關。」野口表示，「平日壓抑、溫和的學生說出這樣的話，反而更強烈敲打我的內心。」此外，還有「眼眶微微濕潤，低著頭說『我無法下判斷』」的女學生[105]。對於這些學生的反應，野口如此記道[106]：

山崎君的死，給許多學生帶來深刻的課題。……此事件產生了一群學生，他們以「被動員去羽田」與「未參與的自己」這種形式，形成認真與自己對話的習慣。這樣的思索，類似彼時不在現場的自己究竟是什麼，如果把自己的缺席正當化，依據的又是什麼道理，理所當然地，如此引導出來的幾乎就是存在論式的自我問答。

野口在當時的座談會上主張，現代的青年失去與社會的聯繫，「總之只有戰鬥，才能確認自我。」他舉出一則在電視上看到的學生發言為例：「我之所以去羽田，並非心中懷有什麼目的。而是為了知道，去了現場自己會感受到什麼？例如自己面對機動隊，跟著哇哇吼著發生衝突時有什麼感覺，才前往現場。」這是野口參加六〇年安保鬥爭時未曾見過的感受，所以他表示「這恐怕是非常新鮮的狀況。」[107]

在座談會與野口同席的飯田桃如此表示：「包含日本在內的先進資本主義國家」進入貧困消失、消費品氾濫的「大眾社會」，絕大多數變成「感覺已經完全沒必要自我表現的人」。另一方面，有相對少數的一群人不滿足於這種狀況，「認為有必要自我表現，所以必須表現出極敏銳的感性。」為了實現這種想直接表現自我意志的慾望，讓他們「脫離議會制民主主義，開始採取更為直接民主主義式的參與型態。」[108]

如第一章所述，伴隨經濟高度成長出現了大眾消費社會，象徵學生會沉寂的年輕人「三無主義」擴散，想要採取行動打破這種情況的，一如野口負責的班級，一個班級中大約有五個人。如前面章節說明的，熱心參加大學鬥爭的人只佔全體學生的一成左右。而「大眾團交」所象徵的直接民主主義志向，也已然萌芽。

恐怕，對山崎之死表現出熱烈反應的青年，就是那些無法滿足於經濟高度成長下持續邁向大眾消費社會與「三無主義」的，一成左右的人。然而他們屬於少數派，因此追悼集會才會出現無法聚集大量人潮的狀況。

教育學者鈴木博雄當時進行的調查也能佐證此事[109]。十一月十二日為了阻止佐藤首相訪美而發起的第二次羽田鬥爭，同樣發生三派全學聯以武鬥棒、頭盔與機動隊發生衝突的狀況，之後鈴木對二百五十名學生、一百名大學教授、三十名高中以下的教師及校長、一百名學生雙親進行了問卷調查。

根據該調查，問及包含羽田鬥爭在內的最近學生運動是否「只是部分、限定的學生的問題」時，八十一%的學生回答「不是」，遠高於大學教授的三十五%，高中以下教師及校長的二十一%。但，對於以武鬥棒、頭盔為象徵的武力性抗議行動是否為「動機良善，但方式錯誤」的問題，學生回答「不是」者只有九%，八十二%的人認為「是的」，九%的人「不回答」。

此處可以看出如下幾點。超過八成的學生，包含表面上不關心政治者，都不認為山崎之死象徵的運動激烈程度是「別人的事情」。但肯定武裝鬥爭的人僅約一成，理解動機但反對武裝鬥爭者約八成。而如野口武彥所述「眼眶微微濕潤，低著頭說『我無法下判斷』」的女學生般，回答「無法作答」者約佔一成。

然而，相對於對山崎之死表現出真摯反應的學生，新左翼黨派則有其他層次的政治計算。如前所述，三派全學聯主張山崎乃受警察毆打致死。但當日在現場的大野明男則對此抱持疑問。

據大野稱，上午十一點傳出山崎死訊後，秋山委員長心情混亂地說「是不是被車壓到之後，被敵人施以致命一擊才死亡的」，中核派幹部也沒主張是由警察「毆打致死」。此外，大野還目擊給噴水車清洗輪胎的學生，問對方理由，回答是「（新左翼黨派幹部）叫我來清洗的。」[110]

大野根據上述的狀況，表示山崎「被撞死幾乎是確定的事實」，但「山崎君為何會倒下，為何無法避開車輛，是否是因為被警棍擊倒，這幾點我則無法置評。」[111]時至今日，真相已然不明，但在現場直接見聞狀況的大野證詞仍有參考的價值。

此外，社學同幹部的藤本敏夫回憶聽聞山崎死訊時，「原本心想執行這麼大規模的鬥爭，有一、兩個死者也屬理所當然，所以聽到報告時，完全不感驚訝。」[112]可說新左翼黨派幹部的感知已經到了下層運動者死亡也不感到震驚的麻痺狀態。

新左翼黨派幹部的這種態度也引來批評。《讀賣新聞》記者渡邊恒雄（現會長）在當時的座談會上如此敘述[113]：「那個叫秋山的委員長，以及那些領導層，平常只會逃避，發生事情時只會站在前面煽動大家，在他的領導下數名夥伴額頭裂傷，大量出血，對於出現這樣的犧牲者，他們有感到什麼責任嗎？」

十月八日，在機場外進行非暴力靜坐的結構改革派運動者當時如此批評三派全學聯[114]：「我認為他們恐怕把現實與鼓動演說混為一談。大致來說，『賭上一死』戰鬥這種戰術與領導體制都亂七八糟，邏輯也不明確。既沒有被鎮壓時的對策，也沒有救援、補給體制，更無輿論對策。可說非常天真。甚至有種把戰術上的錯誤合理化為『賭上一死的決心』的傾向。」

然而，三派的幹部們對自己的領導造成下層運動者死亡，並不像感到有責任的樣子，僅指責那是「國家權力的蠻橫」。同時，新左翼黨派同志間為了面子之爭，各派幹部非常熱中於處理山崎之死。中核派早已打出「別讓山崎君之死白費」的說法，用來作自家派系的宣傳。據當時報導稱，社學同的幹部如此表示[115]：「中核派擅自決定〔十月〕十四日舉行追悼集會，對我們說想來就來。唉，如果演變成像是在爭奪遺體，那就太難看了。所以十四日我們的代表前去參加，隔天十五日在弁天橋舉行三派共同的追悼集會，不要給人分裂的印象。」

而根據三派全學聯副委員長、社學同的成島忠夫回憶，十月十七日在日比谷野外音樂堂舉行「山崎博昭君中央葬禮」時也發生爭端。成島稱，中核派想把葬儀打造成「國民葬禮」，社學同則認為應該舉行「人民葬禮」，「加以刁難」[116]。如成島所述的「刁難」，比起理論或政治路線的歧異，更顯出別有用心的面子之爭。

新左翼黨派這種態度，自然引起外界的不滿。結構改革派理論家且為年長領導者的安東仁兵衛當時表示[117]：「我身為所屬政治組織的代表，出席了十七日的葬儀籌備會」，「但對葬儀應採用的形式發生了爭論，讓人厭煩。針對進行的方式，三派的各派——正確來說是中核派對共產同、解放派，針對各種事項互咬，並一直持續這種狀態。簡單來說，現場飄蕩著一股該如何利用此事的氣息，都打著如何〔把山崎之死〕搞成對自家派系有利的卑劣算盤。」

山崎隸屬的京大班級提出聲明，表示「山崎君之死遭政治利用是最可怕的」，並指出「我們為他的死感到悲傷、哀悼。不能讓他白白犧牲。然而對他的死在悲傷之餘，不能出現急躁、輕率的舉動。」[118]知名的馬克思哲學家梅本克己也給十七日的「山崎博昭君中央葬禮」發送憑弔電報，表示「在憑弔山崎君之死的同時，排除所有的利用主義。」[119]

據當時的《週刊朝日》稱，山崎的同班同學表示[120]：「我絕對反對暴力主義。但對於被這種主義附身的學生們，我卻覺得很美。所以，當他們被稱為暴徒時，我覺得有什麼重要的東西就此凋零了。」

想要解除我們的不幸，這種純粹的心境，我的心情是與他們有所共鳴的。」

「政府做得那麼過分，所以必須採取行動，我覺得這種心情是值得讚許的。如果沒有該事件，佐藤首相訪問南越的嚴重程度，或許根本不會進到一般人的意識裡。雖然這麼想，但今日的學生運動普遍讓人失望。沒有任何一個派閥是信得過的。」

「最終，還是得靠行使選舉權來表達反越戰的心聲不是嗎？沒有其他的方法了吧。直接行動並無法阻止日本輸出武器。」

「我完全不懂學生運動的本質或馬克思主義。從升學考試中解放出來，首次在京大校內見到張貼的傳單、拿著擴音器演講的人時，頓時覺得：啊！原來這就是大學啊。我還不成熟，所以對於輕率的行動，覺得還是該加以克制。」

包括發言的學生在內，大部分普通學生的意識與上述內容大同小異。但不管新左翼黨派幹部的算計如何，山崎之死還是牽動著一定數量的年輕人的心。

而這些學生們也某種程度上把山崎理想化了。當時的週刊雜誌採訪到學生如下心聲：「直到現在，好像仍可聽到他說『你們也能抱著必死決心抗議嗎』的聲音。」「絕非死得毫無價值。他的死是否有價值，由我們今後的運動決定。」「他是因反對戰爭而被殺的國民英雄。我也打算追隨他的道路。」[121]

這樣的學生們對大眾媒體的「暴力」報導發出反彈。京大的某學生表示，「社會上把我們的行為評價為暴力，但最大的暴力是戰爭，其中最清楚直接的表現，就是越戰。」中核派的學生幹部吉羽忠主張，「雖然我們被說成暴力，但提著手槍擋在我們面前的警隊，那才是暴力。對我們而言，為了否定暴力，只能使用暴力。」[122]

他們也批評不為反越戰做出行動的「大人們」，以及包含共產黨在內的革新政黨。前述的吉羽主張，「問題出在批評我們的大人們，自己卻不盡自身該負的責任。這也包含當天熱中於赤旗祭的日共……。」參加山崎追悼遊行的某高中生對採訪的記者喊道，「批評羽田事件的大人，在阻止佐藤首相訪問越南一事上，究竟做了些什麼？」[123]接受戰後民主教育的他們，對讓民主主義空洞化的「大人們」感到憤怒，一如第一章所述。

據當時的明大學生上原俊介稱，武鬥棒是脆弱的杉木角材，「只要一次打擊就會啪地斷裂」，他對「改變過去以來錯誤的政治表現，致力於自我表現」的說法表達出共鳴。亦即，所謂頭盔與武鬥棒，與只有嘴上說說但卻不行動的「大人們」或既存革新政黨不同，是一種「自我表現」的選擇[124]。

透過這種新的「自我表現」首次擊敗機動隊的事實，為鬥爭參與者留下勝利感與解放感。一位參加者於後年如此敘述[125]：

> 武鬥棒（角材）與石頭產生了巨大的解放感。終於能從過往悲慘的遊行中跳脫出來。在此之前，去參加遊行就等同去挨機動隊揍。因為有美國越戰這種更大型的暴力存在，相較之下我們的暴力根本不值一提。羽田鬥爭因具備反越戰的大義名分，所以是一場祭典。

據說在羽田鬥爭開始前，三派全學聯的秋山委員長說過「〔由機動隊〕包夾而被幹掉的遊行〔三明治遊行〕，已經讓我們受夠了。這次要幹場真正的示威遊行。」事件當晚的記者會上，秋山也表示

「我認為擊垮機動隊的壓制是一項重大的成果。」[126]

「可以反擊機動隊」這個事實，也讓一些人可以感受到自身的「存在證明」。參加第一次羽田鬥爭的學生後年如此回憶道[127]：「當時稱為『暴力打開的地平線』，這確實激發了運動的活力。我認真思索是否能落實『武力阻止』這個詞彙，能落實到什麼程度，也感悟到除了去現場戰鬥，別無其他辦法證明自己的存在。共產黨沒有這樣的覺悟。」

從這些參加者的說法可以窺見，他們透過與機動隊互毆，得到了「活著」的現實感和「自身的存在證明」，不同於只出一張嘴的共產黨或「大人們」，展現了言行一致的決心，因為有這樣的理由，所以手持杉材武鬥棒與戴頭盔的造型才大受學生歡迎。從破壞效果而言，杉材的武鬥棒等稱不上是武器；武鬥棒與頭盔是被當作對「滿嘴謊言」的「大人們」表達反抗及決心的「自我表現」象徵，也是跳脫經濟高度成長下「現代的不幸」的一種手段，所以才受到歡迎。

此外，關於三派全學聯「言行一致」地作戰，而共產黨卻大搞「赤旗祭」的論述，也獲得一定的支持。根據荒岱介的回憶，他在學的早稻田大學的代議員總會上，有人質問掌控執行部的民青，「（三派的）學生們拚命戰鬥過，而自治會執行部在阻止佐藤訪越鬥爭中又是如何戰鬥呢？你們覺得京大的山崎君為何被殺？請民青執行部回答。」據說這段質問贏得了普通學生的掌聲[128]。

民青也承認這一點。東大的民青運動者大窪一志如此回憶當時的狀況[129]：「我們這些日共＝民青派學生，被動員去早已預定的多摩湖畔『赤旗祭』，所以無法組織阻止鬥爭。民青派學生在舉行追悼集會、演奏〔山崎博昭〕送葬曲的東大駒場校園內，瞬時遭到孤立。因為，大家認為『我們賭上自身的一切去作戰，當有人死亡時，你們還在多摩湖畔唱歌跳舞！』」

同時應該注意的還有，身為菁英種子的學生應作社會變革的先鋒，這種往昔「學生本分」的舊日學生觀，仍殘留於這次鬥爭中。

例如京大某運動者在第一次羽田鬥爭後不久，做出如此敘述[130]：「上大學後旋即迎來不安的時期。當時我迷惘著，是該埋頭去做個文學青年，還是該做個知識分子的種子，對社會負起責任？最終感受到社會矛盾的我，選擇了後者的道路。」在後述的第二次羽田鬥爭中遭逮捕的某學生也主張，「我們身為學生必須做些什麼呢？不是只追求普通的學習，而該從本質去思考，我們如何能承擔一個將來會更好的社會。我認為那才是學生的任務、本分。」[131]

這種學生觀，經常可在大學升學率低的發展中國家的學生運動中見到，至六〇年代的日本也不例外。殘留的這種「保守式」學生觀或大學觀，也成為大學鬥爭的原動力，這點已在前面的章節說明過。而這個時期的街頭鬥爭也有同樣的現象。

第二次羽田鬥爭與「群眾」的出現

十一月十二日，為了阻止佐藤首相訪美，展開了「第二次羽田鬥爭」。據中核派的運動同情者回憶，因為「十・八震撼」，瀰漫著「行使武力的戰鬥將擴大戰線」的氣氛，「突然間，志願參加羽田鬥爭的人不斷湧現。」[132]然而，這次卻未能重現第一次羽田鬥爭的盛況。

基於第一次羽田鬥爭的教訓，警方大幅強化警備。第一次羽田鬥爭中動員了約兩千名機動隊員，本次則集結了約七千人。且配發硬鋁製成的大盾牌以取代前次的小型木盾。穴守橋、稻荷橋、弁天橋附近能當作投石材料的石塊、鋪石都在事前被清理一空[133]。

警方的態度因獲大眾媒體的支持而更為強硬。第一次羽田鬥爭的翌日，木村官房長表示「要取締暴力革命的預備演習。」十月十二日警視廳也提出新方針，「為大量逮捕學生，全體警員都配戴手銬（此前機動隊員並無配戴手銬），視狀況也可事前逮捕。」[134]

據當時報導稱，「十．八出現機動隊創始以來的首次『敗北』後，這天（十一月十二日）他們格外意氣昂揚。」此外，因為警方在第一次羽田鬥爭中「獲得輿論支持，還有人批評警方太過溫和，因此這次得以處理得比十．八更為積極」，這種想法傳播甚廣[135]。

除此之外，警視廳也要求第一次羽田鬥爭中三派全學聯據點大學的法政大、中大、明大等校方，禁止學生前一天的集會與留宿校內[136]。為此，三派全學聯不得不尋找其他的住宿場所。

首先，三派全學聯藉由社學同掌控執行部的中大自治會，向當時位於御茶水的中大當局申請下午三點起借用禮堂。校方難以拒絕自治會提出的正式申請，但又預期會出現混亂，故宣布該日下午全數停課，並許可自治會使用禮堂[137]。

下午三點左右，全國各地大學的學生以戴頭盔持角材的模樣持續聚集而來。秋山委員長遭逮捕的中核派，也在自家據點法政大學單獨召開誓師集會，之後於傍晚來到中大。中大當局對外校學生發布離開命令，並質問中大自治會「你們根本是披著羊皮的狼」，但為時已晚。當夜，在中大的「全學聯總誓師大會」上共集結約三千名學生，氣勢高昂[138]。

然而，三派全學聯內的新左翼黨派紛爭依舊激烈。本次集會上，因中核派包括秋山委員長等幹部多遭逮捕，因此以社學同與社青同解放派幹部的演講為核心進行。對此，姍姍來遲的中核派脅迫必須也讓自家派系的代表演說，造成會場喧囂騷動，幾乎要演變成武裝內鬥。但當時傳來中大當局可能找來警方的消息，最後才得以避免內鬥。但中核派拒絕在社學同據點的中大夜宿，主張要回自家據點法政大且毫不退讓，導致當夜幹部會議無法議定學生究竟應夜宿何處[139]。

同時，警方判斷三派全學聯將夜宿中大，採取隔天早上包圍中大的作戰方針[140]。如果學生就此留宿中大，隔天應該就不可能前往羽田。

最終，各新左翼黨派幹部達成的妥協是，當夜留宿東大的駒場校區。法政大、中大、明大等三派全學聯的據點大學，已應警方要求禁止學生夜宿。另一方面，因民青掌控自治會的東大未被警方標記，加上大學自治會這層保護讓警方難以出手，而且當天正在舉行駒場祭校慶，校園由學生管理。此外，駒場校區距離佐藤首相私邸不到兩公里，警方唯恐三派全學聯衝向佐藤首相私邸，因此大概對駒場校區採取較保守的策略，不願意做出刺激學生們的行動[141]。

晚間十點半，除了一直堅持不統一夜宿的中核派，其餘學生都受命移往駒場校區。剩下的中核派由經驗老到的幹部北小路敏出面協調，表示「不要踏上社學同、社青同諸君的後塵，什麼都不願忍耐，先忍過當下，保持行動的統一吧」，北小路最終說服血氣方剛的年輕學生，中核派之後也前往駒場校區[142]。

先行的社學同與社青同解放派學生，集團式陸續通過檢票口，無視站務員的阻止就搭霸王車前往駒場。在這種場合「守規矩」的中核派依舊買票，但因末班電車已發出，所以他們步行前往駒場校區[143]。

抵達駒場的三派全學聯學生，為了防備機動隊，以桌椅築起街壘，並破壞為駒場祭校慶準備的立排看板準備角材，從合作社偷來牛奶、可樂空瓶開始籌備「武裝」[144]。東大的駒場祭校慶執行委員對這些突如其來的闖入者表達抗議，東大校長大河內聽聞三派全學聯前來駒場校區的新聞，也開車趕往駒場校區。

大學當局於凌晨三點半發布撤離命令，但沒有任何效果，校方也討論是否請來警方的機動隊。但東大的駒場祭校慶執行委員們對教授們表達「先讓我們學生之間試著進行對話，在此期間希望先不要請來機動隊」，接著進入數千名手持武鬥棒的其他大學學生之間，嘗試說服他們。據說當時駒場祭校慶執行委員們的態度，被教授們稱讚為「真的非常優秀。」[145]

雖說同為學生，但說服卻不見得有效。如果駒場祭委員隸屬民青，大概沒有對話的餘地。不過駒場祭委員的委員長隸屬新左翼黨派的穩健派結構改革派（ＦＲＯＮＴ），而且其他委員大多為無黨派學生[146]。

根據當時的報導，一名委員以如下說詞說服三派全學聯的代表[147]：「對於反對佐藤訪美，我們也在班級討論上反覆議論過。如果沒有駒場祭，我們大概也會前往羽田。但你們闖入校區則是另一個問題。我們從春天便開始準備駒場祭，你們卻破壞了我們的籌備，這種行為難以原諒。」

協議的結果，雙方達成妥協。同意三派全學聯的夜宿，但必須解除街壘，歸還桌椅與盜用的空瓶等，並在隔天早晨八點半之前離開。如果發生警方介入大學自治的狀況，則通力合作抗議。三派一方的幹部根據此合意下達指示，表示「東大的學生並非我們的敵人。我們必須留心、謹慎地把麻煩限縮到最小。」[148]

警視廳方面，似乎也出現以機動隊踏平東大的強硬論調。但當時的大學，特別是東大，有依循

「大學自治」之名不使警方介入的慣例。當天警視廳提出「若就此派遣機動隊衝入，往後十年不僅得背負惡評，甚至無法與大學和平相處」的慎重論，最終由慎重論一方掌控局面[149]。

據當時報導稱，翌日清晨，東大校長大河內表示，「避免警方介入可說是東大的傳統。今後也將繼續守護這樣的傳統。」[150]但大河內卻在七個月後將機動隊引入東大，使東大鬥爭瞬間激化，關於這段經過將於後文第十章說明。

隔天十二日正午時分，三派全學聯離開駒場。報導稱，東大的民青在現場叫囂「暴力學生滾出去」、「分裂主義者們，滾回去」、「守護駒場祭」。而三派一方則回敬「你們這些傢伙，反對（佐藤首相）訪美的話，就去幹點什麼！」[151]

之後，社學同與社青同解放派再度無視站務員抗議，集體衝過檢票口搭霸王車前往羽田。而中核派依舊另外行動，購票前往羽田機場。在電車上每個人都被發放檸檬，這是因為東京理科大的學生取得機動隊催淚瓦斯的未爆彈並進行分析，了解裡頭包含強鹼性藥物，所以準備檸檬當作試圖中和藥性的「新武器」[152]。

午後一時許，學生們抵達京濱蒲田站，並在工程現場等處撿拾石塊塞滿口袋。接著遵照領導者的號令整隊，眾人齊聲喊著「反對！訪美！」的口號，朝羽田機場前進[153]。

但機動隊在離機場尚遠的大鳥居站前商店街，舉著硬鋁盾牌列陣等候。學生們把釘在角材上的標語牌扯下，拿著角材與機動隊對峙。學生們前端是戴頭盔持角材的戰鬥部隊，之後是投石部隊，再更後方跟著搬運石塊與救助傷患的女學生[154]。

下午二時許，首先由學生方開始投擲石塊，在領導者「衝啊！」的號令下，頭盔部隊朝機動隊衝刺。但機動隊無論在人數或裝備上都經過強化，即便學生方的領導不斷下令「不准逃！不准逃跑！」「頭盔往前衝！頭盔前進！」仍無法衝破機動隊的盾牌列隊[155]。

終於，機動隊發射催淚瓦斯彈，指揮官下令「全部逮捕。衝，衝！那邊的隊員在幹嘛，動作快！」機動隊拔出警棒展開反擊[156]。機動隊與學生的衝突中，因下達「全部逮捕」的方針，故從一側開始逐一給學生上手銬，這在學生運動史上乃頭一遭[157]。學生方拿檸檬往臉上抹以抵抗催淚瓦斯，卻仍在機動隊的推進下節節後退。

機動隊員應該接受過不打頭改打手腳的指示，然而實際上仍不斷出現連續暴打學生頭部的狀況，造成許多傷患。在混亂之中，機動隊員對學生叱罵「你們這些傢伙，再給我叫帝國主義、帝國主義看看啊」、「混帳東西、這些畜生」，還可見到毆打已被銬上手銬的學生，對女學生狠踢腹部等等光景。據說也有對遭逮捕的學生說「給我去擋投石」，把學生推到機動隊最前緣的狀況[158]。

機動隊員會對學生燃起熊熊敵意，不只因為第一次羽田鬥爭中機動隊有許多人受傷，還混入因學歷低、在機動隊內地位低的年輕隊員對學生的階級性、學歷性怨恨。當時的雜誌報導也寫道，「與一看就是城市人外貌的學生相比，許多機動隊員的臉都殘留著農民的長相，從中能看出他們在境遇、階級出身上的差異，這可能也讓機動隊更具敵意。」[159]

過度亢奮的機動隊員，還對三派全學聯外的合法遊行者與行人施加暴行。三點半左右，在警察巡邏車引導下，參加以越平聯與國民文化會議為主的溫和遊行學生，也發生遭警棍亂打、銬上手銬的事件[160]。大鳥居站周邊也有行人和商店的店主遭胡亂毆打與逮捕。

來看熱鬧的群眾聚集在一旁，機動隊員也對他們怒吼「這些混蛋！讓開！」看熱鬧的人有的也遭到警棒毆打[161]。

在淪為「戰場」的商店街，有不少居民指責學生「我懂你們反對佐藤，可是不需要投石等亂來的暴行吧」、「打破玻璃、妨害交通，這也算學生嗎？混帳東西！」等等。學生方則反駁「如果日本捲入越戰又該如何？」「為了不讓你們的孩子前赴戰場，我們才在這裡拚命啊！」但這樣的辯駁能多大程度說服當地居民，效果不明[162]。

不過，與第一次羽田鬥爭的報導清一色批評學生相較，第二次羽田鬥爭則出現了批評機動隊暴行的報導。以下是當時報導中出現的居民、新聞記者的說法[163]。

「穿著高跟鞋經過的女孩竟被警隊襲胸。有人稱那些學生是暴徒，警隊其實也半斤八兩。」「去車站附近看看亂鬥的狀況，竟不由分說被警棍毆打頭部。」「很誇張啊，學生已經被打倒了，機動隊還往他們臉上踢。」「好像警察抓到學生後就肆意暴打，打累了才執行逮捕呢。」「如果能進行逮捕就逮捕吧，然後照程序辦理。把學生踹倒踹退，這算什麼。」「攻擊根本不分男女，竟然扯著女孩的頭髮拽拉，太過分了。」

這天發生的另一個新現象，就是來看亂鬥湊熱鬧的群眾圍滿了周遭的道路。這些群眾也發出許多同情學生們的聲音，如「學生們為何要扔石頭，我是搞不太懂，可是機動隊實在太過暴力了。已經抓到了還施加那樣的暴行，太過分了吧」、「不管怎麼努力，最後還是被機動隊擊潰，就算這樣，能夠做出這種突擊，我覺得還是很了不起啊。被狠狠痛揍，還流血了」等等[164]。這些群眾，如後所述被稱為「市民」、「看熱鬧的人」等，日後在學生與機動隊衝突現場，也以第三方主角的形式登場。

日後加入聯合赤軍的坂口弘，當天也是擠在群眾中觀看學生與機動隊衝突的一位勞工。根據坂口的回憶，「見到巷子裡的居民照顧負傷倒地學生的光景。」[165]

當天的鬥爭，以機動隊的完全勝利告終。但社青同解放派的幹部卻如此主張[166]：「如果只要阻止佐藤首相訪美就好，那潛入飛機跑道也行，或只要朝首相的座車投擲炸彈，事情就解決了。但我們沒想過以鎖定擊殺個人的恐攻來解決問題。所以才正面與警察權力衝突。藉由這樣的行動訴求現代背負的問題點，並喚醒一般人的注意。」

刊登這則談話的週刊雜誌最後評論道，「看著那場亂鬥中的學生身影，一般人能感受到多少他們的『主張』，仍是個疑問。」[167]確實，當地居民批評學生的聲浪不小，學生與雙親的關係更是緊張。當時的報導刊登了諸如悲泣的母親說「如果搞〔學生運動〕就會被退學，那明天就去學校辦手續吧」，「竟然有這麼不知恥的孩子，這是我的不幸」等描述[168]。如第四章所述，學生們稱之為「家庭帝國主義」。

無論如何，學生遭機動隊毆打的畫面，確實引發同情學生、批評警察的聲音。另外，或許可以說是歷史的偶然也在背後支持他們。第二次羽田鬥爭前一天的十一月十一日，七十三歲的老世界語學家兼和平主義者的由比忠之進，為了抗議佐藤首相訪美與訪越，在首相官邸前淋上汽油自焚而死。自焚是越南佛教僧侶為抗議南越政府與美軍時做出的非暴力抗爭。

日後參加東大全共鬥的大原紀美子，寫下她見到由比自焚報導時的印象[169]：「我止不住自己的淚水。這位和平主義者對政府的憤怒與悲傷，只能藉由自己的死亡來表現。這樣的人肯定熱切希望世界和平，以及在世界和平背後不可或缺的每個人的，與家人、朋友及其他人的和平生活，他肯定也為此努力、受苦吧！」

如第十五章後文所述，第二次羽田鬥爭翌日的十一月十三日，越平聯舉行了記者會，說明停靠橫須賀的美軍航母無畏號（USS Intrepid）逃出四名不願參加越戰的美軍，越平聯協助他們離開日本。第一次羽田鬥爭與山崎博昭之死、第二次羽田鬥爭與由比忠之進之死、美軍逃兵等，一九六七年秋天這一連串的事件，給年輕人「世界正持續動盪」的印象。

大原在一九六九年的手記中寫道：「歷史無時無刻都在被創造，即使我什麼都沒做，也感到很高興。」接著她考慮自己非做些什麼不可，思考著羽田鬥爭中對學生的批評，決意「沒有一種行動會受到所有人的讚賞。我不再去想要做些讓人讚揚的事，也不去避免做讓人批評的事。」[170]

如此，一部分的學生意識到時代潮流，擁有極高意欲想採取直接行動。而部分輿論也持續同情這樣的行動。這種傾向在一九六八年一月的佐世保鬥爭中一口氣彰顯出來。

成為轉機的佐世保鬥爭

三派全學聯下一個目標，是反對美軍核動力航母企業號停靠九州佐世保的鬥爭。企業號是美國海軍的主力航母，搭載可配備核武的航空器，在越戰中執行軍事行動。

一九六四年起，美軍核能潛艦即開始停靠佐世保，也一直引起反對鬥爭。而企業號在停靠佐世保的一九六八年一月十九日的前十天，已於夏威夷補給完物資，因此不必然必須停靠在佐世保。

企業號靠港前，新聞記者們問艦長們：有無搭載核武？既然無須補給，何必停靠日本的港口？但艦長們回答，「核武是軍事機密，不做回應」，針對靠港理由則表示，「無須補給。但第七艦隊前往遠東執行軍事行動時，在日本靠港是慣例。企業號此前未停靠，是因為與日本政府的協調尚未完備。」[171]

佐藤首相訪美時，在華盛頓發表演說，表示亞洲各國與日本輿論都積極支持詹森總統的越南政策[172]。但實際上日本有約八成的輿論反對越戰。艦長們聲稱「完成與日本政府的協調」，暗示了佐藤首相訪美之際為了表達日本政府協助越戰的態度，承諾讓企業號停靠佐世保港。

為此，日本的革新陣營把企業號停靠佐世保港定位成：為緩解日本的「核過敏」，把佐世保和橫須賀港鞏固為前往越南的初級基地。三派全學聯則認為此舉「促使日本協助越戰與核武基地化」，宣言阻止靠港，號召集結超過三千人的學生部隊[173]。

當時有不少學生受到羽田鬥爭與山崎博昭之死的刺激，而加入三派全學聯鬥爭。根據荒岱介的回憶，一九六八年初起在日本中國地方（鳥取、島根、岡山、廣島、山口等縣）、四國、九州等地大學招募參加佐世保鬥爭的學生，獲得許多志願者[174]。

但三派全學聯卻面臨相當嚴峻的狀況。警察廳在第二次羽田鬥爭時採取兩個警察對一個學生的比例，此時推出強化方針，提高到二・五人到三人對一個學生，出動機動隊四千五百三十人，便衣刑警一千二百九十三人前往佐世保，此外又準備了超過一千發的催淚瓦斯彈，以及裝滿催淚液體的噴水裝置。為避免國鐵支線沿線大約五百噸石塊被利用於投石，還加以收拾並鋪裝柏油[175]。

九州大學、長崎縣立國際經濟大學等佐世保港附近的大學，決定嚴格拒絕三派全學聯夜宿的方針。特別是九州大學的教授會警戒心極高。即便如此，九州、中國地方的各大學中核派運動者，於一月六日與獲釋的三派全學聯委員長秋山勝行一同在九大會合，並在之後的記者會上表示「要把佐世保搞成第三次羽田」，並當場宣布以九大為住宿據點的方針[176]。

為此九大的學部長會議設立緊急對策本部，在企業號預定停靠的十四日至二十日，為「守護大學自治」不許任何校外人士進入校園。九大教職員工會在反對企業號靠港的同時，也決議排除三派及革馬派。九大的普通學生回應週刊雜誌的採訪時說，「大概沒有學生會因核動力艦隊進入佐世保而感到開心，我也表達強烈關注，但不希望全學聯的組織進入。因為對他們的領導者與領導方針抱持懷疑。」[177]

在佐世保，社會黨與共產黨預定針對企業號靠港合作舉行抗議集會及遊行。但，先不論社會黨，共產黨已嚴正拒絕與三派全學聯合作共鬥，也制訂強硬方針不讓對方參加自家集會。

佐世保的一般市民也相當畏懼在羽田事件中被稱為「暴徒」的三派全學聯到來。許多居民私下對企業號靠港感到不滿，抱怨「為何美國人要選佐世保〔當作靠港地〕」的聲浪不少。許多居民得知第二次羽田鬥爭中大鳥居附近商店街蒙受損害的狀況，在當時的佐世保謠傳說「如果全學聯來了，佐世保的街上會引起大騷亂，『暴徒』會在全市引發混亂。」[178]

保守派政治家與以美軍士兵為營業對象的「外國人酒吧」店主，則組成歡迎企業號的「守護安保市民協議會」，集合商店工會與町內會會長，對佐世保市民幾乎每家每戶都發一張傳單[179]。他們也貼上「為了守護市民的生命與財產，趕走全學聯吧」的海報，並鼓勵商店拉下鐵門[180]。

根據當時的報導，「守護安保市民協議會」的會員如此表示[181]：「學者們隨便瞎扯，他們又不管我們飯碗。對佐世保二十五萬市民來說，美軍每年花八十億的錢可是我們的生命線。跟戰爭有關？就算去越南的是軍人，在日本的期間，他們可是捧著大把美金的出色觀光團啊。」

當學生自東京出發時，警方的警備就已經展開。中核派在據點法政大學舉行集會，打出「即便全員遭逮捕也要成功衝入基地」的口號，但從一月十五日早晨起，他們便遭四百名機動隊包圍。夜宿大學的中核派約二百五十人，從上午八點多強行突破包圍，想朝飯田橋站移動，但在警方的警棍亂打中，共有一百三十一人（包含女學生十五人）遭到逮捕[182]。

有看熱鬧的人表示，「如果目的是阻止佐世保靠港，為何還犯下被逮捕的錯誤？」與機動隊正面衝突的中核派行動談不上賢明。而逃過逮捕的一位中核派學生則嚷到「今天的作戰有錯誤」，「到佐世保後，會連被逮捕的夥伴的份一併努力。」[183]

剩下約一百人的中核派，十點半從東京站搭乘急行列車前往佐世保。車上也搭載了許多便衣刑警與新聞記者、新聞工作者，他們試著訪問學生，但大多數學生不滿把他們形容為「暴徒」的報導，因此都不接受採訪。之後在佐世保打算訪問學生的新聞記者被領導等級的學生這麼回道[184]：「報社嗎？滾回去。跟我們見面時就說些好話。看看今天的報紙吧。兩頭都罵啊。就算問我，也不會跟你說什麼。滾吧滾吧。」

在少數成功採訪的例子中，法政大學大二某學生如此說道[185]：

從去年十月八日「第一次羽田鬥爭」負傷以來，除了車內的中核派夥伴外，沒有遇到任何理解我的人。報紙上把我們當作「暴徒」處理，無論什麼集會或街頭募款，都有便衣〔刑警〕監視，正月回家認真向母親解釋，也不被理解——日本正在一步步走向戰爭啊。想把我們推向那個方向的人，把機動隊當作工具來使用。如果不破壞這個裝置，我們的手根本碰不到那些推動制度的真正敵人……。如此一想，至少在行動上只有極少數人理解我。這次去佐世保大概也會被逮捕吧。出發之前，就已下定決心，要有覺悟做自己。只是，在前往佐世保的車上，即便睡著了，不安也會襲來，醒來了好幾次。

而在法政大的「F君」的例子中，「當他決定去佐世保時，母親哭著反對，因為可能莫名其妙地死亡，所以她不讓兒子前往。F君的父親在二戰中陣亡。他極力說明反對企業號靠港與『反對殺死父親的戰爭』有關，但想當然爾他母親並不接受這樣的理由。結果，只有他的女朋友前去東京，不安地給他送行。」這位學生表示，「企業號將把日本導向核武基地，也會讓日本立刻投入越戰。或許會被警棍打破頭，或許會成為第二個山崎君。但非得去佐世保不可。」[186]

他的世代的父母屬於戰中派，成長時從父母口中聽聞戰爭的悲慘，又在初等教育中被教導和平主義的理念。對這樣的他們而言，可說一心只想阻止日本「核武基地化」與阻止參與越戰。接受採訪的橫濱國大中核派學生在前往佐世保的電車中如此敘述[187]：

「八年前，岸（首相）不顧國民輿論反對，強行修訂了安保。今天，岸信介胞弟佐藤，無視八成國民反對協助轟炸北越，讓企業號靠港，想把日本核武基地化。但我們不是誓言不會再舉起槍枝，誓言不要重複廣島慘劇了嗎？這次企業號靠港等於介入越南事務，藉此將日本拖入戰爭，也會打開日本邁向核武的道路。如此下去佐世保不是會被核武基地化嗎？社共或許只會用普通的抗議來打迷糊仗。但我們不能光靠嘴，必須以實際行動阻止企業號。」

「這次去佐世保，因為預期會發生強力鎮壓，絕大多數學生的家人怕孩子受傷，都要求孩子『假裝生病，說自己病重』。還有母親今天跑來東京車站想把孩子帶回家。女兒卻噙著淚水對母親說，『現在我無法回去。委員會已經選我擔任代表了呀。』母親邊說著『怎麼這樣。不管怎麼勸，妳都說非去不可』，邊惶惶不安地離去……。」

聽了這些說法，一些新聞工作者也被「為了阻止『企業號』不惜負傷，甚至願意付出生命的熱情」所感動[188]。有許多記者也發自內心反對越戰與企業號靠港，但抗議的意志卻不如學生們堅決，對於不能表明自身決心而感到羞恥。而對某位經歷過戰爭的記者而言，學生那句「我們不是誓言不會再舉起槍枝，誓言不要重複廣島慘劇了嗎？」非常打動他，讓他想起自己在經濟高度成長中忘卻了的過往理想。

中核派搭乘的急行列車，沿途各站來自各地大學的參加者紛紛上車，十六日早上六點四十五分抵達了博多站。有數十個九大學生來到博多站迎接，中央檢票口與出口被約一千三百名機動隊完全包圍。學生抗議道「機動隊讓路」，對此機動隊只讓開可容一人通過的通路，之後朝下車的學生們進擊，以檢查隨身行李之名施加暴行[189]。

這個早上的事件之所以會影響後續開展，是因九大的法學部長井上正治前來觀察情況。對於當天早上的景象，他當時如此寫道[190]：

瞬間，指揮官的手電光火石般地舉起，百餘名機動隊員旋即衝過檢票口奔上樓梯，對學生隊伍突擊。那種行動只能用突擊這個詞來表現。他們踢散學生，接下來的光景悲慘至極。警察一個接著一個抓起學生衣領，把他們扔飛到樓梯下。……悲鳴劃破早晨的博多站。那是不是中核派女學生的悲鳴呢？或者是滲入市民悲憤的悲鳴呢？

……被扔飛翻著跟斗的學生，被在下方等候的機動隊員拉出去，開始檢查隨身行李，萬般不願的學生的背包被扯開，拉鍊被拉開，一旁還有警察拍攝學生的臉部照片。……也有兩三個學生不願交出自己的背包，但立刻被以妨害公務之名遭逮捕。這必定是警方預期會有學生抵抗而預先排練好的對應方式。見到此番光景，我才更想一腳把警察踢飛。

井上法學部長原本對三派全學聯持批判態度。但見到沒有拘票就施暴的警察，井上不加思索地「大聲喊叫『治安警察的崛起啊！』」他的感想是「真的非常可怕。這完全是取締當局在挑戰二戰後好不容易培養出來的民主主義。」[191]

中核派隨行的一位新聞工作者也對此等警備感到憤怒，寫下「這是二戰前事前管束（日文稱「預防檢束」）的復活啊。」博多站中「早上的通勤者們對警方湧出強烈的抨擊。據說有些警察還被罵『這是軍國主義的警察』」[192]。井上法學部長、新聞記者以及通勤者等當時年過三十歲的大人，均為體驗過戰爭的人。對他們而言，警方的暴行讓人想起「二戰前事前管束的復活」，他們眼中見到的是「取締當局在挑戰二戰後好不容易培養出來的民主主義。」

比中核派更早抵達的社學同與社青同解放派學生已經翻過九大的圍牆，或從後山進入九大校園。但中核派是一如既往總主張「正面突破」的新左翼黨派，採取「堂堂正正從大門走入」的方針，十六日早晨，由秋山委員長領頭的約四百人列隊朝九大正門而來。據九大工學部教授倉田令二朗稱，在博多站受到暴行的他們，「仍打起精神站著，但臉上已浮現疲倦的表情。半分期待能為他們讓開一條路。」[193]

但機動隊仍在此處包圍學生，並縮小包圍網。機動隊推擠學生的壓力，使正門的門鎖彎曲，大門幾乎被毀。在門旁的九大學生向學生部長抗議，要求打開大門[194]，他們說「這樣下去，機動隊就會飛奔襲來，請想想他們在車站的幹法吧，老師。」

無可奈何之下，九大方面打開正門門鎖，讓中核派學生進入學生會館內。九大的教授中有人主張，若中核派強行進入校園，就該以非法侵入為由聯絡警方。但目擊博多站狀況的井上法學部長說，「見到那種警備方式，我們必須放棄叫警察的想法。」[195]

九大當局者們對三派提出要求：不妨礙授課、不進行會招來警方的內鬥，特別要避免與九大民青發生亂鬥、明天清晨四點半離開校園。翻牆進入校內的社學同與社青同解放派，與從正門進入的中核派針對入校方式幾乎爆發爭吵的場面，但因各地警備逮捕許多參與者，三派合計僅一千人左右的他們，最終還是避免了內鬥[196]。

根據倉田教授的說法，在九大教授們與三派學生反覆對話中，「逐漸認為秋山君一行人是率直的學生，並對有這樣的感受感到驚訝。同時，秋山君等人的態度也隨著見面次數增加而變得更親切且守規矩。」之後依照九大校方的要求，隔天十七日清晨四點半，三派學生們清掃房間後離開九大，朝佐世保前進[197]。

根據荒岱介的回憶，十七日早晨，社青同解放派的學生以全員戴藍色頭盔的模樣登場。荒所屬的社學同嘲笑道「因為是社青同所以才用藍色嗎[i]」，不過「之後隨著陽光照射，藍頭盔看來如此帥氣啊。」社學同當天以機車用的銀色噴漆噴滿頭盔，但因「就算在外觀上也不可輸給解放派」的想法，隔天全員都把頭盔塗成紅色[198]。中核派使用白色頭盔，上頭寫著「中核」的大字體。各新左翼黨派使用自家顏色進行區別的習慣，過往是在各地自然形成，但此後則成為固定習慣。

十七日早上九點五十分，三派全學聯約一千人乘電車抵達佐世保。他們拿到由其他列車送來的角材後便跳下月台，朝劃分佐世保市區與美軍基地的河川上的平瀨橋前進。佐世保原為舊日本海軍的基地城市，美軍基地建在舊海軍基地的遺址上。警方在連接基地與城市的平瀨橋、佐世保橋前設置有刺鐵絲與街壘固防，周圍配置裝甲車、噴水車與機動隊員，等待學生到來。

參加三派全學聯的女學生在手記中如此寫道[199]：「每次遊行都是如此，見到遠方的機動隊藍頭盔時，心情就會動搖。衝突之前的緊張會讓人思考之後不知是生是死，有種極限狀態的壓迫感。」

學生方未預料到機動隊會從正面防守，僅帶了一支可切斷有刺鐵絲的鉗子，就在花時間剪斷鐵絲時，警察發射催淚瓦斯彈與噴水。此次的噴水中混入佐世保川的泥水與能滲入皮膚的催淚液。這種催淚液與日後越戰中美軍使用的屬同一種類，此事也遭社會黨議員追究，因為這種液體強烈到觸碰皮膚後將潰爛超過一個月，並會留下嚴重後遺症[200]。

即便是在九州的佐世保，一月的天氣依舊寒冷。吸入催淚瓦斯又遭噴水的學生們，因寒冷而顫抖，身體感受到恍如被灼燒的痛苦。三派全學聯從各大學選拔「敢死隊」，領隊雖喊著「敢死隊，怎麼啦，向前挺進！」但噴水的壓力使他們寸步難行[201]。

就在學生們無法推進，感到疲勞之際，在「衝！」的號令下，上午十一點四十五分，警方從三個方向展開攻擊。警方在鐵刺網後、學生們的背後，以及橋梁前的市民醫院三處配置機動隊，備妥了包圍攻擊的態勢。

之後就是機動隊施加單方面的暴力。據某報導稱，「警方由三個方向襲來，警棍呼嘯，血液噴飛，〔學生的〕頭盔碎裂。警棍對逃跑的學生、留下的學生毫不留情的亂打。學生舉起為了自我防衛僅配備的最小限度的角材，警方見狀則將學生打趴。」[202]

佐世保事件後組成的「企業號事前管束彈劾辯護團」的某律師主張，「這不是『警備過當』，完全是警察暴力」，並陳述學生負傷模樣[203]：

「舉一、兩個例子，學生被逮捕後，兩手遭機動隊員壓制，此時從前方狂奔而來的其他機動隊員踢打學生膝蓋、股間，因此睪丸腫成三、四倍大，無法穿褲子，只能在腰間包上毛毯，為了見律師而從拘留所出來時，無法獨立行走，需由人攙扶。必須特別加以明記，這是在學生遭逮捕後已無抵抗意思下的暴行。此外，還有幾個頭盔被摘下後又被警棍痛毆，為了護住頭部伸手被打斷中指骨的案例。這些都在痛陳警棍亂打的可怕。」「女學生的大腿上明顯留下警棍的棒痕，被逮捕後在雙手遭壓制的狀況下被推向鐵刺網，導致腿脛出現深可見骨的撕裂傷，像這樣的例子不可勝數。」

當時的知名新聞工作者大森實也是目擊機動隊暴行的其中一人。他在當時一篇名為〈佐世保報告〉的雜誌報導中，書寫現場的情景[204]：

i 譯註：日文的「青」接近中文所說的藍色。社「青」同所以使用「藍」頭盔。

失去逃離的場所，被追趕到市民醫院前的學生們大概有數十人吧，警方對他們揮下如雨的警棍。……警方揮舞的棍棒，充斥有如在殺狗般的憎惡感，毫不留情地朝學生頭部揮下。頭盔碎裂，血流如注。

就在滿身是血的學生逃往特意設置於醫院旁的緊急救護所時，突然，我無法自抑地大吼。追著學生的三名警察拾起學生逃走時落下的角材，用盡全身力氣朝救護所扔去。就是這個當下。

「不可以！不可以這麼幹！」

扔出角材的警察順著餘威要衝入救護所內時，一位穿著白大掛的中年醫師從救護所內走出，伸開雙手阻止警察通過。那個瞬間，我感到那位白衣醫師是如此英姿颯爽。

我把眼光朝左移動，正門前的警棍亂打依舊持續。

我聽到市民們怒聲高喊「別打了！住手！」我的眼簾中映入一個頭戴ＮＨＫ報導用頭盔的男子被三、四名警察包圍，施以猛烈的攻擊。我又大聲吼出。

「住手！不要打新聞組！」

警方暴打陷入虛脫狀態幾乎無抵抗的學生們，其中包含五名新聞組人員。這場修羅地獄，大約在二十分鐘後結束。我奔出轉播車衝向救護所內。毫不誇張地說，救護所內充斥著令人窒息的混亂。……

外科治療室的隔壁走廊上，受傷的三派全學聯男女們或蹲或躺，互相護著對方的傷口。令人窒息的催淚瓦斯。被混入催淚瓦斯的水不斷噴灑，讓他們就這樣被送入醫院。一位女學生身上纏著印有紅十字的手帕，還在拚命地照護朋友的負傷。

還有止不住打顫的學生，即便身上披著灰色毛毯，仍舊無法止住渾身顫抖。我從口袋中取出攜帶型的白蘭地瓶，原本是為了防寒而預備的東西。

「來，喝這個。」

顫抖的學生默默地大口喝下。隔天在佐世保站的人馬雜沓中，他找到了我，跑到我身旁對我說。

「昨天謝謝您了。白蘭地救了我。……」

那是還一臉稚氣，規矩端正的二十二、三歲的學生。

我在緊急救護的混亂告一段落後，訪問了四位醫師。醫師們口中對警方吐出最大程度的批評。「醫院裡還有許多重症患者。小兒科也有幼兒，他們被瓦斯嗆到，病情更加嚴重了。與其說警方蠻不講理，不如說是在蹂躪人權。」

醫院沿著正門的窗戶玻璃幾乎都已碎裂。警方的棍棒，就是元兇。

大森是經驗老到的新聞工作者，在第一次、第二次羽田鬥爭時，他寫下三派全學聯「看起來完全是年輕、不經世事的集團」[205]。在第一次羽田事件後不久，他也與警視總監秦野章、保守派知識分子林健太郎一同出席名為〈全學聯啊，別被寵壞了！〉的座談會[206]。但這天在佐世保見到學生們一心表達反戰意志的神態，讓他重新開始思考，「見到他們，我有如被某種清流洗滌過般。我們能夠就這樣簡單把他們歸類為『暴徒』嗎？」[207]

之後大森感到「羽田事件的新聞報導，似乎有什麼欠缺」，遂與諸多報社的社會新聞記者見面。

據大森稱，他因此理解「令人驚訝地，負責警視廳公安，也就是負責全學聯的許多記者，都深刻地理解三派全學聯學生的心理，也有不少人抱持某種程度的同情，但對他們的同情與理解，卻完全不能見諸報面。」[208]因為，在現場與學生們直接接觸的記者們寫出的報導，都在總公司的編輯方針下遭到改寫。

這種狀況也發生在佐世保事件中。中國地方的報紙《山陽新聞》，派往佐世保的記者提交市民吼叫「機動隊滾回去」的報導，卻在總公司的上司判斷下，改寫為「全學聯滾回去」並就此刊登，此事日後也發生問題[209]。

在羽田鬥爭時，就有人指責報導與事實不符。那就是自民黨的議員、身為和平主義者的宇都宮德馬，當時他如此敘述[210]：「閱讀報紙時，覺得全學聯什麼的真是惡劣」，不過「我的選區是羽田……要秘書等人去做一下調查，發現全學聯的評價不見得不好。」

一開始只知道報導中的三派全學聯鬥爭狀況，但實際看過後改變自身判斷的，不只有大森。在平瀨橋畔有數千市民圍觀，也有人喊「住手！住手！」「拚命毆打逃走的學生，實在太過分了。」「怎樣才能逮捕使用暴力的警察？」等等。當時也出現「市民率先背著倒下的學生前往醫院」的場面。這些幫忙的市民也有被警方毆打的案例[211]。

山崎博昭的哥哥也前往現場觀察，他如此說道[212]：「我想起與弟弟的對話。〔參加遊行〕『想過可能會被殺嗎？』『想過啊。在遊行的途中可能被警隊所殺，我想過這樣的事情呀。』——當時，我還未能充分理解。但我當下所見情景，讓我切實感受到弟弟這句話的意思了。」

這天，在橋附近的市民醫院接受醫治的學生約有五百人，一般市民約二百人。學生中有十六人重傷住院。但學生方仍回應媒體團「即便全員被逮捕，也不會停止衝入基地。」[213]

諷刺的是，機動隊員們其實是與學生們同輩的青年。當時的報導指出，「亂鬥之後拿下頭盔，一看（機動隊員的）臉龐，大部分都是十八、十九歲的年輕警察。學生們當然大部分都是十八、十九歲。領導層大概有數十人超過二十歲。」[214]能上大學的青年，與沒上大學的同齡青年，雙方流血互鬥。

佐世保的情景透過電視新聞在全國播報，九大的學生與教授看到報導也都同情三派全學聯。三派全學聯並沒預計要回九大，但因在佐世保、佐賀等地遍尋不到可住宿之處，加上負傷者眾多，最後在傍晚時分又回到九大。

受到警方與文部省壓力的九大當局最初並不開門，在寒空下站立的負傷者們瑟瑟發抖，九大生見狀對教授們說「為何不開門？」「開門！開門！」最終校方打開大門，學生們鼓掌迎接三派全學聯。據說九大的一個普通學生「稍顯害羞」地說「我們也都成了全學聯了。」[215]

當夜，九大生與三派全學聯舉行連帶集會，九大生代表如此發言[216]：「大學當局閉門深鎖，我們用自己的手成功讓門打開，為此感到十分高興。這才是真正的大學自治。九大生也反對企業號靠港。對全學聯諸位今日的戰鬥致上最高的敬意。請讓九大也成為明日戰鬥的基礎。一同、連帶地進行戰鬥吧。」

三派全學聯的代表也頷首說道，「很感謝各位溫馨迎接戰鬥後疲憊的我們」，與會全員聽聞後皆鼓掌。見到此景的新聞工作者寫道，「這是令人感動的結合。在量產化的大學中，全國的學生們就此與九大學生深刻連結，我親眼見證了這一幕。」[217]如前所述，三派全學聯來到前的九大當局表示，拒絕校外人士與警察進入乃是「守護大學自治」。但九大學生們表示，以學生的意志打開大門，歡迎三派全學聯才是「真正的大學自治」。此處可看出：即便大學逐漸大眾化的此時，雙方仍殘存尊重「大學自治」的「保守」意識，同時，對於「大學自治」的解釋，校方與學生方並不相同。這種解釋上的出入，也在日後全共鬥運動中浮現。

三派全學聯的學生不僅受傷、疲憊，連資金也耗盡，從前一天開始便沒怎麼進食。九大當局雖然准許他們使用醫務室，但也要求第二天凌晨三點半之前必須離去，這種連日的睡眠不足，更增加了他們的疲勞困頓[218]。

在這種狀況下，慰勞品陸續送達。除了九大YMCA送來麵包、橘子與飯糰，福岡市民把塞滿食物的紙箱送到九大正門，上頭寫著「請全學聯的人們享用」。還有人見到老家是開藥局的預備校學生送來醫藥用品[219]。

與朋友一起買麵包送作慰問品的一個九大學生如此說道[220]，「我是只參加過兩、三回遊行的普通學生。不過我絕對反對企業號靠港，所以，就算不能像全學聯他們那樣戰鬥，在心情上也想做些什麼。跟其他人聊起，發現許多人都有相同的心情，所以我們呼籲在市內發起遊行，藉此對今天的全學聯戰鬥表達我們的敬意。總之，先和朋友們湊錢買麵包送來。」

另一方面，也有完全不關心這些動向的九大學生。當三派全學聯舉行集會，編組隔天的敢死隊時，聽到學生會館音樂社團的房間傳來爵士樂團的演奏。聽到音樂的中核派某學生對週刊雜誌的記者表示，「想到演奏的應該同樣是學生，不覺由衷感到悲傷啊。」[221]第一章也說明過，雖說六〇年代是「文化」與「政治」的變革期，但兩者不必然有交集。

與戰爭記憶的共鳴

隔天十八日凌晨三點半，三派全學聯依照九大當局的離開命令，重新前往佐世保。企業號原本預定十八日入港，但之後發布將延遲至十九日早上九點半。此外，社共兩黨也合作預定在十八日舉行五萬人的抗議集會。

大森實聽到三派全學聯十八日也將來到福岡時，如此寫下他的印象[222]：「昨天被警棍揍得如此悽慘，昨晚也沒怎麼睡，這麼強大的能量，究竟從何而來？」

在佐世保站下車的學生們帶著整齊的頭盔，但這天並未帶武鬥棒[223]。前一天有許多人受傷和被捕，所以人數大約減半。他們的身影，與其說是勇壯，不如說十分悲慘。昨天被混入催淚液的水噴到的學生，許多人皮膚都發炎，服裝也顯髒汙，有些人因服裝滲入催淚液而穿著借來的不合身服裝。根據當時的報導，學生的狀態是「為了防止發炎，臉上塗滿軟膏，穿著滿是泥濘的外套與褲子，還有學生雙腳穿著不成對的鞋子。」[224]

下了電車的三派全學聯直奔佐世保橋。因為昨天的平瀨橋太接近市民醫院，擔心催淚瓦斯飄入醫院給患者造成麻煩，所以改變前往的目的地。學生們組成陣隊，對上負責警備的機動隊。

只是這天狀況仍舊相同，學生們單方面地被機動隊痛揍。聚集在橋附近的約四千名佐世保市民對警隊怒吼「住手！住手！」「搞什麼，他們已經不行了，別打啦！」還有人見到遭警方追逐的學生，便對學生喊「喂！過來這邊！」試圖加以保護[225]。

過了中午，來自博多站的遲到三派全學聯學生抵達。他們在車站喊著「全學聯戰鬥！戰到最後一兵一卒！」「阻止協助越戰，阻止讓日本核武基地化的企業號！」口號，這次朝著社共合作的五萬人集會會場——市民球場邁進[226]。

然而，共產黨拒絕三派全學聯的參加，民青學生們組陣企圖阻止三派學生入場，另方面，社會黨的勝間田委員長演說「不該讓學生孤立」，社會黨幹部也表示「老實說，代代木〔共產黨〕太過頑固，讓人頭痛。從我們集會的目的與性質來說，只要贊成阻止靠港的人，人人都可以參加。」[227]

最終，三派與民青沒發展到亂鬥，三派學生們沒辦法，只能在球場一角靜坐。抗議集會大約一個半小時後結束，下午兩點四十分左右，社會黨、總評與共產黨等開始遊行，三派的學生拋下社共的遊行前往佐世保橋。

警方以催淚彈、噴水與機動隊人牆對應學生。三派學生們齊喊「企業！粉碎！」口號，組起陣形在佐世保橋以之字形遊行挺進。社學同的學生舉著圓木衝撞機動隊的人牆。中核派的學生們爬上裝甲車投石，但噴水的壓力導致爬上裝甲車的學生被噴落，最終機動隊發起反攻，與昨天一樣展開了警棍亂打[228]。

越平聯代表小田實也為了反對企業號靠港而前往佐世保，目擊這天學生與機動隊的衝突。日後他在佐世保報告中如此寫道[229]：「〔因催淚彈〕邊流淚的學生們仍邊反復衝刺。那種光景令人感動。首先，學生們那時已經手無寸鐵，能依靠的只有堅定的肩並肩陣形與自己的勇氣，以及無論如何都把『企業號』靠港、反越戰當作自身問題（亦即，透過自己的行動嘗試為此做些什麼）的意志。我也落淚了，但這未必是催淚瓦斯或混入催淚液的噴水所導致的。」

社共的遊行隊伍最終來到佐世保橋。按照原定計畫應該讓遊行隊伍通過佐世保橋，但社共打算避開混亂，因此改變路線，讓遊行隊伍從佐世保橋前方通過。但反戰青年委員會的其中一隊以及革馬派全學聯，似乎不願拋下三派學生們，在持續亂鬥的佐世保橋之前停下了腳步[230]。

大森實如此寫下之後的經過[231]：

> 如果說，「反戰」也參加亂鬥，那麼從結果來說，三派還是獲得社會黨的支持。警隊，即便只有一部分，也必須分兵對付社會黨。……遭警隊的盾牌防壁衝擊而退後的三派學生中，也有一些人拍手歡迎「反戰」。可以看到三派學生跑近「反戰」的播音車，揮舞著手，指示他們「衝撞！」……他們之間好像有激烈的言語溝通，但宣傳車終究沒動。
>
> 革馬派與「反戰」的勞工，趁著三派學生退後的空隙來到橋上，展開之字形遊行。三派與革馬，加上「反戰」反復進行抗爭，但真的衝擊盾牌的只有三派學生。……
>
> 最終三派對「反戰」怒吼「膽小鬼，滾回去！」……連原本應該有很多全學聯畢業生的社會黨系最左翼部隊的「反戰」，也拒絕加入以武力對抗警隊的橋上作戰。

此時，對於反戰青年委員會該如何行動，評論者各有不同的評價。大森實評論，三派全學聯的先驅性論已經走到一個極限[232]。

另一方面，小田實認為，以社共委員長為首的五萬人，若能通過佐世保橋當可更提升遊行的效果[233]。當時《朝日Journal》的報導也記道，「如果五萬人的遊行隊伍走在這五百名學生的前頭，站在警隊面前，要求以非暴力形式通過該橋，狀況又會如何？……如果被拒絕，命令五萬人的遊行隊伍一齊靜坐，又會如何？……如果〔社共兩黨的委員長的〕兩人有擔起這個責任的勇氣，學生的暴力行動將顯得毫無意義，不是嗎？」[234]

無論如何，三派全學聯只能繼續孤軍奮戰。但即便他們在行動上孤立，仍舊贏得市民的同情。當天下午，在電視等媒體上見到前一天狀況的人們聚集而來，佐世保橋附近聚集了約兩萬名的群眾。

當警隊打算由三個方向包抄攻擊三派學生時，「聚集在橋邊的一般市民，擠進逃走的學生與揮舞警棍追逐的警隊之間。」市民們喊著「住手！警察住手！」、「美國的走狗」、「稅金小偷」等，並合唱「警察滾回去」阻止了警方。還有市民朝警察投擲石塊[235]。

最終，這天警隊的暴行遭到中斷。警方流露不滿，指出「屢次要求也不離開的旁觀民眾妨礙了警備」，但這些數萬名「看熱鬧的人」與「市民」，壓制了機動隊的警備過當[236]。

當大眾媒體要肯定這類「群眾」時，就把他們稱呼為「市民」。大森實也認為這天的群眾「不是看熱鬧的。他們是對昨天平瀨橋的警察濫權蠻橫感到憤怒的市民」，亦即把「看熱鬧的」與「市民」區隔使用[237]。用「市民」這個詞指稱政治意識覺醒的一般人，大概起於六〇年安保左右，但大眾傳媒也習慣如此使用，則可說是起自一九六八年佐世保的鬥爭。當時的《朝日Journal》形容為「被市民、市民地叫著的佐世保」[238]。

為了理解「市民」的想法，大森實請教到場旁觀的女高中生「覺得三派學生如何？」她回答「我聲援他們。因為他們做到了我們辦不到的事情。」而根據某週刊雜誌刊登的學生手記，某個抱起挨揍學生，幫他擦血、照料的計程車司機說：「我不是同情你們。只是對什麼都不做的自己感到羞恥。」[239]

許多佐世保市民都默默反對越戰、反對企業號靠港。他們缺乏表達反對的手段，故把三派全學聯的行動視為自身的代言人。

與此相對，社共的五萬人遊行，幾乎沒引起市民或媒體的關注。自一九六四年核潛艦海龍號（USS Seadragon）靠港以來，社共再度組織反對運動，但行禮如儀的他們無法引起市民們的關注。當時的一篇報導如此寫道[240]：「一旦企業號來了，阻止靠港鬥爭會走到什麼樣的結局？大概又會與核潛艦靠港的經過一樣吧。誰都會這麼想。照例X千人的常駐組織前來，發動連日遊行，散發傳單，動員X萬人做抗議集會，與警備多少發生點糾紛，再弄個『滾出去』集會，最後街上又恢復平靜。一切按照日程表來行動，簡直就是個儀式。他們（社共兩黨領導者）的幹法都是固定的。沒有任何不確定要素，只有學生們的行動才是無法預測的。」市民與媒體團只注意「無法預測」行動的三派全學聯。

小田實前往負傷學生入住的醫院與他們對話。小田如此書寫他們的聲音[241]：

如果運動不能讓人自問，自己究竟反對越戰或「企業號」靠港到什麼程度，那這樣的運動就沒有意義。其中一人這麼說。我回答，這個我知道，可是，稍微思考一下戰術不是更好嗎？侵入美軍基地的方法有很多種，都知道會出現犧牲者，為何還總由同一地方對警察進行正面攻擊？——我的問題似乎觸碰到他們的基本原則。兩三個躺在鋪在地板上的床的人，以稍帶激動的口吻回答，概要如下。

……我們進行政治行動時，同時深入思考目的與手段。我們幹的事情，不是那種目標直接通向革命的游擊戰。就像你說的，這種程度的基地，想闖入的話手段多得是。可是，進入基地本身並非今日我們的目的。透過打算進入來正面挑戰國家權力，這才是目的。羽田事件時也是，阻止佐藤訪問南越、訪美，有更多簡單有效的方法，例如殺了佐藤等。或者，集體湧入首相官邸也行。但是，我們沒想過那麼幹。這是因為透過我們的戰鬥，能夠讓大眾加入反戰的作戰中，將他們組織化，這才是我們的目的。某小說家（灘．稻田）在羽田事件之後忠告我們，搭小船從海上侵入更好，可這種程度的事情我們也知道。侵入並非目的。為了侵入而發生的作戰，那才是目的。……

小田問：「認為這次的鬥爭成功了嗎？」，領導者回答：「我認為成功了。因為獲得市民的支持。」小田接著問：「即便如此，不感到空虛嗎？」學生回答：「不空虛」，「我們還會接著幹下去。」小田說：「對呀，戰鬥還很長呀」，而且這句「毋寧是說給自己聽的」。

讓大眾看到自己與機動隊作戰的姿態，促成大眾覺醒的論調，似乎殘留著以學生運動作為勞工與群眾引爆器的先驅性論痕跡。不過值得注目的是「如果運動不能讓人自問，自己究竟反對越戰或『企業號』靠港到什麼程度，那這樣的運動就沒有意義」這句話。亦即，他們想透過直接行動確認「自己」的存在意義。

中核派的學生在十八日這天晚上也回到九大。九大當局與他們議定紳士協議，只接受傷者進行護理，非負傷者禁止進入校園。但學生們暫時離開後，接著翻過柵欄進入學生會館。雖然此舉破壞了與九大當局的約定，但實際上九大當局已經默許他們夜宿。據倉田教授說，「一個教授表示『靠一個麵包不斷進行戰鬥，渾身是傷地回來，我實在無法對他們說請離開學校』，聽後我心中湧出一種無條件共鳴的心情。」[242]

另一方面，對於敵視三派全學聯的民青，九大的普通學生興起一陣批評。一月十七日，掌控九大教養學部自治會執行部的民青，舉行「阻止企業號靠港集會」，但僅有約兩百名學生出席，反而是受三派刺激，由非政治派學生獨立發起的遊行集結了超過一千人，展現頗大的盛況[243]。

十八日社共合作的「五萬人集會」上，與民青派自治會員同行的九大普通學生如此說道[244]：「我與民青派的諸位搭乘同一個巴士前往佐世保。一來我跟不上三派的衝勁，二來民青有補助，所以巴士費較便宜。但是在前往佐世保的巴士中，民青領導的演說內容盡是『中核派說那個集會來了八百人，我數了數，才五百人』，或者『排除托洛斯基分子』之類，全無提及最重要的企業號事宜。讓我不禁想，究竟是為了什麼要去佐世保。」

共產黨非常痛恨三派。一月二十一日，舉行社共合作的第二回統一集會時，因有三派系學生打算進入會場松浦公園，就派民青同盟成員等組成糾察隊妨礙他們進入。市民要求民青「讓全學聯也進去吧」，甚至發生過市民搶奪民青標語和頭盔交給三派學生的場面[245]。

但共產黨派的中央執行委員會認為，若放行三派學生，則無法保障共產黨幹部的安全，因此要求警方準備萬全警備。聽聞此舉，社會黨系的全國執行委員會抗議「竟要求機動隊對付三派全學聯，是不是」，共產黨方則回答「對付分裂主義者，是的。」某社會黨系的工會成員聽聞後，憤慨地表示「搞什麼鬼。比起戴帽子的竟更恨三派嗎？」[246]

同時，警方不僅針對三派系，對其他學生的抗議行動也採取嚴厲的警備。

例如二月十七日下午兩點半，警方攔下佐世保市內學生與一般市民搭乘的巴士，只因有「危險學生」搭乘。警察把二十多名學生逐一拖出，將他們踢倒在地並加以毆打，「見到從公車階梯滾落的學生，車上女乘客發出悲鳴。」被拖下車的學生是為了參加隔天社共合作的五萬人集會而來，屬於以非暴力為宗旨的結構改革派自治會共鬥會議，出身桃山學院大學及大阪市立大學的學生，他們表示自己身上「除了自治會旗之外，什麼也沒帶。」[247]

企業號靠港的十九日與二十一日，三派全學聯前往佐世保，與警察爆發衝突。衝突以警方一面倒獲勝告終，赤澤國家公安委員長對佐藤首相報告「整體而言警備並無過當」。受此報告，佐藤發言表示「警方乃站在守法立場行動，將其與學生放在同樣的地位思考是錯誤的。」[248]

但在佐世保，警隊毒打學生的場面愈演愈烈，群眾也就愈多。他們聲援學生「波麗士，滾回去！」「三派，加油！」等，對警方投石的人數也變多[249]。見到電視報導的市民，更加同情三派全學聯。

二十一日社共的集會後，社共的遊行隊伍再度避開三派全學聯作戰的佐世保橋，更改遊行路線。一部分的參加者發出「回橋邊去啊」的聲音，領導者們則制止道「請不要任意模仿。」到了遊行路程的終點時，抗議的人們又勸說他們「拜託了回橋邊去吧。」[250]

當時報導刊登的市民之聲有如下內容[251]：「對一直以來不關心政治的我感到可恥」（女高中生）、「他們教導佐世保市民必須也做些什麼」（中年婦人）、「我年紀大了沒辦法跟警察起衝突，學生們替我辦到了」（中年男性）、「我完全不理解企業號的事情。可是見到那樣的場面，我開始思考必須要多理解一些」（舞廳的女服務生）、「讓我深深思考國家權力的應有形式啊」（中年上班族）。

當時高中二年級的上原俊介在一九八四年回憶道，「佐世保對我而言，是開始思考何謂政治的契機。」他向學校請假，騎著機車前往佐世保觀摩鬥爭。據上原稱，三派的直接行動「讓類似權力實體的東西更加清晰化。他們把這種東西拉扯出來，讓市民方知道這就是市民社會的權力結構，讓他們得以看清」，因此成為讓佐世保市民思考政治的契機[252]。上述的女高中生或上班族的說法，可說也在佐證上原的觀察。

三派的直接行動，也刺激了有戰爭體驗的年長者們的戰爭記憶。「非常討厭全學聯」的四十七歲主婦，見到電視報導時淚流滿面，開始同情三派全學聯，她表示[253]，「學生們思考佐世保的事情，所以才做出那樣的事情吧。有這麼強的反對，政府為何不拒絕核動力航母靠港呢？政府強制執行，所以學生們才會做出那樣的行動吧。如果佐世保被捲入戰爭，那些學生們做的就是對的事情，我大概就是這麼想的。」

這位四十七歲的主婦，在一九四五年實應該是二十四歲。這個年代的女性大約都有同學、兄弟或戀人戰死沙場的經驗。因此反戰情感也比平常人更加強烈。

共產同幹部的藤本敏夫在作為當地本部的博多站前，被「接近五十歲的旅館老闆娘」這麼說[254]：「見到你們的身影，讓我覺得想哭啊。見到想要阻止美國巨大航母進來的學生，我忍不住想起戰爭中成為特攻隊赴死的弟弟與學生。」

當時三十歲以上的人們皆為戰爭體驗者。他們的戰爭記憶不僅形成反越戰的輿論，也同情三派全學聯，這種同情產生了連三派幹部也未預料到的效果。當時的座談會上，和平主義者的自民黨議員宇都宮德馬如此評價三派全學聯在佐世保的行動[255]：

在我們政治行動的基礎中，有種不能讓日本人再度苦於無意義戰爭的思想。……可是卻沒有防止的手段。不知該依賴誰的焦躁感。共產黨也不行，社會黨也不行，自民黨也不行。那麼該倚靠誰呢？總之只能先做下去。我能理解他們的正義與焦躁感。

……現在的日本如何呢？當時把國民捲入戰爭的積極團體在日本仍保有勢力。西德已經做過清算，但吾黨中依然殘存。過去宣稱美鬼英鬼、揮舞戰爭旗幟的領導者，現在卻追隨著美國的亞洲政策（指岸信介等）。而且再度推行犧牲年輕人的政治。所以過往（在戰爭中）生命被浪費的年輕亡魂茫然地飄蕩，大為憤怒，其憤怒成為憂國之鬼，成為全學聯而獻身。我自己是這麼想的。

宇都宮的意見，或許對戰後出生的三派學生而言不太容易理解。但「戰後民主主義的天之驕子」的他們，採取的反對戰爭行動，卻與宇都宮等人的世代有所共通，如此引出了年長者們的反應。

企業號，船名繼承自太平洋戰爭中戰功顯赫的美軍航母之名。其艦名正是戰爭期間中「鬼畜美英」的象徵。因此三派全學聯也受到一部分右翼的讚賞。

例如政治學者豬木政道表示，他從右翼老人處收到一封信，寫著「當我覺得日本人因戰敗成為沒卵蛋的國民時，見到（在佐世保）衝入美軍基地的學生身影，才知道日本人尚未死去。」此外，前往佐世保的東大學生運動者，從右翼的同學那裡聽聞「說實話，我們也反對企業號靠港。我們覺得三派全學聯幹得真漂亮。」[256]

當時傾向民族主義的神奈川大學教授大熊信行，在電視上看到三派全學聯的模樣後，據說一度無法扼制自己的眼淚[257]。據大熊稱「作夢也沒想過會支持」主張暴力革命的「全學聯」，但企業號停靠佐世保港是基於《美日安保條約》而來，而他認為「安保條約對日本國民而言，是戰敗與喪失獨立的象徵」，而「見到極度無謀的抵抗運動中，歷歷在目的挺身前進的學生身影，如果把這形象與接受波茨坦宣言之日到現今為止的戰敗國日本歷史整體完全對照重合的話，恐怕就會淚流不止，甚至持續好幾天吧。」

這些長輩們與其說支持三派全學聯學生的政治主張，不如說更讚許他們純粹的行動。當時電視或雜誌上，將他們比喻為「白虎隊」、「維新志士」、「花之全學聯」的年長評論家、文化人多如牛毛[258]。對三派全學聯的支持或對企業號靠港的反感高漲，小田實認為理由在於「『企業號』靠港，對日本國民而言是對方強加於日本的侮辱。」[259]

此外，三派學生在佐世保的日常行動也頗獲當地市民好評。據當時報導稱，「在佐世保，學生們相當守規矩。企業號遊行結束後，學生們還上街做打掃。遊行期間，學生也一直默默執行有紀律的行動，沒到市內觀光，努力把行動半徑縮小到必要最小限度。或許也因為人數不多，不過他們仍是非常有秩序的青年集團，總之給習慣港灣風景的軟弱市民一種清潔的印象，這也是加深對他們同情的原因之一。」[260]

另一方面，警察的宣傳車喇叭繞行市區，播放「各位市民，請看看學生的暴行。他們一而再、再而三地不聽勸解，拒絕接受解散遊行隊伍的警告，如各位所見，還拋擲啤酒瓶或水泥塊」等內容。自民黨員的佐世保ＰＴＡ（家長教師聯誼會）聯合會長力陳「學生的暴力給市民帶來重大困擾。」但據前往當地旅館的作家井上光晴稱，即便在ＰＴＡ會長費盡口舌的現場，也只聽到當地居民嘟囔「造成困擾的只有外國人酒吧吧。」[261]

如此看來，可知三派全學聯在佐世保獲得支持，是種偶然的結果。長輩們因戰爭體驗或反美情緒，感動於「純粹」的青年們作為，因而讚許三派全學聯，但顯然不是支持他們的鬥爭方針或思想。

大森實評論道，即便「他們的革命理念不具現實性」，但他們一心一意的行動與反對企業號靠港的潛在輿論產生共鳴，因此，這只不過是在偶然中出現了「最佳條件」。大森在讚許「類似白虎隊充滿悲愴性質的三派學生」以「直覺性、動物性的感覺」成功喚醒人們對問題的關注，但「他們點燃的論爭之火，如何編織入大人的思考中，接下來就是我們的工作了。」[262]

然而，新左翼黨派未能認知到這點。秋山三派全學聯委員長在佐世保鬥爭後主張，「全學聯不是『僥倖』獲得成功，那種支持是自發的」，「學生們堅信一般市民與勞工必然奮起」，「我們追求的不是單純的同情或廉價的支援，而是要求更高層次的東西。」[263]新左翼黨派的認知，也就只到這種程度。

學生與市民的對話

不過，被指責成「暴力學生」的三派學生們，相當感激在佐世保受到的支持。一位學生運動者回憶道[264]：「從瀰漫催淚瓦斯的佐世保搭上電車的青年們，車掌朝他們說『辛苦了』。在博多站開往九州大學的路面電車上，坐著的人們特意讓出座位。我不敢相信一直被稱為『暴力學生』的青年們，能夠從大眾們那邊獲得這麼多善意。」某新左翼黨派幹部也表示，「我們再怎麼說，也是為了實現第三次羽田鬥爭，抱著被指責被孤立的悲壯覺悟離開東京。也知道冒著被退學、被停發獎學金的風險。但來到之後，卻意外得到市民的『同情』。」[265]

最讓三派學生們感動的，是獲得了鉅額的街頭募款。第一次和第二次羽田鬥爭後，因媒體的惡評導致幾乎募集不到款項。然而在佐世保，則有許多市民見到包紮著繃帶的三派學生，便朝募款箱或頭盔裡扔錢。從十九日到二十一日為止的三天，募得款項有說達七十萬，也有說達兩百萬的[266]。在大學畢業首份薪水只有兩萬日圓的那個時代，稱得上相當鉅額。當時的週刊雜誌如此報導街頭募款的情景[267]：

市民們匯聚而來的同情，其實學生們自己最感驚訝。一位中年紳士隨意往募款箱投入一萬日圓。也有外國人酒吧的小姐邊說「小哥們，真是可憐啊」邊投入百元硬幣。還有一位少女打開自己的小零錢包，數也不數就把所有錢倒入募款箱。這位高一少女如此表示：

「我是反對企業號的。因為，說不上絕對安全吧。所以我想做些反對運動，但女孩沒法參加遊行……。昨天去現場觀看，感覺全學聯的哥哥們把我心中想的事情都做了。因此，至少為了那些受傷的人，捐點款。」

外國人酒吧的小姐原本應該站在歡迎美軍的立場，卻也響應募款，可說令人意外。不過外國人酒吧的職員們平時就不斷接觸蠻橫的美軍，因此也有人暗中抱持反美情緒。當時某報導如此記載[268]：

「投擲石頭的市民中，外國人酒吧的酒保與男服務生出乎意料地多。如果輕易地說他們就是靠美軍吃飯的，所以不會反美，那就太忽視人類的基本情感了。」

民眾的捐款特別集中在被認為最奮力作戰的中核派。傍晚在街頭募款時，據說「當渾身是血的中核派站在解放派、共產同身旁時，戴白色頭盔的中核派獲得最多大鈔，解放只有百元硬幣（笑）。這還挺明顯的。」[269]

被三派全學聯觸發的佐世保市民中，也出現了採取更加積極行動的人。據當時報導稱，二十一日「據說有三位計程車司機，手腕上套著自製的紅十字臂章，把受傷的學生送到救護所。他們見到十七日的鬥爭，尋思想做點什麼，互相呼朋引伴之下來到現場幫忙。」[270]

另外某教師雜誌也有人投稿[271]：「對於僅旁觀學生衝突的自己，感到深刻的自責。在批評學生之前，該自問我們為和平做了些什麼，並一併自問『能夠做些什麼』，最後向政府、各相關單位寄出抗議的明信片。」

在小田實的呼籲下，佐世保越平聯成立，之後以九大的倉田令二朗教授為核心持續進行反越戰遊行[272]。十八日與二十一日的遊行中，對社共遊行隊伍迂迴行徑感到不滿的參加者，以及不認同長崎大民青派自治會態度的無黨派學生等，以他們為核心組成了長崎越平聯[273]。

但如前所述，即便市民們同情三派全學聯，但並不一定支持他們的思想或鬥爭方針。當時的週刊雜誌介紹如下場面：「商店的店主拿報紙包裹一些泡麵，邊說『雖然我無法全面認同你們的行動……』邊放下泡麵然後匆匆離去。戴著口罩的中年婦女拿出五百日圓鈔票，以認真的表情說：『警察們的體格跟你們不一樣啦。你們注定會輸，所以呢，口頭上吵吵架就好，不可以出手啊。』」[274]根據井上光晴在當地的報導，「一位拿出百元鈔票的主婦說：『你們真是找罪受，一定會受傷的呀。你們也站在家長的立場想想，他們不知道有多擔心啊。』聽到這些話的女學生低下頭說了聲『我知道了』，而表情瞬間猶如被催淚彈攻擊般抽搐起來。」[275]

實際上，從物質條件來看，三派一方不可能戰勝機動隊。當時的報導曾諷刺地寫道，「攻方設備五百五十日圓，守方設備九千五百五十日圓」。根據這則報導，學生使用的是五百日圓的便宜頭盔與五十日圓的角材。相對地，機動隊的戰鬥服二千九百日圓、防禦衣二千四百圓、頭盔一千二百日圓、防石面罩八百日圓、防禦手套一千七百日圓、警棒二百日圓、木製防守盾牌四百五十日圓。第二次羽田鬥爭後，機動隊的裝備更進一步強化，硬鋁的大盾牌一千八百日圓，防石網三千三百日圓、催淚彈發射筒一千一百日圓，除此之外還有噴水車與裝甲車的援護[276]。

在募款現場也出現學生和市民討論的場景。某女學生說「我雖然捐款，但不是因為我贊成，而是因為反感警察的蠻橫和對你們的同情。」[277]當時報導中也介紹如下互動[278]：

「我能理解你們追尋純粹的心情，但應該還有暴力以外的方法吧。」「你說在銀座發傳單就好嗎？請想想企業號靠港這件事的重要性。日本現在有逐漸被捲入戰爭的危險。此時正是我們必須拚命戰鬥的時候。」「為什麼不能用對話的方式解決呢？」「到現在為止，對話達成什麼成果了？自衛隊、安保、核能潛艦，不都在不知不覺間變成了既定事實嗎？」「進入基地又能做些什麼？美國不可能垮吧。」「安靜遊行無法喚醒世人的關注。」

無論新左翼黨派幹部的認知力如何，在街頭與市民討論時，三派學生們不僅不提及自家派系的理論，甚至只說自己的真正心聲。日高六郎當時如此評論[279]：

「他們〔三派〕的行動的本質，與他們〔機關報等〕的文體有相當大的距離啊。使用鋼鐵般堅硬的史達林式的文體，不斷寫著反史達林主義的文章，實在沒什麼魅力。」「學生們在街頭拜託捐款時，周遭會圍起人牆開始議論。這種時候學生的發言沒有反帝、反史達林，換句話說，現場並沒有組織的聲音，聽到的是身為人的聲音。市民引出了學生們身為人的聲音。」

這種討論的圈子自然而然地擴散開來，在佐世保市內各地都湧現討論。當時的週刊雜誌記道，「顯然，許多佐世保的市民似乎開始『思考些什麼』、『發言些什麼』。因此，可在佐世保四處的街頭巷尾看見出現小型人牆，自動自發的小型『對話』。」[280]

佐世保的某工會事務局長，承認了三派全學聯讓市民覺醒，並如此敘述[281]：「只有在那種亂鬥與流血中，才能讓市民張開眼睛，這樣的想法讓人感到遺憾。不過，僅靠機械式的集會或群眾運動，不能起到應有的效果。這點也讓工會成員反省。」

這種反應不只出現在此工會事務局長身上。根據小田實的佐世保報告，當時剛成立，以和平主義為號召的公明黨竹入委員長及其下屬也終於來到佐世保，竹入發表如下演說[282]：「學生們真心愛著國家。接續他們行動的，就是我們的和平運動。絕對不容許把核武帶入日本。無論如何都要守護和平憲法。」小田聽了竹入的演說後，記下佐世保聽眾們的反應：「例如我身旁的老婆婆邊聽邊點頭，而點頭同意並非只有她一人，那是相當令人感動的畫面。」

佐世保的市民中也有批判學生的聲浪，如「黑道學生模仿乞丐的幹法」，「他們與過往的特攻隊沒什麼差別。」在橋上旁觀亂鬥場面的人之中，也有人發出「『全學聯，快衝啊！』的不負責任又挑撥式的叫喊。」但整體來看，這樣的聲音還是比較少的。佐世保市內「更常看到敲碎並搬運道路鋪磚〔作為投石使用〕的他們〔三派全學聯〕，喊著『請讓讓，正義的夥伴要通過啦』，接著引來一陣笑聲的場面。」[283]

面對這種現象，警察與保守派媒體也無法隱藏他們的苦悶。《財界》雜誌報導，「因為（佐世保被動員的警察）是混合編組，所以各縣府機動隊實施武力壓制的『規矩』也不同，受到的訓練與員警經驗也有差異。因為是混合部隊所以指揮官缺乏對部隊的澈底掌控與運用經驗，這種缺點也是招致『警察太過暴力』的批評的部分原因。」[284]

對媒體報導機動隊暴行讓全國人民看在眼裡一事，從警察廳派遣到佐世保警備本部的警察幹部，回東京後在記者會上遺憾地表示「如果沒那電視就好了。」[285]

保守派的佐世保市長對市民同情三派全學聯的報導表達不滿[286]。根據他的說法，圍觀群眾超過半數以上都來自佐世保市外，「佐世保周遭的居民與東京不同，擁有九州人樸實的特質，其中還有激情的成分，所以就像在看職業摔角或棒球一樣，看著全學聯可說是暴動的行為，卻覺得那是刺激的東西。」「有良知的市民仍遵守市長的警告並謹慎行動。」

當時的報導中也提及，從熊本帶著便當來看熱鬧的數十名「群眾」說，「哎呀，實在太有趣了。在熊本可見不到這種場面。」[287]從這點而言，佐世保市長的看法似乎也沒太大錯誤。不過，除了這種狀況外，學生的運動確實還是引發了大量市民的同情與思考。

順帶一提，佐世保市長在企業號離去後表示，「國家既無法控制三派全學聯，對核武進入日本的說明又一味地含糊不清，急急忙忙承認靠港，可受到牽連禍害的卻是當地的市長啊。」關於被總動員的職員補貼，與使用混凝土加固被搬去投石而無法使用的人行道鋪磚，總共讓市府支付約一千六百萬日圓。即便是保守派市長，也對企業號靠港感到困擾。佐世保鬥爭甫結束之際，橫須賀市長也發表聲明反對核動力航母靠港[288]。

佐世保鬥爭大幅改變了三派全學聯的印象，甚至在東京也是如此。當時的週刊雜誌在佐世保鬥爭之後報導，「在第二次羽田鬥爭事件結束不久的募款運動上，幾乎無人上前捐款。同樣是這些東京都民，這次竟聚集而來請求與學生對話。」澀谷、池袋、新宿等街頭募款也有許多民眾聚集，據說其中還有不少人要求「單挑」到附近咖啡館與學生辯論[289]。

當時的雜誌刊登了數則與學生有接觸的東京「市民」的發言[290]：

「說到全學聯，就會想像成黑道或愚連隊（阿飛、混混之徒），可跟他們一談話，發現說話方法也有禮貌，大家似乎都是認真的學生，讓我有些感到驚訝。」（主婦）

「即便安靜地遊行還是會被管制。至於透過武裝抵抗權力，確實促使我思考是否只有他們的手段才是有效的。」（年輕上班族）

「全學聯與大眾互相伸出雙手，這實在是非常大的進步。不過，問題應該是接下來該怎麼辦。無論如何追究他們，他們也只會回答：社會黨、共產黨都是敵人，只能採取暴力主義革命。即便伸出雙手接觸了，但還是沒達到握緊對方的程度。」（中小企業主）

此外，「想闖入基地也是沒辦法的辦法」，「機動隊太殘暴了」，「石塊什麼的不行啦，下次記得帶炸藥去！」等等，多元的聲音都傳達到街頭學生那裡[291]。雖然，只要新左翼黨派不改變，現實依舊是「即便伸出雙手接觸了，但還是沒達到握緊對方的程度」，即便如此，佐世保鬥爭在東京也成了全學聯的一次轉機。

三里塚鬥爭開始

三派全學聯的下一個鬥爭場域，是反對成田（三里塚）新機場建設鬥爭。

從一九六三年起，便已決定興建新機場替代羽田機場，當初選址在富里與霞浦兩地，之後一九六五年起又提出以東京灣海埔新生地做為候補[292]。但霞浦經波音公司調查後認為不適合興建機場，東京灣海埔新生地計畫遭到取消，富里則在徵收土地時遭遇猛烈反對運動而撤銷，另一個木更津海面案也因航空管制上的理由而終止。

接著，一九六六年六月，千葉縣三里塚案突然間浮上檯面。六月二日自民黨的機場問題協議會提出木更津案，七日運輸大臣推動富里案，十七日，自民黨的川島副總裁突然提出三里塚案。並且，十天之後佐藤首相密奏天皇要將三里塚的御料牧場遷移至栃木縣。七月四日決定採用三里塚案。機場的設計內容也相對粗糙，富里案時佔地面積達二千三百公頃，共有五條跑道，到了三里塚案時縮至一千零六十公頃與三條跑道。

這種粗糙卻迅速的選址，背景原因是越戰的影響，羽田機場已幾乎瀕臨癱瘓狀態。對美軍而言，日本是越戰中不可或缺的後方基地，如第一章所述，一九六七年使用羽田機場的飛機總數中，有四成屬於美軍專機。因此，興建新機場成了燃眉之急。

日本政府的說詞是，因經濟成長與國際化故有必要興建新機場。但中核派等各派則將新機場建設認定為協助越戰的一環。日後前往羽田參觀的三里塚農民也異口同聲地說「搞什麼，〔政府〕那樣說，可如果〔美軍的〕軍機沒了，我們的土地也就不會被徵收了。」[293]

三里塚的農民對機場建設起初是感到不知所措。三里塚除了是天皇家御料牧場之外，原本多是荒地，在二戰後由農民遷入開墾，此時正值農業生產步入正軌之際。為了建設機場突然徵收這樣的土地，農民不可能不加以反對。

加上政府方面的高姿態，更促成了反對的聲浪。針對當地居民的說明會僅僅舉行了一次，當時的農林次長詢問運輸次長是否取得農民的諒解時，運輸次長回答「運輸省建設機場時是由高層單方決定，農民加以遵從是基本原則。」當時千葉縣知事還發言表示，徵收預定地的三里塚、芝山地區的農民較富里更「貧窮」，因此土地應當更容易徵收，這更引發農民的憤怒。某一位農民在反對鬥爭的混亂之中如此叫喊[294]：

「俺的土地由俺來守護。……俺過去是自民黨員啊。選舉的時候曾經一個月不拿報酬幫忙。雖然現在才說出口，不過我也曾拿錢去拜託人（投票）。現在卻是什麼狀況。政府竟然連一句商量也沒有，就要拿走我的土地……俺（從戰爭）撤退回國，昭和二十一年初才加入這個區域啊。然後，一路以來好不容易才開墾出今天的成績。昭和四十一年好不容易才還清開拓資金。接著，突然就是機場。有這麼扯的事情嗎！我是這麼相信國家！可是，今後我不再相信了。」

政府與知事的強勢發言背後，存在經濟高度成長下農業不斷走向衰退，農民也開始流向都市的背景。實際上，三里塚也有不少農民屬於等著政府提出條件，若可接受便願意將土地交給機場公團的「條件派」。不過餘下的農民，在基督教徒、反對同盟委員長戶村一作的領導下，展開反對鬥爭。

一九六六年突如其來決定機場選址時，包含三里塚的芝山町議會通過決議反對機場。然而之後保守派議員捲土重來，在警隊的保護下，將町議會的反對決議完全撤銷[295]。從整個成田市來看，三里塚地區的農民不過是少數人，在成田市議會或千葉縣議會中，完全不可能出現反對派佔多數的狀況。

走投無路的農民一開始對社會黨或共產黨抱持期待，雖然社會黨沒有動員能力，但共產黨曾派遣民青同盟人員前往援農（協助農耕作業），積極支援著農民[296]。

但農民與共產黨的關係卻逐漸冷卻。一九六七年十月十日——第一次羽田鬥爭的兩天後——由機場公團進行測繪與打界樁時，農民欲憑藉武力阻止，而共產黨與民青則主張「不要上政府挑撥的當」避免武力鬥爭，僅有不斷呼反對口號與合唱。結果，測量用的打界樁仍舊完成，農民中甚至有人受傷，並「伏地懊悔不已。」

熱中擴張自家勢力的共產黨，態度也讓農民不滿。首先，援農的民青同盟成員拜託當地農民購買閱讀共產黨機關報《赤旗》，接著挨家挨戶拜訪農家，勸誘農村青年加入民青。最初《赤旗》只有週日版，還有許多農家購讀，但十月十日打界樁時，農民認為共產黨根本無心戰鬥，當天以後「《赤旗》的銷售量滑落甚多。」

一九六七年十一月三日，三派全學聯與反戰青年委員會前往參加反對三里塚機場青年總誓師集會，但民青主張必須完全排除三派全學聯，向戶村反對同盟委員長抗議，表示「我們如此支援各位，也進行了募款，為何還叫來托洛（托洛斯基分子）？」但戶村委員長以同盟規約規定「不問政黨黨派，只要接受同盟的基本原則，願在同盟領導下戰鬥，即可接受對方支援」為由，駁回了抗議。

農民們的邏輯是「只要願意伸出援手，不管是朝鮮，是中國還是美國，都沒關係」，與重視黨派鬥爭的共產黨邏輯至此已無法相容。據當時報導稱，共產黨「散發妨礙集會的傳單，張貼挑撥式的貼紙，以援農為藉口招募新黨員」，「對同盟最高幹部班底指名道姓地散布謠言，說這些人『已經跳槽到條件派』、『買了其他替代的土地』。」報導更指出「根據同盟的文件，日共方面強行闖入同盟幹部會擾亂議事，動員黨員與贊同共產黨者妨礙同盟的各種行動。」

反對同盟對共產黨這種態度感到惱火，十二月十五日宣布「只要共產黨不改善此種態度，將堅決排除共產黨的一切支援與介入」，雙方陷入決裂。在之後的町議員選舉中，社會黨員的反對同盟副委員長以第一高票當選，反對同盟推出的八名候選人全數當選，而共產黨的候選人則以最低票落選。

一九六八年二月二十六、二十七日，反對同盟舉行集會，中核派的學生也參與會議。中核派嘗試闖入與市公所位於同一用地上的機場公團辦公室，與警隊爆發衝突[297]。

農民本來對謠傳中的「暴徒」——中核派抱持警戒心，傳出大量「沒法跟學生們一起搞運動」的聲浪[298]。但二十六日警方不加區別以警棍亂打，導致戶村反對同盟委員長頭部重傷。之後，據說戶村表示「看清了警方的真相。今後將澈底抵抗下去。即便因此喪命也無所謂。」[299]

在這種狀況下，戰鬥性強的中核派獲得農民的好感，中核派集會時周邊聚集了約兩千名群眾。二十七日的集會上，中核派秋山委員長過往演講都以「今天集合的學生，以及各位勞工」開始，改為「學生、勞工與各位市民」，首次使用「市民」這個詞彙。農民方也出現「去年十月十日之前就這麼幹的話，根本就不會被打上界樁……」的聲音[300]。

三月十日，除中核派外，社學同、社青同解放派、民學同、第四國際等學生們闖入成田市公所與機場公團的某高台的正門。反對同盟的農民與反戰青年委員會、越平聯等則以非暴力遊行的形式，在區公所前靜坐聲援[301]。

當天，機動隊在市公所與機場公團的某高台以噴水車列隊與鐵絲網嚴陣以待，下午兩點半，學生在混入催淚液的噴水與催淚彈攻擊下，不斷投石與嘗試突破鐵絲網。當學生衝破鐵絲網時，農民及群眾便報以掌聲[302]。

學生方進行部隊分組，打頭陣的「特殊工作隊」以鉗子與鐵鎚破壞鐵絲網，接著由手持角材的「突擊隊」發起衝擊。當機動隊反擊，支援突擊隊的「武鬥部隊」旋即加入戰場。後方則由「投石隊」援護，大後方則是負責搬運石塊與照料傷患的女學生「救護隊」[303]。

然而鐵絲網並不容易突破，下午四點半機動隊展開反擊[304]，以催淚彈與警棍驅散靜坐的反戰青年委員會勞工，學生、農民與群眾逃往預定舉行集會的市營球場。

令人吃驚的事態於稍後發生。反對同盟的農民、學生，及反戰青年委員會、越平聯等舉行的抗議集會於下午五點多結束時，機動隊宣布「這是非法集會，現在開始驅離」，一舉湧入球場。當時的週刊雜誌記者寫道，誰也沒想到機動隊會在平穩的集會結束後展開襲擊，「讓我們大為吃驚。」之後便是機動隊單方面施加暴行。主辦方以手持麥克風廣播「各位，我們正在集會，沒有理由被逮捕。請大家坐下互相並肩挽臂，維持集會」，而機動隊依舊對集會參加者施以無差別暴打。特別是戴白頭盔的中核派成為主要攻擊目標，指揮官下令「全數逮捕中核派」。此時遭數名機動隊員毆打的女學生，被同樣遭警棍所傷的農婦保護。抗議警備過當的社會黨議員也被機動隊撞翻。

警方的暴力也沒放過非暴力的市民。某女性抗議道「我們是成田市民。請不要毆打市民」，機動隊員則回答「什麼市民！既然是市民還跑來這種場所，是你們自己不好。混帳東西！」接著就以警棍毆打對方頭部致傷[305]。

民眾們紛紛喊叫「機動隊比暴力團體更可怕」，「暴力團體滾回去！」而機動隊則回嘴威脅「是誰說的！馬上逮捕你！」[306]不讓群眾擴大這樣的抗議。在市營運動場旁的土堤上，大約有八十名市民叫喊「機動隊滾回去」，但也遭機動隊驅散[307]。

某年輕勞工對現場記者說：「說是警察……什麼警察……根本就是暴力團體。不甘心啊……。請媒體報導這裡發生的事實。拜託……」某個來看熱鬧的青年吼叫：「如果我帶炸藥來，一定會扔向機動隊」。有位最終還是決定來看看狀況的五十多歲前特攻隊員農民說：「學生們或許也有些不好，但警察那種幹法太過頭了。那麼做誰對警察都不會有好感。大體上我們也是反對機場的。說是民間商用機場，肯定還是會被用在支援越戰上。」[308]

當天執行過度警備的不只成田市公所與市營球場。根據荒岱介的回憶，為了前往成田而在京成線酒酒井站下車的一隊社學同成員，在車站前突然遭機動隊投擲石塊，趁學生尚未列隊上前亂打將其驅離[309]。

之後，新左翼黨派開始向反對三里塚機場建設鬥爭傾注力量。以此為契機，對機場建設的關心擴散到日本全國。據當時報導稱，「〔保守派的〕藤倉市長也承認，使人們多少對機場問題產生關心、認真思考的，是從『三派終於來到，發生些微騷亂之後開始的』。」所謂三派的行動，與佐世保的狀況相同，都起到了把問題意識推廣到整個社會的效果[310]。

變成暴動的反對王子野戰醫院鬥爭

與三里塚平行的另一個鬥爭場域，位於東京都北區的王子。

美軍將日本當作越戰傷兵治療地而加以重視。第一章說明過，美軍的傷兵中，約七十五%在日本接受治療。

一九六八年初，美軍在日本的埼玉縣朝霞、神奈川相模原市、東京都立川等地，擁有七處醫院。王子是美國陸軍遠東地圖局的所在地，一九六五年十一月，美軍提出將埼玉縣狹山基地的陸軍醫院遷往王子的方針。一九六六年六月，遠東地圖局搬遷至夏威夷，醫院建設開始加速[311]。

同時，一九六五年十二月起，在王子的東京都北區議會便長期要求撤走美軍基地歸還土地，該區提出意見書表達無法接受醫院的建設。一九六六年二月，社共兩黨與北區勞聯等，組成反對越戰野戰醫院設置聯絡會議。但行禮如儀的社共與工會的反對運動，一直沒有熱度，直到一九六八年二月二十日才舉行第一次的反對集會[312]。三派全學聯與革馬派全學聯學生也參加了這次反對集會。

二月二十日這天，以及二月二十七日、三月三日，兩個全學聯在醫院建設地實施遊行，與機動隊發生衝突。當地居民一開始也與三里塚一樣，畏懼謠傳的「暴徒」三派全學聯，大量民眾表示「學生來了的話就糟啦。」[313]

不過，這裡的居民與看熱鬧群眾的態度也發生改變。群眾間自發大量出現「學生是不好，但警察不用搞到這種程度吧」，「學生一方是真的在拚命。他們的行動是不得不為，有著想停也停不下來的純粹正義感」等聲音[314]。

警方的介入，也把參加遊行學生的家長捲入。根據某學生母親對雜誌社的投稿，該學生因參加王子遊行遭逮捕，老家竟來了當地警察署的刑警，對夫婦的生活狀況與思想傾向製作筆錄，並要求簽名與按指紋。之後他們詢問懂法律的友人，對方告知警方沒有拘票或搜查令不得進入民宅，做筆錄也屬違法，投稿的結語寫道「對於一個擔心兒子而惶惶不安的母親而言，這完全就是另一種暴力。」[315]

這種警察的行動也讓市民反感。三月八日，三派全學聯與革馬派全學聯約一千二百人於野戰醫院建設地舉行遊行，與機動隊發生激烈衝突。此時圍觀群眾增加到超過三千人，他們喊叫「條子滾回去」、「不要協助越戰」、「如果贊成戰爭，那就去越南」、「警察你們是日本人嗎」、「全學聯的諸君們，加油」等等。最終群眾之中有人說「我下定決心了」，接著開始朝警方丟石塊，最終王子本町派出所的玻璃遭打碎[316]。

這天前往圍觀的市民接受週刊雜誌採訪時回應道，「在電視上看到羽田、佐世保事件，心想『不管是機動隊還是學生，都半斤八兩』，為了「親眼見證哪一方才是壞人」，所以來到王子觀看狀況。但到場後「觀察時」覺得「學生也有不對，但機動隊更加錯誤」，就在此時，機動隊對他喊「你這傢伙，竟然來這種地方湊熱鬧」，接著他便遭到毆打。他說，「腦袋突然一熱，吼出『竟然有擅打市民的傢伙』。心想，這種狀況下就算向對方投石也算不上做壞事。」[317]

王子的居民對學生也採協助的態度。無黨派的東大學生大原紀美子四月一日前往王子時於途中迷路，在害怕可能遭逮捕的心情下，鼓起勇氣問當地一位十歲左右的小學生「野戰醫院在哪裡」[318]，「那個小男孩仔細地告訴我怎麼走，並提醒我不要去比較好，因為那邊有條子啊，親切提醒我。孩子們也有這種程度的理解啊。」

當時在王子參加遊行的越平聯派高中生如此描述當天情況[319]：

> 野戰醫院毫無常識地設在住宅區中央，可見日本被愚弄到什麼程度，周遭玻璃窗破損的各戶

人家，空虛地貼著「反對野戰醫院」的傳單。……

在遊行隊伍通過時，野戰醫院周圍的各戶人家都走出家門拍手歡迎。當時我太感動，甚至還流下了眼淚。遊行隊伍與從各家出來的居民，互相拍手宛如融為一體，其中還有留著淚的老婆婆。我從出生以來第一次見到如此美妙的光景。……

「真是來對了。我絕對沒錯。」心中不只一次地這麼想。有從都營公寓四樓陽台拚命拍手的主婦，連小學生的孩子們也拍著手喊「加油……」。倒是，感到困擾、孤立的警察顯得可憐。……

遭市民包圍、指責、孤立的警察們，看起來就像一群有苦說不出的人們。與其指責，不如說忍不住對他們充滿同情。群眾不斷增加，警方惱羞成怒，不斷重複道「以妨害公務逮捕」，但這句話聽來只顯得空洞。

當一名警察被同齡的年輕人指責，在失控的憤怒下抓住市民的領口，幾個市民衝上前來救人，場面變成互相拉人的狀態。這種事情反覆發生，但沒有任何人被逮捕。

當時的雜誌報導描述[320]：「機動隊的內心才真的感到哀傷。在昏暗的小巷中，遭原本應該站在他們這邊的市民們投擲石塊，這種時刻他們的心情應該宛如在煉獄中吧。」「在王子，民眾壓倒性地站在示威遊行一方。已經沒有情感上支持機動隊員的人了。」「他們的人性得不到人們的肯定。然而他們終究是人。他們也活在這個世上，追尋著真、善、美。這樣的人們，人性被忽視，被當作機器人一樣使用警棒，此刻他們心中大概是如此糾葛，並從幽冥中發出淒喊吧。」「遊行的學生們或許可以相信他們口中的社會改革吧。但機動隊員們，似乎只能相信憎恨。」機動隊員帶著「憎恨」對學生或市民施加暴行，卻更加引人反感。

更有甚者，國際潮流也讓鬥爭更加熱烈。王子鬥爭最高峰的四月五日，美國黑人運動領袖馬丁·路德·金恩（Martin Luther King Jr.）牧師遭到暗殺，引發全美黑人暴動，警察開槍殺害了十五人。當時的情形也在日本電視上報導，就和越戰報導一樣，在在刺激著日本的學生與群眾。前述的大原紀美子從此時期起遍讀美國黑人問題的相關書籍，並前往王子參加示威[321]。

四月一日晚間，在王子的群眾陷入一種暴動狀態。四月二日《每日新聞》早報報導，「這些人們既沒戴頭盔也沒拿角材，穿著夾克或西裝，或者毛衣或者日式棉襖，還有人穿著睡袍，腳上踩著拖鞋或草履，服裝形形色色。而且與全學聯的學生一樣，對警察激烈投石、鏃頭，甚至襲擊派出所。」[322]同一天的《朝日新聞》也報導，「群眾騷亂的人數不斷攀升。當天夜裡已增加到二千人，有看似上班族的人，有穿著便服的中年男人，有穿著木屐背著孩子或牽著孩子手的主婦，有年輕的女孩及普通學生，各式各樣的人。」[323]

當天的騷動中，一位參與群眾、名為榎本重之的上班族，其屍體被發現於水溝中，隔天旋即出現「抗議虐殺集會」。這天也聚集了約千名群眾，朝警察丟石塊。四月三日的《朝日新聞》報導，「學生們安撫群眾說：『今天是追悼集會，大家不要丟石塊』」，「學生在晚上十一點結束署前的集會，解散後朝王子站移動，但一部分群眾在學生離開之後又發起投石騷動，程度更甚於前。」[324]

對三派的學生而言，群眾的這種行動毋寧是讓他們感到驚訝的。荒岱介如此回憶[325]：「我們揮舞著武鬥棒突擊時，原本應該旁觀的群眾卻從後方開始丟擲石塊，遭投石的氣勢壓制的機動隊四散逃竄。經常可見這樣的景象。反之，如果我們慎重地與機動隊對峙，群眾便會冒出『別拖泥帶水的，趕緊衝啊！』的奚落聲。」「我也確實感受到，有什麼萬一的狀況時，群眾這方更顯暴力。在王子，我見到有民眾拿石頭把機動隊員打倒在地無法動彈後迅速逃開的場面，讓我震驚不已。」

依據府川充男的回憶，經過羽田、佐世保鬥爭，大量新左翼黨派成員遭到逮捕，因此並無太多動員能力。在王子的狀況是，「社學同、中核有兩百，至多三百人程度，解放的學生大概一百到兩百，ＭＬ與第四國際則根本不到二十人」，在這種情況下，三月三日的集會上還發生中核派與社學同互毆的內鬥事件[326]。

而受新左翼黨派刺激的民眾則有驚人的反應，府川如此回憶：「晚上車站前中核的學生被機動隊驅離時，我正好走在人行道上，周遭約兩千人的圍觀者逐漸開始投擲石塊，之後轉變為猛烈地丟石塊，此時群眾發出『哇！』的吼聲衝向機動隊，一口氣擊潰對方。」「打算去放火燒了派出所時，回家洗澡的哥哥說著也讓我加入，旋即衝來參與。」[327]

會發生這種現象的原因之一，是北區乃眾多小鎮工廠或小商店的下町，住著許多平日就對警察抱持反感的勞工或居民之故[328]。這種下町地區的男性，多數喜歡幹架且性格粗暴，這樣的人群一旦與機動隊「幹架」，就遠非新左翼黨派學生可以比擬。日後成為一橋大學越平聯代表的井上澄夫，如此回憶這些下町男人的驚人之處[329]：

最初對什麼「居民就是居民、勞工就是勞工」感到驚訝的，就是在拆除王子野戰醫院鬥爭的時候啊。那個時候，魚鋪的小哥、壽司店的小哥之類的，魚貫走出店家，就在列隊的機動隊眼前喀啦喀啦地敲碎〔道路〕鋪磚。弄出不遜於小孩頭顱大小的大石塊，一直搬到機動隊兩、三公尺前，瞄準硬鋁盾牌往上砸。……學生們不會這麼幹，他們給人的那種感覺，學生學不來。……思考這究竟是什麼呢？這就是活力啊。

但實際上這種「騷亂」，不少是圍觀者覺得「沒有比這更有趣的表演」，在圍觀之餘施行暴力[330]。根據新聞報導，四月二日晚間可見到「二十歲左右的員工」、「十七、八歲的少年」邊說著「『好玩！好玩！』邊扔石塊」的光景[331]。

第一章也說明過，當時東京湧入大量來自各地的青壯年男性，因此青壯年男性的比例異常的高。上述「二十歲前後的員工」或「十七、八歲的少年」，不難想像正好就是從各地縣市到首都賺錢，住在狹窄公寓，每天生活往返職場、澡堂與廉價食堂之間，內心充滿抑鬱憋屈的國、高中學歷勞工。評論家中島誠的編著中，如此描寫圍觀王子鬥爭的群眾[332]：

柳田公園的集會終於結束。遊行隊伍迅速拎起角材，伴隨著呼聲，旋即以驚人的速度衝出公園。「來了來了！」「出來了呀，速度好快！」「簡直就是以前日本軍隊的突襲啊！」圍觀的人群爭先恐後地追著遊行隊伍，但根本追不上。「中核派，加油啊，拜託你們了！」有人大喊道。「我是個總說些不負責任的話的人，不過我說，這不是你們自己的城鎮嗎？」耳邊傳來半帶怒意的聲音，朝聲音方向望去，是個穿著睡衣，外面披著夾克的商店歐吉桑。我想對他來說，這應該是他拚命吼出的聲音吧。

這些「看熱鬧的人」，在三里塚也人數眾多。當時的報導這麼描寫三月三十一日看著三派全學聯衝入成田市公所的圍觀群眾[333]：「紅、藍、白、黃、黑，多采多姿的頭盔。中學生喧囂地喊著『好帥』。有個父親腳踩墓碑，手持望遠鏡眺望，當他不經意要站起時，一旁的女兒叫著『讓我也看看』。」

學生方對這些「看熱鬧的人」、「群眾」，一方面覺得歡迎，但同時也抱持著複雜的情緒。某法政大學的學生當時如此說道[334]：「我們與機動隊衝撞的時候，看熱鬧的人在旁叫嚷『衝呀衝呀』，那種態度實在讓人惱火。對方把我們當作是職業摔角來看啊。我們既非暴徒，也不是小丑。畢竟搞鬥爭消耗劇烈，一個不小心還可能送命啊。」根據當時的報導，這些看熱鬧的人把學生與機動隊的衝突戲稱為「托洛摔角」（譯註：托洛斯基Trotsky＋摔角Wrestling，日文稱為トロレス）[335]。

實際上，從第一次羽田鬥爭到王子鬥爭的「激盪的七個月」間，三派全學聯獲得一定的支持與同情，但付出的代價也不少。在這七個月，三派受傷人數約三千人，被逮捕者超過一千人，被逮捕者的保釋金約一千萬日圓，受傷者的治療費超過二千萬日圓[336]。其中最具戰鬥性的中核派約佔其中的半數。

各派的資金來源除去掌控的自治會會費、機關報的銷售額，就屬街頭募捐為最大來源。佐世保鬥爭後不久，在澀谷或新宿站的募款一天大概可得十萬日圓左右，而隨時間推移，金額也不斷下降[337]。到了四月的王子鬥爭末期，中核派衰弱到所能動員的部隊僅有一百人左右[338]。

觸發與錯過

同時，當地民眾受學生運動的觸發，也激起更多討論。三月八日騷亂之後，北區公所附近青年、老人、上班族或穿著木屐的當地居民聚集了三到四十人討論[339]：「學生們太糟了不是嗎？」「不不，警察才糟呢！」議論中，某位老人如此表示：「我自己也進過軍隊，在裡頭最先想到的就是女人。（從越南過來的）士兵到我們這裡，肯定會糜爛風紀。」

也有經過這類討論，而自動自發組成運動團體的案例。三月八日騷亂之後，除以社共為主的聯絡會議之外，當地居民另外組成「反對王子野戰醫院設置會」。身為領導者的前產業工人敘述組成的動機[340]：

> 跟著軍隊的女人，已經透過房屋仲介找房子。這種狀況下最該重視風紀問題的中學PTA會長，竟然表示「公立學校的PTA不好反對，這是已經決定的事情。」……那反對的情緒應該何去何從？學生那樣的幹法並不好，但是因為美軍與日本政府無視正常做法，學生們才會那樣幹吧。那麼，就這樣放任全學聯好嗎？我覺得，自己必須做些什麼來解決鎮上的問題，這不是理所當然的嗎？

此會成員之一的建築公司職員認為，「如果沒有學生那樣的行動，也就不會引起街頭巷尾的議論，也不會組成反對會吧」，承認三派全學聯作為「引爆器」的影響。北區的無黨籍區議員表示「現在共產黨之流，辦的都是有如送葬隊伍般的示威運動，啥都阻止不了。」[341]

「當學生們冒著生命危險與王子野戰醫院作鬥爭時，我們當地人可以袖手旁觀嗎？」一位民眾在解釋該團體成立的動機時說道[342]。三月二十四日，除了「反對會」示威外，約四百名當地家庭主婦還舉行了「圍裙示威」。[343]

這類討論並不只發生於北區。佐世保鬥爭之後起，在澀谷、池袋或新宿等處街頭都可見市民與募款學生的議論場面。新宿站西口地下廣場則是討論最盛行的地方。當時的雜誌報導，佐世保鬥爭後起「連日傍晚從人潮擁擠時刻起，便以募款學生為中心圍起二、三十人的圓圈，有時十五、六人也行，圍起的人潮擠到行人也無法通過。」[344]

當時的東京有許多來自地方縣市的孤獨學生與青年勞工。他們說出自己的真實心聲，渴求能認真討論社會問題的場所。三派全學聯的行動也點燃了這些人希冀溝通的欲求。

新宿西口廣場人們的討論圈，之後評論成田、王子鬥爭時也繼續擴大，到最後「即便不是在事件之後，也沒有連署活動或學生募款，人們仍繼續集會討論」，「沒有組織、沒有辦公室、沒有電話，即便什麼都沒有，一直到現在，人們仍舊沒變，一到傍晚即開始集會」，這種情況自動自發地出現，並且形成一種慣習[345]。此新宿西口廣場的集會，最終與一九六九年出現的「新宿西口民謠游擊隊」有所關聯，這部分將於第十五章後述。

從這些場所開始，社會上出現了自發性質的團體。在池袋由討論產生的「池袋西口市民集會」，也同越平聯一起參加了三月八日在王子舉行的遊行，而且他們拒絕像社共遊行一樣，一遇到機動隊就更改路線。他們一邊吶喊「保護學生！」「打開我們的市民之道！」的口號一邊前進，在機動隊「你們是紅色那邊的人馬吧」、「要有點分寸，你們這群看熱鬧的」的咒罵聲中，一直前行到野戰醫院前方[346]。

佐世保與王子鬥爭不僅影響了市民，也擴及各地大學。實際上，前述第七章的一九六八年二月中大反對學費調漲鬥爭，背後也受到佐世保鬥爭的刺激。中大鬥爭行動委員會的無黨派學生如此說明[347]：

「我們的社團是佛朗明哥研究會。是剛成立的社團，社團中最年長的是二年級生。我們社團也針對佐世保鬥爭舉行過討論會，最後的結論是，在當今社會情勢下，不得不一定程度地行使武力，中大為了取勝，面對武力也必須以武力回擊。我們十幾位社團成員中有七位，輪番去參加行動委員會。」

此外，與中大幾乎同時期意圖調漲學費的西南學院大學，學生也發起了激烈的反對運動，某學生說「看見佐世保的狀況，心想必須做些什麼。」西南學院大學反對運動的結果，也使校方在二月一日完全撤銷學費調漲。校方的學生部長還「不甘心地表示『如果沒有佐世保事件的話……』」[348]

日後成為日大全共鬥議長的秋田明大於一九六八年十一月的對談中表示，「見到佐世保、王子的狀況時，我個人的感覺是，日大的鬥爭，就該採取這種形式。」[349]東大全共鬥議長山本義隆則在二〇〇五年回憶道，「讓人留下最強烈印象的，就是北區王子的拆除美軍野戰醫院鬥爭」，王子事件還影響到日後的東大鬥爭[350]。

如此，三派全學聯的鬥爭肩負起市民運動與全共鬥運動的導火線角色。包含日大與東大在內的全共鬥運動，如同新宿西口廣場的人們一般，也是身處「現代的不幸」中的學生們飢渴於自我表現的溝通場域，所以如洪水般生產出膠版印刷的傳單與手冊。

一般市民中在心情上支持三派的人並不少。據詩人宗左近稱，一九六八年前半時，友人的「大胸脯太太」發表意見，認為「三派，沒什麼不好呀。有青年的風範，充滿活力啊」，他與友人談話也提到「團地媽媽族幾乎都是武鬥三派全學聯的粉絲啊。」[351]

如此一來，由激進分子的直接行動擔負引爆器角色的先驅性理論，可說獲得成功。一九六八年二月十七日，在東北大學的佐世保鬥爭總結集會上，中核派的秋山三派全學聯委員長發表演說，指出「如果二十萬勞工與學生也能全數奮起，就可以革命成功。透過佐世保鬥爭，我們確信武力革命是可行的。」[352]

儘管如此，許多市民與學生並沒有全面支持三派全學聯的鬥爭方法。在佐世保接受三派全學聯夜宿的九大，一位學生曾表示[353]，「我不知道有沒有其他的方法。批評他們的行動很簡單，可什麼都不做的學生就是好的嗎？並非如此。因為有那樣行使武力，所以才讓佐世保動了起來，人們不得不承認這點。」

當時的《朝日Journal》如此形容這種學生們的感情[354]：「學生已跨越評論暴力的是非，肯定行使武力，這種發自內心對政治的不信任，特別是對既存政黨的不信任感非常強烈。……那種按捺不住的感覺，似乎由三派系的學生代為抒發了，這似乎隱含著一種內疚的情緒。正因為如此，主張『不要戰鬥』的民青派自治會，自佐世保以來就受到更激烈的攻擊。」「現在大部分的學生看來相當苦惱，對佐世保鬥爭中的三派全學聯給予高度評價，但又對他們的激進行動感到反感，更對民青感到有所不足，因此陷入自我矛盾的狀態。」

因此，有關三派全學聯的評價，有可能因三派成員無法滿足普通學生與市民的期待進而輕易失去好評。一九六八年二月十三日，在九大學生會館發生中核派與社青同解放派的武裝內鬥，中核派學生有一人重傷。從旁觀者角度來看，這僅是起於無聊的派閥競爭而出現的內鬥。而因為此事件，三派在九大的評價大幅降低。

九大的池田前教養部長因負起佐世保鬥爭之際學生會館遭佔據的責任而辭職，但仍是主張三派學生「至少不是暴徒」的一人。但此次內鬥事件後，他改為表示「他們表現得很天真。對社會也是，對大學也是。太高看自己，認為自己的所有思考與行動都該獲得認可。既然是要與政治之惡對抗，志在革命的年輕人，卻抱持這種天真想法，究竟該如何是好？」在此事件後，九大學生之間也開始擴散「在佐世保給予三派高度評價，但他們終究只是暴力學生」的想法[355]。

三派學生能在佐世保獲得支持，原因之一是亂鬥現場在平瀨橋、佐世保橋，因此商店街並未受害。某佐世保市民的投書以「三派使用暴力並非他們的本意，所以支持他們」為由，除指責政府強制的政策與警備過當，也舉出「三派並未對一般市民或居民施加暴力。」而這位投書者也表示「我擔憂軍國主義化，但不反對資本主義。」[356]

三里塚也出現不完全贊同三派全學聯的聲音。三月十日在市公所前發生衝突時，戶村反對同盟委員長發表演說稱：「用刺鐵絲圍起來的市公所、公團是在自我孤立。我們不戰而勝。學生諸君，希望你們把角材當作一種象徵，不要真的使用。」當時的報導寫道，「反對同盟並非打從心底肯定學生們的行動。只是被〔警察〕揍一事加強了彼此間的共鳴。」[357]

而在佐世保，也不是所有市民都支持三派全學聯。佐世保鬥爭後不久，中央調查社抽選五百名佐世保市民進行民意調查。根據該調查，在「認為三派全學聯的行動如何」的問題中，「完全超過該有限度」佔十五・二％，「能理解他們的想法，但做法過於蠻橫暴力」佔四十九・七％，「值得同情，理解他們心情」佔二十七・七％，「不知道」佔七・四％。在「認為警方採取的處理措施如何」的問題上，「相當程度上超過該有限度」佔三十・〇％，「若干超過應有限度」佔四十三・四％，「合適」佔十七・〇％，「應更加強力取締」佔一・八％，「不知道」佔七・二％。「同情」學生行動者，其實僅佔市民的三成左右[358]。

而在王子則出現了微妙的變化。一九六八年三月，當地居民對三派全學聯的看法多是善意的，但四月一日的騷亂使當地商店街蒙受損害後，報導稱「氣氛大為轉變。二日早晨，緊急聚集的人們對學生、看熱鬧者出言指責，並決定為了不使鎮上發生騷動要請來警察。」[359]

警方也開始重視如何把市民與三派全學聯分離。研究學生運動的高橋徹於當時的座談會上，指出四月一日王子的騷動以後，「便衣刑警逐漸以偵察或訪問的形式對當地家庭施加壓力。之前有的人未走到馬路上接觸遊行隊伍，但仍出門觀看，現在也不能這麼做了。」[360]

三派全學聯與市民間的分歧，也反映在街頭募款的討論中。一九六八年四月的《朝日新聞》報導[361]：「市民與學生之間的對話，許多場合下都不成為對話。許多市民知道越南、王子，但不懂成田。響應募款的市民多為中年婦人和學生，而發言討論的則多為上班族或普通學生，但一談到革命的話題時，感覺雙方存在重大的隔閡。」

市民與普通學生並未對新左翼黨派的革命理論產生共鳴，而只是對遭警察毆打的他們抱持單方面的同情，又基於對既存政黨的不信任，因此消極地支持他們，而這又與他們無法自行表達反戰意志的自責之情連結起來。如前述某中小企業主所說，「即便伸出雙手接觸了，但還是沒達到握緊對方的程度」，兩者的這種關係，很容易隨狀況變化而裂解。

日高六郎在一九六八年初與市民的街頭對話中，指出必須把三派全學聯的學生也放在「人的聲音」來論述，之後他如此寫道[362]：「學生從中學到了什麼？是否掌握了創造自身聲音的意義？如果一離開市民，就又是滿口反帝、反史達林，那只是故態復萌。」

若考量這樣的情勢，三派全學聯應該只是暫時性地獲得「支持」。他們在「激盪的七個月」中獲得市民與普通學生的支持，若想維持下去，就要麼得改變僵化的堅持暴力革命路線，要麼為了避免一般市民遭受損害而必須思考如何調整直接行動。如果連無意義的內鬥都無法避免，那麼很明顯，早晚會失去暫時獲得的同情與支持。

但各新左翼黨派既沒有這樣的認知，也無法改變他們的態度。而他們獲得的同情與支持，也在一九六八年底之後迅速消失。

第九章　日大鬥爭

本章將概述日本大學鬥爭，即全共鬥運動中，與東京大學鬥爭並稱的鬥爭。

一九七一年，東大全共鬥與日大全共鬥的前成員座談會上，東大全共鬥的前成員說，當時他們考慮「以日大全共鬥為範例打造東大全共鬥」[1]。在這層意義上，日大鬥爭可說是「全共鬥運動」的先驅。

一九六六年的早大鬥爭中，也有「全學共鬥會議」，但那是自治會或社團的聯合體。然而日大、東大的「全共鬥」並非自治會，而是另外組成的志同道合的集團。

這起因於當時日大與東大的特殊情況。在日大，因校方的管制非常嚴厲，「學生會」成為大學的御用組織。而在東大，所有的自治會幾乎都被民青所掌控，行動受到制約。因此跳過自治會框架，組成了志同道合集團的全共鬥。

但兩者的特性相當不同。從結論而言，東大鬥爭是在追究大學應有的形式，產生出「自我否定」與「大學解體」等詞彙，成為日後全共鬥運動的典型。與此相對，日大鬥爭的訴求和目的明確，具有濃厚的大學民主化鬥爭色彩，與第II部中論及的前全共鬥時期的大學鬥爭有所類似，亦即擁有前全共鬥時期與全共鬥期間的過渡期特性。而全共鬥運動中，在知名度上鮮少比得上日大鬥爭。本章將描寫日大鬥爭的特徵。

恐怖政治下的巨型營利大學

在講述日大鬥爭之前，有必要先說明一下當時日大的狀況。日大鬥爭中喊出了「打倒古田體制」，這位古田指的是日大會長古田重二良，於一九五八年六月就任。古田擁有柔道八段資格，出身事務官僚，思想極其保守。

古田就任會長後，重新檢討了大學綱領。戰敗後的民主化浪潮同樣波及日大，並擬定了「日本大學乃基於日本國憲法之精神，發揮私立大學的本領，對世界和平與人類福祉做出貢獻」的綱領。但古田則把綱領修改為「日本大學乃基於日本精神，尊崇道統……」[2]。

與此同時，日大首腦層於一九五八年完成「日本大學改善方案」。其內容是基於營利主義強化經營基礎，以「大家族主義」的教育體制作為支柱。

在古田的經營之下，日本大學急速膨脹，一九五九年日大的預算為三十六億七千六百八十三萬日圓，一九六三年為一百零七億四千六百七十日圓，一九六七年為二百六十五億七千五百五十九萬日圓，亦即在九年間達成了七倍的增長率[3]。一九六六年度日大的預算約為二百五十億日圓，然而佔全國國立大學總預算一成的東京大學，預算也才一百億，日大輕鬆甩開東大位居全國第一[4]。在私大中，早稻田大學號稱為僅次於日大的「巨型大學」，但其預算只有日大的五分之一[5]。

作為學校法人，其規模也相當巨大。一九六八年，日大有日間部十一個學部，夜間部五個學部，函授教育四個學部，合計約有十萬名學生，佔日本全國大學生總數的約一成。此外尚有附屬高中十二所、附屬中學二所、醫院四家、研究單位二十一處等，學生與教職員總數超過十五萬人[6]。

一九六六年，日大的總資產增加到二百七十七億日圓，以盈餘累計的積存透過購買「校地」名義投機買入各地土地，被通稱為「日大不動產股份公司」或「日大康採恩（德語Konzern，英語Concern，或譯企業集團）」。此外，例如把東京神田的校地當作每坪三百五十日圓的低評估額資產，藉此逃脫固定資產稅[7]。

古田還加強與政界、財界的關係。一九五九年他倡導的「總調和」的「日本會」成立，古田擔任會長，佐藤榮作擔任總裁[8]。一九六二年聚集了財界有力人士打造日大教育事業後援會，試圖籌備為財界提供所需人才的教育體制[9]。但日大是大眾大學，所以實際上仍持續培養中級技術者或中層事務員——以當時學生的說法就是「微不足道的廉價上班族」。

在這種方針下，日大首腦層通過「日本大學改善方案」，提倡「以最小限度的經費獲取最大限度的效果」、「禁止校內出現政治運動」等，並發揚在法學部培養司法考試合格者，在文理學部培養教師，在理工科系培養中級技術者等，培育「國策需要之人才」的理念[10]。

在營利優先的大學經營理念下，日大的教育狀況相當惡劣。為了獲取入學款、學費、捐款等，日大收取了超出定額數倍的學生，一九六六年藝術學部的入學員額為四百五十人，但實際入學者達一千四百八十三人。為了降低成本還減少專任教師，如藝術學部七百到八百名學生僅分配到二到三名專任教師[11]。

一九六八年度日大全校的招生人數為一萬零一百五十人，實際入學者則約為兩倍。每個學生的入學款為五千至一萬日圓、授課費為十萬至二十萬日圓，設備擴充費為三萬至三十萬日圓，對候補生則收取二十至三十萬的捐款。醫學部據說還有支付五百萬日圓即入學的學生[12]。

大量的學生入學卻缺少教師，因此大多數課程都是五百至兩千人的量產授課。即便如此，授課費卻是日本各大學中最高[13]。古田會長在當時的訪談表示，「我們呢，（在大學的）激增期回應社會的需求，所以才收了大量的學生啊。」「以日大為志願的人變多，就可以輕鬆增加月薪，也可獲得捐款，這種做法，讓大學可以變得更了不起，這就是經營者的精髓啊。」[14]

一九六六年春天，日大巨幅調漲學費。同時期早大發生了反對學費調漲鬥爭，但在日大抗議古田會長的學生，卻在古田強調的「總調和」、「日本精神」、「母校愛」說教下被驅離。當時的報導寫道「從其他私立大學的經營者角度來看，今日肯定對古田會長禁止學生參加全學聯、不承認學生自治的『先見之明』，由衷感到佩服。」[15]

一九六六年三月，無法繼續忍受量產教育的日大學生會（自治會的代替品，獲得大學當局承認之學生團體）對學部長懇談會提出「維持學生總數，不要再增加了。」但翌年四月，入學生仍大幅增加，並打出把一天的節數從五堂變成六堂，每堂課之間的休息時間縮短為五分鐘，午休時間縮短成二十分鐘的對應方針[16]。學生強烈反對，之後雖然校方以「教授體力無法負荷」為由撤銷此方針[17]，但量產教育的狀況仍舊沒有絲毫改善。

一九六八年五月爆發日大鬥爭時，在法學部學生、教授的「意見交流會」上，學生方如此主張[18]：「與十年前相較，學生人數增加三倍多，授課費也增加九倍，但老師卻只增加兩倍，校舍只增加二・五倍。」

大部分的授課內容也相當惡劣。當時藝術學部一年級生如此寫道[19]：

教授強制要求學生購買自己的著作當成教科書，上課只是逐字逐句照著讀。不想上這樣的課。學生當然會感到不滿。此外是逃課問題。教授們為了防止學生逃課，使用「出席卡」這種方便的東西，在上課前發給學生寫上姓名，下課時回收。學生的對策是拿到卡後寫上姓名，交給旁邊的人代為提出，然後迅速離開教室。對此，教授又改為上課前發兩種不同顏色的「出席卡」。

如前所述，日大採取配合產業界要求的方針，因此不注重通識科目，偏重在應用技術教學。工學部一年級寫下「課程缺乏一般課程，多以技術性內容為主。如果只是這樣也就算了，竟然連負責授課的老師本身也若無其事地說『背下這種東西，出社會也派不上用場』。」「這種狀況下，無論老師或學生都有氣無力，根本無法期待會有認認真真的交流談話。」[20]

即便通識科目也是內容貧乏的量產授課。哲學部的某學生如此寫道：「（教授）就是拿著陳舊的筆記讀，推測內容不知多少年都沒改過。在學生看來就是無能的表現。」「想說什麼就讓老師說吧，反正，這種教授只能在日大存活。」數百人的大教室中充斥「因為體育活動太累而在後面打瞌睡的體育會學生、熱中出遊計畫一直交談的男女朋友、攤開體育報專心閱讀的學生。」[21]

入學之初教室座位不足的問題，竟也因學生人數太多而自然獲得解決。藝術學部的學生回憶[22]：「教務處學生課帶著自嘲口吻地對我們說『到時候自然會有空位啦』。實際上，四月起的新學期，一過五月學生就開始蹺課，教室變得空蕩蕩，很輕鬆就能找到座位。」

為此，日大學生因素質低下的量產教育而程度低落，被戲稱為「笨大學生」（諧音日「本」大學的「大學生」）。所以在准考生中，日大的地位完全就是「以防萬一的選項」，日大學生自己也說「不參加其他大學的考試，專只報考日大的人，十人中不到一人。」[23]

用來發洩上課空虛感的社團活動，也遭校方澈底管理，社會科學類社團之類根本不被校方承認，約十萬名學生中參加文化類社團者約八千人，平均一個社團約有兩百名參加者。某日大學生在一九六八年提到[24]，「日大是號稱學生十萬人的巨型大學，獲得承認的文化類社團卻僅有三十五個。」「人數達到兩百人，這已經很難說是大學社團了。大家都想參加些什麼社團，但大半的學生見狀後都感到失望，逐漸退出，最後淪落到僅在住宿處與巨型教室間，往復過著兩點一線的生活。」

學生的福利狀況也相當惡劣。許多學部除了系館之外，在校園中幾乎沒有可用空間，這讓一九六八年爆發日大鬥爭之際，學生只能在馬路上舉行集會。

大約有九千名學生的經濟學部，圖書館的椅子只有二百五十人份，食堂能接納的人數只有五十人。一、二年級生在學的文理學部大約有一萬七千名學生，但提供飲水機的場所只有兩處。據稱文理學部的某學生在一九六八年六月如此表示：「我從來沒在學校食堂坐下來吃頓咖哩飯。」[25]

學生高度希望成立合作社，但大學擔憂合作社的政治色彩濃厚，所以由理事與學部長擔任股東的「櫻門事業部」設立採買部。社團教室也不多，就算分配到教室，也是長三公尺、寬一公尺的狹小空間。圖書館也不開放給普通學生借閱[26]。

即便大學的實際狀況如此惡劣，但在招生簡介上仍對希望入學者寫著鼓勵、煽動他們入學的資訊。一九六八年十月的日大學生座談會上，藝術學部的學生如此陳述[27]：「招生簡介上寫著各式各樣的宣傳字句，例如攝影科刊登了拍攝酷炫汽車的介紹，但那竟然是要等到攝影棚建好後才能實施的課程，現階段根本不存在。戲劇科介紹戲劇創作實習的照片，根本是五、六年前的東西，卻塑造出一股這是日常的、定期舉行的印象。」

為降低成本，校方也裁減事務員，並為了壓低薪水而不雇用大學學歷者，平均一位教務事務員得面對超過一千名學生。文理學部學生課長在一九六八年如此表示[28]：

「夢想著能充分支援文化活動，抱持改善求學條件的熱誠而到學生課上班，但我的希望無一獲得實現。」「社團教室是狹小且得共用的空間。那種寒酸的模樣，連古田會長來到文理學部時，見狀都對學部長怒吼：這種地方見不得人。」「觀察申請日本育英會獎學金的學生可發現，他們的家庭收入多屬低所得階層。」「來借個一千、兩千日圓生活費的學生；商量是否辦理休學去賺取學費的學生；還有，來辦理退學的學生……。」「課長一人、課員兩人，男工讀生一人，女工讀生兩人，就這些人光處理獎學金與介紹打工就已經忙不過來。因此協調打工的部分只能被動接受申請。雖然知道學生課的工作大致包含研究、開發、調查、統計、提出報告等業務，但根本沒有餘裕處理。」

與此同時，校方澈底壓制學生的自治活動與社會運動。

一九五七年十月，經濟學部第二部的學生大會決議，要求校園民主化，成立合作社、建設學生休憩大廳、讓自治會加盟全學聯等。隔年十月，舉行了反對警察法修正的限期罷課。但校方的回應則是將自治會幹部七人退學，並喚來機動隊，打出「澈底強化學生指導」、「禁止校內政治運動」的方針[29]。之後，校內的集會、散發傳單、發行學生報、舉行連署或捐款活動、邀請演講、在公告欄上張貼等行為，皆改為需通過大學事前審查與檢閱的許可制[30]。這些規定在校規三十一條中明文化，無事前申請的集會或未經檢閱的傳單，都成為職員處理對象，可要求立即解散或收回傳單。

一九六〇年安保鬥爭時，為了歡迎美國總統艾森豪，日方預定動員右翼團體與學生夾道歡迎，古田也計畫動員約兩萬名日大學生。同時，約二千名日大學生前往國會前參加六月十五日的反對安保修訂遊行。這天參加遊行的某日大學生表示，「真的非常高興。與其說身為日大學生前來參與，不如說能與其他大學並肩行動，更讓人感到自豪。」[31]但六月二十日，日大當局旋即公告長篇訓示，不僅在校內禁止，也不許學生參與校外的政治活動[32]。

為此，日大被稱為學生運動的不毛之地。古田會長自豪吹噓：（一）日大乃「日本第一的綜合大學」、（二）「學生沒有加盟全學聯」、（三）不存在「教職員工會這種沒用的冗餘組織」。古田主張由理事、教職員、學生等組成的「大家族主義」，斷言不需要工會[33]。

教師的活動也在校方壓制之列。一九六二年十一月，校方稱文理學部的兩位助教授與兩位專任講師「不符日大思想」，強制要求對方辭職，此外尚有多名助教與兼任講師遭解聘。志同道合的文理學部教師與日本學術會議對日大提出抗議，全國數學部研究生高達八成連署拒絕協助日大數學部，即便如此，日大當局仍舊不改態度[34]。此時被迫辭職的助教授福富節男，日後則成為越平聯的核心成員。

在日大，教師的地位原本就相當低落。在古田會長底下由古田人脈壟斷的理事會，幾乎決定了所有的大學經營業務。教授會既無自治權也無人事權。

重視經營的日大對各學部採取經費獨立核算制[35]。但法學部的某教授表示：「雖說是獨立核算，但學部的收入並非全數由該學部使用。根據學生人數，收入中的幾成必須繳納給校本部，並要求絕對不准出現赤字。就算肩負經營責任，但實際上教授會對預算、決算原本就無決定權，也未被賦予審議權。」

大學本部就靠著各學部上繳的經費與投機性的土地投資來營運。上繳金如何被使用，各學部教授一無所知。而各學部的預算，由學部長與事務局長對校本部製作、提出預算草案，經理事會審查後加以承認。

學部長、大學校長、理事會總長名義上皆由教授會選舉而出，但某日大教授一九六八年說明[36]：「我也出席了代表教授會，記得有對理事的提案鼓掌，但不記得有投過票。」一九六六年的報導寫道，古田會長的「猶如旗本大名、譜代大名堅實組成的日本大學經營團，掌控會計、人事，光是這樣的做法就讓在大學內被當成『外樣大名[ii]』的教授、職員理所當然抱持不滿，甚至高層現在也有許多不滿古田體制的人。」[37]

在這種獨裁體制下，對校方存疑的教職員在薪資上會被削減，而選擇靠攏、協助的學部長或理事則會領到超規格的高薪。一九六八年時，大學畢業的平均薪資近三萬日圓，而根據日大相關人事座談會上的說法，五十二歲的教授月薪為八萬日圓，與此相對，理事年收超過兩千萬日圓者有三人，學部長與其他理事等級人士，年收入在五百萬至六百萬日圓之譜[38]。

這種狀況下，教授的質量也趨於惡劣。在日大鬥爭爆發後的一九六八年十月座談會上，日大全共鬥的學生們如此敘述[39]：

「簡單來說，對教授的評價就只有無能二字。」「日大也有能幹的教授，那只是有名的教授。那是用於招攬大量學生，讓他們繳交高額學費的霓虹燈招牌教授。但他們是早就從國立大學屆齡退休的

ii 編註：外樣大名是日本江戶時代的大名分類之一。指與德川家關係最不密切的大名，單純的地方諸侯，只有管理自身領地的權力，沒有參與幕府政治的權力，且受到幕府的嚴密監控。

人，許多人依舊照著十年前、二十年前的相同內容在授課。」「而且，他們的授課日很少，但真正在學問上有能力的教授一週卻得負擔十五個小時的授課，承受著嚴酷過勞的工作狀態。」「日大有許多教授是從事務工作升上來的，法學部有兩名教授在司法考試落榜過八、九次。在日本大學想擔任教授，如果不懂行政事務與鎮壓學生，根本不行。」「某助教授說『我已經放棄了。早過了反抗的階段。現在這種態度比較容易生存。』但實際上，教授與助教授必須花費相當長的時間面對過重的工作，沒有時間作研究。同時，好教授則被放在鎮壓的機構下監管，讓他們逐漸變得無能。如果不願順從，就會像數學部事件般遭到放逐。」

優秀的教授厭惡這樣的狀況而離去，導致教師的質量與授課內容日益低下。

一九六六年九月，累積大量不滿的日大教職員組成工會。日本憲法保障組織工會的權利，因此古田也無法直接表示反對，但仍表示「我深感遺憾，但沒說不能成立」，「工會這種東西，社會上不都強烈認為這是種造成對立抗爭的工具，所以名稱上最好不要冠上工會。」[40]

工會組成之際，也遭到校方陰險的阻撓與鎮壓。組織工會的十二名志同道合的成員在極度保密的狀態下展開活動，但就在成立前，在工會方不知情的狀況下，職員突然收到一封假郵件，聲稱因為要舉辦成立大會，贊成者請在指定日期與時間集合。這是校方為了事先掌握贊成工會的人而實施的戰術[41]。

而且在隔年工會成立的一九六七年，教職員收到修訂過的教職員服務規則，其中提出新的就業規定，內容開出大量優惠條件，包括取消教職員原本也必須遵守的發配印刷品、張貼公告、進行演說的限制，並可自由異動職務[42]。這使工會的抵抗暫被擱置，但日大鬥爭白熱化後的一九六九年二月，日大工會的委員長、副委員長、總務長仍被解雇[43]。

也有大學生不滿現狀，嘗試自主活動與改革大學。但日大當局優待體育會與應援團學生，利用他們充當鎮壓學生運動的打手部隊。

針對日大如何利用體育會學生，一九六八年底的雜誌有如下報導[44]：

體育會作為一個「常備暴力裝置」，是如何被打造出來的？首先，體育會本部的經理或教練周遊全國蒐羅體育選手，當然他們的入學考只是做個形式，入學的選手分為幾個等級，例如A級當然免除授課費，還能領取相當額度的獎學金。此外個別的柔道部、空手道部、應援團等，自不待言大學都個別分配大量的預算。據說若因大學生發生武裝內鬥而被動員時，每天可領到一千至兩千日圓的日薪。

……此外體育會的主將或經理，能力傑出者可被採用為教師，編入「暴力裝置」的下士官，最終還提供他們升遷為大學評議員或理事的門道。古田會長本身就出身柔道部，被雇用為日大高等工學校的柔道部教師兼保鏢，一路踏上理事、會長的出人頭地路途。……

現在，日大體育會約有兩千名部員，若加上關東圈的畢業生可以動員到五千人。

體育會或應援團的學生在成績上獲得優待。據某學生稱，從二年級升上三年級的考試時，自己努力作答，但隔壁的男學生卻只在空白答案紙的最後寫上「本部體育會應援團」。最終的結果是，努力填寫答案的學生獲得「良」，而該應援團員則獲得「優」[45]。

體育會學生或應援團員做出的暴行，光從表面上來看就數量龐大。一九六四年，法學部自治會（因學部不同而有異，或稱「學生會」）委員遭應援團員動粗施暴，隔年的一九六五年，商學部學生委員長也遭應援團員施暴，因此各學部的學生總會決議要求解散應援團。一九六六年春，在東都大學棒球賽中，亞細亞大學應援團與日大應援團發生亂鬥，藉此機會商學部學生會引用學生大會的決議要求解散商學部應援團。但大學當局卻無視此決議，至多只廢除學部應援團，並將其併入本部應援團[46]。

體育會學生被以各種形式利用。位於郡山的日大工學部，全部四千名學生中有八百三十人隸屬運動部，「〔有效人數〕八百名即可舉行的學生大會，一直以來〔指日大鬥爭爆發前〕只要運動部所屬學生參與，便足以進行。」[47]

在六〇年代中期，大學承認的學生會等組織，幾乎都成為大學的御用機構，被學生揶揄是「辦活動的」，因為這些組織僅負責辦理校慶等活動。文學部哲學科的某學生如此寫道[48]：「我的學部有名為學部學生會的組織。乍看之下與其他自治會沒有不同，但並不怎麼舉辦活動。成員可能把自治活動與一般活動搞混了。雖然會對許可的總會提出報告，但都是些幾月幾日舉行學生敦睦餐會，或者敦睦郊遊，大概就是這種程度。」

包含日後成為日大全共鬥議長的秋田明大曾經加入的經濟學部學生會在內，一部分學生會也嘗試辦理一些他們認為有意義的活動，但只要在校慶企劃、校內雜誌上討論時事或批評日大現狀，立刻會遭禁止，或者因檢閱而被刪除。

例如一九六六年十月，經濟學部的大學祭上嘗試邀請發表論文討論大學問題的法政大學助教授芝田進午，但被日大當局以「不符日大教育方針」為由禁止。一九六七年七月，農獸醫學部學生會打算以「量產化大學中的自己」、「學生該如何生存下去」、「大學中的學生自治應當如何」等主題進行主題討論會，但又被大學當局以（一）不符本校教育方針、（二）現階段從各方面而言都太過危險、（三）討論主題不是純粹的學術問題等為由，遭禁止舉辦[49]。

一九六七年四月二十日，經濟學部學生會舉行新生、轉學生的歡迎會，企劃邀請歷史學家羽仁五郎來演講[50]。然而，當這位以左派歷史家聞名的羽仁上台演說時，數十個應援團和體育會的學生便大罵「紅色！」、「老頭快滾」，並對學生會執行部人員施暴動粗。而且，校方事先將體育會的學生送到演講會場，散發印上學生會執行部名稱的假傳單，內容寫著「加盟（新左翼黨派的）全學聯吧！」

更有甚者，應援團與體育會的學生們在經濟學部學生會教室中對執行部成員施加私刑，強迫他們簽署「解散學生會」的文件，並破壞學生會教室與掠奪值錢物品。對此，日大當局公告禁止學生集會與團體活動，事件隔日，又發布學生會執行部八人全部處以無限期停學的集體處罰，並命令學生會執行部解散與「解散經濟學部一部分的應援團」，但體育會的學生沒有一人遭到懲處。

一九六八年四月，經濟學部學生會再度企劃邀請進步知識分子日高六郎來演講。日高知悉前一年體育會學生的暴行，但仍表示「只要是學生諸君的請求，拚上性命我都會去」，接受了邀請。但演講當日，經濟學部的學生副指導委員長偕數十個體育會學生包圍議長團，使「集會瞬間陷入噤聲的狀態。」[51]

一九六八年春，農獸醫系的學生報《青樓》第二十一號中，因校方檢閱，造成了七處空白。遭刪除的文章內容為指出「檢閱制度違憲」，指導委員長的教授表示，「說本校的許可制違憲是錯誤的，所以該部分無法通過審查。」[52]

對集會與公布欄實施許可制及檢閱，難道沒有侵害憲法保障的言論、表現自由嗎？針對學生的這項提問，掛名經濟學部學生指導委員長的手冊上如此解釋[53]：「有關憲法保障基本人權的規定，是宣言國家權力不侵害個人基本人權，從而，在大學這種屬於個人的團體進行屬於內部規範的許可制，完全不牴觸憲法對基本人權的保障。」

此外，日大當局的監視更及於社團活動與學生個人，製作了「所謂『進步的、民主的』學生黑名單」[54]。入校時檢查學生證，藉此防止新左翼黨派運動者或校外人士進入。被列入黑名單的法學部學生如此描述日大鬥爭爆發前的校園狀態[55]：

法學部的學生，全都必須先通過文理學部的通識課程才能回到法學部上課。而在文理學部上課的時期，我參與過〔廢止〕應援團的鬥爭，結果等我回到法學部時，發現點名簿上自己名字的欄位遭註記「必須注意」的圓印。回到法學部時理當分班，分班時每個班級都會編入御用學生，也就是數名右翼學生。形式上也舉行班級委員的選舉，但自治會委員長由選舉管理委員長任命，又由委員長指名管理委員。選舉也只有公布投票結果，因此如果自治會委員長屬於右翼，那就可以完全照其意志走完整個過程。如果對檢閱或校慶之類的提出問題，意見將由下而上傳至指導委員長（教授）處，接著委員長會表示所有的問題都會在自治會商量，之後就遭忽視。

一九六八年一月，校方懲處兩位參加一九六七年十月第一次羽田鬥爭的法學部學生，令其退學。

一九六八年二月，學生聯合會議長與藝術學部自治會委員長等四人遭體育會學生質問「你是共產黨吧」、「剁了你手指喔」並施加暴行[56]。

校方的「厭紅」程度相當極端。一九六八年四月的新生歡迎會上，ＴＢＳ（東京電視台）主播田英夫做演講時，講台上掛著紅字的「學生會主辦」，卻遭指責「紅色就是共產黨」而改為黑字[57]。根據一九六八年的報導，文理學部的女學生表示[58]：「學生指導部對報紙、信件進行檢閱，連女學生穿紅色毛衣也遭警告，非常囉唆，而且校內甚至有告密制度。」

建立這種掌控體制的日大當局顯得自信滿滿。一九六八年二月，當中大反學費調漲鬥爭獲勝時，其他私大經營者表示「對這次中大的澈底敗北感到震驚」，但日大的宣傳課長接受雜誌採訪時則說道[59]，「日本大學？絕對沒問題啦。」「我校能順利營運，都歸功於良好的學生指導制度。」「面對麻煩，我們有事先將其扼殺於搖籃裡的組織，所以沒問題。」

在此狀況下，一九六八年一月二十六日的報紙刊登「都內某私大的知名教授稱：走後門入學要三千萬日圓，謝禮收入自己口袋」的報導。此教授為日大理工學部教授小野竹之助，兼任日大教務部長、評議員、國土綜合開發研究次長。因惡劣的教育條件與高昂學費感到不滿的日大學生們，見此新聞更為群情激憤。同年五月爆發日大鬥爭後，學生在佔領的各學部建築中「找出大量明顯專供走後門〔入學〕的名牌，上面寫著准考證號碼與姓名，因此讓學生更感憤怒。」[60]

一九六八年四月十四日，東京國稅局公布日大的會計，從一九六三年到六七年約有二十億日圓流向不明。五月五日，又公布另有十億多日圓也流向不明，如此加總後，日大被公布共有三十四億日圓流向不明，而且在預扣稅上有逃稅的情況。正當東京國稅局進行預扣稅監察之際，三月二十五日經濟學部的會計課長離奇失蹤，三月二十八日理工學部會計課徵收主任自殺[61]。

又針對日大十一所學部、兩所高中的調查指出，入學費、授課費、捐款等的一成左右，都繳交給大學校本部作為「綜合費」，因此被發現日大透過此法隱匿收入。之後逐漸查清，該些流向不明款項被用在：給教職員的脫法津貼、給校本部董事的三節禮金、給財界政界的捐款與對外打理費、以學生對策費為名目交給體育會學生等等[62]。

會出現金額如此龐大的流向不明款項，大致與日本大學崇尚「家族主義」式的中小企業經營體制，但顯然已無法應對經濟高度成長下龐大化的實際狀況有關。設法在藝術學部發起自治會執行部的高橋博回憶道，一九六八年初為了確認自治會費的總額，向學生課詢問藝術學部的學生數，事務職員回答他「因有消除學籍者與轉部生，人數是流動的，無法立刻算出，大概有兩千到三千五百人吧。」接著他前往會計課詢問，「得到低於兩千人的數字」。高橋對「大學質素的低落程度感到啞然」，他「觀察學部上的學生，概算自己學部的學生人數，察覺人數絕非二千人或三千人之譜，因此與校方交涉，打算領出相應於實際人數的自治會費，但體聯〔體育會聯盟〕的傢伙說『這次的執行部不會是紅的吧』，在路上遭脅持並被痛毆。」[63]

舊體制的會計趕不上巨型化的狀況，與慶大等當時的私立大學相同。但日大的狀況還多出了減少事務職員導致事務與會計管理不周、理事會的獨裁體制導致無從掌握理事會對金錢的用途，因此更進一步導致會計狀態不明。但四月二十三日，古田會長卻宣布「完全不存在流向不明款項，也不考慮全部理事都辭職。」[64]

儘管處在經濟高度成長中，但那個時代仍有許多出身貧困家庭與白天工作、晚上就讀夜間部的學生。日大學生們對大學校方的態度深感震怒，日大夜間部學生對週刊雜誌《朝日Journal》以「希望匿名」的方式提出如下投書[65]：

日大二十億日圓的預扣稅逃稅報導，對我們日大學生是巨大的震撼。自三月小野理工學部長發生逃稅事件以來，紛擾就連日不斷，但這也太超過了。

逃稅事實尚待今後的調查，但這次的問題已非可原諒或不可原諒的問題。那是父母給我們的錢，或者我們自己打工賺來繳納的費用。我的情況是，該費用佔據我白天工作的大半。所以，我壓抑著想要流淚的心情，以文字進行控訴。

不得不這麼做的理由之一，是因為我缺乏不靠武器的暴力可直接向學校當局表達抗議與控訴的手段。……即便現代化的校舍，卻沒張貼任何一張傳單，這就是證明。……現在，日間部的各團體因為學校當局的分裂工作，從去年起就無法組織執行部，這次大概也是，將在不起漣漪的狀況下落幕。

但與這位學生的預測相反，問題並未「在不起漣漪的狀況下落幕」。各學部中潛在尋求改革之道的學生們並未放過此問題。而日大鬥爭就在此情緒下一舉爆發。

日大鬥爭的爆發

日大分布在各校區的各學部中，首先由文理學部與經濟學部展開抗議活動。位於世田谷區的文理學部，學生執行部於四月二十三日對教授會提出公開質詢狀。但得到的回覆僅有「教授會對會計不具直接權能，因此無法具體回應。」[66]文理學部學生會是校方的傀儡組織，無法寄望其後續對大學提出抗議。在此狀況下，志同道合的學生們在學生會外另組獨立組織，開始以班級與學部為單位製作討論資料。其中之一提出如下訴求[67]：

> 我們這些學生，究竟是為了追求日本大學的什麼而入學？我們難道不是為了追求一個探求真理的場域才入學的嗎？但大學當局是否把日大當作一個探究真理的場域來經營呢？他們透過量產教育讓我們放棄人性，把我們大量生產成整齊劃一的、服從成性的人，把大學打造成培訓產業後備軍的場所。日大當局思考過學問的場域究竟是什麼嗎？寡廉鮮恥的他們，取走我父母流血流汗拚命賺來的心血結晶，而且不以學問的形式歸還到我身上，只為了他們的私欲私利奪取錢財。為何他們可以這樣強取豪奪？因為理事掌握一切經營權，而我們學生根本無法參與任何會計相關事宜。……我們學生為了取回探究真理的權利與思想、表現、行動上的自由，為了確保強健的學生自治，難道不應該更加強班級討論，更廣泛與同學們交換意見，並挺身而出、振臂而起嗎？

當時的文理學部的傳單還有如下控訴[68]：

我們入學時繳交近二十萬日圓的費用，而這個文理學部的現狀，看得出那筆費用被用在何處嗎？體育課時男生連個儲物櫃都沒有，另外圖書館配得上學生人數嗎？學生食堂更是窄到不用再說。我們支付的金錢能說已經投注到我們身上了嗎？在這種狀況下，現在竟有三十億日圓流向不明的款項浮上檯面。……這個問題起因於理事不把日大當作學府，只是他們追求自身利益的場所。大學與股份公司不同，不是追求利益的場所，這點大家都能同意。……真正愛著日大的同學諸君，必須冷靜、正確把握這種狀況，為了改革日大，今天必須採取斷然的行動。

而文理學部學生們製作的討論資料與傳單中，有如下訴求[69]：「三十四億日圓的問題，不過是存在於當局與學生之間的是否遵守民主主義、是否保護自治權的矛盾之一。」「憲法保障了思想和信仰自由、學術和言論自由，卻被戰後急速發展的本大學經營第一主義，以學校法人的名義，以學校當局教育方針的名義，大加限制。」「我們學生當守護學術自由，守護民主主義，也為了打造真正和平且富饒的社會，必須親身參與解決當下這種矛盾現狀，並致力加以改革。」「我們不是為了成為『分割零售知識的消費者』而進入大學。為了確立『對事物的看法、想法、思想、人生觀』，為了熟習專門領域的學術成果，為了打造我們和平且自由的社會，這才是我們學生存在的意義。」「如果全體學生統一團結，即便在檢閱制度下仍努力改變此一反動制度，那才能建立真正民主的校園。全校同學諸君，讓我們提出單純的疑問、不滿、要求，把經營主義者完全趕出日大，把日大打造成真正的學府！！」

六月經濟學部舉行的學生演講也有如下的表述[70]：

我們來大學是為了什麼？只是為了追求將來的安樂嗎？為了依照經營者的意志成為廉價上班族嗎？……絕非如此。我們身而為人，為了創造更好的未來，才在大學研習學問。為了研究真正的學問就必須保障言論、思想的自由。然而，我們日大卻連憲法保障的學術自由、言論表現自由都沒有。我們只能支付高額學費，在量產授課中單方面接受偏頗的教育。我們身為學生感到被疏離。

我們是人。不是對古田會長言聽計從的猴子。我們要破壞耗費十幾年打造出來的反動體制，為了建設光明且民主的校園而戰。如果這場抗爭以失敗告終，那麼我們將失去身而為人的存在價值。我們必須獲得絕對的勝利。用我們自己的雙手取回真正的學問。

從這些傳單或演說可以看出以下幾點。

第一，學生們感到自童年起一直被教導的民主教育理念遭經濟高度成長下的「經營第一主義」所踐踏，因而訴求「民主化」。第二，學生們具有「保守的」大學觀，認為大學必須是「追求真理的場域」、「學府」，不可成為「追求利益」或「培訓產業後備軍」的場所。

第三，學生們厭惡如「輸送帶」上的工業製品般，「完全依照經營者的意志」被培訓成「廉價的上班族」。此外，日大是排名靠後的大學，當時被說「從日大畢業進到一流企業工作的上班族，不到一成。」[71]某種不藉此機會發起抗爭，就只能一輩子抬不起頭成為「廉價上班族」的情感，也在背後驅使他們推動鬥爭。

第四，他們在經濟高度成長下面對社會劇變，惱於認同上的焦慮。這明顯可由上述傳單與演說中

「我們來大學是為了什麼？」「我們身為學生感到被疏離」等語句頻出的狀況中看出。他們意識到，鬥爭正如「我們是人。不是對古田會長言聽計從的猴子。」這個句子所象徵的，是一種脫離「現代的不幸」的行為。而屢屢被提及的「疏離感」，正是「現代的不幸」的象徵。

因為校方的壓抑人權與非法、脫法行為昭然皆知，因此大多數的觀點都認為，日大鬥爭始於學生們對這點發起抗議。確實這也是重要原因，但觀察上述學生們的文章與發言，可知日大鬥爭與一九六五年慶大鬥爭以來的一連串大學鬥爭分享共同的心情，亦即都希望脫離因經濟高度成長帶來的社會結構劇變所造成的隔閡與「現代的不幸」。

對於學生的這種行動，校方選擇以壓制作為對應。文理學部教授會在五月三日聲明，「我們校園中不可能有流向不明款項與私相授受的薪資」，「對於破壞和平與秩序的行動，將以堅決的態度加以處理」[72]。到了五月七日，文理學部學生指導委員長給級任教師發配極機密文件，要求「請不要讓思想偏差的學生有任何行動」，「希望積極指導學生，以整個班級的共識排除特定的學生。」[73]

未經檢閱的傳單立刻被回收，散發傳單的學生屢屢遭體育會或應援團學生暴力相向。即便獲得大學張貼許可的社會學部學生會宣傳海報，也因「尺寸太大」而被通知最多只能使用「兩張B5大小的白報紙」。對此社會學部學生提出抗議文，表達「我們切實地怒吼：我們想成為真正的學生，在此堅持反對縮小宣傳用紙。」[74]

當時在文理學部活動的學生，在一九六八年底的手記上有如此敘述[75]：「在五月的階段，就是我們在文理學部的運動成為地下活動的時期。把原稿運進校園時必須小心翼翼。切割〔膠版印刷的傳單〕時，得把教室面向走廊一邊的窗戶貼上報紙，印刷完成後就在教室內將其燒毀。傳單無法在校園內直接發給學生，只能偷偷地放在教室課桌的抽屜或廁所。」「我們製作的立牌看板遭學生課破壞，還有同學在製作中被潑了滿身墨汁。我們只能拿小型的手持麥克風向同學們訴苦。」「在文理舉行全校總誓師集會時，也是在光天化日下對在校門口靜坐的我們拳打腳踢，暴力相向，最終出現了三名輕、重傷者。」

同時，位於神田三崎町的經濟學部學生開始採取更加直接的行動。日後成為日大全共鬥議長的秋田明大當時擔任委員長，在他的經濟學部學生會上製作抗議文件，表達「流向不明款項來自我們的家長，或者是我們自己的血汗賺來的，那是我們的錢」，藉此確立基調。五月十八日，經濟學部學生會執行部向教授會請願，希望遵循正規的許可制舉行討論流向不明資金的學生委員會[76]。

日大許多學部的學生會或自治會都成了御用組織，只有經濟學部學生會例外，尚還保持自身的自主性。如前所述，從一九六六年十月大學祭企劃邀請芝田進午、一九六七年四月新生歡迎會上企劃邀請羽仁五郎、一九六八年新生歡迎會上企劃邀請日高六郎前來演講，這些皆為由經濟學部學生會所為。

據一九六八年十月的日大學生座談會稱，經濟學部學生會擁有長時間的鬥爭歷史。根據這場座談會，一九六六年十月在校方禁止芝田進午的演講之後，經濟學部發起反對大學當局介入的運動。但雖然一時集合了約一千名學生舉行抗議集會，但大學祭後便自然而然回歸平靜。不過以這個被通稱為「芝田鬥爭」的事件為契機，有抗爭意識的學生開始聚集於學生會，並形成了學生會執行部[77]。

如前所述，一九六七年四月的羽仁五郎演講會上，經濟學部學生會執行部成員遭體育會與應援團學生處以私刑。當時受到私刑處置的執行部成員之一，就是一九六八年成為經濟學部學生會委員長，之後也成為日大全共鬥議長的秋田明大。

秋田在一九六八年底與羽仁五郎的對談上，提及一九六七年四月羽仁演講時他領教了體育會與應援團的暴力，以及校方的「極端卑劣」的鎮壓，他感到「根本還沒到討論思想的程度，連最低限度的、自己身而為人這件事情，都遭到完全否定」，而這種感受也成了他參加日大鬥爭的動機[78]。他的手記中也敘述道，「當天（羽仁演講會那天）回到公寓後，一股落入無間地獄般的絕望感襲來，全身上下都感受到對日大當局的憤怒。此時我下定決心要投入戰鬥。」[79]

秋田在中學、高中時代是個極其平凡的學生，連級任老師都未對他留下印象，他進入日大後因為對量產型授課感到失望，而加入社會科學研究會。學生們在該處學習馬克思主義，在日大算是個半非法的社團[80]。

但秋田並非埋首於馬克思理論的類型。日後日大鬥爭在學生築起的街壘內舉辦閱讀馬克思主義的自主講座，秋田曾說「你們讀了也搞不懂，我也搞不懂。與其唸那個，不如討論一下身邊正在發生的狀況」，接著把讀書會改為鬥爭的戰術會議[81]。

有多則傳聞都展現秋田的「資質魯鈍」。當大家決定不繼續在街壘內閱讀漫畫，改讀學習用的書本，並集中扔掉漫畫時，一位夥伴正要丟掉剩下的漫畫，秋田卻說：「啊，那個別扔，我還沒看呢。」或者邀請羽仁五郎來進行學習會時秋田卻在打瞌睡，羽仁對他說：「秋田，多少聽聽我講了什麼吧」，他則回答：「老師說話讓人聽了很安心，所以我就睡著了。」[82]

有傳聞說秋田隸屬社學同ＭＬ派，但實際上他似乎是無黨派學生[83]。在一九六九年初的對談中，秋田表示「我只能憑感覺理解事物」，對於馬克思的著作，他則回應「我討厭那東西。況且馬克思、列寧根本沒提到日大鬥爭（笑）。」被問及新左翼黨派是否有邀請他加入時，他回答：「有被問『要不要加入？』，不過最近就是開玩笑般地說說罷了。」[84]

秋田隸屬社會科學研究會，接觸過馬克思主義。不過比起研讀馬克思主義文獻，他似乎更願意與夥伴在住宿處邊喝酒邊討論人生、社會，重視身為一個人如何獲得成長的想法[85]。

秋田等經濟學部學生會的集會，全都在校外的咖啡館進行。在校內批評大學可能會遭體育會學生施暴，而且日大校內也沒有讓學生休憩的大廳或校園區域。擔任日大全共鬥經濟學部鬥爭委員長的鳥越敏郎，在一九六八年秋記下「『咖啡館戰術會議』是日大的特殊產物。」鳥越「因為日大敷衍了事的上課讓人充滿空虛感，所以加入了基督教研究會，當作是參加社團」，之後遇到秋田等人的社會科學研究會成員，開始對大學有所質疑，之後便與他們在咖啡館展開討論[86]。

一九六八年五月，由秋田擔任委員長的經濟學部學生會，如前述遵照正規的許可制度向教授會請願，欲舉行學生委員會討論流向不明資金的問題，但教授會回覆：流向不明款項問題，在學部公告聲明之前不予受理[87]。遵照規定的對話因此無法實現，學生們便像文理學部一樣，自行舉行未經申請的集會。

但在經濟學部，並沒有能讓學生舉行集會的學生大廳。地上九層、地下二層的經濟學部本館中雖集中有學部長室與學生課等辦公室，但地下一樓只有「櫻門事業部」經營，賣牛奶、麵包的小賣部空間。

無計可施的學生會只能使用地下大廳，於五月二十一日聚集約三百人舉行抗議集會。學生方訴求「我們想以真正的學生的身分，以及真正身而為人的身分活下去。但大學當局不僅封鎖我們的意志表達，甚至拒絕我們身而為人的權利。例如，以學生會機關報《建學之基》的封面是紅色的，或者使用太大的字體等理由〔禁止派發〕，壓迫我們的言論表現自由。」[88]

隔天五月二十二日下午一點，學生再度於經濟學部地下大廳舉行未經申請的抗議集會。秋田委員長對聚集而來的學生們說明學生會至今受到的鎮壓，另也針對公開舉行學生委員會遭拒一事進行抗議。學校當局透過校內廣播呼籲解散集會，結果，反而讓還搞不清楚狀況的學生都前往參加集會[89]。

抗議集會上，學生們紛紛提出不滿[90]：「諸君！我們之前抗議成那樣子，大學當局卻全都不回應。不僅如此，還想壓制我們的行動，用廣播要求我們解散。希望大家想起四・二〇〔羽仁五郎演講會上發生的私刑事件〕。以前我們或許屈服於暴力，但這次，絕對不向暴力屈服。」「經濟學部全體學生們！在這棟巨大的建築物中，我們一直抱著不滿的情緒。首先，館中既沒有福利社也沒有食堂。即便去其他學部的食堂，供應的也只有咖哩飯，麵類則只有『狸蕎麥麵』與『狐狸麵』[iii]。各位不覺得這就是日大的象徵嗎？」

地下大廳的討論持續到下午五點半為止，學生們一齊喊口號：「我們要追查二十億日圓！」「讓我們舉行學生委員大會！」之後部分學生唱起《國際歌》，但在學生運動不發達的日大，普通學生大多不知道歌詞，因此無法合唱。為此，「學生執行部因學生不太知道《國際歌》，日後改為唱校歌。」

iii 譯註：「狸蕎麥麵」是放上炸天婦羅的蕎麥麵。「狐狸麵」是蕎麥麵和烏龍麵上，加上醬油漬甜辣口感的油炸豆腐皮的麵，因日本傳說狐狸喜歡吃油炸豆腐皮而得名。

[91]五月二十三日，同樣在地下大廳舉行了抗議集會。校方以昨天的集會混入了其他學部學生為由，在經濟學部本館入口檢查學生證，而聽聞集會傳聞而趕來的他系學生則主張「這是我們的大學，為何我們不能進去？」「有這種某個學部學生無法進入其他學部系館的綜合大學嗎？」與職員發生小爭執後最終仍舊進入會場。同時，體育會學生卻暢行無阻地進入館內。集會在體育會學生激烈的唱反調中舉行，接近兩千人參加，會上決定：（一）要求立刻停止檢查學生證；（二）要求學生的言論、集會自由；（三）要求舉行學生、教授、職員的三方討論會等。[92]

經濟學部的指導副委員長最終趕到集會場地應對學生，副委員長一味主張「有關流向不明資金問題，只要閱讀大學發布的聲明便可理解」，「這個集會是未經申請的集會，斷然不能承認。」校方以集會未經申請要求立刻解散，並提議由學生會執行部與指導委員長進行對話，但學生方經過討論後，認為只要不公開讓大家參與對話便無法接受，拒絕校方提議。秋田在學生們的掌聲中將大學的通告文燒毀[93]。

之後學生們為了「讓其他學部的學生平安離開系館」而肩並肩組成陣形，合唱著校歌想走出系館建築，但體育會學生對他們暴力相向，職員也開始放下鐵門。憤怒的學生們舉行了他們的首次示威遊行。日大新聞研究會編輯的紀錄中提到，「許多參與遊行的學生連如何列陣都不知道，僅呈現出互相緊靠的狀態」，但「這種笨拙的行動中帶著根深柢固的『憤怒』。」[94]

這天經濟學部發出「緊急通告」，提議由學部指揮部與學生會執行部進行懇談，但校方面對學生要求接受三項訴求，對談沒有交集。體育會學生開始針對集會學生動粗施暴，許多學生負傷，學部一方公告「如果不解散就解散學生會」。約一千名學生改到附近公園遊行順便避難，高呼「絕不容許暴力集團」、「絕不屈服於大學的鎮壓」等口號並繼續討論[95]。

當然討論火花四射，學生接連提出意見：「我們的血汗錢被一部分理事私吞自肥，當我們想追究這件事時，就拿體育會學生這種暴力集團來對付我們，胡亂施行拳打腳踢的暴行。這真的是大學嗎？」「我們絕不會因此屈服。直到大學真的民主化為止，都必須堅定戰鬥。」「只要理事不全數退職，我們的戰鬥就不會結束。打倒古田，除非學生的自治權不再被剝奪，否則我們的戰鬥就不會結束。」[96]

之後學生們決定對經濟學部本部發起抗議遊行，朝約有兩百名體育會學生護衛的系館大樓行進。遊行隊伍避免與體育會學生發生衝突，在隔壁法學部三號館前進行集會，許多法學部的學生也加入，讓集會學生人數上升到約兩千人。這次遊行僅有兩百公尺，被稱為「兩百公尺示威遊行」，是標誌著日大學生覺醒的事件，成為日後鬥爭中充滿象徵性的一段故事[97]。

二十三日傍晚時分，與經濟學部比鄰的法學部學生們舉行集會，選舉自治委員。相對於活躍舉辦活動的經濟學部學生會，學生們批評法學部自治會執行部是「至今為止沒有舉辦任何活動的御用執行部」。但法學部自治會執行部仍依慣例，以委員長權限選出選舉管理委員，投票結果出來果然連任了。學生們譁然表示「選舉不公正」，並把集會主題改為對自治會的抗議，以及追究檢閱制度與流向不明資金問題的討論會[98]。

隔天二十四日，經濟學部繼續舉行未申請的集會。而這天也是秋田明大獲得學生們絕對信任的一天。鳥越敏郎在一九六八年秋天寫道[99]：

戰鬥的步調非常快速。隔天二十四日，體育會學生急著衝進靜坐抗議的學生中揍人，集結在議長團周邊的學生組成了堅固的陣形。就在此時，秋田飄然跳上桌子，突然叫喊「口號！」這聲呼喊瞬間逆轉了敵我間的氣勢。這一刻不僅讓我感動，也讓當時聚集的經濟學部所有同學都終身難忘。就在日大當局凶残暴力裝置的最中央，秋田展現出驚人的膽識。如果是這個男人，應當可以帶領鬥爭走到最後。感動變成確信，在同學間如同海嘯般喚起了一股連帶感。

一九六九年四月出版的著作《日大全共鬥》，如此記錄學生們敘述當時秋田的行動[100]：「時至今日已經變成微不足道的一段軼事，但在當時的狀況，這絕不是比喻，而真的是拚上性命的行為。這就是日大。」

確實在當時日大鎮壓體制之下，秋田的行動真的是「拚命」。日後學生們以街壘封鎖經濟學部本館，當一九六九年二月街壘解除時，據說在本館中留下如下塗鴉[101]：「爸爸、媽媽，別了。我現在就要投入戰鬥。決死後一日，昭和四三・六・一三」。

就這樣，秋田被推選為日大全共鬥議長。而秋田自己也表示，他被選為議長的理由只是「自己像蠢蛋般毫無畏懼地戰鬥吧。」[102]

如前所述，秋田是個乍看之下並不起眼，儀態端正的學生。直到日大鬥爭開始前，從未參加過遊行[103]。藝術學部鬥爭委員會的橋本克彥寫下對秋田的第一印象是「安安靜靜的，沒有令人振奮之處，看起來很健康的男子。」「給人的印象就是個極其普通的學生。」[104]經濟學部的某助教授也表示，「秋田君啊，在入學的時候，是個非常老實，一點也不起眼的孩子。所以這次紛爭中被選為議長，讓人相當吃驚。這個孩子擔得起這份重責嗎？」[105]

秋田住宿處的歐巴桑（當時許多住處都有包餐）如此評價他[106]：

「很會照顧人，他會帶經濟上有困難的同學來吃飯，還讓他們住宿。不管提供什麼飯菜都不會擺出難吃的表情。房間總是打掃得乾乾淨淨。碎碎念說自己腦袋不好，就算學習也沒效果，但依舊很認真學習。」「這個孩子太好啦，好到跟其他孩子一比，總想讓他多吃點東西。真的。這個孩子不愛說話，在別人面前說不出話來，所以成為運動的領導者真的很奇怪，一定是人太好，被別人一勸不好拒絕吧。」

不過，秋田從年少時就比其他人更加認真，是個直性子的人。傳聞提及，在秋田孩提時代，其他孩子會隨意去摘走他祖父家的枇杷或柿子，大家都去的時候只有秋田表示「不去摘」，大家便拋下他自行去吃了。又或者，他給雙親寫信時總寫擔心家中生意、擔心家人的內容，連他父母都覺得不好意思等等[107]。

秋田出生在瀨戶內海的島上，家中做修理漁船生意的鐵工廠，他是家中的老么，自小看著海長大，一九六五年考上日大。日後採訪秋田的立花隆寫道，秋田的父親大概教導了他孩子「在海上討生活的男子漢應具備的仁義」。根據立花的說法，「下定決心要幹的事情，就一定會幹到底，絕不背叛好友。」[108]

日大當局在五月二十五日對秋田做出「自宅謹慎處分（在家反省不得到校）」，而在日大全共鬥組成後，秋田如此告訴新聞記者[109]：「我們已經沒有選擇餘地，非幹不可。就在這個當下，心中充滿要讓日大成為真正大學的想法。」「懲處我的校方依照他們一貫的做法，打電報給我廣島的老家，把我父母叫來。來東京的雙親聽完我的說明後，什麼也沒說，只留下一句：奮鬥到勝利為止，然後就這樣回去了。」

同時秋田的父親對立花如此說明[110]：「作為父母，孩子想要搞出這麼大動靜，實際上我並不贊成。我雖然說（與日大當局發生紛爭）就像美國和日本發生戰爭，但我認為不管發生什麼都要拚到底，不讓自己後悔，所以之後也沒再多說什麼。」「這孩子只說真話，不扯謊，所以我絕對信任他所說的話。」

此外，秋田還是個擁有細膩戰術能力的男子。據越平聯核心人物之一，同時也是作家的小中陽太郎稱，秋田在日大鬥爭時「給每個班級的每個人都寫下任務，這邊對體育會，這邊保持中立等等，集中整頓我們的弱點。如此，幫所有的班級都製作了清楚的配置圖。」[111]秋田活用他的這種能力，以日大全共鬥領導者的身分帶領活動。

五月二十五日，經濟學部如前所述對秋田及其他十五人以「擾亂學部秩序」懲處他們在家反省，二十六日的學部長會議上，決定「嚴格取締未經申請的集會，違反者將施以懲處。」[112]然而，一旦學生不滿的火焰爆發出來，便無法再加以遏抑。

日大全共鬥的成立與「主體性」

二十五日，文理學部舉行了抗議懲處經濟學部學生的未申請集會，約聚集了兩千名學生，儘管遭到體育會學生的暴力攻擊，他們仍前往經濟學部支援。法學部也有五百人聚集舉行抗議集會，同樣遭受體育會學生的妨礙。經濟學部也舉行了抗議集會，法學部有約八百人，文理學部有約一千名學生趕來，狹窄的館內已容納不下約三千名的學生，一部分人滿溢到道路上[113]。

一九六八年末刊行的文理學部鬥爭委員彙編《叛逆的街壘》中，如此描述這天文理學部的遊行與經濟學部的集會[114]：

> 這次運動如此強而有力，一口氣吹散了被認為絕對無法摧毀的強權式學生管控，也吹散了由此而生的學生間的相互不信任與無力感。在校外無論舉行多小的集會或抗爭遊行，被發現後即便不至於退學，教授也會用有色眼光看待，被貼上所有可能的標籤，還得遭到體育會右翼的暴力。在這樣的日大中，舉行未申請集會，甚至高舉旗幟遊行，要說是種帶有死亡覺悟的行為，也不為過。……
>
> 見到體育會右翼學生與學生課職員動手施暴，學生內心暗湧的憤怒更加強化，集會變成抵抗暴力的遊行，未加入隊伍但因擔心同學安危而趕到〔經濟學部〕神田三崎町的學生人數，達到遊行隊伍的四倍。放眼經濟學部館前約三千多名學生集會的場面，除了經濟學部，還有法學部、文理學部的旗幟翻飛，雖然不認識他們，但同樣都是日大學生奮戰的身影。那是一種在受苦中萌芽的真正連帶感，伴隨著一死與戰鬥的決心。在這個當下，學生第一次感受到自己是日大的學生，那是即便死去也壓抑不住的感動。

就像以往的其他大學鬥爭發生過同樣的情況，日大鬥爭也讓陷入孤獨感的學生們產生連帶意識。

某位日大學生於一九六八年寫道[115]，「我們日大學生一直以來完全沒有這種連帶感。十萬個日大學生，在這個醜陋扭曲的大學中彷彿每個人的連結都悉數遭截斷。我們舉行遊行、集會、靜坐，藉此能感受到大量同學間——其中大部分都是在此次鬥爭中初次見到的夥伴——的堅定友誼與強大羈絆，也能強烈感受到過往未曾感受過的暢快友情意識。」

同時間遭到在家反省處分的秋田，因無法進入校園而改在校外的咖啡館舉行會議。在此類會議上，參加者感覺有必要把志同道合的學生在各學部成立的鬥爭委員會統合成一個整體的鬥爭委員會，並獨立於學生會與自治會之外。大學承認的學生會、自治會許多都成為校方的御用團體，在這種情況下另組組織是唯一的手段。

實際上，文理學部學生會在二十七日發表聲明「舉行非法集會與遊行給整體校園造成莫大的影響，全校學生都必須深刻反省，今後必須由學生自發避免發生此等事態」，並提出「未經申請的集會擾亂校內秩序，希望大家不要參加」的告示。此外，中文學生會聲明「不要破壞校園秩序」，德文學科學生會亦聲明「堅持守護校園秩序」[116]。

五月二十七日在經濟學部前馬路上的集會，聚集了經濟學部、文理學部、法學部、藝術學部、商學部、理工學部、農獸醫學部、齒學部等代表，人數超過五千人，成立了全學共鬥會議。會議選出秋田明大為全共鬥議長、文理學部鬥爭委員長田村正敏擔任書記長。當下要求：（一）古田會長及其下屬的全數理事退職；（二）全面公開會計內容；（三）關於流向不明資金問題必須與學生對話等三個條件，而且完全不包含左翼的元素[117]。

日大全共鬥成立的隔天二十八日，在全校總誓師集會上，普通學生有如下議論[118]：

學生A：流向不明資金不就是我們的錢嗎？為了讓一部分的理事私吞自肥才出現這些款項。身為一個人，為追究這個問題採取最初與最低限度的一些行動，不是理所當然嗎？只有發起這種行動，大學才開始可以被稱為大學啊。……

學生B：可是，在道路上舉行集會不是違反法律的嗎？多透過學聯（學生會聯合）進行合法集會不更好嗎？

學生A：那你說說，學聯到現在為我們做了什麼？他們不過就是依大學意見照章行事的傢伙罷了。何況我們也陪著笑臉告知學生部我們的意見了。……現在正是重新打造日大的時候。這是為了把一直以來安坐在產學合作路線的大學，重新打造為真正的大學而進行的戰鬥啊。

從此處可以得知，普通學生支持日大全共鬥是起於對御用組織化的學生會感到不滿，以及懷抱「真正的大學」之「保守」大學觀。日大全共鬥當初的訴求中完全沒有左翼的元素，這也反映出提出訴求的學生們的意識。

由志同道合的學生在無意間聯合組成的日大全共鬥，與慶大鬥爭和早大鬥爭的先驅例子有部分共通，但以全校規模進行運動，卻是史無前例。參加藝術學部鬥爭委員會的橋本克彥日後如此敘述[119]：

「共鬥會議的形成，並不像過往學生自治會運動般通過正規程序、經班會決議程序等，累積意見而成立，而是一口氣就突然豎起全學共鬥會議的大旗。認同此事的人以肉身集結到這面旗幟下，這就是承認全共鬥的行動。當然，如果集結旗下的學生缺乏力量，日大全共鬥將瞬間被暴力所擊潰，在這樣的前提下學生們決定奮起抗爭。」大學方面已經拍下參加集會的學生照片，調查領導者的姓名，發起鎮壓的舉措。

在練馬區江古田的藝術學部，由一直被體育會學生毆打但仍盡力重建自治會的成員組成藝術學部鬥爭委員會。具體而言，先由電影、戲劇、攝影、文藝各學科組織四學科聯絡協議會，再轉變為藝術學部鬥爭委員會。根據橋本克彥的回憶，藝術學部七個學科中只有四個學科設立協議會，只是因為「放棄反應遲鈍的大眾傳播、美術與音樂科的學生」罷了。橋本如此說明全共鬥的組成原則[120]：

> 在這個例子中，原則很清楚。那就是想幹？不想幹？只有這個問題。那種不問大家意見就得不出結論的官方代表，在這裡就被當成垃圾。畢竟，當時大家的意見都還沒浮上表面，鬥爭的火勢只侷限在神田三崎町的經濟學部、法學部及下高井戶的文理學部而已。……
>
> 大家都只是在心中感到忐忑不安。即便問對方你會怎麼做，對方也閉口不言。……
>
> 比起眾人均質的意見，更重要的問題是：你自己的想法如何？你自身的主體性呢？只有有幹勁的人才會心懷這樣的問題，而支持這種想法的，是當時相當有力的「主體性」一詞。若要配合遲鈍傢伙的水準，就拚不出速度，與其如此，不如讓有幹勁，也就是只由有主體性的人率先奔走。
>
> 這種行動引發的非日常感受洶湧而來，震撼了平常規律的協調旋律，使其隨快感而崩毀。規律的協調——和昨天一樣今天也這麼做的無趣感——將其毀去的解放感。這預示著主體性日益輝煌的日子即將到來。

「你自身的主體性呢？」」這個設問在東大鬥爭中也經常出現，成為全共鬥運動的特徵。全共鬥與全員加盟的自治會不同，由志同道合願意戰鬥的人自由參加，因此沒有「主體性」的人也可自由脫離全共鬥。用當時的用語來說，在鬥爭中「日和（推諉旁觀）」者被輕蔑，「不日和（不推諉旁觀）」的態度則受推崇。

依據橋本的說法，日後他問日大鬥爭時的同學如何解釋「主體性」，他們如此回答[121]：「把自己從自身中切割剖析，用自己的言語發言，自行思考的意思。所謂主體性，就是那個人在現實中的意義……大概吧。」

筆者前作《「民主」與「愛國」》中提及，「主體性」這個詞在戰爭期間與戰後帶有各種不同的意義。而在全共鬥運動時期則被學生當作「自己的語言」來使用，意味著個人的「幹勁」，甚至表達對鬥爭的「不推諉旁觀」的堅定意志。

經濟高度成長帶來社會結構的變化，因此一直以來許多人感到既存的組織與共同體無法為「自己」的意志代言。農村因脫離農事而分解，大型工會與政黨成了只會高舉加薪這個最大公約數要求的團體，關於表現個人意志部分，則陷入功能不健全的狀態。在此狀況下的青年，對如何確定自己與社會的關係而感到焦慮，並渴望以「自己的語言」進行溝通。

可以說，「那個時代」反叛中的「主體性」一詞獲得廣泛使用，其實反映的就是經濟高度成長下個人脫離了共同體，產生了認同危機。其中的年輕人透過參加鬥爭與他人、社會產生連結，藉此感受「生」之真實，確認自身的存在，並以「主體性」一詞來表現。

如第二章所述，在六〇年代的日本，「認同」一詞尚被視為自美國輸入的用語，僅被自美歸國的評論家或學者以「自我同一性」等稚拙翻譯加以使用。「認同」或「尋找自我」等詞彙在日本的普及，則是七〇年代起至八〇年代的事情。因此在六〇年代末時，「主體性」才是流通的詞彙。

許多參加日大鬥爭的人都重視這種「主體性」的發言。秋田明大於一九六八年十月的座談會上表示，日大鬥爭中「獲得的東西，簡要來說就是確立了主體性」。某位日大學生則寫道，日大鬥爭不僅是大學民主化鬥爭，也是「人生中最初進行自我變革的一個過程，想要真摯、確實地面對這件事情。」[122]

日大鬥爭，至少在初期是高舉著「校園民主化」在推動。某學生在手記中寫下「日大鬥爭以民主化＝確立主體性為目標」[123]。所謂「民主化」是依照自己的意志來行動，藉此獲得自由。若由透過這種行動確認自身定位的意義來看，確實可以同意「民主化＝確立主體性」。

當時的日大學生發言中經常出現「這次鬥爭是確認自身的場域，是為了恢復基本人權——奪回當然權利的校內民主化運動」，「首次與同學組成陣形，融入遊行隊伍時毫無懸念的解放感，只有這種感覺，絕對不願失去」等說法[124]。這些學生提出的，大致是透過自己的決定參加「民主化」鬥爭，掌握「自我確認」及與他人的連帶感，進而得以脫離「現代的不幸」的感受。

當時闡述同樣感想的日大學生文章，大量見於當時的座談與文集中[125]：「我的心中產生一種篤定的想法，就是什麼都嘗試看看，只要願意嘗試就能成功。」「自我發現吧。『可以去抗爭遊行』的切身感受，那個時候，感動到流淚呀。」「接連不斷的，難以置信的每一天。」「原本這場鬥爭就再正確不過，是任誰都想參與的運動，所以自己也努力從後追上。然後，感覺越是參與就越能體會到那種滋味，讓人開心不已。」

一位對量產授課感到無盡厭煩，流連於麻將間並尋思「有什麼有意思的事情」的日大理工學部四年級生，目擊日大學生遊行後如此陳述自己的印象[126]：

那天，在畢研的研究室中與三個好友一邊閒聊一邊工作。談到這種無趣的工作，連小學生也能勝任，四個人就這樣嘴碎地抱怨。心想這種狀態只要再過十個月，就能告別大學了。……那時還以為看到了中大的遊行隊伍。想著在那個地方真的經常有這樣的活動，打開窗戶俯瞰底下的馬路，覺得今天人是真還不少啊。

瞄了一下白色旗幟上的字，讓我慌忙又重讀了一次。第二次鎮靜下來再次讀過，而且多次確認，那上頭確實只寫著「日大」。日大學生——這個一波接著一波流過的遊行浪潮——腦袋中迴旋著自己也不知道的言詞，那些看不到終點的學生彷若河流，讓我的眼、耳甚至全身都看得入迷。

有人正在招手，對我喊：來加入日大的遊行隊伍。我想飛身而下，想要立刻飛進學生的河流中，啊，仔細看看，那種有如開玩笑的行徑，一股舒暢感在內心騷動，管他的，先去看看狀況也好，如此下定決心後便飛快跑向隊伍。

在九號館建設預定地。學生們肩並肩組陣唱著校歌。有人開始演講，很難聽懂。……說話的方式實在不怎麼高明。只是熱中地說著、闡述著。我這邊也拚命想聽他說些什麼。……從見到那場遊行後，我覺得自己開始了嶄新的學生生活。

這樣的日大鬥爭中，既包含「民主化鬥爭」的對抗日大壓抑人權之「近代的不幸」的面向，也包含取得「主體性」脫離「現代的不幸」的面向，兩者並存。

因為重視這樣的「主體性」，比起運動經歷，有「幹勁」的人更能成為全共鬥幹部。例如，藝術學部一直害怕體育會與職員而在深夜分發傳單，但到了五月下旬，已經有學生開始在白天拿著手持麥克風展開指責大學的演講。雖然只是由毫無名氣的學生，突然發表自己不習慣的鼓動演說，但在日大這已經屬於充滿勇氣的行動。電影科大二生的真武善行，受到山崎博昭之死的刺激，曾參加過校外的運動，最後也被選為藝術學部鬥爭委員長[127]。

質問「主體性」的風潮，也促成了女學生的自決運動。根據五月二十九日由「志同道合的文理女性」散發的「向女學生訴求！」傳單，有如下內容[128]：

> 全校的女學生們，妳們有思考過自己在家庭、學校、社會中的地位嗎？……可愛、貼心、溫柔。如果有困難一定有人伸出援手。究竟從什麼時候開始變成這樣？……所以我們談起政治的事情，就會說「在講大道理」、「不知天高地厚」等等。
>
> 但，作為一個人，我們必須去思考。……如果我們想成為真正的大學生，就必須自行思考、做出表達、採取行動。既非盲從別人，也不是等人對我們提出問題。而是站在陣前做出行動，自行提出問題。

這段發言中可讀到：確認「民主化鬥爭」與「主體性」，以及重建「真正的大學」之間依舊密不可分。更進一步而言，其中的元素也與日後的女性解放、女性主義渾然一體。

五月二十八日至三十日，各學部紛紛舉行未申請的集會與成立鬥爭委員會，五月三十一日，日大全共鬥對文理學部的世田谷校區提出大眾團交的要求。但大學當局表示「全共鬥會議是非法團體，大學不予承認」，加以拒絕[129]。

此回應讓各學部於五月三十一日舉行抗議集會。但十二點三十分，體育會約八十名學生開始對在文理學部正門前靜坐的學生施暴動粗，造成超過二十名的傷者，有四人被救護車送走。下午兩點四十五分，聽聞事態緊急的其他學部學生們，紛紛乘坐電車，在前方舉著日大全共鬥的旗幟趕往文理學部，學生人數上升到超過六千人，其中遭手持棍棒的體育會學生毆打而跌倒損傷者超過十人[130]。

另一方面，五月三十一日下午一點，在神田三崎町的經濟學部前方，約兩千名學生手持「日大學生集結起來要求大眾團交、全部理事退職、全面公開會計內容、校園民主化」等大型橫幅或字牌舉行集會。於此發生了一個事件。位於江古田的藝術學部來了約一百人，但他們舉著紅旗，因此遭到普通學生的反彈，發出「為什麼舉紅旗！」「我們不需要紅旗」的聲浪，之後還發生群呼「降下來！降下來！」口號的狀況[131]。

這段軼事象徵著日大鬥爭的初期狀態。日大的學生運動極不發達，新左翼黨派或民青運動者人數也很少，自治會亦沒加盟全學聯。五月二十七日組成日大全共鬥時，也在多數學生的贊同下決定「不隸屬於全學聯任何派別」的方針，這自然包含既有的新左翼黨派與民青等[132]。

如前所述，日大全共鬥成立時提出三項訴求，多數學生要求「全部理事退職、公開會計內容、校園民主化、言論表現自由」等，而且全無左翼的元素。六月一日日大全共鬥發出的傳單中，抗議了體育會學生的暴行，主張「趕走暴力學生！」「校園是民主學生們的！」等標語[133]。當時日大全共鬥的學生們大概作夢也沒想到，數個月後他們將被人們稱為「暴力學生」。

其實，五月三十一日帶來紅旗的藝術學部學生也沒什麼左翼意識。根據橋本克彥的回憶，持紅旗參加「並非仔細思考後的決定」。此前的集會多使用日大的校色，也就是粉紅或淡藍的旗幟，但成為藝術學部鬥爭委員長的真武認為「粉紅色的話，缺乏力道」，邊說「旗幟的話還是紅色最好，呵呵呵」邊製作了紅旗，不過，實際上在場的寥寥幾位新左翼黨派運動者曾提過「突然使用紅旗，〔學生們〕會很詫異啊。」[134]

包含秋田明大在內，在日大研讀過左翼文獻的學生不多。在深夜的藝術學部散發傳單的某團體成員如此回憶道[135]：「真的是很開朗，幾乎沒有緊張感。因為就像社團活動的延伸。」「要說馬克思，就是兩、三個人千辛萬苦讀了《共產黨宣言》，也就是這種程度而已。」

而在日大的少數幾位新左翼黨派運動者也沒有搞內鬥的餘裕。根據橋本的回憶，在日大以外都形同水火的「中核派與革馬派〔運動者〕，在校園內也會『唷』地互打招呼」，在藝術學部的社會科學研究會中「革馬派的同情者也與民青的同盟成員並存」，此外，初期的藝術學部鬥爭委員會中「幾乎沒有正式進行所謂的黨派組織行動，也沒有接受組織行動的學生。」[136]

將於第十章後述的東大鬥爭中，民青掌控了大半自治會，與不參與自治會自行組成團體的東大全共鬥處於對立狀態。但在日大，民青不過是在日大當局鎮壓下的一個弱小集團，某民青同盟成員如此敘述日大全共鬥的運動者[137]：「日大全共鬥如果打倒古田體制，那我們也能自由活動。所以，我們躲在暗處祈求，能夠努力獲得勝利。」日大的民青也承認，在全共鬥中「民青的成員也與無黨派學生混在一起。」[138]

六月四日，經濟學部前方聚集了各學部一萬多名學生。大學本部則在靖國神社集合了右翼分子與體育會等約一千人，但因學生人數太多而放棄發動集團恐攻。全共鬥指揮部約二十人進入大學本部要求進行大眾團交，但學生部長依舊保持「全共鬥並非正式代表，跟你們無話可說」的態度[139]。對話沒有交集，全共鬥代表留下十一日舉行大眾團交的要求後撤退，但一部分學生認為太過「溫和」，所以邊唱著校歌邊湧向學生部長室[140]。

六月四日的集會上，聆聽訴求「校園民主化」演說的一位學生記下「一字一句，都是感動的連鎖。我的心中漲滿了活著的實在感。」[141]其他的日大學生在五月到六月整個事態的變動中，表示「參加遊行是讓人不禁落淚，難以置信的事情，那種愉悅，即便死了也值得。」[142]

報導一九六八年五月至六月日大鬥爭的《朝日Journal》有如下記述[143]：「不只日大學生，學生團體罕見地散發出清新的氣息。」「參加學生運動的人，沒有帶入醜惡的黨派鬥爭，是這個團體的特色。」「即便遊行的怒火是針對古田重二良會長而來，卻非充滿怨念的團體，看起來反而像是歡欣雀躍的一群人。」

五月二十四日，教職員工會也提出「全數理事退職要求書」。此外，大學承認的學生會聯合也要求與校方交涉。但六月六日，古田會長對學生會聯合提出的回答卻是「絕對沒有流向不明的資金」，「克服眼前難局，為校園發展盡力」，拒絕退職。對廢除集會許可制與檢閱，則提出「完全的自由，才是問題」，僅有在六日解除了對秋田明大等人在家反省的懲處[144]。

到了全共鬥預定進行大眾團交的六月十一日，共有約二千五百名學生（另一說法為五千人）聚集，對大學拒絕團交舉行抗議集會。此時體育會學生持角材與滅火器來襲，從校舍頂樓向下方集會的眾人投擲桌椅、垃圾箱、置物櫃等物品[145]。以體育會學生為核心的「日本大學學生會議」，自行定調「共鬥會議的一連串運動是在三派聯合民青同指揮下的運動」，發布聲明稱「全共鬥領導者的意圖所在，乃是以校園民主化的美名偽裝，欲將校園赤化。」[146]

支持日大全共鬥的學生們喊著「危險！住手！」「殺人犯！你們也算是日大的學生嗎」並紛紛避難。之後日大全共鬥派出首次戴上頭盔的行動隊約五十人打頭陣，打算重新進入校舍，但體育會學生手持木刀、棍棒、田徑用的鉛球，甚至揮舞日本刀將學生驅離[147]。

學生們四處吼叫「右翼暴力集團滾回去」、「把古田的『走狗』趕出校園」。也有人喊著「我看到了。在那裡面的不只有學生，也有畢業生。校本部的職員也混在裡頭。」[148]

下午四點因應大學的要求，約兩百名機動隊終於趕到。學生們拍手迎接機動隊，紛紛控訴「巡邏員警們，他們拿著日本刀」，「他們想殺了我們啊」。但機動隊卻絲毫不管體育會學生，而強制處置支持全共鬥的學生，並以妨害公務為由逮捕了六名學生[149]。

這天，共有四十多名學生受傷住院，負傷者達到兩百多人。同時校方在記者會上表示「體育會的心情，就是本大學的精神」[150]。當天施暴的體育會學生可領到大學分發的便當，據說也有人領到日薪[151]。

據《朝日新聞》記者高木正幸稱，經濟學部長面對奮起向大學抗議的學生，指責他們「這些傢伙，比小偷更惡劣」，「所幸只是一部分學生，很快就能鎮壓下去」，結果學部辦公室電話響個不停，收到學生群聚抗議的消息[152]。據說此時手握聽筒的事務局長很乾脆地指示「那就立刻聯絡機動隊吧。」

東大等大學重視「大學自治」，對請來機動隊態度慎重，但在日大完全不見此種考量。

六月十一日的事件，決定性地在學生心中種下對大學與警察的不信任感，並讓他們認知到溫和的抗議有其極限。某學生表示，「一個女學生就在我眼前被右翼投擲的玻璃碎片劃破臉頰，一片殷紅，在場的任何人都可以明確認清敵人。」[153]

相反地，也有女學生表示，「不管抗爭是贏是輸，我都打算回鄉下去。我害怕成為大學幫兇的右翼暴力學生來報復啊。」根據某週刊雜誌，六月十一日事件後受訪的二十餘名日大學生，他們都恐懼體育會學生的報復，說「會被消失啊」、「會變成河裡浮屍唷」，而且千叮嚀萬囑咐一定要匿名刊登[154]。

不過有某男學生對該女學生如此說道[155]：「不該說這種示弱的話呀。妳也親眼見到了吧。他們是校本部理事雇用的『走狗』啊。瘋狂的飼主最終一定會被剝下面具露出真相。別再被他們欺騙。絕對不可以退讓！」

另外日大全共鬥的學生說，「我從十一日的事件以來，每天腰部都纏著白布保護。為什麼？因為啊，刺啦一聲（短刀）就會捅過來唷。」[156]日後，日大全共鬥的學生們表示，「機動隊並非以殺死我們為目的，但體育會的暴力卻是真實的，讓人感到生命有危險。你不知道他們會幹出啥事來。」[157]

全校罷課與輿論支持

十一日傍晚，法學部約三百名學生宣言確定罷課，佔領法學部三號館並築起街壘。隔天十二日，日大全共鬥主張「把恐怖分子趕出經濟學部，靠我們的手奪回。而且必須堅持聲討下達指令的學部當局」，之後約五百人頭上戴著頭盔或水桶，衝入體育會學生守在裡頭的經濟學部校舍，佔據本館築起街壘，展開無限期的罷課。[158]

佔據的校舍為學生們所用。罷課後，學生們在法學部舉行討論集會，司儀的問候致詞表示[159]：「各位，這棟被解放的建築向所有日大學生開放。過去如果在此處舉行批評學校的演說，就會被拍照、列入黑名單，但當時在場的那些間諜，現在一個也不在這裡。所以請放心，自己想的事情，什麼事情都無妨，請都說出來。」之後，學生們開始把積累已久，例如對量產型授課或對大學壓抑體制的不滿，一同宣洩出來。

為了保護自己不受體育會學生傷害，學生於六月十一日戴上頭盔，之後日大全共鬥的集會上即可見到頭戴天藍、淡綠、銀等顏色的頭盔（非屬任何新左翼黨派的顏色）、手持武鬥棒的學生身影。而媒體人士認為，他們因為與新左翼黨派無關所以「大概是模仿三派系全學聯學生，加點稍微修飾的『武裝』。」[160]根據六月的報導，設立日大全共鬥本部的經濟學部本館，「校舍的窗戶飄揚著橘色或藍色旗幟，雖然進入校園紛爭，但不見大型立牌看板，也少見充斥意識形態字句的海報。」[161]

日大相關人士也承認這點。六月的報導中指出，「學校當局也承認，全共鬥會議的領導者並非所謂的職業學生運動者，從他們領導集會與遊行時那種令人不敢恭維的稚拙方式，即可清楚理解。」[162]以保守立場聞名的日大教授三浦朱門也寫道，「這個時期他們的鼓動演說絕稱不上高明。在東大駒場兼課的年輕鐘點教師們也焦急地表示『實在太嫩了。要不要從駒場帶些老手過來啊？』」[163]

日大相關人士在六月的座談會上如此表示[164]：「可以說，日大幾乎沒有思想性的東西。當然在人數眾多的學生中，可能有三派系全學聯或民青的聯絡人。不過，從整體學生而言，看不出有接受他們指令的氣氛，領導鬥爭的學生看似也與校外勢力沒有瓜葛，只是自行努力。」根據六月的報導，也有一些教授表示，「從學生角度來看，這是一種人權鬥爭。我能理解學生們的心情。」[165]

即便在體育會學生中，也有人表示能理解鬥爭。鬥爭初期的五月，藝術學部體育會的空手道部主將造訪散發批判大學傳單的文學俱樂部教室，留下一句：「我懂你們想說的，但不要用錯誤的方法」，便轉身離去。[166]

秋田明大在六月的週刊雜誌採訪時如此表示：「他們〔體育會〕之中也有理解我們運動的人。但如果輕易參加可能會遭〔前輩或畢業學長的〕懲罰，所以無法參與。在經濟學部有一名體育會的學生參加過遊行，但第二天突然剃了個大光頭。」據說，在文理學部也有體育會學生為了隱藏真實身分而戴面具參加遊行的個案[167]。

繼法學部與經濟學部罷課後，六月十五日文理學部、十六日商學部、十九日藝術學部、二十二日農獸醫學部與文理學部三島校舍，接連展開無限期罷課，並築起街壘。六月十四日，學生在經濟學部舉行了自主講座，十七日學生組成課程委員會，開始嘗試建設「原本的大學」[168]。

此時期一則軼事成為話題，即與體育會學生亂鬥之中，日大全共鬥「領導者們聲嘶力竭吼著『不要使用暴力，不要使用』，試圖制止對方，而且站在最前方穿過右翼分子，承受他們的施暴。」[169] 領導者們如此的態度，即便厭惡暴力的普通學生也能產生共鳴。

為免遭到體育會學生的傷害，普通學生也支持戴頭盔。七月，法學部大三生如此敘述[170]：「最終會變成這樣，都是因為體育會不分青紅皂白就使用暴力。……現在戴頭盔參加遊行的學生們，也不是一向如此，這都是沒辦法的辦法。」

如前所述，在日大很少有具備學生運動經驗的學生。就算實施罷課，也非全共鬥指揮部刻意為之，而是為了因應普通學生的不滿而加以推動。

根據橋本克彥的回憶，十九日藝術學部開始罷課時的狀況如下[171]。這天大學承認的自治會舉辦說明會，學生們群聚到講堂，在叨叨絮絮的問答環節時，藝術學部鬥爭委員會突然宣布「從現在開始，這個說明會將由藝鬥委接手，成為追究學部當局的集會」，學生們旋即報以熱烈掌聲歡迎。

但藝術學部鬥爭委員長真武自己也不熟悉運動，在眾多學生面前只能發表稚拙的鼓動演說，演說時有前輩察覺興奮嘈雜的學生氣氛有異，立刻低聲提醒真武「可以了，快說罷課的事。」真武聞言便宣布罷課，約三千名學生歡聲雷動，在校園中庭雀躍不已，邊喊「打倒古田」邊展開示威遊行。過往勤勤懇懇推動運動的人紛紛表示「真驚人」、「以往怎麼討論都不行動的大家竟然……」、「時至今日，就是這樣吧……」，感到既驚訝又感動。

大學承認的學生會或自治會與全共鬥旗下的鬥爭委員會之間的關係，因學部有所不同。經濟學部是由學生會發展成全共鬥，文理學部、商學部的學生會則與鬥爭委員會對立，農獸醫學部則由學生會確立無限期罷課，情況各不相同。作為學生會總會的學生會聯合，因打算承認全共鬥的各學部學生會而與認定全共鬥為非法團體的各學部學生會間發生意見衝突，陷入癱瘓的狀態，六月十三日中央委員長宣布解散學生會聯合[172]。至此，代表全校的學生組織只剩下日大全共鬥。

大學當局因事態的迅速發展而顯得狼狽。首先，各學部教授召開與學生的意見交流會，試圖勸服學生，但與早大和中大的情況一樣，教授們無力說服學生。

例如五月三十一日，經濟學部的學生指導委員長與學生代表面談。但對於流向不明資金，指導委員長只是不斷重複「這不在今天討論範圍內，請向大學經營者詢問。」據說學生方如此回應：「是這樣嘛，那你們不過是『上班族教授』啊。經營者不在什麼都無法回答。日大根本不是大學，是『股份公司』呀。我們呢，就是為了打破這種現狀才憤而起身的。」[173]

六月十五日，法學部三位教授及學生課長與學生召開「意見交流會」。現場學生們紛紛開口訴求，「四年間就是不斷從大講堂走到下一間大講堂聽課，根本無法與教授對話」，「不承認言論、思想自由的日大，稱不上研究的場所。現在的日大沒法研究真正的學問。教授會不是應該與我們站在一起，改革積弊已久的大學嗎？」「想被當成人來對待」等等[174]。

然而如前所述，日大的教授會幾乎沒有什麼權限，面對學生的聲音，教授們既無法承諾加以改善，也無法善加回應。最後學生方對教授們的態度感到不耐，怒道「這個會究竟是為何而開？一點也沒交換到意見。老師們只是聽我們的說詞，然後不斷找藉口而已。」[175]

這類討論追求的，同樣是「自己打算怎麼做」的「主體性」。藝術學部鬥爭委員會書記長栗原幸夫在與教授討論時，提出「在這個逃稅二十億日圓的機構中，我們進行自我批評，基於我們沒有挺身而出提出質疑，所以，老師們也請這麼做」逼問教授，但他們卻一味找藉口推託。被惹惱的栗原質問「老師的主體性究竟怎麼了」，據說教授回答「我們也有生活要過啊。」[176]

日大新聞研究會編纂的《日大紛爭的真相》如此評論教授們[177]：「最初全校總誓師集會時，〔某位教授〕說『我們是上班族』，我們認為這段發言是把學生商品化，當作為了賺取薪資的對象物。」「學生團結毫無畏懼，心懷恐懼的教授即便不斷訴求『不可使用暴力，依照民主方式解決』，也只是從表面認知鬥爭，根本不站到學生面前。」

當時大學教授、知識分子還保有權威，如同學生們希望讓大學重生為「真正的學府」，他們也期待教授身為學問上、人格上佔據優位的知識分子能做出相應的行動。如前所述，經濟學部學生會在一九六八年四月的新生歡迎會委請日高六郎來演講，日高即便知悉體育會壓制學生的惡行，仍承諾「只要是學生諸君的請求，拚上性命我都會去」，此舉讓經濟學部執行部的學生感動不已，奔相走告「這才是真正知識分子的態度。」[178]

即便對包含古田在內的理事們感到失望，學生仍舊對教授們抱持上述的期待感。法學部的意見交流會上之所以有學生表示「根本無法與教授對話」，反映的是他們仍舊希望與身為知識分子的教授有所接觸。但與教授對話後，學生們對教授萌生失望，乃至抱持憤怒與輕蔑之情。他們見到教授對學生說，自己也要維持生活，所以只考慮如何賺錢的反應，感覺自己的期待遭到背叛。

這種對教授的失望，也可見於早大鬥爭或中大鬥爭中。學生方逐漸湧現「現在日大古田體制造成的腐敗與墮落已蔓延到各學部的末端，這不如說是安居其上的教授們一手打造的狀況」，「他們已經稱不上是大學教授了」，「能讓大學民主化的，就只有我們學生了」等聲浪[179]。

同時，教授們將不滿指向不賦予教授會權限的理事會。六月十四日，文理學部教授會對理事會提出勸告書，要求：（一）同意與學生對話；（二）對學生的訴求儘速提出具體對策；（三）校園經營方式透明化[180]。

接著商學部教授會也提出請願書，「眼下希望理事會清楚展現出事後處理的責任與態度。對各學部教授會，具體明示事態演變及相關指導方針。」商學部的某教授說，「這是〔對理事們〕表達，希望他們清楚表明究竟是去是留的態度，也意味著我們在現場已不替他們扛責。」教職員工會更是三度提出理事會退職的要求[181]。

在這些聲浪的推動下，學生局負責理事終於同意於六月十九日與全共鬥代表會談。但之後校方又以見解有異為由，單方面破壞會談約定，當天只由法學部學生指導委員長等人前來向學生們說明狀況。破壞約定一事讓全共鬥方深感憤怒，認為「感受不到大學方面的任何誠意」，除要求二十五日進行大眾團交外，也依照多數學生的意見封鎖法學部本部，築起街壘[182]。

日大的街壘並非鬥爭的象徵，而是具有實質上的意義，因為存在著體育會學生和右翼的攻擊。六月十九日，一群頭戴黑頭盔的團夥衝向全共鬥佔領的文理學部校舍，發生投擲汽油彈的騷亂事件[183]。因此，日大的街壘被稱為「校園鬥爭史上最強的」街壘。過去大學鬥爭中的街壘，只是堆起桌子堵住校舍入口等處。但日大的街壘則是，「一樓、二樓只要可以被當作窗戶、入口的地方，全都拿桌、椅、置物櫃整齊堆疊，或是雜亂多層堆放，而且還拿粗鐵絲綑綁加固。」通道特意留得狹窄，只容一人勉強通過，被形容「別說是老鼠，連螞蟻鑽過去的空間都沒有。」[184]

但校方再度拒絕大眾團交，六月二十四日在記者會上宣布十九項的大學改革方案，藉此訴求今後將實施會計公開與追求大學現代化。但全共鬥認為「缺乏具體性，解釋角度不同可得出各種可能性」，拒絕接受。教職員工會也不贊成此改革方案，此案公布後的二十九日，日大首次出現教職員的抗議遊行[185]。

此改革方案連教授會也不滿意。七月二日，藝術學部、理工學部、工學部、醫學部教授會共同決議，建言校方推動大學民主化，勸告理事、評議員在八月底之前退職。對此齒學部與生產工學部的教授會也態度一致，隔天三日，文理學部教授會亦決議要求全體理事即刻退職[186]。

對此，校方公告把一貫從七月十日開始的暑假提早到七月一日。校方打的算盤相當明確，因暑假學生不到校，如此鬥爭自然可煙消雲散。但這仍無法停止鬥爭的勢頭，七月四日習志野理工學部、八日駿河台理工學部開始罷課，東京都內的重要學部全部進入罷課狀態[187]。

此時校方向學生家長郵寄大量傳單與手冊，又在全國舉辦校友會、畢業生會等，企圖從外部動員維穩事態[188]。

但七月十日，日本國稅廳發布新的調查結果，指出至一九六七年為止的三年期間，日大約五千名職員中的二千零一十二人獲得未事前扣稅的非法薪資，總額達十九億三千萬日圓。而非法薪資總額中，約八億日圓支付給二十一名大學幹部，個人非法薪資所得最高額達一億五千萬日圓[189]。

日大教職員工會之前已公布一份調查結果，指出「（昭和）四十二年度（一九六七）申報所得額，包含古田會長的二千五百一十二萬日圓在內，佐佐木副會長、永田校長約二千多萬日圓，常務等級約一千五百萬日圓，普通理事等級約五百萬日圓，俸祿水準乃日本最高級別。與之相較，一般教職員平均本俸為四萬八千日圓（月額）。」[190]將此資料中的薪俸加上非法薪資，古田會長及其下大學幹部，確實都領到超乎常規的收入。

對於國稅廳的調查結果，日大當局辯解「只是沒有事前扣稅，並無會計上的問題。」此外，古田會長在國稅廳公布調查結果當天的記者會上表示，「原本不希望國稅廳公布。這只會給學生運動火上加油。」[191]

而古田在此記者會上，針對流向不明資金中的「涉外費」名目，提出如下主張：「有些來打探大學內部消息，故意要報導出去的記者，不可能讓他們空手回去，也有部分錢是給他們的。不過這是為了治理校園維持和平，不讓學生接觸到那些惡作劇而心煩意亂，所以說，這也算間接教育費用啦。」[192]無論是誰都可清楚看出，古田心中沒有任何反省之意。

古田等人的態度與逃稅事實震驚了社會，對日大當局的批評力度更為高漲，日大當局寄信說服家長，希望藉此穩定事態的做法幾乎全無效果。七月十五日，校方終於向日大全共鬥提出要針對大眾團交進行初步磋商。初步磋商預定於十八日與二十日實施，並承認日大全共鬥為學生方唯一的代表組織[193]。

然而，出席二十日初步磋商的古田會長因厭惡「大眾團交」這個名稱，堅持要把名稱改為「全校集會」。充作會場的法學部本館被約一千五百名學生包圍，約五十名學生代表與校方對峙的情況，都透過麥克風放送給會場外的學生聽。

秋田全共鬥議長追問「你們理事們的安全，由我們做完全的保證。為何不能使用大眾團交這個名稱？」古田回答，「有右翼團體拿著大眾團交的名稱來本大學談判。」學生方怒道，「堅決斥退右翼團體的威脅，不是你們理事的責任嗎」，之後約定八月四日進行「大眾團交」[194]。場所選在日大校內最大的建築，法學部一號館大講堂[195]。

之後日大全共鬥展開遊行，一部分學生包圍古田會長乘坐的計程車，大叫「打倒古田！」等等[196]。當天的遊行已取得警方許可，但校園外仍有機動隊待命。橋本克彥思考道「日大當局假裝同意團交，一方面又要求警方出動機動隊？難道大學當局要背叛我們？」[197]

遊行隊伍見到機動隊後想要回到大學校園，卻遭襲擊而來的機動隊阻止與毆打，有二十一名學生遭逮捕。針對通過申請的遊行竟遭到阻止，學生舉行了抗議集會，日大全共鬥以不當逮捕為由發起向神田警察署抗議的遊行，但遭到等候多時的機動隊包抄攻擊，秋田議長等幹部雖免於被逮捕，但仍有六十五人被抓。被逮捕的學生受盡警方暴行，也有部分學生迅速獲得釋放[198]。

當天因機動隊的暴行，導致學生輕重傷者超過五十餘人[199]。關於對警察發起抗議遊行，習慣鬥爭的其他大學新左翼黨派運動者愕然表示，「現在這種時候竟去警察署抗議，是該說太嫩呢，還是太傻了……」[200]

日大鬥爭之前參加過校外遊行的文理學部運動者如此描述[201]：「外行人真可怕。不懂政治抗爭遊行的日大學生，遭出動的機動隊控制方向，領導者認為在這裡起糾紛只是無謂的消耗，衝刺兩、三次後就打算掉頭，但底下突然出現『為何掉頭？直線衝撞有什麼不好？不要逃避推諉！』等意見，最終堂而皇之從正面發生衝突，實在是敗給他們了。」

然而，「外行人」日大生這種質樸的正義感，卻是日大鬥爭初期的能量來源。對警察署的抗議遊行也表現出「不要背叛夥伴」的純樸連帶感。某運動者表示，「為了保存自家黨派勢力，即便看到對立的黨派〔與機動隊〕陷入苦戰，也會倉促決定撤退的黨派領導者們，在竊笑不習慣遊行的日大學生幼稚之前，先學學人家的精神比較合適。」[202]

日大全共鬥對請來機動隊的古田提出「應為學府的大學，不容許盡拿權力來解決所有事情」的抗議書。另一方面，古田以計程車遭包圍的事件為由，認為大眾團交缺乏安全保證，因此通知學生方將無限延期[203]。

在交涉場合彼此交換約定，但之後若無其事破壞約定，這是日大當局的常用手法。日大教職員工會表示[204]：「校方對工會也是，交換協議書後又若無其事地打破約定。為了度過那個場面做足全套，文件什麼的都先交換，之後再輕鬆毀約就好，就是這種卑劣的幹法。老這麼幹的校方只把入學時的誓約書等當作表面功夫，一直以來都毫不介意地懲處學生。」

大眾團交的無限延期，讓學生之間的不滿更加擴散，大家認為「遵守約定不是身為教育者最基礎的道德嗎？」八月四日，約一千五百人（另一說法是五千人）聚集到約定的團交場所——法學部本部，舉行抗議遊行[205]。此次抗議集會決定了五大標語，「一、全部理事退職；二、廢止檢閱制度；三、全面公開會計；四、承認集會自由；五、完全撤銷不當懲處」。所有訴求都不帶左翼色彩，屬於「大學民主化」的訴求[206]。

這個時期的輿論大致上是同情日大全共鬥的。因為流向不明的資金遭起底，日大惡劣的量產教育與言論打壓也遭媒體報導。學生們主張的「我們的授課費，是父母血汗的結晶」一席話，獲得大人們的一致好評[207]。

此時期日大全共鬥的募款隊只要站到街頭，都能募到不少金額，許多時候還會附上一句「加油」的鼓勵。募款隊如此記道：「各鬥爭委員會都派出一名募款要員進行募款活動。」最初「以戴著頭盔的模樣站在澀谷站前時，實在害羞不已」，但「拿著擴音器在街頭呼籲捐款，經歷多次後每個同學也都拿起麥克風，積極進行募款。對日大民主化的熱情，日大學生追求解放人們的喜悅，就在其中。」[208]

六月三十日的《朝日Journal》上刊登了羽野重吉與埴谷雄高等人署名，支持日大鬥爭的聲明。文中有「我們這些畢業於日本大學的同志，支持你們的戰鬥，並做出如下聲明」，要求追究流向不明資金，反對體育會或右翼施行的暴力，主張通過「校園民主化」讓「大學成為真正的教育場所」[209]。

甚至警察之間也存在這種同情論。警視廳警備第一課長，日後指揮過安田講堂攻防戰與淺間山莊事件的佐佐淳行如此回憶道[210]：「警視廳最初認為，『這種狀況下日大學生們的憤怒並非毫無理由』，內心其實能理解日大全共鬥議長秋田明大率領的校園民主化運動。當任性又沒責任感的大學當局要求出動機動隊時，其實心中是帶著不快去應付的。」

佐佐這樣的回憶，或許對受到機動隊制止與施加暴行的日大學生而言，有點難以置信。佐佐的回憶錄有許多錯誤的事實關係與主觀陳述，作為資料談不上具有高度可信度。雖說如此，警視廳在六月十一日首次對日大出動機動隊後，對大學當局提出了非比尋常的要求：「（一）不可把體育會學生當作解決紛爭的手段來使用；（二）希望當局負起責任與學生對話，圓滿解決紛爭」，也是不爭的事實[211]。

一九六九年發行的一本專書如此形容、描述日大鬥爭初期的狀況[212]：

> 全共鬥要求公開會計、理事全數退職、廢除不承認學生自治的校規，這些學生們被認為是「正義的一方」。
>
> 「我們是日大全共鬥，沒有接受全學聯的指示，我們完全沒有政治立場。」
>
> 「校方似乎想以暴力擊垮我們，但我們提出大眾團交，透過對話路線貫徹要求。我們不會以暴制暴。」
>
> 「所謂的大眾團交，是冀望讓『笨大股份公司』成為了不起的大學，為了打造讓所有學生自

由發言的場所而想出來的。」

這些領導者們的發言，緊緊抓住了學生們的心。

一直以來，日大出現走後門入學、非法薪資、大學御用機構的學生會執行部與當局私下勾結交易，內幕重重，不透明的地方太多。全共鬥希望將這些事情一口氣清算，打造一個能自由學習的大學，因此學生們當然會予以支持。

連一面紅旗都沒有的集會。唱校歌的遊行。不是暴力革命而是公民革命，或者該說是人權鬥爭，明白向群眾打出這些理念，讓全共鬥的聲勢快速增長。他們的遊行也好，集會也好，全都是未經申請的「違法行為」，即便如此警察也睜隻眼閉隻眼。與其他大學紛爭不同，在日大的例子中，「輿論」認為「校方是惡的」。所以即便佔領校舍築起街壘，也承認那是為了防止學校雇用的暴力團體以暴力侵犯，是不得不為的自衛措施。當警方想管制遊行隊伍時，每個學生都極力辯駁「為什麼日大學生不能一邊唱校歌一邊走路。我們正在做正確的事情啊。」

全共鬥的領導者並非經由選舉這種民主程序被選出。然而，此前通過選舉，理論上是民主選出的學生會代表們，不知何時大多數都成為順從大學指令的人。正是如此，學生們對選舉帶有潛在性的不信任感，因此不經選舉仍透過行動吼出反對量產型授課的全共鬥領導者，被學生們視為自身意見的代表，被當作好夥伴來信任。

本書是商業出版物，因此混入了一些加油添醋的成分。日大全共鬥的遊行並不是全都是非法的，警方也不可能全都「睜隻眼閉隻眼」。儘管如此，這仍可佐證初期的日大鬥爭與一九六五年的慶大鬥爭同是基於「愛校心」推動，加上民主化運動的性質，所以能被社會所接受。

輿論的支持給了日大學生信心。某學生如此說道[213]：「原本被瞧不起戲稱為笨大學生，除了體育會的學生以外，大家都隱去自己學校的名字。不過，從這次鬥爭以來，大家都能抬頭挺胸，說自己是日大學生。」當時的日大全共鬥遊行，附近「商店街的人們全都出來看熱鬧，與其說是看熱鬧，不如說態度上表現出『默默支持』對抗大學非法行徑的學生，其中也有鼓掌的人。」[214]

輿論的支持，其認知前提是日大鬥爭乃質樸的「校園民主化運動」。但當日大全共鬥面對大學當局屢次缺乏誠意的回應與遭受機動隊管制後，變得愈趨激進。很快地，六月十一日在首次與機動隊發生衝突以及佔據法學部及經濟學部後，日大全共鬥發表以下聲明[215]：

> 這個鬥爭要粉碎一切既存的機構，而且必須從粉碎的這個角度來出發。那種千篇一律的平板民主化要求，絕對無法平息這次我們充滿壓倒性魄力的奮起。戰鬥的本質，不可能只要求古田退職，更換高層人士，讓既存機構保持原狀，也不會只顛覆那些被要求遵守「中道精神」的學生活動機構執行部。……我們必須澈底釐清這次戰鬥的重要性質，究竟是要在日大體制內進行，或者要擴散到外部，……我們必須回應大學內外所有對我們投以關注的歷史性眼光。

這份聲明的內容可以看出，日大鬥爭從質樸的民主化運動轉變成「粉碎」日大這個機構的運動，而且他們也開始意識到校外學生運動人士們的眼光。七月十八日，全共鬥佔據的日大校本部豎起紅旗。原本的情況是，日大全共鬥的學生表示「不知道有多少同學理解紅旗的強烈意涵」，不過由此也可看出運動已經出現質的變化[216]。

在這種情況下，見到日大鬥爭如此興盛，新左翼黨派也開始前來「支援」。對新左翼黨派而言，不以打倒資本主義為目標的大學鬥爭，不過是單純的「校園改良主義」。新左翼黨派打的如意算盤，是把大學當作革命的立足處，從中收割可以成為自家派系運動者的學生，並將其轉變為七〇年安保鬥爭的預備據點。

此外對新左翼黨派而言，在日大建構立足點還有經濟上的好處。一九六八年六月的座談會上，日大相關人士如此陳述[217]：「日大學生人數達十萬名，據稱自治會費有一億數千萬日圓之譜。所以，『征服日大本身就是征服全學聯』，全學聯各派系為了成功獲取權力，似乎皆把日大當作目標。」

同時間，日大全共鬥對教授的態度也逐漸產生轉變。鬥爭初期全共鬥或文理學部鬥爭委員會發出的傳單尚包含「各位有良心的同學暨有良知的教職員！」「文理學部教授會中各位有良知的教授！」等呼籲[218]。這種傾向一直持續到九月初，但面對教授們僵化的態度與擺爛的做法，這種呼籲也逐漸不復得見。

普通學生支持日大全共鬥的前提，也是因其與新左翼黨派無關。五月二十八日全學總誓師集會上，普通學生有以下的議論[219]：

學生C：我完全不關心全共鬥的秋田究竟是ML或是中核。只覺得他把日大學生帶到此處很了不起。所以我也打算追隨他幹到最後。

學生B：力挺到最後很不錯，不過把政治運動帶進校園還是有危險性。校園民主化很好，就算是我也不反對。可是啊，只有在大學中發起實際的政治運動這點，我堅決反對。

學生A：雖然我也覺得進行政治運動不妥，但政治運動與新左翼黨派爭端本身就有所不同。

從結論而言，日大全共鬥受到新左翼黨派影響而逐漸變質，隨之也失去輿論與普通學生的支持。接下來將述其原委。

街壘「解放區」的實際狀況

校方將暑假提前至七月一日，日大全共鬥則呼籲學生自主到校。在此之前的大學鬥爭，幾乎沒有經過暑假還能維持能量的案例。加上如果到校學生人數減少，佔據的校舍也有被體育會學生奪回之虞。實際上，立正大學的街壘便是在約四十天後遭體育會攻克[220]。

嘗試在街壘內聚集學生則始於自主講座的舉辦。橋本克彥如此說明[221]：「與過往空洞的課程不同，日大學生自主舉辦、企劃內容充實的授課。這不是單純為了聚集學生的拉人企畫，而是打從心底追求有意義的課程。畢竟，無論哪個學部在五大口號之外追加的各項訴求中，都提出『趕走無能的教授』。」

各學部的鬥爭委員會寫信拜託文化人士前來演講，也舉辦電影放映會。據橋本稱，藝術學部的初期自主講座狀況如下[222]：「六月二十七日《壓制之森》放映與演講；六月二十九日講師三上治談『大學教育的問題點』；六月三十日電視導播今野勉；七月一日藤原嶺雄；七月三日石子順造；七月四日丸山邦男；七月八日石堂淑郎」。總結而言，左派評論家的演講甚多，但橋本回憶到「無論哪場演講，都是澈底開放的自由空間，我腦海中仍留著那種熱烈的記憶。」

文理學部的學生也在一九六八年底的手記中如此寫道[223]：「每天都有自主演講。我們可以聽到以前從未向其學習過的一流講師演講，也能看到許多優秀的電影。這段時期，我第一次感覺在大學上課，實在是諷刺至極。我們不顧身體的極限，每天都舉行集會，參與討論與學習會。夜宿的同學帶來討論，我能夠從中得到許多收穫。」

街壘內舉行大量的學習會。據新聞工作者丸山邦男稱，「神田的書店一開始為了賣書還叫我們『回歸校園吧』，沒想到不回歸反而讓他們賣得更多，所以現在也不再這樣對我們說了。」[224]某理工學部學生表示，「原本零零落落的學生今天竟能如此團結奮戰，這種信任感存在每個人心中。直到現在我們才第一次有『我們成為大學生了』的自豪感。」[225]據說街壘內的一個塗鴉還寫著「我們現在，成為學生了。」[226]

類似的手記數量甚多。某理工學部的學生如此說道[227]：「自動自發以全身心去衝撞疑問，在行動中確認理論，逐漸建立的活的學問，這種精彩程度，才是大學的學問與實踐。以前的學習，主要都是由上而下賦予，我們只是被動地狼吞虎嚥，鮮少有這種主動式的，伴隨歡欣與勞苦的學習。」

另外還舉辦了次文化系列的閱讀與企畫。某學生說，「從鬥爭開始後，我開始閱讀大量的漫畫。」此外，也有學生說「參加了〔高倉健主演的〕《網走番外地》的電影放映會。那就是疏離的人啊。」[228]眾所周知，當時學生非常喜歡高倉健主演的黑道電影與白土三平等人的漫畫。

在街壘內夜宿，進行自主講座或讀書會，與朋友一同討論，這種生活帶給學生們脫離「現代的不幸」的喜悅。此前面對量產型授課、孤獨而感到不滿時，只能藉由麻將或消費行動來發洩。某位日大學生寫下「當時街壘中的生活，與其說是抗戰，不如說給人社團集訓的感覺。」[229]

在街壘中也容許意見的多元性。某日大學生於一九六八年如此敘述[230]：「我們有近乎無限的充裕時間，討論也非常自由，所以也出現了有趣的傢伙。有個人就說，『我絕對贊成安保。但對於日大，因為這是個澈底腐敗的大學，所以我一定抗爭到最後。安保與日大兩者沒有關聯。』我本身也是，從鬥爭開始後才成為運動者，理論之類的也還沒學習那麼多，都是靠著自己的實際感受表達，而這些澈底且盡興的談話，就顯得特別珍貴。」

而在鬥爭初期，街壘內的規範相當嚴格。如第二章所述，會讓女學生於夜晚十點前回家，如果在校內夜宿，則另外提供房間讓她們從內上鎖休寢。

這種做法不能單純歸結於規範意識。鳥越敏郎在當時的手記中寫道，「從街壘中的生活增加了許多朋友，能彼此討論，如果缺錢，也會互相幫忙。同時也發生了激烈的相互批判。例如，在執行部擔任〔為防止體育會襲擊的〕守衛的人如果遲到，就會被嚴厲追究。」「自主禁止酒、小鋼珠和麻將。在街壘內很不可思議地，竟感覺不到那些娛樂的有趣之處。」[231]亦即，與街壘生活的充實感相較，消費社會的娛樂就不具絲毫魅力。

街壘生活能夠改變人。前日大全共鬥的三橋俊明如此回憶[232]：「那些搞不清楚自己在幹什麼的傢伙，第一次能全面敞開心扉。自己正在做的事情不僅正確，也符合世上的道理。」「為他者著想，與他者連結，街壘生活教導大家這些事情的真正意義。」「那真的是非常了不起的事情。臉上的表情都不一樣了。真的。」「最初用鼻孔瞧人，不跟人交談的傢伙，現在都睜圓雙眼認真參與。」「因為別人對我敞開心胸，我也對別人敞開心胸。」

一九六八年底出版，文理學部鬥爭委員會編的《叛逆的街壘》卷首刊登了以下詩歌，謳歌街壘內「活著」的充實感：

活著 活著 活著
在街壘的肚子中
活著
每天吸收自主講座的營養
喝著「與朋友交談」的清涼飲料
每天充滿精力地活著

活著 活著 活著
一直到昨天 都還被惡魔掌控
營養遭到剝奪
今天喝下「解放」這種藥劑
現在已經 完全重生了
而現在 在街壘的肚子中
活著

活著 活著 活著
現在正活在青春之中

日大鬥爭的相關出版物幾乎都在一九六九年前半出版。許多日大學生都如這首詩的象徵般，歌頌鬥爭與街壘內的解放感、充實感。敘述透過鬥爭得以「恢復自我喪失的主體性」的手記不在少數[233]。在日大街壘內有一段塗鴉稱「把至今為止的日大擊垮！！把這當作畢業禮物。這是一路活了二十幾年的我，唯一能做的，有生產性的事情」，日後全共鬥運動擴及全國時被廣為知悉[234]。

然而實際狀況不必然是理想的。赤裸裸描寫街壘內生活的紀錄很少，但一九八六年出版的橋本克彥《吹過街壘的風》，便相當率直地敘述了他所屬之藝術學部的街壘內情。要注意的是，我們不能由本書去推測所有的街壘生活，不過以下仍將根據他的回憶來描述。

根據橋本的說法，築起街壘之初，藝術學部約有兩百名學生夜宿，紀律相當嚴格。橋本如此記述[235]：

> 最初的時候，街壘內的生活紀律相當嚴謹。
>
> 上午八點起床、打掃，十點過後舉行各種集會與討論、自主課程、派遣糾察隊等，分工合作進行活動，晚上八點全員參加運動者會議，十點過後是擴大執行部會議，結束之後，深夜兩點、三點多，包含藝鬥委書記局在內，各學部書記局、情宣局撰寫傳單原稿，徹夜筆耕，成為第二天早晨的嶄新文宣炸彈。

街壘的〈防止右翼與體育會〉守衛從晚上八點起每三小時換班一次，共換四班，早上八點由白天的守衛接手，進入晝間守衛。

校舍本部地下的學生食堂由藝鬥委管理，製作味噌湯搭配一樣菜餚的套餐。從早餐到晚餐，再到宵夜的飯糰，「人民食堂」全天候作業。所有人都奉獻自我，在這段短暫期間自我倫理的要求水準極高。

原本不斷打工、長期泡在麻將間，過著散漫日常生活的傢伙進入街壘後，透過肉體勞動感受到充實的時光，在不知道發生什麼變化的空間中，連呼吸的氣息都改變了。

大家確立在街壘內禁止飲酒、夜晚十點之後無特殊理由禁止外出等基本行動原則。大學的器材與設備由自主管理委員會進行嚴格的管理。雖然也有些不檢點的人挪用募款，偷溜外出到江古田站附近的壽司店喝一頓才回來，但此時這些人尚屬少數，大多數人心理上都沒有那種餘裕可以去買醉。

這種紀律的背後也有恐懼體育會與暴力團來襲的緊張感。新聞工作者石田郁夫引用學生的回憶：「六月，在首次佔領的法學部街壘內度過的每一天，都像惡夢一樣。」「有一個人夢到右翼來襲出聲大吼，大家都誤以為是緊急集合，所有人刷的一聲全爬起來了。」「甚至聽到幼貓進來發出的聲音都會發布緊急集合警報。面對右翼暴力的恐懼感，就是如此深刻地滲透人心。」[236]能夠理解學生們處於這種狀態，大概也就能同意橋本所說的「大多數人心理上都沒有那種餘裕可以去買醉」。

然而當街壘生活延長之後，紀律也變得鬆弛。體育會的學生沒來襲擊，更加速紀律的鬆弛。此外，不對大學設備與教授私人物品出手的紀律，也遭參加學生質疑「這不是道德管制嗎」，更逐漸有人拿古巴與越南游擊隊的戰術是奪取敵人物資來戰鬥為例，正當化偷竊的違法行為[237]。

首先是搜找研究室資料時發生的狀況。契機是在電影學科的研究室中被找出國外的色情雜誌。對只會進行量產型授課的「無能教授」深感輕蔑的學生們個個睜大雙眼說，「那些該死的傢伙就是讀著這些好東西，培養自己的影像感覺啊」，「一定還有各種其他的好貨吧？」[238]

之後陸續發生偷取資料、圖書等行為，最初還小心翼翼，後來則放膽去做。從書記局的房間中找出了數百冊色彩學教科書，他們把書賣給舊書店，拿錢充作鬥爭基金。[239]

接下來，日大當局經營的櫻門事業部的物品也被當成「物資調度」的對象。有人提倡既然高舉打倒古田體制，「卻謹慎守護櫻門事業部的物品，這樣的鬥爭太過天真」，試圖正當化佔用的行徑。最終甚至有人把手伸向會計課的金庫[240]。

當然，有不少學生批評這種事態發展。藝術學部鬥爭委員長真武在八〇年代回憶道，「不管怎麼說，我們打算在鬥爭中獲勝，並且在變得更好的日大繼續學生生活。我也討厭在牆壁上塗鴉。但前輩們卻幹了各式各樣的事情。這麼幹，接下來究竟打算怎麼收拾事態，一想到這裡就一肚子氣。」美術學科鬥爭委員會除了解放畫室供學生們自由使用，也把圖書之類置於委員會管理下，出借給學生[241]。

然而，鬥爭中也產生把克服「布爾喬亞式道德」當作鬥爭發展過程的理論。一九六九年春的座談會上，法學部鬥爭委員會的學生如此敘述[242]：

「我們的鬥爭每一天都在發展變化。例如，最初進入罷課時，有學生認為『不可以塗鴉』，若帶紅旗來集會，也有學生說『會被認為是共產黨，最好不要這麼幹。』但相對地，也有意見認為說塗鴉骯髒是種刻板印象，拿出紅旗就會被定位成『共產黨』也是刻板印象，就在這些問題設定中，旗幟的顏色也獲得開放，也可以自由地塗鴉。」

如此，那些堅守街壘原有紀律的人逐漸變成少數派。據橋本稱，在暑假也已過半的狀況下，剛築起街壘時的感動亦漸漸淡，「有不少學生厭惡打破封印掠奪販賣部的做法，就此離開街壘。」[243]有關性別的問題也浮上檯面。首先，作為「食糧隊」成員在「人民食堂」做飯的女學生們，提出「只因為是女性就無條件要我們做飯，藝鬥委的這種感覺、做法簡直是荒謬，今後我們不再做飯」，發起罷工。她們的主張獲得認可，之後執行部或各委員會輪班做飯，但菜餚的「品質一落千丈。」[244]

此外，街壘內還誕生了被稱為「革命浪漫」的情侶。兩個人的身影頻繁從街壘中消失，並在外過夜。街壘內部的房間也開始有情侶同居。甚至有男學生因沉醉於街壘的自由氛圍而對身邊女子出手，造成強姦未遂，並成為鬥爭委員會的重大問題[245]。

許多女學生討厭這種風氣，遂以強姦未遂事件為契機離開街壘。最終街壘內塗滿塗鴉，打掃也趨於懈怠，飄散著骯髒與雜亂的氣氛。也有人批評在校舍內同居的男女，留下「在他們卿卿我我的場所，實在沒心情徹夜警備」一句話後便離開了街壘[246]。

與紀律鬆弛同時並行的，是「武裝」變得過度激進。許多人會戴頭盔，上頭則塗上各自喜歡的顏色，有些還畫上骷髏標誌或動物腳印，這些都還尚稱可以接受[247]。七月十一日流傳著校方將請來機動隊的謠言，此時運動者會議上決定「澈底抗戰」，藝鬥委執行部製造汽油彈、練習弓箭等，這些行為都造成了問題。

為了日大民主化進入街壘的人，許多都無意願採行違法的武力鬥爭。在各學部代表聚集的運動者會議上，實施圖書自主管理的美術學科鬥爭委員長如此批評藝鬥委執行部[248]：「到現在有許多不滿啊。汽油彈、弓箭、偷取販賣部物資的問題、強姦暴行等。我們是為了追求民主化才聚集於此，不可能一起參與那種脫軌的行為。」

所幸此時校方並未請來機動隊，這天的討論中，美術學科、攝影學科、電影學科的鬥爭委員離席。之後攝影學科與電影學科的鬥爭委員會陷入分裂狀態，不斷有人離開街壘。美術學科鬥爭委員會不服藝鬥委執行部，打出今後僅參加日大全共鬥共同行動的方針[249]。

如前所述，全共鬥是自由參加的志同道合團體，所以也能自由離開。因此對紀律鬆弛與執行部方針不滿的人，陸陸續續離開街壘。如此一來，沒了批評紀律鬆弛的人，更加速了紀律的低落。

對大學設備與販賣部商品的掠奪也更猖狂了。橋本自身也在回憶錄中如此寫道：「我把《廣辭苑》辭典、艾森斯坦（Sergei Eisenstein）的蒙太奇理論、虹吸式咖啡壺、掛鐘等拿回房間，打算當作對流向不明資金的些許回收，對浪費掉的學費也以拿取現物的方式收回數十分之一。音樂學科的唱盤從街壘中消失了，文藝學科的書籍也不見蹤影。」據橋本稱，「也有假裝是藝鬥委成員，打算偷走大量物品的學生。」[250]

如第II部說明過的，大學鬥爭氣勢最高漲的時期大約一週，至多一個月，這甚至可以說是一個規律，而日大鬥爭也不可能跳脫這個規律。當初在街壘內滿懷充實感的學生們，大約一個月後也失去了那股激昂感與新鮮感。

街頭募款也是如此。當人們對日大鬥爭的新聞感到厭煩之後，便難以募到款項，學生們只能輪流離開街壘打工，以工資充當鬥爭基金。且全共鬥並非大學承認的自治會，因此自治會費自然也不會流到他們這方。

文理學部的某學生在手記中如此敘述暑假時期的狀況[251]：「為了已經見底的鬥爭資金，大家必須去打工。不只是我，許多同學也都如此，即便是文鬥委（文理學部鬥爭委員會）也拿不到學生會費，募款得到的金額也不比過往，在資金方面得花費很多心思。」

這位學生記道，「到週六和週日必定得回到街壘。」[252]而這也表示除了週六和週日外，其他日子都在街壘外拚命打工。如此一來學生陸續從街壘外出，這也讓街壘內部益發失去整體性，各個房間逐漸變成由情侶或對彼此有意思的人住下。

暑假之初，藝術學部夜宿的學生約有兩百人，但到了八月左右，在「人民食堂」吃飯的人減少至約三十人[253]。在藝術學部街壘內的學生，於一九六九年回想六八年暑假的狀況表示，「地方的學生返鄉，即便舉行集會，出席者也不多，街壘中恢復寧靜，以及酷熱」，「每個人都變得孤立、虛無化，到了不做無意義的破壞就難以忍受」的狀態[254]。

在其他學部的街壘似乎也有同樣狀況。一九六九年的座談會上，學生人數應遠多於藝術學部的文理學部日大全共鬥成員談到[255]：「暑假多少有些辛苦。街壘內平均有四十人，有些日子甚至只有二十八人。」

經濟上的困苦、街壘內變粗糙的餐點，更加劇了學生們的疲勞困頓。一九六九年出版，秋田明大編輯的書籍中有如此描寫：「六月以來留宿於街壘中的學生，因內部的餐點極度粗糙而呈現營養失調、過勞的狀態，差不多到達體力的極限了。」因夜宿街壘的學生急速減少，不得已之下「一些學部也出現排班輪流到街壘夜宿的狀況。」[256]

與此同時，大學外的新左翼黨派也派出負責招募的幹部造訪街壘。在六月十四日的三派全學聯集會上，中核派委員長秋山勝行表示「能夠掌控日大的人就能取得七〇年安保修訂期的領導權，這次日大民主化鬥爭，就是安保前哨戰的決勝關鍵點」，而這段發言的主旨也被印在傳單上散發[257]。社學同ML派的機關報《赤光》則主張，「在尚無組織的日本大學打造據點，在必然來到的一九七〇年安保鬥爭上集結日本大學全校學生的總力量，這就是日大鬥爭的目的。」[258]

如前所述，若能在空白地帶的日大打造立足點，那麼不僅能建立七〇年安保鬥爭的據點，應該還能獲得大量的學生運動者與一億數千萬日圓的自治會費。藝術學部的街壘亦同，暑假期間，中核派、社學同ML派、第四國際、革馬派等運動者紛紛來訪，最終甚至每個新左翼黨派都組織起讀書會。

漫長的暑假期間，還留在紀律鬆弛的街壘中的人，對鬥爭看不到未來感到疲憊。日大全共鬥雖然要求大眾團交，校方也約定於八月四日實施團交，但八月一日卻又破壞約定，宣布無限期延期。即便如此，日大全共鬥仍持續向校方要求大眾團交，而且沒有選擇地只能繼續堅守街壘。

日大全共鬥已經厭倦研擬下一個方針。八月初文理學部鬥爭委員會的宣傳報如此表示[259]：自八月一日校方提出大眾團交無限期延期的通告以來，「屢次的背叛行為讓我們再也不相信校方的任何說法，也變得無法對任何人抱以期待。」

根據橋本的回憶，「每個人都希望想像之後的發展狀況，然而，卻沒能提出接下來的方針。」不過「與此同時，能夠滔滔雄辯『日後發展』的人登場。能提出令人確信的今後發展局勢的人，就是那些黨派的運動者。」[260]一旦接受了新左翼黨派的世界觀，就等於被賦予了關於世界與日本的形勢；大學鬥爭的意義；自己應做些什麼等等一整套的觀念。在紀律鬆弛的街壘中，面對鬥爭不知將何去何從的日大全共鬥學生們而言，這是極大的誘惑。

新左翼黨派的這種影響在八月初左右突然迅速顯現。八月二日，為了抗議大學取消八月四日的大眾團交，日大全共鬥舉行全校總誓師集會。會中邀來中核派據點校的法政大學文學部自治會委員長舉行演說，指出「大學中發生的矛盾不該只封閉在大學內部來看，而該視為資本主義產生出來的矛盾，而這種戰鬥的本質，就是對資本主義的根本矛盾進行普遍性的反抗，必須從這樣的角度來開展。」[261]

對今後方針感到迷惘的日大學生對此演說報以「壓倒性的熱烈掌聲」，高興地認為「能在日大鬥爭全國化的第一步取勝」。此集會後不久，八月四日文理學部鬥爭委員會的文宣報《變革的感染力》主張，「面對大學的危機，我們無法在校園民主主義的改良鬥爭中找出根本解決問題的出路，而必須正面迎戰資本主義社會，這才是目標。」[262]

另有一則情報，因為是間接資訊所以真偽不明，八月十九日日大全共鬥製作的宣傳冊子《日大鬥爭的總結與展望》也主張，「日大鬥爭無法從社會上所說的校園民主主義中獲得勝利，不能只在當局與學生的各種關係框架內思索」，「要消除校園中的各種矛盾，就必須完全廢除物質下層建築，也就是現在的資本主義制度，因為物質下層建築支撐著精神上層建築，如果不這麼做必然無法成功。」[263]

這種主張大概也受一九六八年的時代背景所影響。橋本克彥在當年狂熱已消退的一九八六年回憶錄中，認為日大鬥爭或許有更多的可能性，「當時應當放棄那些預先為日大準備好的，『日後發展的規畫』，對日大鬥爭被教條化的馬克思主義影響感到懊悔[264]。

只是在該時代的熱潮之下，很難抵抗新左翼黨派鼓吹的看似相當有邏輯性的「革命」世界觀。橋本寫下後悔受當時新左翼黨派影響的文章，同時也描述當時的狀況是「突然察覺時，已在模仿預先給我們設下的新左翼模式來思考『日後發展』。」[265]

如前所述，一九六〇年代後半青年的反叛存在著各式各樣的背景因素。最重要的背景因素，是日本社會因經濟高度成長而急速變化，過往的制度與思想框架失去效力，青年們陷入包含認同危機在內的「現代的不幸」裡。

要解決這種問題，教條化的馬克思列寧主義派不上用場。但當時學生們的知識範疇中也缺乏解決上述問題的理論。在此狀況下，要放棄新左翼黨派「預先備妥」的世界觀並以一己之力建構超越該論述的理論，對青年來說是不可能的任務。

但新左翼黨派提供的世界觀，同樣不足以成為表達青年們真實感受的媒介。如第二章所述，一九六九年在日比谷高中築起街壘的高中生們，於當時的座談會如此表示：「當被問及你們究竟追求什麼時，我們的回答是那是一種無以名狀的憧憬。」「無法以言語形容。」「所以，我們的欲求，能填滿我們的，只能以詩的形式來表達啊。」

橋本在日大鬥爭中也感受到同樣的糾葛。他於一九八六年的回憶錄中如此敘述[266]：

日大鬥爭的出現，必然要求重新塑造迄今為止學生運動的框架。雖然這麼想，但我並不具備能建構如此理論的力量。

這股〔日大鬥爭的〕龐大能量，正以驚人的速度突破學生運動的上限，我堅信還需要追求一次質的轉換。說是堅信，也可能只是我的妄想。

只是，再往前一步的指引或線索，似乎日本左翼完全沒有準備好也無法提供這類思想。……

然而，在我的想像中，要跨越這一步至少需要超過二、三十年的理論鑽研。我被不知來自何處的徬徨感所襲擊，而且我也還記得那股自己孑然孤立的錯覺。

承受著這般的孤獨感，想要抵抗新左翼黨派提供的明快世界觀的誘惑，實屬困難。如果加入新左翼黨派，既有給予「正確」世界觀與行動方針的前輩與領導者，還能與抱有相同世界觀的夥伴交流。

當時的早大學生，日後獲得芥川賞的三田誠廣如此回憶早大鬥爭時讓他「困擾的事情」[267]：「當時不太說認同或者未定型認同（moratorium）之類的詞彙，但確實因內心缺乏可依靠之處而感到寂寞。所以才會覺得不加入哪個新左翼黨派將徬徨不安。」前述引用談及街壘生活愉快回憶的前日大全共鬥三橋俊明最終也加入了社學同ＭＬ派，不過在日後的訪談中，他也說明當時的動機是「果然內心還是覺得孤獨。」[268]

身為一九六九年早大全共鬥前身的早大反戰聯合無黨派運動者津村喬，於一九八〇年如此寫道[269]：為了創造與既存秩序和計畫相異的新秩序，「必須盡可能延長與秩序深度相對的混沌狀態，等待時代更深層的、完全異質的秩序發酵。無法忍耐的人大都加入黨派，接受了既存的普遍性。」許多大學的無黨派運動者之所以加入新左翼黨派，大概也肇因於此種時代背景結構。

而橋本本身則加入第四國際。同時，真武藝鬥委委員長加入中核派。且從這個時期起，此前以樸實的民主化運動支持日大全共鬥的部分學生開始感到「跟不上」運動[270]。

雖說如此，在夏季階段這種傾向尚不明顯。日大全共鬥仍未接受新左翼黨派的理論或馬克思主義，無黨派運動者人數亦不少。

某位文理學部鬥爭委員會的成員面對當時雜誌採訪時如此回答[271]：「我們至今仍相信武士道精神，要分類的話，應該是屬於右翼吧。但是這個鬥爭無關左右。這是為了懲戒大惡的正義鬥爭。」如前所述，日大全共鬥也存在一些贊成安保條約但不同意日大體制的學生。

日大全共鬥的某位學生在一九六九年的手記中如此寫道：「日本與美國是民主國家，而社會主義國家無論是蘇聯或中國，都屬於非民主主義國家，我都感到厭惡。」「我並非以哪種知識體系去認知〔馬克思主義〕理論，頂多就是以一種感覺來接受。在自主講座中對氾濫的毛澤東與馬克思特別感到消化不良，為此還組成『人民派右翼』，在街壘的一隅插上日之丸國旗，在校內廣播中大喊『天皇陛下萬歲』，藉此抒發心中的鬱悶。」而依舊不離開街壘的理由則是「對一同戰鬥的同學仍有一份義理與人情，對自己的行動也抱持著責任感與自尊心。」[272]

據橋本稱，當時在學生之間流行著「情念」這個詞彙。橋本表示，「在學生運動的理論，甚至社會改革的理論持續與現實脫節的當時，有許多全共鬥學生都依靠自己的情感與念想作為行動依據。」而不接受新左翼黨派理論的他們，把自己立足的感情稱作「從內心深處湧出的情念。」[273]所謂的「情念」一詞，意指無法以言語表達的心情。

因為這種「情念」或與夥伴間的「義理與人情」而留在街壘中的人並不少。而他們有許多人都喜好描繪「義理與人情」的黑道電影。據橋本稱，暑假期間因討厭街壘內情而返鄉的學生，秋季回到街壘時如此說明與夥伴之間的「義理與人情」[274]：

「我希望從事理想的群眾鬥爭。然而有這種理想的自己卻幹出了大量破壞大學的行徑。這種事情實際上是一種沉重的心理負擔。我覺得必須澈底思考這樣的狀況。」「說實話，我曾經想過就這樣得過且過。但腦海中卻浮現街壘中朋友們的臉龐。總之，街壘中還有為了採取正確行動而努力的朋友。所以回來了。」

日大全共鬥就在這種變化與多樣的疑惑中，度過了暑假。接著秋季起的鬥爭，轉變為一種更激烈的形式。

九月的激昂鬥爭

八月二十四日，大學當局提出改革案，「同意學生諸君集會、自由散發出版品、撤銷懲處、公開會計內容等主要的核心要求」，宣布會進行學生希望的改正和重組體育會、致力改善量產型教育、解散櫻門事業部等[275]。此為意圖終結暑假學生返鄉前諸多紛爭的妥協案。

然而，屢遭大學毀約的日大全共鬥堅持進行大眾團交。九月三日，到駿河台日大醫院做定期檢查的古田會長遭學生們包圍，質問單方面背棄團交約定的理由，但遭機動隊驅離。之後，校方對全共鬥方面送交「不承認共鬥會議代表日本大學全校學生」，「校方宣布，並不打算透過與共鬥會議溝通來解決本次紛爭。」[276]

同時八月三十一日，日大當局向東京地方法院申請強制排除的假處分，標的為遭「非法佔據」的大學本部、法學部、經濟學部等六處建築，九月二日獲得法院許可。過往國際基督教大學與芝浦工業大學曾通過假處分強制驅離學生，日大當局此舉可說是在仿效這些前例[277]。

九月四日清晨五時，約五百名機動隊員及教職員、工作人員前往執行強制驅離。學生方喊著「不要靠近，我們是在守護自由。希望機動隊的諸位能理解我們。好不容易建構起來的自由，我們將拿性命來保護」，機動隊則回應「現在起將由地方法院執行官進行驅離，希望你們立刻撤退。」[278]

學生方以投擲石頭與桌子來抵抗，但約一個鐘頭後機動隊拆毀街壘進入建築，將學生追至天台並逮捕一百三十二人。因學生投擲石頭等物品使機動隊負傷超過五十人，其中一人頭部重傷。驅離學生後的建築物中，辦公室徒留被學生放水浸泡、散亂的文件，出席簿也不知去向[279]。

校方召開記者會表示，鑒於暑假後於九月十一日重新開始新學期，以及全共鬥堅持團交拒不妥協，所以採取強硬的措施。校方期待透過這次的強制驅離使紛爭平息，在記者會上表示「應該許多學生都能理解校方的心情吧。」[280]

然而，在執行假處分的場合，照例必須對佔據方進行審理與審訊事實，而此時卻未對學生做任何審訊。為了支持日大鬥爭而成立的日大鬥爭支援辯護團從過往便推測校方可能做出假處分決定，所以當日大當局申請假處分時，學生與辯護團代表即對法院申請事實審問[281]。

即便如此，校方仍單方面進行假處分並請來機動隊，辯護團提出抗議聲明，據當時報導稱，某日大幹部表示「原本以為〈假處分申請〉有可能被駁回，但法院卻迅速做出決定，實在讓人驚訝。」[282]

但事態發展卻未如校方所願。由於大學當局單方面提出改革案，卻在未事先聯繫甚至未曾預告的狀況下，片面假警方之手採取假處分，結果給社會上造成大學自行放棄自治的觀感，也給校方烙上不民主的印象。

為此日大教職員工會提出抗議文，認為「執行假處分的強硬政策不僅毀了對話的空間，也把解決問題的責任交給國家權力」，這反映出「放棄『大學自治』」與「理事會無能的對策」。有別於全共鬥的另一個穩健追求校園民主化的文化團體聯合，也對實施假處分提出抗議聲明[283]。

此外，與過往相同，知悉假處分申請的只有古田會長等理事，他們並未與各學部教授會做過商量。為此經濟學部教授會提出「抗議大學採取的法律措施」聲明，法學部教授會也決議，「為了爭取解決紛爭的窗口，除了全部理事表明退職之日外，別無他法。」文理學部教授會、齒學部教授會也要求理事退職，齒學部教授會明言「若理事會不退職，將由學部執行管理經營權。」文理學部等七學部的助教授以下約七百名年輕教師也於七日展開集會，提出聲明「要求理事會立即取消假處分申請，釐清自己的責任。」[284]

日大全共鬥當然對假處分反彈。秋田明大等全共鬥幹部從過往就得知執行假處分的傳言，因此事先離開經濟學部的校舍，轉移至駿河台的理工學部[285]。全共鬥旋即提出緊急聲明：「為排除大學當局—國家權力與機動隊的接連進攻，只能透過鬥爭奪回據點，為了重建街壘，大家團結戰鬥來獲取勝利吧！」文理學部鬥爭委員會則訴求「日大革命鬥爭」與「武裝遊行」[286]。

文理學部鬥爭委員會之所以高舉「日大革命鬥爭」這種誇張的口號，是因為當時他們的情勢分析指出，「解析古田體制，那就是一個培養帝國主義政策尖兵、不反抗帝國主義、對統治者言聽計從的場域」，「改變現在的帝國主義教育，即意味著全面改革日大型的大學。在這層意義上，日大就是一個範本，扮演著帝國主義基石的角色。」而日大鬥爭，即是對日本「帝國主義」與「資本主義體制」的挑戰。而無視既存自治會而組成的「全共鬥」，是跨越既存自治會、學生會的合法性框架而組成」，因「我們已確認在合法框架內無法做出任何改變」，力陳非法鬥爭的必要性[287]。

文理學部鬥爭委員會的分析，或許與後述他們受社學同ＭＬ派影響有關。當時的新左翼黨派的理論即把一九五八年的勤務評定與一九六二年的大學管理法案定位為「對教育進行帝國主義式的重整」。

無論如何，日大全共鬥被迫抵抗假處分。具備實踐型戰術家思想的秋田等人之後採取的作戰方式為：執行假處分時事先撤離，避免有人被逮捕而消耗，待機動隊撤退後再重新佔領建物。九月四日下午二時，為了奪回執行假處分的法學部與經濟學部建築群，理工學部聚集了約一千五百名學生。橋本克彥表示，「這個人數是當時能動員的最大人數。各學部夜宿街壘的人數就是劇烈減少到這種程度。」[288]

這天的抗議集會上，發生了日大鬥爭以來的各種變異。法政、明治、中央等從其他大學集合而來的中核派、社學同ML派、社青同解放派、第四國際等各新左翼黨派的支援部隊（通稱為「外人部隊」）戴著頭盔，手持角材或竹竿前來參加[289]。新左翼黨派打算介入日大鬥爭藉此建立自身據點的算盤，加上加入新左翼黨派的日大全共鬥成員的想法，造成了此種事態。

「外人部隊」的登場讓許多日大學生感到困擾，也萌生了多種反應。有意見認為「因為校方讓國家權力直接進入校內，所以〔我們這邊也讓『外人部隊』〕介入是理所當然的」，也有意見指出「日大鬥爭是在追求民主化，與反覆搞政治鬥爭的全學聯並無干係」，意見並不一致。但總的來看，拍手歡迎新左翼黨派支援部隊的日大學生很少，在集會上喊「全學聯滾回去！」口號的人佔了壓倒性的多數[290]。

即便如此，校方的強硬態度引起一般日大學生的憤怒，因此並未放棄支持全共鬥。當戴頭盔的日大全共鬥與「外人部隊」列隊前往經濟學部與法學部時，約有三千名日大學生拍手迎接[291]，傍晚時分，機動隊撤退後的法學部及經濟學部校舍再度被全共鬥所佔領，並築起街壘。

即便重新佔領，只要法院再度同意假處分，就必然會再度引來機動隊。隔天五日清晨五點，機動隊再度前來，但日大全共鬥事前得知該行動，為避免衝突，讓固守的約一百二十名學生於凌晨三點離開校舍。這天街壘在沒有學生抵抗的狀況下遭拆除，校方雇用了約四十人負責警備[292]。

不過日大全共鬥於當天下午兩點起，在理工學部集結來自各部的約一千五百人，加上約三百名新左翼黨派的「外人部隊」舉行集會，前往奪回建物。他們湧入校舍，驅離警備人員，築起街壘重新封鎖校舍[293]。

當天聽聞消息的普通學生也趕來，大約五千至七千名日大學生與看熱鬧的人填滿了神田的學生街，白山通的馬路上被人以油漆寫下碩大的「日大解放區」字樣。某位學生如此寫下當天的情形[294]：「沒戴頭盔的學生起初擠滿了人行道，最終也加入馬路上的隊伍，參加之字型遊行。當時連地面都在震動，當接近一萬人的步伐統整後，大地猶如呼吸般搖晃、鳴動。」

在缺乏校園用地的日大，數千名學生聚集起來立刻就會形成填滿馬路的遊行或街頭集會。據說在街頭上集會討論的學生們也談到「如果有校園的話，就不會在這種地方討論了。」[295]

在街上集會之際，秋田議長站上了擺在十字路口的桌子進行演講：「古田會長無謀的鎮壓鬥爭計畫，造成了什麼樣的結果，我想，日大全共鬥現在可以明確地、清楚地證明。現在我們要向古田會長及下屬理事，在這裡好好確認，為何以假處分這種拙劣不堪、不具絲毫誠意、一味執行鎮壓、逼迫的做法，迫使學生失去空間。另外，也要向各位同學們報告，就在今天，生產工學部的諸位也開始加入罷課。」現場爆發的歡聲雷動，幾乎蓋過了秋田的演講[296]。

《朝日新聞》記者高木正幸如此描寫當天白山通的情景[297]：

在校舍假處分後第三度又被學生佔領的五日，全共鬥展開遊行，戴頭盔持角材的全共鬥遊行隊伍進入經濟學部一號館後，在該學部旁的寬敞白山通馬路上，數百名普通學生聯手展開法式遊行，抵達經濟學部旁的人行道後開始靜坐集會。有些人拿著書本，有些人提著書包。幾乎都穿著學生的雪白襯衫與燙出折痕的褲子，展現出他們與學生運動者的不同。

學生們依次走至前方拿起麥克風。演說也不是那種斷斷續續的大吼口吻，許多人的講話方式都猶如拿著課本逐行讀出聲音。……

「要不要澈底、完全打倒古田？」

從佔領校舍的陽台上可以看到戴頭盔的人，頻頻拍手。眾多學生們的表情，當時何其認真。大學周邊的人行道上，有多處學生們討論的團體。法學部一號館旁幾位學生對路過的中年行人詳細說明經過。

「如果不通過這些訴求，我們又必須回去過被鎮壓以前痛苦的學生生活。」

「以前連像這樣在馬路上交談都不被允許啊。」

「我的母親也同意了，在事情解決之前將停繳下學期的學費。」

中年男性對學生的說明頻頻點頭。

據高木稱，六日奪回的經濟學部一號館前約有一百名日大全共鬥的人舉行抗議集會，附近來了約兩千名普通學生，對他們報以掌聲。警隊為了整頓秩序出動，遭到普通學生的激烈抵抗。

暑假結束後，返鄉的學生們陸續回到大學，面對突如而來的假處分強烈手段，學生們被激怒，一如早大鬥爭時請來機動隊的情況，日大全共鬥也從暑假的頹然狀態完全恢復過來。可以這麼說，原本只能維持一週至一個月的鬥爭高昂狀態，因大學強硬手段而再次復活。

藝術學部的學生於一九六九年如此寫道[298]：「夏天過了之後，鬥爭剛開始時的興奮已經淡去，開始思考為何必須進行這場鬥爭，每天在街壘中真的是在戰鬥嗎？內心充滿著『為了什麼』、『為何』等疑問。」即便如此，「因為機動隊的介入，九月又讓我們看到鬥爭氣勢高漲的狀況。」若日大當局不進行假處分把事情暫時擱置，已從內部開始弱化的街壘或許就會自動崩毀。日大當局的強硬手段，反而收到完全相反的效果。

藝術學部鬥爭委員會也重整旗鼓。根據橋本克彥的回憶，藝鬥委在這三天期間，由暑假中的三十人恢復到三百人的部隊。……厭惡強暴事件的女學生們也在列隊中露臉，回到了鬥爭中。攝影、電影、美術等各學科分裂後就消失的美術學科學生，也有不少人現身白山通的解放區。」[299]

隔天六日，又重新上演機動隊介入，學生事先撤離，之後再度佔領校舍的模式。摻雜普通學生的遊行，加上看熱鬧者，人數上升到一萬人以上。這天，因假處分中的校舍遭無端侵入，大學要求機動隊出動驅離，日大鬥爭中首次發射催淚瓦斯彈，有三十五名學生因妨害公務而遭逮捕。七日又發生同樣的事態，共有一百二十九人遭逮捕[300]。

七日在理工學部的抗議集會後舉行了遊行，除去約三百人的「外人部隊」，大約二千五百人的遊行隊伍主力都是未戴頭盔、不持角材的普通學生。但機動隊以未申請的遊行為由進行澈底管制，據當時報導稱，「機動隊員很明顯對連角材都沒帶、毫無防備的學生施以靴子踹踢臉部、陰部的暴行，兩三個人制服學生後就以硬鋁盾牌的角毆打學生。」[301]

這種警備過當也可見於成田及佐世保等處。普通學生為反制警備過當，便對機動隊投擲石塊。某日大學生表示，「以前站在機動隊面前只感到恐懼，現在根本不當回事，見到機動隊就開始找石頭。」部分湊熱鬧者也跟著投擲石塊，學生們還對神保町的派出所投擲石塊擊碎了玻璃[302]。

這種撤離與重新佔領，以及與機動隊發生衝突的重複模式，在九月十二日迎來最高潮。大學當局預定十一日重新開始上課，此時明顯不再可能，日大全共鬥在十二日策劃了至今為止最大規模的遊行，並對普通學生展開宣傳活動。日大當局十一日在報紙上刊登廣告，稱「神保町地區預計會出現激烈的遊行活動。未參與的日大學生，為避免混亂，當天不要靠近周邊區域，請採取謹慎的行動。」[303]

十二日，全共鬥在工學部發起誓師集會，除支援部隊約五百人外，共集合了約六千人，由新左翼黨派及全共鬥的「武裝部隊」領頭，喊著「打倒古田、粉碎警察」在神保町周邊遊行。湊熱鬧與旁觀者大量聚集，交通完全打結。警方出動約兩千人的機動隊，共逮捕了一百五十四名學生[304]。

根據學生方的證詞，遊行隊伍中包含支援部隊，約七百人戴著頭盔，但大多都是沒戴頭盔的普通學生，既沒帶角材也沒有帶石頭，但機動隊的警備卻較上一週更為強硬。

某位普通學生如此敘述[305]：「那根本不是什麼適度的鎮壓，警察猶如暴力團體，對我們施加暴行。」「他們拿棍棒向我們衝來，以腳踹踢我們。當承受不住衝擊的前方學生潰散後，位於第三列的我立刻暴露在機動隊面前，他們拿盾牌毆打我，甚至給我戴上手銬。接著學生們開始投擲石塊，機動隊為了阻止學生，竟把戴著手銬的我們當作盾牌，實在讓人無法接受。我們就這樣承受夥伴們投來的石塊，也有額頭被砸傷的人。」

從理工學部出發的遊行隊伍共分四個梯隊，朝神保町邁進。藝術學部的橋本克彥加入戴頭盔的第一梯隊，他如此記錄十二日的模樣[306]：

> 無數的群眾挺身而起，讓警察失去機能！這樣的想法在我的胸中澎湃不已。……走向神保町的十字路口，在九段下方向見到身著藍黑色制服的機動隊身影。我們當場止步。約五百名機動隊從該處向我們衝來。我感到腦部充血，膝蓋發顫，拚了命站在那裡，從夾克口袋中拿出石塊，朝他們扔去。
>
> 不知為何，石頭在我眼前二十公尺處就落地彈跳。該死，肩膀用太多力量了。又重新投擲，又彈跳，就像內野滾地球般輕快滾動。我腦袋更加上火，一顆接著一顆，共投了五、六顆石頭。最後一顆飛向遠處，朝著逼近而來的機動隊的頭上方而去，消失在天空中。
>
> 大家狀況如何了？我一回頭，卻發現沒半個人。這簡直談不上梯隊，大家不斷逃離。這時已經到了莫名其妙的狀態，我也跟著逃跑。……無數的武鬥棒散亂丟置，看來宛如一座巨大的火柴棒小山。我的腳被絆了一下跌倒。就在我前方有一個學生被逮捕，我想從他身旁蒙混通過，卻不知被什麼所擊中，立刻就失去意識，毫無反應。
>
> 之後被帶往鈴蘭通的東方書店二樓，我覺得是自己走路抵達的，但大概有腦震盪，記憶並不清楚。那裡似乎有臨時的救護班，給我打了一針。

這段期間，從靖國通一直到白山通，發生激烈的街頭戰，路上有近兩萬名的學生、市民與勞工。這些群眾在第一梯隊分散後，主要採取投石攻擊，機動隊在防石網外逮捕學生，一邊使用防石工具一邊退後，最終撤退到附近區域。……這一天機動隊的暴力非常驚人，造成無數的受傷群眾。

不過兩萬人的群眾終究癱瘓了警察的機能。……無論誰看，都能知道已獲得完全的勝利吧。此時期的日大全共鬥，可說充滿了近乎無限的能量。

支持的流失與新左翼黨派的侵蝕

然而，五月時支持日大鬥爭的附近商店街，在九月的街頭戰後態度逐漸轉變。商家要麼玻璃被砸破，要麼無法開店，受害的三崎町商店街在九月七日的遊行後，在法學部、經濟學部周邊張貼抗議文[307]：「我們居民絕對無法忍受當下遭遇的困擾。希望及早解決紛爭恢復和平的學生街道。我們居民並不偏袒任何一方，一直以來也親自對日大當局提出嚴厲的抗議書，要求解決爭端。各位學生請堅持身為大學生的良知，請不要危害周邊居民生命、財產的安全，也不要做出妨礙營業的行動。」

神田神保町的商店會與町會早在七月二十日古田會長計程車遭學生包圍的事件後，提出「不相干的地方居民絕對不會容許自身權益受害」的請願書，要求把大眾團交的場地從位於當地的日大法學部改至他處。九月十日，三崎町會長訪問警視廳與文部省，訴求「希望保護居民」[308]。

某神保町的舊書店老闆投稿當時的雜誌，表示[309]：「最初同情學生方，甚至想了很多遊行戰術。」

但九月上旬一連串的街頭戰中，商店的窗戶遭砸碎，逃離機動隊的二十至三十名學生破壞商店出入口穿著鞋就闖入店中，此外屋頂瓦片也被機動隊砸毀，自家宅邸蒙受相當程度的破壞。為此，「見到那群傢伙實際的行動後，不得不重新思考自己同情的想法。」

這位舊書店老闆還表示，「這不只是我的商店，這條馬路上的許多店家都遭遇同樣的破壞」，並說道[310]：

遊行結束後，他們意氣風發地聊著「今天大獲全勝啊」邊經過我的店前，這讓商店街的人們感到一股無法壓抑的憤怒。我拉住學生質問他們「這種狀況談何勝利？」接著跟他們東拉西扯地爭論，他們說「從腐敗的資本主義出發的想法，理解不了我們的革命路線。我們必須全面性地、壓倒性地贏得革命勝利，實實在在地越過那道高牆。什麼店家的損害？那種事情根本是胡說八道」，他們反覆地說著這種內容，宛如不斷蓋著同一枚印章，根本無法對話。這種學生，即便教授或學部長跟他們對談，我想也不可能談出什麼結論。在反覆溝通無果下，甚至有路過的行人說：「我絕對不讓我的兒子去上大學。」

我呢，則認為即便如此，仍想理解他們的想法，我在靜坐於十字路口的遊行隊伍旁站了超過一個小時，試著傾聽領導層學生滔滔不絕的長篇大論。但聽到的盡是「我們，盡我們的，所有的，一切力量，絕對要，粉碎」這幾個詞的反覆排列組合，完全不懂內容在說些什麼，所以最終只能放棄。……

但，即便他們那麼說，一旦被機動隊追捕時就穿著鞋闖進別人家，央求「奶奶，讓我們躲藏一下吧。」因為是學生幹出來的事情，所以社會觀感都比較寬容吧，此時他們表現出來的就是這種兒童撒嬌般的態度。揮舞著角材交戰時就是革命的鬥士，情勢轉壞立刻變成愛撒嬌耍賴的學生，世上有這麼不合理的事情嗎？

與這位舊書店老闆及其他行人對話的，究竟是日大全共鬥的學生，抑或是來自其他大學新左翼黨派的支援部隊，又或者是普通學生，目前已無定論。從談話內容看來，恐怕是新左翼黨派的支援部隊，或者在日大加入新左翼黨派的學生。因此，上述舊書店老闆敘述的學生形象，是否能代表九月參與街頭戰學生的一般形象，仍有疑義。但，根本無從理解這些緣由的當地居民，對日大鬥爭的態度開始轉為強硬。

大眾傳媒的反應也相當微妙。日大鬥爭獲得連日報導，秋田明大議長的名聲響徹全國，對他們表露善意的報導並不在少數。但九月上旬，報導在神田學生街上連日與機動隊發生衝突的報紙，刊登了〈不惜把旁人捲入麻煩的日大〉、〈佔領騷亂中有人在街頭投石〉、〈催淚彈示威長期化有礙生意〉等報導[311]。也開始有媒體把日大全共鬥學生形容為「暴力學生」。

同時，有一定人數的學生批評日大全共鬥左傾化，或因長期鬥爭感到疲倦而離開。假處分前一天的九月三日，約一千名學生為了要求儘速重新上課而舉行集會。日大全共鬥指責主辦團體的「日大重建協議會」的議長等人與大學當局存在密切關係，批評他們的行徑是在「破壞罷課」，不過此集會能聚集約一千人，已經反映從五月到九月局勢不斷在變化[312]。

古田會長在九月四日執行假處分後的記者會上，表示「這個措施其實是要讓大學恢復上課，學生家長、校友會、大四生一直都強烈希望能解除街壘，從十一日起恢復上課。」[313]即便把此段發言當作藉口，如第II部所述，一如過往大學鬥爭般，不難推測已有部分擔憂畢業與就業危機的大四生與學生家長希望恢復上課。

實際上，日大鬥爭同樣沒有太多大四生參與。一九六八年六月時，某大四學生對雜誌訪談表示[314]：「我面臨就業而無法參加運動，不過全面支持共鬥會議。」這樣的大四生在秋天後背離持續左傾化的全共鬥，也在意料之中。

反之，六月的日大相關人士座談會上，有人如此表示[315]：「一年級生非常激進，幾乎是拚了命在幹。他們才剛進大學，進入之後得不到令人滿意的授課，而且檢閱制度幾乎與高中相同，對這種不像大學的氣氛感到失落，所以當發生這種騷動時，他們特別有共鳴。」總之，不難想像暫時無需考量就業問題的大一新生更為激進。

此外，高舉穩健路線的文團聯（文化團體聯合）民主化推進委員會，於九月七日發布聲明。該聲明指出，反對依靠國家權力解決問題，要求全數理事退職並盡快舉行全校公開討論會，但也包含了「絕對反對其他大學、全學聯的介入」的條款。接著十二日，文團聯在兩國的日大講堂集合約五百名學生，與永田菊四郎校長等人展開對話。日大全共鬥的約三十名頭盔部隊則在日大講堂前叫喊「粉碎文團聯」，不過對話總算平穩進行[316]。

但在九月時，校內情勢仍朝對全共鬥有利的方向持續發展。九月四日至十二日，在假處分相關鬥爭的高潮期，如前所述的文理學部、齒學部、法學部等教授會要求理事會退職，除此之外，十二日生產工學部、十九日與二十日醫學部與齒學部展開罷課，確立全校罷課體制[317]。

就這樣，日大校內鬥爭不斷擴大，連日的街頭戰獲得報導，讓社會聚焦於日大鬥爭，秋田明大名聲大噪，普通學生也士氣高漲。根據橋本克彥的回憶，此前被戲稱為「笨大生」的日大學生，這時期持續抱著「我們不斷幹出了不起的事情」的心情[318]。

但橋本也提到[319]：「然而，與此同時，雖然只有些微跡象，但已經出現驕兵必敗的徵兆。對日大全共鬥而言，此時明顯處於順風順水的狀態，於是顯得自尊自大，畢竟此時無需冷靜的自覺，因為一切都很有利。」

在神田與機動隊發生衝突之際，日大全共鬥書記長田村正敏針對女性週刊雜誌一連串的問題回答道：「你認為普通學生支持全學共鬥會議嗎？」「真的支持。不支持的只有右翼的諸君們啊。」「你們對商店街算是製造麻煩嗎？」「希望他們理解我們鬥爭的意義。」然而此訪談報導的副標卻是「你們打算破壞神田的街道嗎？」[320]

在神田觀看連日「城鎮戰」的人們，不見得是日大全共鬥的支持者。其中一名看熱鬧的人對雜誌記者表示[321]：「學生運動就是在玩軍隊扮演遊戲。他們內心其實打算利用在學期間，盡可能增加自身的社會體驗吧。」日大學生們把自己的行動稱為「日大鬥爭」，但雜誌報導中則寫作「日大騷動」。

十月的座談會上，日大全共鬥的某幹部如此敘述[322]：「我們不可能失敗吧。每次舉行集會，都至少有五千人到場，所以我們有自信，機動隊也不足為懼。」這位發言者如何看待包含大四生在內的普通學生的微妙轉變，以及如何面對商店街等的輿論潮流變化，已無從確定。

日大全共鬥的激進學生中，反而出現了更加激進勇猛的議論。如前所述，九月時文理學部鬥爭委員會已經提倡「日大革命鬥爭」的稱呼。根據橋本的回憶，九月中旬時，藝術學部鬥爭委員會也主張

「就這樣由學生管理日大」亦屬可行[323]。

同時新左翼黨派也確實地在滲透中。據橋本稱，「進入九月後，法鬥委儼然帶著中核派的色彩，而且任何人都清楚文理鬥委帶著ＭＬ的色彩。」[324]一九六九年的某全共鬥運動相關書籍也記載，日大全共鬥內部「大型的新左翼黨派中，如中核派以法學部、理工學部為根據地，ＭＬ派以文理學部、經濟學部為據點。」[325]這些屬於某類傳言，但新左翼黨派滲透日大全共鬥仍有一定程度的事實根據。

在日大，中核派與社學同ＭＬ派之所以受到歡迎，似乎是因為這兩派比起理論，有更重視武裝鬥爭的傾向。同樣不擅長理論但重視「幹勁」的日大全共鬥學生，對這兩個新左翼黨派有更高的親近性。

某文理學部鬥爭委員會的學生表示，「我們認為不錯的新左翼黨派大概就是ＭＬ與中核這兩個吧。因為我們同樣有幹勁的緣故。」[326]反之，重視理論而不進行街頭鬥爭的革馬派，則在如東大或早大般的菁英大學更具勢力，卻無法滲透到日大。

但厭惡新左翼黨派滲透的無黨派運動者，也發出如下聲音[327]：「不管哪個黨派都顯現出他們私底下打著什麼算盤。他們打算在日大鬥爭進行到差不多的時候就撤手，只想控制自治會與合作社。我們可不記得一直以來做過這種鬥爭。」如第四章所述，自治會費與合作社利潤對新左翼黨派而言是相當有力的利權。如果以此為目的，則與日大當局進行高層交涉，取得日大承認他們的利權才是最快的方式。

而根據橋本的回憶，儘管各新左翼黨派基於自身的思想定位日大鬥爭，但也「幾乎都把日大鬥爭定位成必然到來的七〇年安保鬥爭之前的活動，以這樣的時程表來思考。」「然而，他們做出的評價卻與日大學生的實際感受有所落差。」[328]

如前所述，日大全共鬥中也存在討厭馬克思主義，自稱右翼的學生。據橋本稱，因新左翼黨派不斷滲透而開始討論七〇年安保鬥爭或日本革命後，抱持違和感的人「開口次數逐漸減少」[329]。能夠無礙地認知狀況與談論運動理論的，只有熟習新左翼黨派詞彙的學生才辦得到。

當時「無黨派」一詞尚未普及，大多數的時候都把未參加新左翼黨派的學生稱為「非政治」。日大全共鬥的田村書記長在一九六九年九月如此寫下日大鬥爭敗北的原因之一[330]：「非政治的諸君不願承認新左翼黨派，黨派的諸君也不願承認非政治的學生。彼此間不是互相輕視，就是乾脆無視，雙方僅有這種對應方式。如此運動本身自然無法順利，關於運動本質的重要問題也不可能獲得開展。」

最終日大全共鬥內部開始流傳「那個傢伙是ＸＸ派的」，給他人貼標籤的行徑橫行。根據橋本的回憶，「我被貼上第四國際派的標籤。當然，作為討論的對象，我本身跟他們〔第四國際的同盟成員〕交情不錯。事情演變得益發難以處理，彼此互貼標籤的情形不斷。」據橋本稱，藝術學部鬥爭委員會書記局也已經「被貼上第四國際的標籤」。另一方面，藝術學部的街壘內，中核派或社學同ＭＬ派也持續舉辦讀書會[331]。

隨著新左翼黨派的滲透，原本街壘最大的魅力所在，也是活力所在的自由討論，逐漸變得停滯。橋本如此說明道[332]，「那是理所當然的。發言者如果已屬於某個黨派，便沒必要拚命詢問對方，對方也無必要努力說明。因為討論的總結，不過就是依照黨派主張做結罷了。」「如果想解析黨派性的病理特徵，花上數萬字來解釋也是一種方法，但在街壘內的狀況是，黨派性這種病理特徵，首先就會澆熄討論的熱情，滋生某種頹廢的狀態。在戰鬥的現場喪失了仔細交談相互轉化的機會，這種交流的消逝其實是種致命傷。」

日大全共鬥的中央層級，同樣因為新左翼黨派的滲透，使得討論逐漸消失。據橋本稱，一九六八年九月時，「如特意以區分黨派的角度來觀察日大全共鬥中樞，那他們就是ML派與中核派的混合體」，「全共鬥本部會議就在此種黨派背景之下運行。」且「由各學部鬥爭委員會代表集合而成的全共鬥本部會議，稱其為聯絡會議更為適當。該會中並不進行討論，與其說在該場合制訂方針，不如說是在全共鬥中樞的某處先決定方針，該會只是揭示該方針的場域。」[333]另有一說指出，日大全共鬥內的兩大勢力中核派與ML派，「在戰術會議的場合，屢屢有劍拔弩張的狀況。」[334]

同時，日大全共鬥的學生也對漫長的鬥爭感到疲憊。從九月四日至十二日的假處分加上連日的街頭鬥爭，日大全共鬥遭逮捕者達到五百人。光為他們組織支援體制，聘請、分配律師，就得耗費大量時間與金錢。即便因大學強硬手段使鬥爭恢復活力，但街頭募款金額減少等因素讓日大全共鬥無法解決資金不足的問題，加上九月上旬的街頭戰更增添不少消耗。據當時的報導稱，九月十二日神田的街頭戰後，學生們表示[335]：「累了。已經有三個月沒回住處了，總之就是為了鬥爭獲勝而一直戰鬥至今。可是我們的體力也有極限……總之就是累了。只希望能什麼都不考慮，好好睡上一覺。」

「我呢，在持續這場鬥爭之下，不斷變得空虛。不知道為了什麼，現在我在思考繼續這樣究竟是否合適啊。」

「我們現在是最痛苦的時刻。錢也用完了，體力也消耗殆盡，而且彷彿在後頭追擊一般，四日與七日一口氣被逮捕了許多人。總之內部或執行部都已七零八落了。……如果進入持久戰，必然會敗給國家權力啊。」

九月的街頭戰中大多數遭逮捕學生並非犯下重罪，到十月底前幾乎都已獲釋。但根據日大全共鬥的某學生說法，「也有人被關進監獄後便改變立場，獲釋後就從同伴之間消失不見。」[336]

而在九月十二日的街頭戰之後，據說位於遊行隊伍最後端的日大學生如此嘟囔[337]：「秋田君就業一事，不知道大家是怎麼想的。〔鬥爭與罷課〕不趕緊結束的話，〔就不能畢業〕會讓人感到困擾啊。」

根據立花隆於一九六九年的採訪，因秋田本人也是大四生，故日大鬥爭爆發前，據說「他內心也反覆出現遲疑與猶豫」。據立花的採訪稱，秋田也「為了就業被父親帶去走動，建立一些人脈，也曾提過想去別的大學就讀研究所。」[338]

五月鬥爭開始後，秋田每天都忙著指揮鬥爭，但似乎他也沒料到鬥爭會變得長期化。前述的小中陽太郎於一九七三年回憶他在一九六八年初夏造訪日大街壘時的經驗[339]：

「運動尚未陷入泥沼，學生們也認為只要校方願意答應全面公開會計狀況，事情就能解決。」小中在雜誌中寫到有關秋田的事情：「看著瀨戶內海的藍色海洋長大，秋田說鬥爭結束後他想背個背包去北海道。他希望能盡快將旅行的夢想付諸實行。」

如前所述，日大全共鬥成立時的要求，全然未包含七〇年安保或革命等要素，只是要求符合一般常識的民主化。包括秋田在內，對大部分參加日大鬥爭的學生們而言，他們都沒預料到鬥爭會如此漫長，換言之，沒預料到大學方面竟會堅持拒絕符合一般常識的民主化要求。

在這種狀況下，日大全共鬥的出路十分有限。

其一是，維持現有路線持續鬥爭。九月十二日的街頭戰之後，帶著水藍色頭盔的無黨派日大全共鬥學生向雜誌記者說道[340]：「我們一直以來持續對校方要求大眾團交，但總之，我們已經無法忍受古田重二良會長對大眾團交的回應——那就是派出國家權力的爪牙，在九月四日與七日逮捕了數百名我們的同志。試想，我們除了拿著武鬥棒誓死戰鬥外，還有什麼選擇呢？」

其二是，呼籲新左翼黨派給予全面性的支援，藉此補強日大全共鬥。在九月十二日的街頭鬥爭後，果然有隸屬中核派的日大學生如此主張[341]：「我贊成全學聯介入。如果他們願意支持我們的日大鬥爭，作為行動隊站在前頭，我認為這場鬥爭絕對能獲得勝利。」

但從結果而言，日大全共鬥選擇了第三條道路。那就是想盡辦法把大學拉入大眾團交中，藉此讓鬥爭及早結束。

實現「大眾團交」

在一連串的街頭戰之後，九月二十四日，全共鬥向校方要求大眾團交，上一次要求是在八月四日，當時遭校方片面毀約。校方並未回應舉行大眾團交的要求，不過提出了讓步案。後因申請假處分與請來機動隊，最終反而引發反效果，加上各學部教授會要求理事會全部退職，以及全校確立罷課體制，九月二十一日的記者會上，大學當局拋出提案：撤銷集會與出版許可制度；改革本部體育會；全面公開會計內容；取消申請假處分，並且同意當文部省發下認可公文後理事會將全體退職[342]。

但對此提案，全共鬥方在二十一日晚間的記者會上聲明，「因為時至今日大學一直輕易毀約，我們實在無法相信校方的回答文書。理事會全員絕對有必要走到學生面前讓群眾確認。」校方則回應，如果是大約二十名左右的學生代表，將願意會面，但全共鬥仍拒絕，要求大眾團交。最後於九月二十九日，理事學部長會議上決定於三十日下午三點假日大講堂進行「全校集會」，這已經算是實質上的「大眾團交」[343]。

但如前所述，八月時大學當局公開表示，不承認日大全共鬥為學生方代表，那為何這樣的大學當局會答應與全共鬥進行「全校集會（大眾團交）」？關於這點並無留下決定性的證據，但有留下一些風聞。

根據橋本克彥的回憶，據說那是全共鬥幹部與大學當局秘密交涉的結果。橋本稱，「為何能達成九月三十日大眾團交，有力的傳言指出從九月十二日以後就有檯面下的事前交涉。全共鬥方推出全權代表一人，與代表校方意志的人物，通過居間人物溝通。他們之間討論了什麼，約定了什麼，至今依舊不明。我並無打算把這種溝通稱為高層交涉。但九月三十日的大眾團交是透過檯面下的事前交涉，做出事先約定後，才出現大致的劇本。」[344]

日大全共鬥與日大當局之間是否有過高層交涉，此事真相不明。但反全共鬥派，組成「日大有志會」的法學部四年級生佐藤松男也在一九六八年底給雜誌的投稿中主張此一說法。

據佐藤稱，自己的團體於九月二十四日、九月二十八日分別舉行第一次與第二次「大論爭集會」，「從該會延伸出來，由各學部的有志之士組成日大有志會，第一次總誓師集會於九月三十日（在兩國的日大講堂）舉行」，然而「學校當局突然在九月二十九日傍晚緊急公布，第二天下午三點將於同一場所，亦即日大講堂舉行全校集會。」根據佐藤的說法，大學當局判斷「與全共鬥會議之間的高層交涉並不具危險性」，故為了不使有志會舉行總誓師集會，所以決定在同一時間同一地點舉行全校集會[345]。

這段證詞稱不上確定性的證據。然而，同時代也有其他出版品指出有「高層交涉」，因此上述流言曾被傳布，顯然是個事實[346]。何況陷入無計可施狀態、顯出疲態的日大全共鬥，即便打算用高層交涉這種手段為鬥爭打開新局面，大概也不至於受到指責。日大鬥爭的最高潮，亦即九月三十日假日大講堂舉行的「大眾團交」上，從一開始就充滿混亂。

自一點起在日大講堂舉行集會的「日大有志會」學生們，指出日大全共鬥「不是中核派就是ML派，那些接受外部團體指令的一部分學生」，「不能代表我們」。接著他們批評「無視普通學生的意志，古田會長與秋田明大議長之間具有密約，欲藉此收拾事態」，參加者齊喊「粉碎全學聯！粉碎全共鬥！全學聯的打手滾出去！」口號[347]。

之後有志會的學生與終於抵達的全共鬥學生之間爆發爭論與摩擦。有志會的學生指責戴頭盔的全共鬥學生「對話的場合為何戴著頭盔啊」，「既否定教育，也否定日大，你們打算打造些什麼？社會主義國家嗎？荒唐至極。你們這些傢伙只會一味批評，根本沒有做出任何建設啊。」全共鬥學生則反駁，「戴著頭盔，舉行未申請的集會，我們只能透過破壞校方規則的形式搞運動，別無他法，不是嗎？」[348]

最終由經濟學部周邊趕來約兩萬名學生助陣，全共鬥方喊出「右翼滾回去！學校的走狗滾蛋！」的口號，趕走有志會與體育會的學生[349]。之後普通學生亦陸續前來集合。

這天，日大買下的前國技館，也就是兩國的日大講堂聚集了兩萬人，另一說聚集了三萬五千名學生[350]。其中大部分都是沒戴頭盔也未持角材的學生。對於入學典禮或畢業典禮至多只能集合約五千名學生的日大而言，這稱得上空前的大集會。前一天才宣布將舉行集會，此時竟然從一樓到四樓都坐滿日大學生，這樣的人數也展現出他們有多關心。四樓的地板甚至因為學生的重量而迸出裂縫。講台上的全共鬥幹部負責議事進行，下午三點半古田會長等理事們進場，學生們拍手歡迎並交雜著「理事全數退職！」的喊聲[351]。當時的報導稱，「古田會長睜圓雙眼說道『沒想到會聚集這麼多學生』，全共鬥會議的幹部則露出意外的表情，以為『古田不會又要毀約了吧？』」[352]。

審議首先由大學唸全共鬥送來的通知書開始。理事會附加的條件為「九月三十日午後三時起至五時止，必須嚴守時間」，「不得攜帶頭盔、角材、麥克風等入內」，「本集會由大學主辦，故需遵從大學指示。」全共鬥的學生們因此將頭盔與角材堆於一隅[353]。

但集會仍依照全共鬥的節奏來進行。全共鬥方宣言，「我們使用頭盔、棍棒作為防身工具，這是我們守護運動的防禦手段，必須確認這點。」此外，全共鬥主張此「全校集會」並非「單方面的說明會」，而是「大眾團交」，誘導出全部理事「承認大眾團交」的回應[354]。

全共鬥更進一步宣布：「我們已經不再是過往言聽計從的羔羊。我們已經清楚了解自身的自由、自己的態度，理解必須由自己打造日本大學鎮壓下絕對不會出現的，真正的日本大學」，會場學生聞言湧出大量迴響。這段發言展現出日大鬥爭中混合了確立「自身態度」的探索認同要素，以及打造「真正大學」的「保守性」大學觀[355]。

之後，全共鬥方逼迫校方道歉與進行自我批評。針對在大學指示下體育會學生動用暴力、片面毀棄大眾團交的約定、申請假處分與請來機動隊等事宜，讓理事進行自我批評，並迫使古田會長在誓約書上署名，還讓會長與各理事在保證書上簽名蓋章，承諾解散本部體育會、由學生自我管理學生會館、全部理事退職、不對鬥爭學生提出懲處名單等。

校方當初要求兩個小時的「全校集會」，但會議卻歷經十二個小時後才結束，此時已是凌晨三點。這段期間校方的出席者僅喝過牛奶，古田會長因疲勞過度而倒下[356]。各理事從學生處領到兩瓶牛奶與一個壽司便當，但據某理事稱，「學生什麼都沒吃，我們怎麼可能自顧自地吃壽司。」[357]

全共鬥提出的訴求幾乎悉數通過，在理事會上理事決定全體退職，但並非立刻全部退職。因此，全共鬥為了確認，與校方約定於十月三日再度進行大眾團交。全共鬥派的學生嚷嚷著「唉呀，古田這傢伙，又在給人添麻煩了」，「要確實遵守約定呀，你們這些傢伙可是教育人士吧」等等。最終在齊喊「打破古田體制！全共鬥繼續戰鬥！日大鬥爭獲勝！」的口號與紙片碎屑的彩砲後，以《國際歌》的合唱閉幕。當場雖然也可聽到一部分校歌的合唱，不過《國際歌》的聲勢顯然具有壓倒性優勢，這也顯示出氣氛有所變化，已與五月不同[358]。

然而，聚集的學生們並非全然一致。全共鬥的學生反覆向理事們要求，希望確定再度召開團交，此時會場內紛紛冒出「真固執」、「夠了吧，不是都知道了嗎」等吵嚷聲浪。此外，要求理事們承認全共鬥是學生們的唯一代表時，會場中也四處冒出叫嚷，促使改變議題。當時報導指出，「『團交』九十九%以上依照全共鬥會議的步調進行，但參加的學生成員廣泛，在由『學生大眾』控制共鬥會議這點上，也是事實。」[359]

在五月展開罷課後的第一百一十三天，「大眾團交」實際上以學生方的勝利告終。大部分的學生因鬥爭當初的訴求都獲得通過而沉浸在勝利感中，但也有部分學生抱持著違和感。

同時，有部分激進的運動者們則主張比大學制度改革更前衛的「校園自主管理」等訴求。作為其中一員的橋本克彥，對從一開始因大眾團交而與大學當局展開交流對話感到不滿，在會議結束之際思考「只有這樣的成果，值得加以承認嗎？」叫嚷著：「完了。解除罷課的話，校方又會逐漸展開攻勢，只要兩、三年又會恢復原狀。這就是日大啊。」[360]

另一方面，也有穩健派的普通學生認為，可以透過數萬學生的人數壓力以及長期的追究讓訴求通過，藉此達成大學民主化。此外有人也表示，在數萬人的大眾團交中，身為大眾的其中一員往往會遭埋沒，無法感受到人際交流也克服不了疏離感。當時的報導刊登了兩位普通學生的發言[361]：「『大眾團交』成為學生單方面要求校方承認的『人民審判』（當時中國文化大革命中對『腐敗分子』進行定罪的集體聲討）。這讓人感到悲傷，這種做法真的能夠解決問題，讓校園民主化嗎？」「『團交』的要求全都被承認了，為何我卻無法感到滿意，覺得自己好像參加了別的大學集會。離開會場時感受到的是無力感與焦躁感，以及今後對日大的不安感……。我們渴求的對話，希求的『團交』，卻無法滿足我的欲求。」

在各種想法交錯之中，大眾團交落幕了。被謠傳做過「高層交涉」的秋田明大議長這天在台上鮮少開口，團交結束後，他與全共鬥幹部前往深夜餐廳時則處於恍惚狀態，據說幾乎未與其他人交談[362]。

如後所述，秋田於一九六九年三月遭逮捕，他在被捕後的獄中日記如此寫道[363]：「我什麼也沒說。可以說，幾乎從未想過領導其他人這種事情。一個人去領導別人，對我而言，這種事情本身感覺就是一種罪惡。為此有一些人強迫我，或者利用了我。」「因為我感受到，當時我被放在那樣的立場，立足於一個深受束縛、無法動彈的場所。我極度厭惡那種狀態，卻又無計可施。」「從結論來說，我，大概無法扛起放在我肩上的重擔（雖然很不想承認此事！）」「但我不能逃離運動，逃避這件事情，在我思想的原點上就被我自身所否定，所以無論如何我都辦不到。」

如前所述，秋田在一九六七年羽仁五郎演講會上遭受暴行的事件中，感到「自己身而為人這件事情，都遭完全否定」。對這樣的秋田而言，即便新左翼黨派或大學當局把他當作「日大全共鬥議長」來利用，使他感到不快，他也無法轉身離開鬥爭。恐怕，對他這位謙虛且守規矩、「極為普通的學生」而言，在變得複雜的日大鬥爭中擔任最高指揮官這種角色，不啻是一種龐大壓力，所以大眾團交結束後，他才因放下重擔而處於恍神的狀態。

但秋田的苦難，並未隨這天而結束。團交隔天的十月一日，事態出現重大變化。

陷入困境的日大全共鬥

事態的巨變，起於佐藤榮作首相的發言。大眾團交隔天的十月一日，佐藤召開「大學問題閣僚懇談會」，發言稱「日大的大眾團交離經叛道」，「甚至走上破壞法律秩序的方向。現在，已經來到該把事情拉升到政治問題的階段。」如前所述，佐藤是由古田擔任會長的「日本會」總裁，他與古田為舊識。加上當時在日本全國超過五十所大學，都在紛爭中採取大眾團交的方式解決問題，此狀況波及全國，推測日本政府有意避免此種事態[364]。

此外，九月四日假處分衝突之際，因學生丟石塊而頭部受重傷的警視廳第五機動隊巡察部長西條秀雄，送醫後於九月二十九日死亡。三十日的各家報紙都報導「校園紛爭中首位死者，戰後公安事件的第三位犧牲者。」

前述的佐佐淳行於一九九五年如此敘述[365]：西條死亡之前，警視廳也同情日大鬥爭，「只要在大學內、校園自治的範圍要求民主化，就不會踏入大學出手干涉；走出校園在街頭搞武裝行動的場合，則做嚴厲的取締。這就是基本方針。」但西條死後，公安第一課長村上健舉行記者會，表達「到目前為止，我們抱著理解學生的心情，出手總有節制，但今後絕對不再如此。」「這件事影響非常重大，因為我們所有人都憤怒了。特別是為他舉行公祭時，大家見到兩個孩子哭泣、依偎在母親的身旁，更覺得『這絕不可原諒。』」

此外，《文藝春秋》刊登了西條巡察部長遺孀所寫的散文〈丈夫被武裝鬥爭所殺〉。該名遺孀指出，在全共鬥佔據的校舍寫有一句標語：「你每擲出一塊石頭砸中警察，就能得到一根『憩』[iv]香菸；每打中重傷十個警察，就能得到一根Peace香菸。」指責日大全共鬥[366]：「為了一根『憩』香菸，就殺了我的丈夫嗎？與其說是憎恨，更覺得那不是人該做的事情，我感到的是一種強烈的輕蔑與憐憫。」「這是學生會做的事情嗎？」

秋田明大議長在當時的座談會上說，「對於警官之死，感到心痛」，同時表達自己「對當局的憤怒」，亦即如果不請來機動隊，西條就不會死去。也有學生表示「我們對機動隊員的死去感到遺憾，但我們也有人雙眼失明，也有大量的人頭蓋骨骨折重傷。」[367]但據當時的報導稱，日大全共鬥內部亦有人指出「當時那可是一場激烈的戰鬥，當然會有人死掉」[368]。無論如何，社會上對日大全共鬥的觀感，因這位警官的死亡而變得嚴峻。

佐藤首相發言後，更支持警方採取強硬態度，十月二日古田會長等日大高層舉行理事會，決定拒絕出席九月三十日約定的於十月三日舉行的大眾團交。理由是「大眾團交不是對談的場合。三十日校方的意見遭到封鎖，在謾罵聲與推搡爭執等暴力中，校方只能做出違心的發言。我們無法期待三日的大眾團交可以成為冷靜對話的場域。」[369]某日大幹部談到，「閣議上佐藤首相批評大眾團交的發言發揮了影響力。」[370]

儘管如此，大學內部也強烈批評古田會長及其下屬理事會竟讓事態混亂發展至此，十月七日評議員會上全員一致同意，勸告理事們全數退職。九日的理事會決議現任理事應當全體退職，但也有理事反對退職，因此未如預期做出「全體一致」的決議，對於退職的決議還附加上選出新理事之前仍由現任理事續行其事的條款。此外也未訂出選出新理事的時間[371]。

不僅如此，在公布理事會決定的記者會上，記者提問「應當辭職，是嗎？應當表達什麼？是要辭職嗎？還是不辭職？」此時出席記者會的理事東李彥一邊彎曲手指有如比劃引號般說明「應當」後，又附加了一句「我不會提出辭呈。」[372]

秋田全共鬥議長召開記者會表示，「古田會長再度破壞與學生的約定」，「直到校方實現我們要求之前，絕不拆毀街壘」，並指出將在團交預定日的三日舉辦抗議集會。然而，參加此集會的學生卻不到兩千人[373]。

集會人數的稀少，反映學生們的失望與挫折感，畢竟集結數萬人的大眾團交也改變不了校方的態度。藝術學部的某位學生在一九六九年的手記上回想當時狀況[374]：「這個鬥爭即便最終走到大眾團交，依舊未能解決任何事情。我已經搞不清楚，現在究竟以什麼為敵在作戰了。」

iv 譯註：「憩」（いこい）與之後的「Peace」皆為日本香菸品牌，前者較為廉價，後者較高級，故可作為不同等級的獎賞。

到了十月五日，秋田議長及其下八人，因假處分時妨害公務與違反東京都公安條例為由遭到逮捕。之後秋田等人被迫只能轉入地下活動。

十月九日，全共鬥舉行全學總誓師集會，抗議政府介入與校方違背理事全數退職的承諾。但聚集的學生約三千人，可看出全共鬥動員能力明顯低落[375]。即便校方反悔九月三十日大眾團交的承諾，但日大全共鬥也提不出下一步方針，只是持續要求再次進行「大眾團交」罷了。

根據橋本克彥的回憶，九月三十日大眾團交結束後，在藝術學部即可明顯見到鬥爭委員會的活動不再具有活力。因鬥爭不如預期，未達成目的，「難以聚集學生參加運動者會議，在運動者會議上也幾乎沒有進行討論。」[376]

在此狀況下，加入新左翼黨派的成員仍獲得黨派提供的行動方針與情勢分析，據此他們得以做出明確的發言。新左翼黨派也對新加入的日大全共鬥學生下達指令，要求他們招募周遭的無黨派學生[377]。

不過厭惡這種風潮的無黨派學生人數並不少。根據橋本的回憶，「對這種不上不下的狀況，能以確信的態度講述政治性話語一事，本身就讓人難以信任，而這樣發言的人越是完整地陳述今後方針，就越讓人想轉身離去。對虛矯言詞敏感的人表示『竟然在這種時候高談闊論』，反而讓他們想要遠離前來招募的人們。」[378]

不過，大眾團交的成果因為佐藤首相的發言而遭背棄一事，反倒加速了新左翼黨派的滲透。因為，日大鬥爭既然無法在校內解決，便很明確上升、轉變為國家等級的政治問題。加入社學同ＭＬ派的三橋俊明如此回憶道[379]：

「必須打倒以佐藤發言的形式展現於我們眼前的國家。在這種不知該如何是好的時刻，能夠以完整詞彙加以說明的，就只有新左翼的黨派了。」「為了改變日大，不只要改變自己，也必須改變日本，為了這個目標，『黨』是必須的，這就是許多人的想法。」「我覺得，突然間自己的想法就被擄獲了。內心有一部分受到影響，認為不這樣推動日大鬥爭，就無法獲勝。」

新左翼黨派的滲透也在日大全共鬥內部引發分裂。據橋本回憶，十月藝術學部鬥爭委員會的成員遭日大全共鬥中樞的中核派高層策動，認定被視為第四國際派的藝術學部鬥爭委員會執行部不夠活躍，故導致鬥爭效果的低落，開始派發訴求解散當前執行部的傳單[380]。

不滿鬥爭陷入困境的運動者贊同這樣的批評，最終藝鬥委現任執行部遭解散並選出新的執行部。接著，新執行部的成員於十月十三日舉行「貫徹罷課一百二十日紀念集會」，各新左翼黨派運動者也從校外蜂擁而來參加。而當時集會上經常發生的各新左翼黨派為了面子而爭搶發言順序的狀況也於會上發生，藝鬥委的主席制止無效後，甚至放棄會議主席的職務[381]。

這天的集會大約聚集了一千名學生，包含全共鬥同情者在內的普通學生皆對新左翼黨派的內鬥感到厭惡不已。據橋本稱，「藝鬥委書記局在十月十三日的『貫徹罷課一百二十日紀念集會』過後，幾乎完全失去影響力。」一九六九年發行的書籍記錄道，當時日大的情勢是，「在普通學生思考能否理解新左翼黨派思想之前，便對黨派爭端感到厭煩。」[382]

橋本自承「這段時期幾乎都沒什麼發言，只是鐵青著臉。」據他稱，「我們原本應有引以自豪之處，那便是自行思考，面對眼前事物，掌握自己的處境，這樣的自信。」此處指涉的應該就是日大全共鬥中喊出的「主體性」。但橋本在這段時期「認為，以這種想法一路奮鬥過來的一切，似乎都失去了效果」，「所有的行動都必須放在新左翼各派的基本戰略之下，對此我已完全放棄抵抗。」[383]

各學部的鬥爭委員會舉行自主講座等活動，試圖在街壘內凝聚人氣，以恢復鬥爭初期的活力。根據橋本的說法，「這段時期各學部中似乎為了彌補提不出明確方針的空白感，拚了命地做自主學程。」[384]在為了超越既存大學的意義上，他們也提出了「反大學」的口號。

但此時期的自主講座已然失去暑假初期的那般活力與新鮮感，逐漸成了僅為在街壘中聚集學生的手段。如第七章說明的橫濱國大鬥爭中亦可見到的狀況般，學生們並無能力自行籌設優秀的學程。

許多日大的「自主講座」也停留在細讀雜誌或委託名人前來演講的程度。左派評論家武藤一羊在當時的座談會上如此敘述[385]：「見到日大某學部的自主講座計畫後讓我感到吃驚，簡直就像《中央公論》的標題啊。」「要說學生們是否會前來聆聽，我看是未必吧。」

「反大學」這個口號也缺乏具體內容。據當時的雜誌報導稱，詢問日大全共鬥學生所謂的「反大學」是什麼時，他們只回答：「反大學，是很簡單的事情啊。聚集在街壘內本身就是反大學，與朋友展開激烈爭論，更是反大學」，「那是極其簡單又極度困難的事情」等[386]。

藝術學部的某學生於一九六九年的手記中如此寫道：「為否定目前的大學學程而實施的自主講座，太過缺乏內容。」「街壘逐漸讓人感到空虛，所以才前來一探」，但卻讓人感受到「我們最初理想中的街壘，現在竟然落到如此處境。」[387]

在一九六二年的數學部事件中被逐出日大的福富節男於一九六九年寫道：「最終，自主講座淪為鬥爭指揮部的馬戲團表演，只是用來聚集學生的手段，沒有成為鬥爭的主要課題。」他認為，新左翼黨派主張的「為日大鬥爭加上『粉碎安保』等口號，能使鬥爭更具革命性之類的理論，我個人表示反對。將日大鬥爭的課題更廣泛地『納入』到安保鬥爭或反體制運動，反而讓日大鬥爭退步。」[388]

在此情勢下，秋田明大於一九六八年十月的座談會上表示[389]：「絕對沒有所謂普通學生游離於領導者的狀況。這場戰鬥的形式是由日大十萬名學生對上大學當局。我不認為有一個組織領導學生，而是學生們基於需要形成組織，從直接民主中打造出組織。」

帶著初期的日大全共鬥形象來審視當前事態的知識分子和新聞工作者，或許有些人相信這段發言。但到了十月，這段發言便讓人懷疑了。

十月二十一日，國際反戰日到來。如第十三章後述，一九六八年這天，新宿發生大量學生、群眾闖入新宿車站內，其行徑甚至到了適用狹義動亂罪的狀態。此外，社會黨、總評派約動員約十八萬人，社共共鬥動員約五萬人，在日本全國舉行集會遊行。各新左翼黨派方面，社學同出動前往防衛廳；革馬派、構改派、社青同解放派前往國會；中核派、ＭＬ派、第四國際等前往新宿車站阻止美軍燃料輸送車。

日大全共鬥的運動者們，已加入各新左翼黨派的人即遵從該黨派指示，而其他運動者則以「選擇活動最能引人注目的黨派，加入該隊伍」的方式走上街頭。根據橋本克彥的回憶，他們「只是為了給反權力的行動尋找一個空間，無論前往防衛廳、國會、新宿站，什麼地方都行。」橋本認為，「這樣一來街壘的意義已然變質，僅僅成為〔依新左翼黨派〕時程表規劃的出擊陣地。實在是荒謬至極」，因此選擇留在街壘內[390]。

然而，日大似乎已不容分說地被當作新左翼黨派據點來運用。理工學部學生組成的日大全共鬥情報局內，原本日大學生使用的無線電收發機被用於監聽警方無線電，各新左翼黨派打電話到日大理工學部，打聽警察與其他派系的活動，藉此決定活動方針[391]。

在不清楚鬥爭將如何發展的狀態下，全校依舊維持罷課體制，但只要罷課持續即無法上課，也無法取得學分，因此無法升級、畢業、就業，這種危機感逐漸在普通學生中蔓延。特別是大四生，「因各學部辦公室遭封鎖，大學無法發行各種就業時需要的文件，受害範圍甚廣。」[392]

從授課時程來看，如果無法在十一月十八日前解除罷課，重新開始上課，日大的四年級學生必然全數遭到留級。十月三十日，日經聯舉行經營法曹會議（司法界人士會議），提出「即便已經決定錄用，但企業方仍可片面取消該決定」的見解。川崎重工的社長砂野仁發言表示，「最近的學生運動家宛如暴徒啊。企業當然不會錄用這種搞亂秩序的學生吧。」[393]

十月十五日，某決定錄用日大商學部學生的公司，終於派來人事部負責人，表示「決定錄用後已經等了一個月，但紛爭毫無結束的跡象。我們公司決定將不從尚處於紛爭中的日大任用新職員。」以此事件為契機，獲得錄用的學生普遍對鬥爭的態度有所動搖[394]。

十月中開始，法學部、藝術學部、理工學部、生產工學部、農獸醫學部等教授會提出大學民主化以及言論、出版、集會自由等改革案，並為解決當前事態及重啟授課，開始嘗試與學生對話。面對重新開始上課的時限，各學部教授於十月二十八日組成日大教授聯合，決議要求理事全數退職與進行校園民主化[395]。

然而該教授會的改革案之中，也包含下述內容[396]：「一如九月三十日的『大眾團交』般，在詭譎氣氛下得出的結論，即便其中有合理的內容，也無法加以承認。」「築起街壘，藉由頭盔與角材行使『武力』的學生，作為學界中人實在無法認可這種行徑。」「學生之間流傳著：一部分的書籍類遭部分學生搬出校外，或者只要想要便可取走。……這種行為不僅缺乏身為本校學生的信義，在刑法上也當以犯罪論處。」

這部分是對日大全共鬥的指責。換言之，此舉可視為教授會企圖排除全共鬥，對普通學生提出改革案，藉此收拾事態。

十月二十五日，齒學部教授會與學生們為解決當前事態，舉行了自家學部的團交。日大全共鬥僅被准許作為觀察員，進入位於千代田區公會堂的會場二樓。全共鬥學生打算進入一樓時，與齒學部普通學生發生衝突，之後又以旁觀喧鬧的方式阻止議事進行，議長只能以自身權限延期團交[397]。

針對此齒學部團交，橋本克彥有如此紀錄[398]：「齒學部打算尋求『解決』，反映出畢業的時機、留級的問題迫近，以及日大鬥爭持續面臨困境等狀況。中間派的普通學生見到延畢或留級等『實際損害』及於自身，從這時期開始揮舞起校園正常化的旗幟。」

面對普通學生的動搖，日大全共鬥如果不提出大眾團交這唯一戰術以外的方法，便會落入失去支持的危險中。齒學部團交流會後的十月二十九日，日大全共鬥舉行全校總誓師集會，但秋田議長考量到難以全校規模實行大眾團交，提出今後將透過各學部團交解決事態的方針[399]。但若進入各學部團交，即無法保證全共鬥能握有主導權。

在此期間，大學當局也對街壘實施攻擊。十月十四日位於郡山的工學部遭武裝的體育會學生襲擊。十一月八日凌晨一點半，藝術學部的街壘被俗稱「關東軍」的日大、拓殖大學、東海大學等體育會學生約兩百人，率領右翼團體成員使用日本刀、各種刀具、鐵鍊等進行攻擊。藝術學部的街壘內大約只有四十人，他們拚命防衛，扛下對方攻擊，直到隔天早晨六點，全共鬥的支援部隊約四百人趕來，方才擊退「關東軍」[400]。

隔天早上，逃走較晚的體育會學生成為全共鬥的俘虜，被要求做自我批評。另外，淪為俘虜的右翼團體成員「關東軍」領導人，被毆打到失去意識，藝術學部的空手道部主將「雙手被放在桌上，一根一根地反折手指，之後再以磚塊砸爛，並拿鐵棒亂毆身體各處，造成腳部三處、手腕一處骨折」的虐待。

藝鬥委的學生中也有人出面制止此種私刑。但日大全共鬥學生對右翼與體育會憎恨已深，接連表示「不需要把他們當人」、「為了錢而出賣自己的傢伙」[401]。更何況，這天全共鬥的學生還在為前晚雙方造成一百多人受傷的襲擊感到憤怒，「根本無力阻止」。

在私刑中手被砸爛的空手道部主將，也就是本章前面曾提及，於鬥爭初期造訪散發批判大學傳單的文學社團，表示「我懂你們想說的，但不要用錯誤的方法」的那位男性。橋本克彥曾與這位主將住在同一租屋處，在回憶錄中如此描述他：「T非常討厭空手道部學長對學弟無可救藥地動手施暴，從一年級起，就表示『運動部的這種習慣，與空手道毫無關聯。到了我們的世代，一定要停止這種霸凌學弟的惡習』，就是這樣的一位男人。」

橋本如此描述後，又接著寫道：「這位T襲擊街壘因而負傷。無論是敵是友，他只是一個受傷、流血的年輕學生。在這片血海中，日大的老人們拚命尋求自保，拿著不成道理的道理不斷正當化自身行徑，實在是愚蠢至極。老人們的作為，只是一種利己主義，卻拿『反共』這種意識形態粉飾自己的行為。只要他們賣弄這種粉飾，就能挑起學生之間無休止的對立。其結果，就是雙方有一百多人輕重傷。T也可說是這些老人們行為下的犧牲者吧。對此我只感到一種無名的憤怒。」

但日大藝術學部長則貼出公告，指出「十一月八日凌晨的闖入事件，大學與學部全然不知情。」[402]接著以此事為藉口舉行警備、公安兩部會的高層會議，確認「今後校內發生重大非法事態時，必須毫不猶豫請來警隊」，確認此要旨後發出公文給管區警察署長[403]。

同時，面對留級與延畢危機，十一月十日，日大全國家長大會於日大講堂舉行，約有七千名擔心子女就業的家長聚集，要求儘速解決當前事態並重新開始上課。也有參與家長表示，「我們有的從北海道，有的從沖繩，專程遠道而來。」在會場上，當負責人報告有相當多的公司通知「萬一學生留級，將自動取消錄取」時，會場一片譁然。古田會長並未出席此會，僅送來一份聲明，稱「因諸般事宜，無法出席今日大會。」[404]

此次家長大會，全共鬥派學生約有三百人要求出席，而家長多指責全共鬥乃此次紛爭的元兇。好不容易等到有家長發聲「也讓學生說幾句話吧」，法鬥委委員長才一邊流淚一邊訴說：「我們也是為了民主化而拚死在戰鬥啊。」家長雖然同意讓未能解決事態的理事全數退職之要求，但其最終目的還是在於要求儘早恢復上課[405]。

在這段期間，大四生也相當煎熬。十一月十四日，法學部辯論會在日大講堂集合約三百名四年級學生，確定重啟授課與撤除街壘，並打算動手拆除法學部的街壘，為此與全共鬥方學生發生小衝突[406]。

日大全共鬥為處理此等事態，於十一月十五日舉行全校四年級生大會，仿效早大鬥爭等前例，嘗試組成四年級生聯絡協議會。在此大會上，於文理學部組成之四年級生聯絡協議會表示，「今天四年級生正式組成『四聯協』，雖然艱苦邁向日大鬥爭的勝利，仍須互相鼓勵，加緊團結，戰鬥到最後。」

但聚集參加此全校四年級生大會的大四學生，不過約三百人之數[407]。

此時，日大鬥爭與東大鬥爭共同成為大學鬥爭的核心，受到社會上的關注，但實際上內部已經陷於困頓。困境中的日大全共鬥於十一月三十日重新向大學當局要求大眾團交，但想當然爾校方拒絕了。

與東大全共鬥的共鬥實際內情

困頓中的日大全共鬥，希望藉由與校外勢力的連結找出一些出路。

十一月十七日，秋田明大議長與東大全共鬥的山本義隆議長舉行共同記者會，十一月二十二日宣言舉行「東大、日大鬥爭勝利全國學生總誓師大會」。日大全共鬥把運動定位為：「帝國主義者對大學的攻擊，不僅僅是停留在因應資本的經濟要求進行大學改組，還透過帝國主義的意識形態與武裝鬥爭改組大學，如果我們能看清反動政治支配體制欲插手大學的惡質意圖，現在就需要全國一百四十萬學生如鋼鐵般團結，應對帝國主義的全面攻擊。」[408]

十一月二十二日，日大全共鬥在經濟學部集會，也遊行至中央大學，與等候的中核派及社學同隊伍合流，邁向東大安田講堂前的會場，但遭到機動隊激烈的管制。安田講堂前聚集了日大、東大全共鬥派與各新左翼黨派約兩萬名學生。

集會上，東大全共鬥與日大全共鬥提出共同文件。其中訴求「作為培育官僚和菁英場域的東大，與勾結壟斷資本、為培育中層勞工持續貫徹營利主義並實施恐怖政治鎮壓學生自治的日大，實際上只有發起空前規模的罷課鬥爭，才能解除帝國主義者造成的危機」，「東大、日大鬥爭為全國校園鬥爭的重大關卡，其勝利或敗北，將影響到全日本的學生，以及全日本人民的未來。」日大全共鬥的田村書記長也發表演說，指出「東大是培育日本帝國主義高級官僚的機構，日大是培育上班族的機構。我們必須打破這種現行體制。」[409]

這種定位，顯示日大全共鬥不僅受到新左翼黨派的影響，也受到《思想的科學》十一月號發布，於第八章前述的九大教授倉田令二朗〈佔領的思想〉影響。實際上，倉田是一九六二年的日大數學部事件中遭日大強制開除的專任講師之一。根據他上述的論文，日大在培育中層勞工上對經濟高度成長與現代化做出了貢獻，乍看之下「封建」的日大體制，正好符合那種現代資本的要求。因此，倉田如此定位[410]：

「落後性並非日大的特徵，而是更資本主義的、更佐藤自民黨大學式的特性，才是日大的特徵。」「形式上看來封建、落後、黑暗政治般的狀態，正肩負起最先進的，對資本主義、帝國主義提供服務的機能。」「因此，全體學生對所有這些情況說『不』的戰鬥，並非如早慶般那種以要求現代化為目的，而是打算撼動現代日本資本主義的一大支柱——難道對日本的統治階層而言，日大的存在意義比不上八幡製鐵嗎——換言之，這是一次革命。民主化鬥爭一詞雖然沒有太大錯誤，但這個說法也沒能闡明任何現今發生的事態。」

此前的日大鬥爭多被評價為落伍的大學民主化鬥爭，「其他大學可見的學生運動，都是超前日大一步，甚至兩步，甚至到了訴求『人權鬥爭』的境界」，或者「日大騷動就是所謂學生運動中的『資產階級革命』階段」等等[411]。但倉田的定位則把日大乍看「封建性」的要素，視為一種回應現代資本主義要求的方式，因此日大鬥爭是一場面對日本資本主義總體的進步戰鬥。

對被嘲笑為「笨大學生」的日大運動者而言，對於日大鬥爭被定位成這才是真正的、進步的鬥爭一事，許多人感到開心。日大鬥爭不是「民主化鬥爭」而是「革命」，是與「資本主義」、「帝國主義」的對抗與戰鬥，倉田的此番定位，在已受新左翼黨派影響的日大全共鬥內部似乎廣為人知。

然而與此同時，對基於「民主化鬥爭」而支持日大鬥爭的人們而言，這種定位卻讓他們失去認同感。秋田明大在十一月十七日與羽仁五郎的對談中有如下敘述[412]。

據秋田的說法，輿論對日大鬥爭的支持共可分四種。第一種是「因為日大是落伍的大學，因此認為理所當然在大學裡會產生文藝復興般的行動，並對此抱持同情。」第二種是「針對家長辛苦賺取的血汗錢遭校方單方面挪用，為此感到憤怒。」第三種是，因全共鬥的組成超越了過往間接民主制的自治會，因此嘉許「學生在此鬥爭中，正在實現直接民主主義。」第四種是基於「這場鬥爭澈底戰鬥到最後，可以動搖當今日本社會的支柱之一」的情況認知。秋田表示，當下狀況的特徵是，第一種與第二種逐漸在消退，第三種與第四種支持則在擴大中，而且擴大力道「非常強勁」[413]。

秋田在此對談的最後說道[414]：「日大學生在體制中被培養，作為沒有思想亦不批判的中流技術者，被當成商品輸出給社會。我認為對此展現明確反抗之意，就是本次鬥爭的意義。」

秋田的此番主張，顯示日大全共鬥已修正定位，從日大鬥爭初期的民主化鬥爭，轉變成對資本主義「人才培訓機構」的鬥爭。確實也有人歡迎日大鬥爭的這種變化，但這些人不過是新左翼黨派或東大全共鬥運動者，又或者左翼評論家等隱藏的群體。秋田說明的「第一種」、「第二種」群體的支持減少，從社會整體來看其實影響相當巨大。

此事在日大內部也是如此。一直以來贊同鬥爭初期民主化理念、支持日大全共鬥的學生們，開始紛紛背離全共鬥。一九六九年出版的書籍中指出，十一月二十二日的「東大、日大鬥爭勝利全國學生總誓師大會」上，全共鬥出動之時，日大「學生們清楚認識到全共鬥的思想，與自己的初衷有所不同」[415]。

如前所述，此「總誓師集會」上主張「現在就需要全國二百四十萬學生如鋼鐵般團結，應對帝國主義的全面攻擊」發起抗爭。然而，把日大鬥爭當作民主化鬥爭的人，對聲明日大鬥爭是與「日本帝國主義」的鬥爭一事，明顯感到違和。而這個集會雖以東大、日大全共鬥合作為號召，但實際上則是各新左翼黨派的共同集會。且在安田講堂前的集會上，新左翼黨派代表們照例爭奪發言順序，各自以自家派系的主張進行演說，對其他派系的演說發出激烈的奚落聲。

雖說是與東大全共鬥的連帶集會，實際上卻是新左翼黨派的聯合大會。得知此情形的日大全共鬥學生，有些人遂只參加在日大的集會，而不去東大。其中一人如此說道[416]：「我們正與世上的不公不義對戰。但不是為了革命而戰。」

在前往東大的日大全共鬥學生中，許多人見到集結於安田講堂前的新左翼黨派代表們使用難解的左翼用語闡述自家派系意識形態的演講後，只感到格格不入。一九六九年由日大新聞研究會編纂的《日大紛爭的真相》中，記錄「一些學生一直以來將日大鬥爭視為把日大改革成真正民主大學的鬥爭，不可否認，對這些學生而言，在東大的集會上見到各派的意識形態論爭會產生違和感。」[417]

當時的報導也傳達出同樣的事情。報導稱，因為參加十一月二十二日集會的日大全共鬥學生，大多是只關心「我們的鬥爭究竟是正是邪、是善是惡，不要其他沒必要的思想」的無黨派學生，「抱持這種自豪前往參加的日大學生，對意識形態論爭的內容完全無法親近，在抱持某種違和感的狀態下離開。他們只留下一些充滿偏見的情感，如『東大鬥爭啥的，總之就是菁英的鬥爭啦』，『他們看不起我們日大的鬥爭吧』等等。」[418]。

日大全共鬥的幹部也如此想。一九六八年底，東大、日大全共鬥的幹部座談會上，日大全共鬥書記長田村正敏如此表達十一月二十二日集會的感想[419]：「日大同學聽到東大同學的鬥爭報告時，我想很明顯地，他們都聽不懂。」其中的原因之一，就是因為東大全共鬥或各新左翼黨派的演說「聽起來都是以批評日共為主。」

如前所述，在日大連民青都僅是弱小集團，民青的同盟成員提到「只能暗中祈求」日大全共鬥能獲得勝利。新聞工作者之中也有人受限於初期日大鬥爭的形象，至一九六八年十一月仍舊寫「日大之中不存在新左翼黨派」，但桐生三郎則記道「日大全共鬥的背後沒有新左翼黨派這種說法，不過是一種神話。我認為之所以會有這種說法，或許是為了確保不呈現新左翼黨派本身帶來的負面影響，避免摧毀學生群眾在強大的大學權力之前做出的努力。」[420]即便有這層原因，但其實暴露在體育會或右翼暴力下的日大全共鬥，也無餘裕與民青進行武裝內鬥。

但如第十一章所述，在東大的狀況是，東大全共鬥及支援的新左翼黨派將對民青的內鬥日常化了。因此，東大全共鬥或各新左翼黨派的演講，內容多是批評共產黨與民青。因此當日大全共鬥的學生聽到不提大學當局蠻橫與右翼威脅，只批評共產黨與民青的鼓動演說時，自然是「無法理解」。

但與東大全共鬥接觸，也影響了日大全共鬥。一九六九年二月號的《情況》雜誌刊登了東大、日大全共鬥幹部〈反大學〉座談會，其中秋田明大在十一月二十二日集會後表示「必須立即開始反民青」。同席的日大全共鬥成員也說，「因為〔從東大〕回來的同學諸君這麼說：『對於民青，就算是只在理論層次上，也得給他們一些教訓。』為此我們閱讀並研究了《兩階段革命論批判》等書。」[421]

亦即，日大全共鬥接觸東大全共鬥後，得知民青成員僅聽從上層指示，自身沒有對社會實際的想法，從而被灌輸對民青的敵對情緒。如此一來，日大全共鬥更加速變質了。

法學部鬥爭委員會如此總結十一月二十二日的集會[422]：「日大鬥爭運動者的弱點在二二集會中暴露無遺。關於日共＝民青的問題，面對普通學生呈現出來的黨派認同，他們說服大家採取更直截的反對態度，放棄在正確方針下團結全校學生的努力，加上無力論述日共的真正問題，暴露出這些運動者的弱點，呈現出一種有如普通學生般的，在思想上和理論上的機會主義。」如此，日大全共鬥自十一月二十二日起把日大鬥爭擱在一旁，十二月至一月以支援部隊的形式參加了在東大與民青的內鬥。

在武裝內鬥的場合，一路以來與體育會及機動隊作戰的日大全共鬥，遠比東大全共鬥更強。據當時的報導稱，「日大全共鬥中的無黨派部分參加了東大鬥爭，他們在集會時不發一語，對他校新左翼黨派的長篇大論，留下了深刻印象，但展開武力鬥爭後，他們覺得這些人都是『光說不練』，因而變得更有自信。」[423]在東大全共鬥中，人們常說：「日大學生與（菁英的）東大學生不同，他們沒有什麼好失去的，所以更加義無反顧」，因此他們在武裝內鬥中方能如此強大[424]。

當然，也有人對日大全共鬥的轉變表達疑慮。但那些認為應優先從事日大鬥爭並改良內部制度，或許不該全面投入打倒全國資本主義體制的東大鬥爭的主張，卻被視為應加以克服的「日大國族主義」。一九六九年出版的日大全共鬥學生手記中，也可見到「我落入了打倒古田、改革日大的『國族主義』思想中，一直無法脫離改良鬥爭的觀點」的說詞[425]。

秋田明大在一九六八年十月的座談會上表示[426]：「最初的時候，大家都覺得只要這麼做就好」，但「在鬥爭過程中大學與社會體制融為一體，我們才知道想要改革，必須面對許多非常複雜的因素。」確實，只要不改變日本的體制，即便日大獲得民主化，也無法改變日大是「廉價上班族」培訓機構的事實，這樣的說法的確有一定見地。當佐藤首相介入促使大學背叛大眾團交的約定後，校內鬥爭陷入困境的日大全共鬥幹部會萌生上述想法，也不無道理。

然而，打倒日本的資本主義一事，遠非日大全共鬥的力量可以達成。許多支持日大全共鬥的學生即便渴望日大民主化，卻不認為日大鬥爭可以打倒資本主義。面臨就業危機而立場動搖的大四生，其行動即展現了這種想法。

參加東大鬥爭使日大全共鬥增加了與新左翼黨派合作共鬥的機會。對此不滿的人往往被告知需克服「新左翼黨派過敏症」。左派的議論者中也有人表示，「即便在〔日大全共鬥的〕鬥爭委中，仍存在著對新左翼黨派的過敏症，這些人大概也會迅速被現實所磨練。」[427]

十一月二十二日之後，新左翼黨派的滲透加快了。根據三橋俊明的回憶，日大的社學同ＭＬ派的運動者散布在各學部中，但日大成立正式支部，則是「與東大連結後才活躍起來。」[428]

這種傾向也造成部分學生脫離了日大全共鬥。據小中陽太郎稱，「以十一月二十二日為界，日大全共鬥中的右翼、帶有黑道氣質的部分、代代木〔共產黨〕的部分開始脫離。」[429]在日大全共鬥中也有贊成安保條約但欲打倒日大體制的學生，還有希望日大民主化的民青派等不同立場的學生。該部分的學生當十一月二十二日日大全共鬥明確與新左翼黨派共鬥的態勢後，即選擇離去。

當日大全共鬥在東大與民青進行內鬥後，日大的民青成立「日大勝利行動委員會」，批評「日大全共鬥一部分的執行部，自九．三〇之後就未提出任何負責任的方針」，「決定與孤立的東大全共鬥打造共鬥體制，這對獲取日大鬥爭的勝利是有害無利的行動。」430據某日大全共鬥學生稱，他身為民青同盟成員的朋友評論道，「全共鬥直到〔九月三十日〕大眾團交為止，都進行著認真的鬥爭。」[431]這是在東大鬥爭中日大全共鬥開始以民青為內鬥對手後，由民青成員提出的評價，故參考時多少得打些折扣，但可以推測，大部分的普通學生對全共鬥的評價，與此評論並無太大差異。

之後，日大全共鬥頻頻被東大鬥爭動員，但東大全共鬥卻從未組織性地支援日大鬥爭。從結果來看，事實是日大全共鬥單方面地被利用在東大對民青的內鬥上。如果又考量日大全共鬥因此出現脫隊者，那麼可說與東大鬥爭的共鬥僅帶來負面效果。新聞工作者平栗清司在一九六九年二月的報導上如此敘述[432]：

……去年九月三十日的大眾團交後，很明顯無法提出有出路的鬥爭方針，〔而與東大全共鬥的合作中〕隱含著從東大鬥爭中尋找出路的心情。

……這場對東大鬥爭的支援，卻有一點誤判，那就是對普通學生缺乏說服力。在此之前與全共鬥運動者一同行動的學生們之間，開始冒出「我們是為了打倒古田才來參加的，現在卻……」「最近，我越來越搞不清楚全共鬥在搞什麼」等聲音，也發生大規模的脫隊。

……無論是全共鬥的秋田議長或是田村書記長，也都反省道「日大鬥爭中還有許多未澈底戰鬥的部分，在此狀況下加入東大鬥爭、進行全國鬥爭，違背了我們在群眾心中的印象啊」，「我們的力量根本還沒到那個階段呀。」

當日大全共鬥匆忙加入東大對民青的內鬥作戰時，卻未能對日大鬥爭提出任何解決方案。秋田明大在一九六八年底與羽仁五郎的對談上，只表示「具體應以何種形式開展〔鬥爭〕，目前還很難說。」[433]某日大全共鬥的學生，於一九六九年回憶將要參與在東大對民青內鬥作戰的時期[434]：「從東大回到藝術學部街壘時，我對日大鬥爭行向何方，感到懷疑。」

全共鬥被趕出日大

同時，校方仍持續攻擊街壘。在十一月八日「關東軍」夜襲藝術學部後，校方以對事件現場進行蒐證為由，於十一月十二日請來機動隊。橋本克彥記錄道[435]：「要說這種做法很經典，確實也是很經典。讓右翼學生實施襲擊，之後以事件為藉口將左翼學生一網打盡，加以逮捕的手法，正是日大當局的一貫伎倆。」

機動隊進入之前，為澈底抗戰而留下的人數不到五十名，真武藝鬥委委員長等人計畫先撤離，之後再設法奪回。橋本回憶道，「離開者與留守者之間發生了痛苦的情感交流。」據說選擇留下的人之中，約半數都是從鬥爭初期便一直參加的學生[436]。

十一月十二日，約一千名機動隊來到藝術學部。橋本如此記錄[437]：

很詭異地，沒有人發怒，也沒有人過度的反應。……大約五十人。三三兩兩的學生在各個重要的地點站著。

此時此刻，藝鬥委的勢力已經下降到不到藝術學部學生總數的百分之一。六月總誓師以來，雖然有學生進入替換，但經常都是百分之一的人數在支撐作戰。所有人一直以來都用自己的時間在自己的位置進行戰鬥。

為何這麼做？因為大學當局太過頹廢，讓人感到憤怒。因為看清了那種頹廢之中，帶著人類本質性的頹廢，以及盤繞著這個體制的本質。

為了什麼這麼做？從根本意義上來說，是為了人權。為了證明人支配人並因此洋洋得意的愚蠢人類歷史，跟史前人類並無不同，無論何時何地都在上演。

為了確認自己透過闡述此事，得以享有自由。

而且，也為了在自由面前無須擔心受怕的自己。

為了給言語及行動做一個了結。

為了想確實地活下去——。

即便鬥爭的一部分遭新左翼黨派的理論滲透，但日大的每個學生內心深處，大概都懷著這樣的心情。

但面對一千人的機動隊，不到五十人以投石應戰，根本沒有作用。被追趕至屋頂的學生們肩並肩唱著《國際歌》，也在此時遭到機動隊員逮捕，被毆打並戴上手銬。

待機動隊撤退後，全共鬥從各學部集結支援部隊，奪回遭廢棄的藝術學部街壘。但因這天的大量逮捕，藝術學部鬥爭委員會實際上已然毀滅。據藝術學部的某學生稱，此次大量逮捕後，「許多同學墮入虛無狀態，日大鬥爭也見不到進展。這種態勢也助長了與東大全共鬥進行『連帶合作』，到一九六九年一月更轉為與〔在東大的〕日共＝民青進行武裝內鬥的形式。」[438]

警察則持續鎮壓日大全共鬥。十一月十三日時，經濟學部二年級的鬥爭委員長因涉嫌暴力傷害行為遭到逮捕。十四日日大全共鬥兩名副議長、十七日法學部鬥爭委員長、十八日經濟學部鬥爭委員會運動者，各被依違反都公安條例或暴力傷害行為嫌疑加以逮捕。十一月二十四日，以對西條巡察部長負有傷害致死嫌疑逮捕五名運動者。據稱此時期「拘票接連不斷，幾乎每天都有一、兩人與具實力的運動者被鎖定、逮捕。」[439]

同時，自十一月二十四日起，經濟學部針對大四生與短期大學大二生展開「疏散授課」，亦即為那些擔心錄取資格遭取消的學生提供集中授課，讓他們取得所需的畢業學分。此時避開了全共鬥佔據的大學校舍，利用在栃木縣、千葉縣、輕井澤等處的日大設施做疏散授課。法學部與商學部也於十二月十六日起開始疏散授課。因受限於日程，必須把六週分量的課程在六個小時內消化完畢，是極度速成的課程，但許多害怕延畢的學生仍前往參加[440]。

據稱，講授這項疏散授課的教授，手持課本以毫無熱情的語氣對學生們說[441]：「再怎麼說，這是把一年份的課程在六天之內講授完畢。以普通的速度來學習是不行的。所以，我會適當地跳過一些部分，你們自己也閱讀，期末的考試時，只要寫下感想，就讓各位通過。」

全共鬥對此發出反彈，主張「重啟授課是分裂鬥爭推動的行徑」，「這與鬥爭之前的古田體制沒有區別，上課本身被形式化，不管什麼都扯上學分，這是把日大學生商品化的態度」，呼籲從上野站搭乘巴士前往疏散授課的大四生罷課。但被說服的僅有一部分人，大部分的大四生都回應「全共鬥滾回去」，「民主化什麼的與我們無關。我們只要畢業就好。」[442]

一九六九年出版的書籍中寫道：「此時，全共鬥為了取得大四生的支持，應當思考新戰術，重新組織」，但「他們只是派出帶著武鬥棒與頭盔的部隊，嘗試做一些毫無作用的阻礙。」十二月十六日，文理學部教授會進行學部團交，提議在維持街壘的狀態下，僅為大四生授課，但全共鬥認為該提案「極其荒謬」，就此停止對話[443]。

從日大全共鬥的態度可以看出，從他們接觸新左翼黨派及東大全共鬥起，便已學到大學是資本主義社會的人才培訓機構，即便將此人才培訓機構「民主化」也於事無補。依照這樣的思路，即便校方同意維持街壘，但仍要繼續授課把畢業生打造成「人才」大量輸出給社會，他們當然會認為「極其荒謬」。然而，這種態度也日益失去普通學生的支持。

全共鬥派的學生中也有煩惱要不要接受授課的人。其中一人雖然已被錄取，但表示「我也十分煩惱。但……當我年老回顧自己人生時，如果此時能以不虛偽的自我，不妥協地貫徹日大鬥爭的戰鬥，我想我會感到非常滿足」，最終拒絕疏散授課[444]。

同時，在鬥爭初期參加全共鬥，但之後接受疏散授課的大四生如此敘述[445]：

對我而言，至少一九六八年的街壘罷課已經獲勝，之後我想結束罷課，離開日大。……我也想多留一年在日大繼續戰鬥。……那麼一年過後，我就畢業嗎？如果經過一年，街壘仍舊未能解除，面對這種狀況又該如何？除此之外，屆時還有七〇年這個重大的課題，如果一直保持這種想法，便不知何時才能離開大學。

……我底下還有兩個弟弟，家中經濟也不輕鬆，這部分也必須考慮。

但即便加上這些種種理由，但最重大的問題還是內心對當今社會的不安。

日大學生與東大學生不同，沒有可以失去的東西，所以我們才能組成這樣的鬥爭。我們常常有這樣的說法。然而，不知悔改的古田與留級問題，彷彿是在譏笑這種說法，顯示了在我們的心中，日大學生也有失去的東西。笨大學生的名號，笨大畢業的頭銜，竟然如此麻煩，這是我從未思考過的事情，現在卻是擺在眼前的事實。

超過半年沒有常規授課，僅透過短暫的疏散授課、繳交下學期學費，換來校方貼上畢業的頭銜。看著這個過程，心想真不愧是平靜無波的社會。而且至今社會仍舊根深柢固，給予大學畢業生特別待遇。……

可以說，在日大鬥爭前完全沒有這樣的不安感。但在法、經的疏散授課及〔自己所屬的〕機械科的疏散授課現場，與參加課程者數度討論，加上眼見自己深信正確的日大鬥爭竟落入如此危機，心中不禁湧起一股毫無辦法的不安感。

這樣的疏散授課以確實的步調推行。隔年的一九六九年一月十三日，醫學部學生總會通過決議解除罷課，迫使主張繼續罷課的執行部解散。二十五日，齒學部的學生大會也通過決議解除罷課，並拆解了街壘[446]。一九六九年六月的座談會上，日大全共鬥的運動者表示[447]：「我想，『很抱歉不過我想畢業』，這大概就是學生群眾的率直感想吧。」

此外還得加上「與『家庭帝國主義』對決的難題」。家長希望日大鬥爭能早日解決，日大學生「特別是面臨就業的大四生家庭，飯桌上的話題全是日大紛爭」，這種狀況早從十一月左右便已出現[448]。自十二月起至翌年一月，這種氛圍更加強了。某四年級的日大全共鬥運動者對父母將運動的學生指責為「暴徒」，在手記中如此寫道[449]：

「當批評他們是暴徒或暴力革命時，單就此事仍可充分反駁，並加以說服。然而，在這種批評的背後，也帶有自己有想離開這些暴徒、暴力革命的心情，覺得一直搞下去自己的人生將會七零八落。好不容易來到畢業前夕，只差一步就能取得大學畢業的頭銜，我也開始思考不能讓年輕氣盛耽誤將來。如果只是父母的認知，或許反駁兩句就能解決，但牽涉到我自身的認知時，便沒那麼輕鬆就能向對方做出解釋。」

一九六九年二月的報導中，對日大全共鬥與「家庭帝國主義」的「對戰狀況」做出如下描寫：「他們的阿基里斯腱，果然還是家庭。M君說『雖說是鬥爭學生，但日大學生都是中產階級的子弟啊。偶爾回家被家人圍繞著說服，大多數人就失去了主見啊。』他也是正月回家後，心中湧現脫離戰線的想法。當決定告別而造訪街壘時，又覺得難以割捨離去。他的床邊牆壁上以墨汁寫著『粉碎家庭帝國主義！必須切斷親子之緣！』」「O君表示，家中給的生活費早在去年十二月就停止了，之後邊在街壘生活，邊開始從事百貨公司的派送打工。他總是身無分文的狀態，被同伴稱為『粉碎家庭帝國主義的英雄』，甚至不惜把打工的錢捐給鬥爭。」也有人豪言「即便被斷絕父子關係，即便不再給生活費，也要戰鬥到底」，但說服不了家人而脫隊者仍不在少數[450]。

一九七〇年的座談會上，前日大全共鬥學生回憶道[451]：「就業、雙親、自己的生活方式等等，雖然在街壘中覺得自己獲得解放，但終究沒能徹底解放。街壘中也有因為家中還有母親，為了讓母親有飯吃而必須離開街壘的人。」即便街壘是慶典空間，但終究不可能完全從社會抽離出去。

如此一來，日大全共鬥的路越走越窄。夜宿於奪回的藝術學部街壘內的人，到了十二月底也只剩下兩、三人。遭逮捕後獲得保釋，重返藝術學部街壘的學生，對街壘內人數的稀少感到震驚，詢問「大家呢？」結果只得到「不知何時消失了」的回答[452]。

全共鬥是由有戰鬥意識的人自由參加的運動，因此離開鬥爭也屬個人自由。這種方式在運動氣氛高漲時期可如祭典般吸引人潮，但進入退潮期後，能阻止參與者離開的，僅有個人意志與夥伴間的連帶感。橋本克彥寫道，「全共鬥方式的組織法」，「進攻的時候非常強大，但防守時則弱點百出。」[453]

一九六九年一月十八日與十九日，東大全共鬥展開固守安田講堂的攻防戰。這兩天期間，以支援東大全共鬥名義，日大、中大、明大等學生及新左翼黨派舉行號稱「神田拉丁區（Quartier latin）[v]鬥爭」的街頭鬥爭。學生們在神保町、駿河台周邊與機動隊發生衝突，但遭到機動隊人牆的阻止，終究無法前往東大支援。

一月二十六日，警方以調查十八日、十九日參與街頭鬥爭的學生為名義，派出約四千名機動隊進入日大全共鬥幹部所在的日大理工學部、中大、明大等處。機動隊甚至準備了瓦斯槍與吊車，但日大全共鬥為避免與機動隊衝突已於事前撤退離開，理工學部一號館的街壘在未遭抵抗的狀況下被拆除[454]。

事前撤退是日大全共鬥常用的作戰手段。但在東大全共鬥「玉碎」死守安田講堂之後，據說日大內部也出現「要比東大更帥氣地敗北」的意見。日大全共鬥在校內成為少數派，也沒有掌控自治會的機會。而且，新左翼黨派也開始認為日大全共鬥沒有利用價值，而欲加以拋棄。在這種狀況下，固守加上「玉碎」的做法，也不失為一種充滿魅力的鬥爭結束方式。

此時採訪日大全共鬥為何採取事前撤退戰術的越平聯作家小中陽太郎如此記道[455]：

我們已經不行了。新左翼黨派對我們的利用也已結束，我們對今後沒有任何展望。

那麼，只剩下玉碎了。

一月二十五日，神田一帶的商店街全部開始補強櫥窗。町內會大概也發出警告。二十五日，古田發出離開校舍的命令。二十六日，小學發出停止上課的命令。

該夜全共鬥的方針是悲傷而嚴峻的。

全共鬥幹部思考——總結九．三〇之後只要無法提出新的展望，便就此敗北吧。敗北之後應該會有追隨我們而來的人吧——。秋田明大以下的全員都這麼想。

剩下的就是如何比安田講堂更帥氣地敗北了。安田講堂固守了三十六小時，那麼我們就堅守一週吧。

這與其說是悲壯感，不如說更接近〔長期鬥爭導致的〕倦怠感。但其中也有勸誡不要玉碎的人。「眼前說玉碎，只是一種惆悵的情懷。如果想幹得比安田講堂更加帥氣，不如讓各學部鬥爭委員長淋上汽油自焚而死。但是，想當然爾，這樣並無法解決任何事情。」討論持續了整夜。

到了天明時分，全共鬥悄然地撤退了。

v 譯註：拉丁區為巴黎地名，位於塞納河左岸，為跨第五區與第六區的區域。此地包含巴黎大學在內，多所名門高等教育機構林立，從過往即以學生街而聞名。一九六〇年代特別是在五月革命時期，成為各種反體制學生運動的核心據點。

一月二十九日，五百名機動隊進入生產工學部，校方重新開始授課。街壘遭拆除的校舍中安排了體育會的學生，與前來奪回的全共鬥學生發生亂鬥。對此又請來機動隊，全共鬥方共有三十九人遭到逮捕[456]。

一月三十日，由學部當局舉行商學部學生集會，宣布重啟授課。二月二日，職員們拆除法學部三號館與經濟學部本館的街壘。全共鬥為避免衝突而事前撤離[457]。

同樣在一月三十日，郡山的工學部街壘也遭排除。此處共有十二名學生堅守抵抗機動隊，機動隊準備了兩台噴水車在陣前攻堅。看不下去的普通學生共聚集了五百人，口口聲聲道「我們不是為了這種狀況來大學的」，「希望趕緊住手」，其中也有學生靠近前來採訪的記者，要求「絕對不要寫是由『普通學生』解除封鎖的。」[458]

據當時的報導稱，二月四日日大全共鬥發行「克服敗北朝勝利前進！」的傳單[459]。這份傳單中寫著，校方「以畢業時限恫嚇，對大四生疏散授課」，而日大全共鬥一直都向大學當局擅自舉行的「學部集會」之「無恥攻擊」進行抗爭，全共鬥還提出「我們必須確實掌握這場戰鬥中我們節節敗退的事實」，並以當時新左翼黨派流行的中國式簡體字連綴而成。

此外，在此傳單中也提及「我們敗給了資本制社會及其沉重的攻勢，『普通學生』反對街壘、策動重啟授課等，我們必須譴責自身列隊中背叛的行為」，「確實我們的反叛處於一定程度的敗北之中，但即便如此，同學諸君，我們的戰鬥絕對不會結束。」然而，若此傳單真的是由日大全共鬥所提出，那麼指責「普通學生」的「背叛」、永不停止戰鬥以打倒資本主義等說法，很可能將刺激更多普通學生背離全共鬥。

二月六日，商學部的學部集會上，學部長與學生約定同意學生自治權、公開會計、理事全數離職等要求，商學部學生會委員長表示「重啟授課後也將繼續推動民主化」，最終決議重啟授課及撤除街壘。之後在約三百名機動隊的保護下，教職員與體育會學生拆除街壘。全共鬥方的商學部鬥爭委員會只能吼叫「就算能拆除校舍的街壘，也無法拆除心中的街壘。」[460]

當時，殘留在藝術學部的全共鬥學生們有如下的交談：「我們怎麼會淪落到如此孤立的狀態呀。」「大部分的日大學生，終究還是笨大學生呀。他們根本不是不關心政治，而是反政治啊。」「九・三〇時以為獲勝了。可是佐藤卻幫了古田一把，讓他重新站了起來。這種時刻，普通學生們見到體制的真實樣貌，變得布爾喬亞了。」「沒錯，日大學生的一般形象，就是小布爾喬亞啊。」「完全不想在這樣的大學上課了。」「是啊，乾脆放把火把一切都燒了吧。」他們甚至傾向把「離去的普通學生咒罵成『笨蛋』、『人渣』，直言『對他們再也不抱幻想』」。[461]

二月九日，機動隊拆除了文理學部的街壘。此處約有三十名學生仍在抵抗，新聞工作者平栗清司如此描寫他們當夜如何決定方針[462]：

大家湧起《國際歌》的大合唱。雖然是聽慣了的旋律，但或許是心情的關係，覺得唱歌的人們鬥志高昂。二月九日凌晨三點半，日本大學文理學部（東京、世田谷）校區。歌聲從貼著「文理學部鬥爭委員會自由聯合」紙張的會議室傳出。……

室內有約一百名的全共鬥、文鬥委（文理學部鬥爭委員會）派的學生。全體起立，組起堅實的陣勢。浮現一張又一張疲勞的臉龐。滿臉鬍渣、及肩長髮、充滿汙垢的衣服。……

幾個小時前，傳來「大學當局將於八日，對文理、藝術、理工、農獸醫等全共鬥封鎖的四學部，在兩、三天內請來機動隊方針」的情報。……

八日晚間九點半起的全體集會，決定「澈底抗戰」。

「如果都是右翼的話，那靠我們的力量可以取勝。但在機動隊的面前，只能選擇玉碎。」

「確實，大概會失敗吧。澈底抗戰組將被全體逮捕，而且不像之前那樣四天三夜（僅調查便獲釋）可以離開警局。……」

「保釋金也上升到平均二十萬日圓。現在的運動者被捕，也代表著日大鬥爭的結束。」

彷彿要打破沉重的氣氛般——

「當權力打算以力量抹殺我們的戰鬥時，就以武力鬥爭加以反擊，這不就是我們從一開始就執行的戰略目標嗎？」

「並不是要全員都加入戰鬥。三十個人也好，五十個人也行，這些同學首先負責堅持戰鬥，之後剩下的同學向群眾傳達日大鬥爭的意義。」……

方針決定了。……些微的動搖。站在走廊的幾個人互相低聲交談。

「也讓我們加入行列吧。」

「不，你們出去。沒人認為你們立場動搖啊。」

「你老爹是校長吧，別讓他擔心。」

「單鬥（單純武鬥）交給我們吧。因為你，意外地有人望。所以到外頭去搞組織。」

「記得帶點探望品來。這麼說有點任性，不過希望別斷了香菸的供應。」……

凌晨五點之前，下達指示：「接下來要封鎖街壘，除了澈底抗戰組，其餘人員全部退出。」「對不起，拜託了！」「交給我們。」「別受傷了。」「你這傢伙，這種要求辦不到吧。就希望留下一條小命。」「在你們離開刑務所之前，我們會重新打造出像去年九月般高昂的狀態。」「拜託了。等我們在櫻花盛開之際出來，如果看到日大鬥爭結束了，那可受不了啊。」……「離開也是地獄，留下也是地獄呀」——某個人開玩笑地唱起不高明的浪曲歌調，但沒有引起任何笑聲。

堅守的學生們說，「八日晚間，指導街壘補強作業的領導者自己也說，『能撐五個小時就算成功了』，『不，三小時就差不多了吧』，對飄渺的命運進行預測。」[463]

離開街壘與留在街壘的學生都抱著複雜的感情。根據橋本克彥的回憶，離開者思考「只要他們留下，我們就必須比過往更加努力」，留下的人則擔心「今後在外頭奮鬥的夥伴將會非常辛苦。狀況只會越來越糟吧。」[464]

在各學部的街壘被解除之際，二月九日機動隊也進入藝術學部，逮捕三十八名學生[465]。之前日大全共鬥所使用的等機動隊離開後再奪回街壘的戰術，至此已無力再實施。

如此一來，日大全共鬥在日大校內失去了據點。無法在日大內舉行集會的日大全共鬥，於二月十日在中大的中庭舉行「日大鬥爭勝利；學生、勞工、市民五萬人集會」。然而參加的日大學生人數稱不上多，集會上由各新左翼黨派發表鼓動演說，以及呼喊「粉碎美帝」、「粉碎日共民青」等[466]。集會後也舉行了遊行，但在機動隊的管制下無法走上大馬路，雙方一如往常地投石與噴水，大概持續一個半小時。二月十一日起，日大開始舉行入學考試。大學為了收取大量的報考費，此乃必要的慣例。對此，日大全共鬥喊出「粉碎為了經營主義而舉辦的入學考試」，但因校方擺出警察與體育會學生約八百人的陣仗警戒，全共鬥無法出手[467]。

三月十二日，因警方發出拘票而逃亡中的秋田明大，在下雪的馬路上遭到逮捕。根據逮捕後的手記，他表示「我的肉體與精神疲憊至極。更率直的說，我對人抱持著不信任感。伴隨著疲勞，內心也變得一片荒蕪。」[468]

鬥爭終結與一成不變的日大

日大全共鬥被趕出大學後，校方重新恢復壓制的狀態，儘管比以往緩和一點。一九六九年四月的雜誌中，刊登了工學部學生的發言[469]：「簡直就像發布戒嚴令的狀態。甚至拿著〔被說是同情全共鬥的〕《朝日Journal》也不能在校內行走。」

在文理學部，校舍的牆壁上安裝了雙重的有刺鐵絲，只在早上八點半至十一點半、下午一點至四點打開校門。此外，全部的學部都要確認入校者的上課證。校方對學生發出問卷，詢問是否接受重啟授課，以及對授課方針是接受（yes，A）或不接受（no，B），只發上課證給回答接受（yes）的學生[470]。

此外，發放上課證時，一併要求附上有家長簽名的同意書，要求不妨礙上課、遵從當局指示，違反者取消上課權利。至於全共鬥派的學生，似乎被強迫退學[471]。

當然，不少全共鬥學生拒絕繳交同意書。其中一人日後如此記道[472]：「我曾對熱切希望畢業的大四生叫嚷『你們，只要自己畢業就好了嗎！想要讓日大變得更好，那份六月時的想法，忘記了嗎！對疏散授課採取罷課，戰鬥到最後一刻！』我根本不考慮提出同意書。」

不過參加日大全共鬥的學生中，也有人接受了上課證。藝術學部鬥爭委員會的一位女學生如此敘述[473]：「我思考了很久。一方面也是我個人的問題……。雖然到繳交期限的最後一天，我都說不會繳交，但最後時刻，還是寫上『A』交了出去。」「我想，如果就這樣輸了，也確實可惜，不如再度跳入敵陣的核心。因為這樣想，覺得上課證怎樣的都無所謂，就在這種心情下寫了yes。」

然而校園內的狀況，不太可能重啟運動。校內安排了帶著對講機的警備人員，一發現呼籲發起討論會或集會的學生，體育會學生會就立刻前來施暴[474]。

某學生發起集會不到兩分鐘，體育會的學生集團立刻趕來施加私刑，上課證也被收走，還放話「像你這樣的傢伙，別再來學校！」且把渾身是血的該名學生丟著不管。還有其他學生在校內行走時，被負責警備的體育會學生說「你這傢伙，是共鬥派的吧」，旋即沒收上課證，還踢踹他的腹部及背部，並趕出校外[475]。

即便是校外活動也不安全。一九七〇年二月二十五日，日大全共鬥約三十名學生在京王線武藏野台站前對文理學部學生散發呼籲討論集會的傳單，旋即被手持鐵管、木刀、粗木棒的體育會學生集團襲擊，全共鬥派學生中村克己頭蓋骨骨折重傷，三月二日於醫院死亡。體育會學生同意警方的要求協助調查，之後當天獲得釋放，同時警方將中村之死判定為「意外死亡」。此外，當天警方在距離約兩公里的車站內，以「準備凶器集會罪」逮捕二十九名集會的全共鬥派學生[476]。

日大的壓迫體制也沒放過教職員。二月一日，日大教職員工會的委員長及幹部共三人，被以「違反職員服務規程」為由解雇。生產工學部在三月的教授會上，勸告鬥爭中對大學採取批評態度的五名教授辭職，另要求全部教職員繳交大頭照。醫學部也不讓過往批評大學的教師到校，勸告二十名全共鬥派學生退學。農獸醫學部則不給加入教職員工會的職員發行通行證[477]。

根據一九七三年的雜誌報導，某日大講師說道：「從鬥爭結束起，當時在校的老師中有約一半辭職。原本以為因為那場鬥爭，大學的氣氛會稍微變得好些，但反而感受到沉重的『支配』感。」鬥爭後辭去日大教職的教授談及，「發生那麼一場鬥爭，大學當局依然貫徹過往的經營方針。大學的教授會完全沒有力量，我對這樣的教授會感到厭煩，所以辭職了。」[478]

古田會長雖然公開承諾在選出新執行部後將舉行會長選舉，但只要古田在日大高層的人脈穩固，即便由新理事進行選舉，古田必然能再度當選會長。古田在一九六九年四月公開宣言「透過公平的選舉被推選出來的話，那我也只能接受。反對的人，就是違反民主主義的規則。」支持理事退職的家長會，也在一九六九年改組為「日大家長聯合本部」，並取消理事退職的要求[479]。

此後，無法進入日大校園的日大全共鬥學生們，只能輾轉於明大或中大等由新左翼黨派掌控的學生會館，成為小型集團。一九六九年十一月的座談會上，處於此種狀態的日大全共鬥成員如此敘述[480]：

「直到去年的九・三〇尚能做出總結，之後只能做出我們什麼也辦不到的自我批評式總結。」「許多運動者被禁止返回日大校園，許多人對全共鬥失望而離去。黨派成為逃避的出口。不加入黨派的人難以進行自己的活動，最後只能離去。」「我們幾個朋友一集合，就能談談快樂的過往。……當時為何能如此盡興？現在，為何對於自己做的事情只單純感到一種義務感？難道只能以這種型態搞運動嗎？」

一九六九年六月的座談會上，其他的運動者如此說道[481]：「日大鬥爭一開始的鼓動演說，任誰聽了都會覺得『啊，正是如此！』，點頭稱是。但是，最近的演講，聽著聽著就覺得『哎呀，究竟在說些什麼呢？』普通學生就別過臉去了。現在的演講方式，就是所謂的左翼式演講，但那不過就是（自己在）單純模仿別人，因為畢竟看起來很帥氣。」總的來說，他們的訴求遭到普通學生「不痛不癢的溫柔」對待[482]。

一九六九年度成為新大四生的學生，於該年四月表示[483]：「我對全共鬥所說的事情能有所共鳴，也不認同大學至今的做法。可是……到了六月，就要就業考試了，於是思考該如何面對，心中總有些難受。三月份畢業的學生，在去年紛爭時只上了一半的課，所以需要疏散授課這種方法，可是把一年份的全部課程都以那種方式做結，究竟是好是壞呢？在這層意義上，（重啟鬥爭和罷課）對我們的影響極大。」

一九六九年二月，殘留於街壘的藝術學部日大全共鬥學生們邊說著「日大學生的一般形象，就是小布爾喬亞啊」邊「把離去的普通學生咒罵成『笨蛋』、『人渣』，直言『對他們再也不抱幻想』」，此已於前述。一九六九年時日大全共鬥——變成在日大沒有據點的小集團——編輯的書籍中也刊載了「對普通學生已經不特別抱持幻想」的說法[484]。

馬克思主義哲學家梅本克己在一九六〇年安保鬥爭後發行的《民主主義的神話》一書中收錄的論文上，曾針對六〇年安保鬥爭寫下對共產同的批評[485]：

特別是在學生組織中，當他們沒有清楚意識到學生這種特殊社會階層所帶有的優點與弱點……在與特定條件下的運動過程特殊性相符之際，會產生出飛躍性的效果，吸引許多人的目光；但在相反的狀況下，他們則表現得無能為力，在此情況下他們不加區別地任由領導者將其一般化，至此他們便採取自負與咒罵的極端態度，取代冷靜的相互批評。群眾有時被吹捧，有時被輕蔑。勞工一般不太叫其他人小布爾喬亞，但學生在遇事不合己意時便會輕易指責群眾是小布爾喬亞，而這也是學生領導者的特色。

一九六九年以降的日大中，已無法重現鬥爭的盛況，原因之一即在校方的壓制。然而，一九六八年春，原本立足於「普通學生」的質樸憤怒的日大全共鬥，卻滲進輕蔑「普通學生」的傲慢，導致集團性的變質，此後遂無法取得「普通學生」的共鳴，這也是原因之一。而對此原因他們究竟意識到什麼程度，則令人懷疑。無論他們多想擁抱「純粹」的志向，但這就是冷峻的政治現實。

之後，成為流浪小集團的日大全共鬥，到了七〇年代即自然消失。古田會長因證據不足擺脫逃漏稅嫌疑，獲得不起訴處分。古田會長辭職後，在新設規定之下又連任日大會長，至一九七〇年十月死於肺膿腫[486]。

據負責救援被捕學生的日大救援會稱，至一九六九年五月為止，因日大鬥爭而被逮捕的學生有九百九十七人，包含三位失明在內的輕重傷者共有七千零九人。但此數字並未包括一九六九年五月以後的逮捕者與受傷者，七〇年三月死亡的中村克己也未被納入死傷人數中。拒絕疏散授課與領取上課證，或者對鬥爭後的日大狀況感到失望，於鬥爭前後退學的日大學生，據稱高達一萬人[487]。

第十章　東大鬥爭（上）

本章與下一章將探討一九六八年至一九六九年初的東京大學鬥爭。東大鬥爭，因一九六九年一月的安田講堂攻防戰在電視上獲得高收視率，故常常被當成全共鬥運動的代表性例子。但東大鬥爭因自身的原因而發展，與之前的大學鬥爭的性質相當不同。但此鬥爭產生出來的鬥爭型態、思想、論述等，之後也成為全國全共鬥運動的典型。

本章與下一章中，我將著重在釐清東大鬥爭的特徵。東大鬥爭之所以分為兩章敘述，是因為這場鬥爭乃決定全共鬥運動風格的「那個時代」的轉捩點，加上該風格衍生自東大的特殊狀況，條件不同的其他大學不一定能效法，為闡明這點，有需要分兩章來說明。此外，這兩章也將說明為何全共鬥運動會以該種型態「敗北」。

東大鬥爭的特徵

首先，此處將略談東大鬥爭的四點特徵，作為之後論述的基本觀點。

第一點特徵是，東大鬥爭是由研究生和助教扮演領導角色的鬥爭。從東大鬥爭初期便前去採訪的《每日新聞》記者內藤國夫寫道，「東大鬥爭的主角、推手，是有志成為學界中人的研究生與助教。」

[1]東大全共鬥議長山本義隆本身就是物理學科博士班課程的三年級生，一九六八年一月發表的雜誌論文記道，「至今為止，以及現在全國五十多所大學正在進行的校園鬥爭中，都沒有像東大這般由研究生與研究者擔負如此重要角色的。」[2]

這種現象含有東大獨特的原因。東京大學把通識課程的在籍一、二年級生安排在駒場校區，在籍的大三生以上與研究生、助教的大部分都安排在本鄉校區。這種校區分別，與慶應大學劃分日吉校區（一、二年級生）及三田校區（三年級以上）十分類似。

如第五章所述，一九六五年的慶大鬥爭中，燃燒正義感的一、二年級生比面臨就業壓力的四年級生對運動更加積極，被稱為「日吉公社」的街壘封鎖，也盛行於日吉校區。然而東大鬥爭中則以安田講堂為根據地，安田講堂位於本鄉校區，乃本運動的中心地，此現象則與慶大相反。

又如第四章所述，具有大量學生運動者的是法學部、經濟學部或文學部等，理科系統人數較少，這可說是一般常識。但在東大鬥爭中，如山本義隆、最首悟等，都是以身為東大理工、醫學研究生或助教而擔任鬥爭推手聞名。

會發生這種特殊現象的背景因素之一，是東大研究生與助教的在學人數較一般大學更多。特別是在經濟高度成長下，為了對應技術者人數不足問題，整個六〇年代東大理工科系學生增加了約兩倍，研究生數量亦有增加[3]。此外，研究生佔比亦極高，一九六八年大學部學生一萬三千餘人，研究生則有約四千人[4]。

不過，東大的研究生，特別是理科類學生心中懷有許多不滿。理科類的研究基本上以各教授研究室為單位來進行，當時社會流傳著「日本社會中最封建的，就屬相撲道場與東大的研究室」[5]，當時的研究室存在「講座制」這種階級制度。教授為「講座」之長，之下有助教授、講師、助教，而研究生或專門課程的大學部學生再隸屬於講座。其關係被俗稱為「主公→幫傭→女傭→狗畜生」，「主公是教授，幫傭是助教授及講師，女傭是助教，狗畜生就是其他的職員。」[6]

在這種制度下，助教授、助教、研究生等，皆只能在教授的研究主題下被指派工作。助教或研究生如果想追求自己的研究主題，便會遭教授白眼，進而無法升遷，也不利於就業。

此外，研究生和助教對教授指派他們做的研究，也屢屢抱持著疑慮。

例如，東大的都市工學科研究團隊負責成田新都市計畫的基本設計，與此配套的成田機場發生了抗爭。也是東大都市工學科的研究團隊與教授，制定了因公害問題而受到關注的三重縣四日市都市計畫，並核准對靜岡縣田子之浦的工廠排水處理方法。但研究生們很清楚，教授其實不參與現場調查，僅派遣研究生前往，並依照政府意思彙整報告書[7]。

研究生與助教心知肚明自己接受教授命令所做的研究，有可能壓迫到民眾權益，因而對自己可能成為加害者一事抱持質疑。但如果將疑慮公開，惹得教授不悅，將會影響到自己的將來，在此情況下，他們只能保持沉默。

東大鬥爭的發端，是醫學部畢業生的身分保障問題。此問題並不像學費調漲般引起普通學生的關注。至於如何發展成全校的鬥爭，過程將於後述，不過各學部的研究生和助教，都相當關心醫學部鬥爭。這是因為研究生與助教平日就心懷不滿，對醫學部學生的處境有所共鳴之故。之後包含山本義隆在內，研究生與助教，特別是理科類的學生，開始推動東大鬥爭。

由研究生、助教，而且特別是理科類學生推動大學鬥爭的現象，無論在此前或日後，幾乎不復得見。考量到當時國家重點投入預算擴充理科部門，培養大量研究生的大學除了東大別無分號，會發生這種狀況也在情理之中。所謂的東大鬥爭，是在特殊的大學中發生的特殊鬥爭。

而由研究生與助教擔任推手，也為東大鬥爭帶來與之前大學鬥爭不同的色彩。其中之一，就是有敵視教授的傾向。

此前發生的慶大、早大、中大、日大等鬥爭中，學生抱持著大學應為「探求真理的學府」之「保守的」大學觀，這種觀念遭到背叛才觸發了鬥爭。此外，學生認為敵人是理事會、大學校長、文部省等，最初都將教授視為「原本的大學」的同盟者。無論哪一所大學，雖然對教授的無能感到失望，但最初都未加以敵視。一九六六年的早大鬥爭中，全校共鬥會議致力防止文獻資料散逸，也是因為這種「保守的」大學觀與對教授抱有期待之故。

但東大鬥爭卻有所不同。他們位於教授權力的末端，而「大學自治」就是「教授會的獨裁」，「學術自由」則是粉飾教授權力的意識形態，他們批評「探究真理的學府」這種大學形象根本就是幻想。因此，與其他大學鬥爭的主力是大學部學生不同，東大全共鬥的推手是研究生與助教，他們平日就不滿打著「學術自由」恣意濫權的教授，如果排除此一背景因素便無法談論東大鬥爭。因而在東大鬥爭中，發生了一九六六年早大鬥爭所無法比擬的，大量破壞、散逸文獻資料的狀況。

而東大鬥爭對教授的敵視，也與他們提出「解體東京帝國大學」這個超越校園民主化的口號有所關聯。不讓大學鬥爭停留在校內的「個別改良鬥爭」上，應提升至對國家權力的戰鬥，這種想法除了受到滲透東大全共鬥的新左翼黨派引導外，一部分研究生與助教對大學存在本身就抱持敵意，也相對助長了這種想法。

鬥爭末期的一九六九年一月十六日，參加東大全共鬥的學生解放戰線（前社學同ＭＬ派。ＭＬ派於一九六八年十月組成之ＭＬ同盟的學生組織）提出「與國家權力對決！」的號召中即有如下敘述[8]：

「東大鬥爭之所以能超越個別改良鬥爭框架，成為具有高度內涵的戰鬥，促其發展的重要因素，在於研究生、助教、職員廣泛奮起，對他們高度讚許和表達敬意之故。他們遠比大學部學生……更認為不該有大學共同體幻想，正因為他們站在這樣的立場，所以這些人能從事最進步的戰鬥，能自行形成戰鬥的列隊。」

因為研究生與助教成為推手，使東大鬥爭更加激進化的特點，經常受到強調。

東大鬥爭的第二個特徵是，民青掌控了大部分的自治會。東大鬥爭爆發時，除革馬派掌控的文學部，以及民青與社學同共存的醫學部之外，共有八個學部的自治會都被民青所掌控。

如第四章所述，民青標榜穩健路線。此前介紹的大學鬥爭中，早大、明大、中大等肩負引爆鬥爭任務的是社青同解放派或社學同掌控的自治會。但在東大，因許多自治會在民青的掌控下，所以無視自治會且有鬥爭意志的學生及新左翼黨派組成了依自由意願參加的全共鬥。這種情況與日大的案例相仿，因學生會變成大學御用組織，所以由有志之士自行組建全共鬥。

不過東大鬥爭不僅超越自治會的框架，而且逐漸否定「自治會民主主義」，並把自治會蔑稱為「波茨坦自治會」，之後更採取批評「民主化」與「民主主義」的態度。日大鬥爭很明確以民主化鬥爭為始，之前的大學鬥爭中也幾乎未批評過民主主義。考慮當時的大學生是「戰後民主主義的天之驕子」，不批評民主主義也屬理所當然。

「戰後民主主義」批判的抬頭，潛在的原因一如第一、二章所述，是因面對升學競爭與實現經濟高度成長的世代，感受到「戰後民主主義」僅是徒具形式的一種表面性說法。不過如果僅就東大鬥爭而言，則有更單純的理由。首先，他們敵視的東大教授中，不少人在校外是以談論「民主」而聞名的知識分子。其次，掌控自治會的民青主張「自治會民主主義」，與無視選舉的程序而組成之全共鬥處於敵對關係。簡要而言，東大教授與民青這些標榜「民主主義」的勢力就是敵人，可說因為此種特殊情狀，東大全共鬥才會拚命批評「民主主義」。

實際上，東大全共鬥對「民主化」、「民主主義」的批評，如同之後將檢驗的一般，在鬥爭初期並沒有那麼顯著。如果東大也像日大一樣，幾乎沒有以談論民主聞名的教授，而且敵人為保守派的古田會長或右翼體育會，那麼東大全共鬥或許也就不會敵視「民主主義」。然而東大全共鬥中並無如日大般，必須拿「民主主義」這個詞彙加以對抗的敵人。且隨著鬥爭後期與民青的對立日益激烈，東大全共鬥的「民主主義」批判也日益升級。

東大鬥爭的第三個特徵是，共產黨與各新左翼黨派從校外獲得大量的支援部隊。東大是大學的頂點，被稱為「稱霸東大者即可稱霸全國」，因而各新左翼黨派都抱持支援東大鬥爭的熱誠。新左翼黨派從校外注入支援部隊的狀況，在此前的大學鬥爭中亦可見到，但規模遠不如支援東大鬥爭時龐大。支援部隊的隊員，自然沒有參加東大自治會選舉的資格，他們的任務就是充當武裝鬥爭部隊，以施展暴力的形式參與民青與全共鬥的武裝內鬥。

此事為東大鬥爭及之後的學生運動帶來一個轉機。在來自校外的共產黨或新左翼黨派支援部隊加入前，東大的民青與全共鬥即便在言論上互相批評，但鮮少訴諸暴力。而新左翼黨派的內鬥從過往就有一種現象，即唯恐普通學生反彈，故專挑夜間在不顯眼的地方實施。但東大鬥爭後期以降，內鬥轉變成在白晝公然大規模進行，這也導致內鬥被視為日本學生反叛時必然出現的一種既成事實。

東大鬥爭的第四個特徵是提出了「自我否定」這個用詞。如前所述，東大的研究生與助教平日就對自己執行的研究是否是現行體制的幫兇一事，抱持懷疑。他們重新質疑自己的生存方式、學問研究的應有方式，最後以「自我否定」這個詞彙表現出來。此點將於後文討論。

這個詞彙原本是在東大這個菁英大學中，由被選出來走上更菁英路線的研究生與助教所生出。然而這個「自我否定」的用詞，之後也離開發生的原點，擴及到東大及其他大學的大學部學生中。

六〇年代起激化的升學考試競爭中，東大顯然立於頂點。進入東大的學生們比起其他學生得打倒更多同學，因此他們更懷著一份罪惡感。成長時被教導要注重平等的戰後民主教育理念，之後卻被捲入史無前例的「全民皆受測」，他們並不習慣這種事態且深感內疚。

東大鬥爭激烈化之後，接受《每日新聞》採訪的東大新鮮人中，十個人中有七、八人回答入學後「感到空虛」。某學生如此敘述[9]：「從小學生的時候起，無論父親還母親，都對我說去東大。我也沒考慮過東大以外的學校。我想對從中學、高中、補習班——一點一滴爭取，不斷競爭至今的我，進行懺悔。」

東大學生出身家庭的收入偏高現象也開始顯現。能負擔家教或補習班費用的家庭，其子弟自然更容易進入東大。第一章說明過，此時已打破日本剛戰敗後制訂的小學區制，有許多家庭都讓孩子跨區進入名門學校，而這樣的孩子在東大裡也人數眾多。當時的報導如此描述[10]：

猶如要親身品嚐上大學的現實感般，有位直接考上東大的學生甚至得到一輛新車作為獎勵。他的哥哥經過一年高四後才得以進入東大。於是他如此主張：我直接考上了，我不需要花大錢去上高四班，也無需父母擔心。他堅持要父母為他買一輛新車。

過往進入〔學費較私大便宜的〕國立大學的學生，雖然優秀，不過許多人都出身貧寒家庭。然而，現在這種常識已經不再適用。除了這位擁有新車的學生，無論在駒場或者本鄉，學生擁有自己的汽車成為一種風潮。他們正是從無止境挑戰的體制生產出來，代表日本經濟高度成長與繁榮的一群人。

有車就能去獵女友。開著運動跑車載著可愛女孩，帥氣地四處奔馳，與街頭的青年沒有什麼兩樣。像他這種學生，可以斜眼旁觀校園鬥爭，機靈地過生活。但沒有這種條件的學生又該如何？……

大學是空虛的。現行體制有許多扭曲。社會上出了毛病——只有這一點，無論是武裝內鬥的學生、普通學生、信奉文鮮明統一教會從事原理運動的學生，或是受洗的學生，都如此相信著，大家對應的方式雖然有異，但這點無庸置疑。

所以才高唱游擊隊的歌曲，對體制發起激底抗戰。他們運動家如此斷言，「反省二十年來自己的生活」是戰鬥的先決條件。

一掃「黑霧」！一掃升學競爭！——類似這樣，至今為止的市民正義感、工會的革新運動完全不行。因為只要不破壞作為邪惡根源的體制就行不通。

構築街壘，揮舞武鬥棒。對車站等公共設施做極端暴力的破壞。破壞道德、秩序——那有什麼不好？他們反問。許多東大學生在中、小學生時代都跨區入學，正因為媽媽們破壞學區制的秩序，所以才造就今日的東大學生。

也可說，中學、高中破壞了教育基本法的精神，實施忽視憲法、不合理的「澈底升學考試」教育，才能造就出東大學生。所以破壞秩序——又不是只有我們這麼幹，他們如此表示。

正因為他們的家庭擁有經濟能力，雙親與學校一直蹂躪民主主義與平等的理念，而且在升學競爭中耗盡「二十年來自己的生活」，所以才能成為東大學生。在此之上，就必須否定自我，也必須同時否定現在的秩序。屬大學後段班的日大等學校顯然產生不了這種心情，故日大鬥爭中並未出現「自我否定」這個詞彙。對位於升學競爭頂點的東大而言，這是最適合從這所大學發出的詞彙。

而相當重要的是，此等因東大特殊狀況而產生的鬥爭方法與論述，也波及至各地的全共鬥運動。關於這點帶來的問題將於第十三章說明，以下先描寫東大鬥爭的具體展開過程。

醫學部鬥爭的性質

如前所述，東大鬥爭的發端，始於醫學部畢業生的身分保障問題。

二戰之後，在佔領軍的意思下對醫學部畢業生導入了實習制度。這是指醫學部畢業取得醫師執照後，得在大學醫院或市裡的醫院實習一年。在美國的實習制度下，會保障實習生的宿舍與生活費，而且有義務提供指導醫師與實習醫師一對一的教學。然而日本的大學醫院與市內醫院中，所謂的實習只是一種名義，實際上大多被當成免費的助理或勤雜人員。

醫事評論家大熊房太郎指出[11]：「從通過國家考試到完全當上醫師為止，每學年都會有一到兩人自殺，大約有一成的人會神經衰弱。即便當上這種實習醫師，最初的兩、三年也都過著每天檢驗尿液的日子。堂堂獲得國家認證的醫師，卻遭老經驗的護士、護士長怒斥，甚至無法接觸病患。」一九六三年的調查中，詢問實習醫師對實習制有何看法時，最多人回答「廉價的醫師代理」，佔二十・七%，第二位是「無所事事整日白吃白喝的流浪者」，佔十四・五%[12]。

在東大醫學部，教授的權威是絕對的，實習醫師則以無薪工作的方式負責外來患者的診察與手術。例如東大醫學部第三內科，一位教授下有助教授一人、講師三人、兼任講師八人、助教二十三人，再底下則是無薪醫局[vi]人員的研究生十四人、實習醫師一百零七人[13]。如果沒有這些大量的無薪工作者，醫局根本無法經營。

以教授為首，後頭跟隨助教授、講師、助教、實習醫師等在醫院內巡診的列隊被稱為「大名行列」。在「大名行列」的日子裡，「教授的身後有護士們拚命搧著扇子，遞上擦手用的濕毛巾」，而在「這天病房較平日更加地被仔細清掃，甚至連患者的枕邊都放上了鮮花」。[14]

即便通過國家考試，許多實習醫師或研究生仍留在東大醫局，他們的目的在於取得博士學位。但在大多數的例子中，研究主題都以給教授的研究抬轎為主。即便撰寫自選主題的論文，發表時第一作者仍舊得冠上主任教授的名字，而實際做研究的醫局人員大多被放在多位執筆者的最末尾。

當時的報導如此敘述在教授會上審查博士論文的情形[15]：「大家都說，主任教授若在此場合說句『這個研究對我的研究主題相當重要』，這一聲令下，該博士論文肯定通過。當學位論文通過後，弟子們就會默默包個十萬日圓左右（當時大學剛畢業的月薪不到三萬日圓）的紅包當謝禮，這是一般常識。」

即便實習期間結束，只要在取得博士學位之前繼續擔任實習醫師（研修醫師），就脫離不了無薪狀態。據當時的報導稱，「東大某內科」中無薪的醫局人員有六十五人，其中入局不到四年者無人取得博士學位，入局五到六年約一成取得博士學位，第七年大約有一半人取得博士，唯有入局九年者才全部取得博士。當時無薪的醫局人員都說，「博士學位是拿七、八年無償工作的醫局人員人生換來的。」[16]

這些研修醫師只要教授一下達命令，隨時得被派遣到任何地方。東大的各醫局在各地擁有處於他們勢力範圍下的民間醫院，實習醫師屢屢被派往這些醫院。當他們被派遣時，往往以「研究贊助金」為名義向教授支付代價。無薪醫局人員之一如此敘述[17]：「如果把醫局人員派往地方醫院，從東大的角度來看醫局就會出現空缺。〔研究贊助金〕這個名目就是為了填補那些空缺而支付的代價。也有說一個醫局人員得支付十萬日圓，也有說二十萬日圓的。一個醫局中此類『上繳金額』的標準是一年一百萬日圓。」教授光靠派遣人員就能獲得這樣的金額。

此外，被派遣到民間醫院的醫局人員必須定期邀請教授前來，即便是自己能執行的手術，依慣例也得委託教授執行。託東大教授診療時要給十萬日圓，做手術的話依照當時行情得付超過十萬日圓的「感謝費」，這也成為教授的收入來源。某醫局人員不知此慣例，前往民間醫院赴任後再返回醫局

vi 譯註：主要指在大學醫學部、牙醫部、大學醫院等各「研究室」、「診療科」、「教室」之集團組織。

時，被人這麼提醒[18]：「你出差長達半年，竟然一次都沒請教授去醫院，也沒讓教授做手術。下次出差時別忘了，謝禮記得大概支付這個金額。」

無薪醫局人員自然而然喪失對醫學的志向而變得委靡。當時的報導如此敘述[19]：「〔醫學部學生〕都很敏感地洞察到醫局機制如何矮化、改變醫師的個人性格。畢竟，比自己早來四、五年的前輩就在自己眼前展示了堪稱悲慘的『變身』。」

要求廢止日本醫學部學生的實習制度始於一九五一年。一九六三年，東大醫學部四年級生全體發表「實習制度廢止宣言」，一九六四年醫學部學生組織的醫學聯定期大會提出應廢止實習制度，一九六五年醫學部組成畢業者聯合，拒絕提出實習申請書，並發生佔領大學醫院的事件[20]。

一九六六年（昭和四十一年），日本全國醫學部畢業生組成「四一青年醫師聯合（青醫聯）」，要求廢止實習制度，並呼籲啟動學生前往實習醫院的自主分配計畫，甚至出現罷考醫師國家考試的犧牲戰術。最終全國有八十七．四％的醫學部畢業生罷考國家考試，厚生省不得不思考改善計畫[21]。

實習制度並無益於醫學生的研修，東大醫學部教授也心知肚明。根據當時的報導，「無論教授、學生或實習生，都一致反對實習制度。」東大醫學部學生的反對實習制度運動成員，日後在安田講堂攻防戰中成為「安田講堂防衛隊長」的今井澄在一九六六年對新聞記者表示[22]：「在當今的體制下，我們無法成為有自信的醫師，去面對國民。這就是我們運動的出發點。」

一九六七年，四二青醫聯成立。東大支部於一九六七年一月要求進行自主學程、確定醫院接收實習醫師人數等實習協約，更進一步要求在學部內設置青醫聯的房間等，接著展開對畢業考與國家考試的無限期罷考。經過大約六十天的罷考，學生方的要求幾乎全面獲得滿足[23]。

抗爭能獲得成功，並非只靠學生的力量。助教與講師也組織了「支援戰鬥學生會」、「講師、助教、研習生之會」、「年輕基礎醫學之會」等加以支援[24]。

助教與講師也對教授權力抱持反感。助教等被派往民間醫院或地方大學的例子中，有一位助教被主任教授指定去擔任某大公司的隨身看護，這位心臟有問題的社長擔憂自己在股東大會前的健康狀態，與熟識的東大教授商量後，教授說「這樣的話，我給你派個年輕人當隨身看護吧。」[25]

這位社長並沒有明顯的病徵，之後的一個月，該助教的工作不過是拿聽診器聽社長的手部脈搏。該助教如此說道[26]：「甚至讓我隨行去他小老婆家呀。……這種工作根本對自己的研究毫無幫助。完全是放著研究不顧，只是在殺時間的無聊、愚蠢任務。」

日後在東大鬥爭激化的一九六八年一月，《讀賣新聞》負責東大鬥爭的記者們在座談會上形容，「日本明治維新中沒有革新的事情有三，那就是相撲、歌舞伎與醫學部。」[27]同時期某醫學部教授指出，「我們所處的世界無異於德川的封建時代。這次的鬥爭終於把我們帶到明治維新了。」[28]

一九六七年，厚生省提出取代實習制度的醫師登錄制度，預期將於一九六八年二月底通過國會三讀。然而，此制度只為實習醫師保障一個月兩萬日圓左右的「謝禮金」，卻把實習期間由一年延長為兩年，而且實習內容毫無改善。

一九六八年一月，東大四三青醫聯準備會向校方訴求「區區一個月一萬到兩萬五千日圓，所謂的診察協助謝禮金，根本無法維持我們每個人的生活」，「只是把年輕醫師扔到追求利潤的市內大醫院並把他們圈在該處」，並接續去年繼續提出實習協約請願書。京大醫學部長與大學醫院院長也提出醫師登錄制度「僅是對矛盾的再生產，根本沒有任何幫助」的聲明，除此之外，德島大與福島大的醫學部教授會也發出反對醫師登錄制度聲明，九州區域的醫學部長、院長們也決議反對醫師登錄制度[29]。四三青醫聯中，有民青與社學同的運動者。社學同的運動者認為，醫師登錄制度是由國家壟斷資本執行的「醫療帝國主義的重整」，並將此制度定位成「政府降低用於醫療的經費，以受益者負擔為由增加患者負擔，減少醫療從業者的薪資，加強強制勞動，重整醫療來強迫追求營利。」[30]

先不討論這種定位是否被一般醫學部學生接受，但他們無法不關注醫師登錄制度。四三青醫聯等的學生們與實習生和大學生的各年級代表聚集起來，組成了醫學部全學鬥爭委員會（全學鬥）。接著他們在一九六七年末至一九六八年一月，五度要求與校方對話。

之所以在自治會之外另行組織全學鬥，有如下理由。當時的東大存在著冠以一九五〇年代校長矢內原忠雄知名的「矢內原三原則」，亦即當學生實行長期罷課時，慣例將由校長負責對學生進行退學懲處。因醫學部大部分學生都反對醫師登錄制度，故可能由自治會發起罷課，而為了避免委員長遭退學懲處，所以在自治會外另組了個別組織[31]。

然而，一九六七年五月起就任東大醫學部長的豐川行平教授與上田秀雄院長採取強硬態度，拒絕與大學承認的自治會委員長以外的學生見面，此舉等於漠視青醫聯與全學鬥的對話請求。豐川等人的態度可由兩件事情推知。

其一，醫學部教授會本身已然僵化。前一年的四二青醫聯罷課以醫學部方澈底失敗告終，東大的學部長會議上批評當時「因態度『軟弱』所以遭學生予取予求」，因此教授會上瀰漫著「對學生太溫柔就會失敗，今後必須採取更強硬手段」的氛圍[32]。此外，教授們畏懼青醫聯，傳言他們抱著「只要不擊潰青醫聯，醫局就會被擊潰的危機意識。」[33]若不依靠無薪醫局人員的奉獻勞動，那必然會造成醫局的危機。

第二個理由是豐川與上田的立場。豐川原為厚生省官僚，與上田一同任職厚生省的審議委員[34]，而且他們也與日本醫師會有密切關係。他們把提出反對醫師登錄制度聲明的京大相關人士叫來東京，要求取消聲明，並把提倡反對登錄制度的福島大學醫院院長「當作『精神病』患者」來處理。[35]

不僅厚生省，日本醫師會也贊成醫師登錄制度。因經濟高度成長與大學升學率急速上升，醫學部畢業生激增，導致都市區的開業醫師供給過剩。日本醫師會為了不讓都市區開業醫師增加，所以贊成把無薪工作期間從一年延長到兩年的醫師登錄制度。

前東京都立大學教師且為律師的戒能通孝指出，一九六九年都立大學設置醫學部案遭日本醫師會反對而取消。都立大學成立醫學部，每年也只能提供大約四十名新的青年醫師，即便如此，日本醫師會仍以這樣供應將涉及供給過剩問題，而加以反對[36]。

戒能針對醫師登錄制度僅是將當上醫師的時間由花四年畢業，再透過多一年實習從五年增加到六年一事，評論道[37]：「進入大學後的六年時間，若非出身家庭能負擔生活費和學費的子弟，最終仍無法當上醫師，所以可以把醫師登錄制度理解為用法律保障醫師世襲制度的手段。」

地價因經濟高度成長而上升，開業醫師也有設備的要求水準，在都市區開業需要大量初期投資，一直以來若非醫師子弟便辦不到。戒能質疑，豐川與上田「兩位教授真的是站在醫學教育代表的立場贊成醫師登錄制度嗎？或者站在醫師會的利益代表立場贊成醫師登錄制度呢？」[38]

在這樣的背景下，豐川醫學部長的態度仍舊非常強硬。根據前述今井澄的說法，他們在校內攔住一直無視對話要求的豐川，詢問他如何回應反對醫師登錄制度的請願書。當時豐川放言「我沒收到那種東西。如果是被風吹來的一張紙，我倒是有記憶。」[39]

醫學部的其他教授、助教授約一百二十人，要麼消極地遵從學部長的態度，要麼擺出毫不關心的姿態。當時的東大還牢固地殘留以各學部長為頂點的金字塔結構，教授會上學部長的發言擁有絕對權威。據《每日新聞》負責東大鬥爭的記者內藤國夫稱，當時的東大教授會「發言的全都是大教授，到了助教授等級甚至連發言的習慣都沒有。對於堅持自身信念的醫學部長而言，正好為他提供了專斷的良好條件。」[40]

東大醫學部之中也有這種金字塔結構或派閥主義（sectionalism）的顯著之處。神奈川大學的教授大熊信行於一九六八年如此形容東大醫學部的狀況[41]：「各醫局的首長教授是一手掌控司法、立法、行政三權的絕對專制君主。例如，像第三內科全體一百五十七人的命運，都掌控在一位教授的手上。」據當時的報導稱，當時東大醫院的狀況是「各醫局打造厚實的高牆，即便是同樣的病症卻既不給其他醫局的人看病歷，也不交流，就這樣封閉在小城堡中。」[42]

包含四三青醫聯在內的學生們對豐川等人的態度感到激憤，獲得醫學部全學大會壓倒性多數的支持後，於一九六八年一月二十九日起開始對畢業考等進行罷考罷課。他們的口號為：（一）阻止醫師登錄制度的法案在國會通過；（二）要求東大醫學部教授會聲明反對醫師登錄制度；（三）要求東大醫院主任會議承認接受四一、四二、四三各青醫聯的訴求。（三）的訴求內容為：①四一青醫聯的實習更新與公開外勤醫院；四二、四三青醫聯的無論醫師登錄制度成立與否，都需承認實習課程與人數。②希望給予四三青醫聯可使用的房間。③希望上述事項能以書面形式確認。

《每日新聞》記者內藤國夫對此口號評價道[43]：「沒有特別與『七〇年安保』連結，也未以『革命』

為目標。只不過是要求『自己也要參與和自身的現在與未來相關的決定』。」在一路以來接受戰後民主教育的學生們看來，這些都是理所當然該獲得承認的要求。

根據內藤的說法，當時的東大醫學部中雖有民青與社學同的運動者，但「還沒有日共、反日共的對立，全醫學部學生採取一致立場組成共鬥體制。」[44]此時的請願書或要求書，也與日後東大全共鬥激烈的煽動文不同，許多都是慎重的內容。當時的醫學部學生，日後成為東大醫科學研究所醫院院長的淺野茂隆如此回憶道[45]：「我們燃燒著要讓日本醫療得到發展的氣概。」「同學分為三派全學聯、民青、無黨派三種，而我在新宿的公寓則變成超越這種分歧的學生聚會場所。」

隨著進入罷課，醫學部方因畏懼學生而輾轉租借校外場地舉行教授會，學部長與醫院院長皆不在校園出現。他們採取不回應任何交涉要求，屆時罷課便會自然崩解的戰術。罷課進入第十五天的二月十二日，豐川學部長被全學鬥成員發現現身大學，要求他回應團交，豐川只回答「接下來在厚生省還有重要會議」，旋即甩開學生離去[46]。

面對教授會的這種態度，儘管預料到會遭遇畢業、升級的障礙，但東大醫學部學生們的團結依然穩固。為何能夠擁有這種堅固的「鋼鐵團結」，《每日新聞》記者松尾康二如此說明其理由[47]：

> 所有的運動方針，非經各年級代表的班會做出多數決，皆不被採用。實習生們把〔前往民間醫院〕的打工申請窗口一條鞭化並加以掌控，萬一有人「不參加罷課」，即可從打工窗口封鎖該人物，算是經濟上的封鎖手段。對於罷考畢業考的戰術，則透過個人接觸嘗試說服N教授，學生與實習醫師包圍他並從事所謂「切割策反」的行動。他遭「釣上」後被迫讀出致歉文，甚至被錄

下影像。

從「社會」常識來看，這應該是種暴力。我身為「社會」的一分子提出質疑，並得到以下回應：「這裡與社會不同呀。如果我們失敗了，那麼站在『反叛』火線上的前輩們都再也無法出人頭地了。」

這是與其他學部的學生自治會完全相異的自治會組織。所有的成員都組成了未來命運綑綁在一起的命運共同體，最末端連結至教授。我只能這樣認為：這正是醫學部才會發生、化為可能的運動。

在當時的醫學界，人脈決定命運，若運動敗北，醫學部學生都知道運動領導者與前輩的將來將會如何。正因如此，他們才會如此拚命。然而，醫學生們並非全然無力的單方面受害者。他們是站在全國大學頂點的東大醫學部學生，享有專屬於他們的特權。前述的戒能通孝在批評豐川、上田的同時，也主張「學生的立場」不是「全然清白」的。

據戒能稱，青醫聯派的學生對東大醫學部教授會提出的請願書內容如下：（一）東大醫學部教授會發表聲明反對醫師登錄制度；（二）東大醫學部與青醫聯東大支部締結實習協約，大學醫院接受青醫聯提出的實習醫師人數，依照青醫聯決定的學程讓實習醫師進行研修；（三）對登錄醫師兩萬日圓左右的月薪感到不滿，要求提升至七萬五千日圓；（四）停止將實習醫師派往無醫的鄉村執行勤務等薪資差別行為。據戒能稱，雖在東大沒有明確提出第（三）點，但在其他大學則有公然提出的例子[48]。

在人口往都市集中與農村人口持續外流的當時，都市區的醫師供給過剩，無醫的鄉村也在增加。在上述要求中，學生方明顯缺乏獻身無醫的鄉村的意識。月薪七萬五千日圓的報酬，在大學甫畢業者第一份薪資尚為兩萬六千餘日圓的一九六七年，也算是破例的高額要求。

而東大醫學部的實習醫師若能在民間醫院打工，可獲得高規格的報酬。一九六九年的座談會上，某醫學部助教表示[49]：「老實說，去市內醫院我們一天可以領到七千日圓，這相較於其他醫院工作者有著頗大的差距，報酬或許可能落差到一個位數。特別是與護士相較，報酬差距甚大。」實際上東大醫學部學生中醫師的兒子沒那麼多，大概佔全體的三成左右[50]。這些東大醫學部的實習醫師得以撐過無薪的實習時代，也是因為有可能做這種高額打工之故。

為此，東大醫學部學生們的運動並未引起廣泛的共鳴。東大教養學部的助教，日後成為助教共鬥核心人物的最首悟也在一九六九年的座談會上指出[51]：

「站在我們的角度，身為助教最多最多也只能領到三萬日圓左右，但當上醫師後，即便只是實習醫師，也能要求接近十萬日圓的薪額。這中間有著令人不解和不快的部分。」「這一點也是醫學部鬥爭未能迅速全校化的問題所在。」據當時報導稱，東大的青醫聯學生們陷入「即便想拉攏護士共鬥，對方也不願意」的狀態[52]。

加上經濟高度成長與新設大學醫學部的增加，東大醫學部學生的特權受到威脅，這也是東大醫學部學生運動的背景因素。一九六八年四月的雜誌報導指出[53]：

過往的東大學生，身為菁英的身分肯定獲得保證。畢業後即便留在醫局中過著無薪生活，但也前往醫局掌控的市內醫院擔任主任醫師，之後回醫局，下次再向外發展時，便可獲取大學教授或醫院院長等榮譽。然而，隨著時間過去，地方大學開始以自己學校的學生填補職缺，市內醫院也逐漸在人事上獨立，自行公開招募年輕醫師。而從東大出來的主任醫師也無法再度回到大學。如此一來，東大醫局能掌控的職位逐步遞減。在此情況下，原本東大醫學部學生中開業醫師或富人的兒子就不多，待他們畢業只能成為大醫院的住院醫師，走上身分低微（？）的上班族醫師一途。

得知將來只能成為「平常的住院醫師」——換言之，對喪失特權這種關乎自身利害的危機意識，形成了發起運動的最初原點。

一九六八年時，全國的醫學部教授中出身東大者的比率為二十四・三％，在東日本達四十二・五％。而在青醫聯的罷課開始前，名古屋大學的小兒科教授職位亦發生由出身東大者與出身名大者相爭的狀況，在教授會投票後雖由出身東大者獲勝，但卻遭名大小兒科醫局拒絕該人事命令，最終破局的事件[54]。

過往東大的特權逐漸被瓦解。戒能觸及這樣的背景，並嚴厲批評東大醫學部的紛爭「一邊是傲慢無理的利己教授，另一邊是繃著一張聰明臉的任性學生。」[55]

如第十一章後述，一九六八年十一月二十二日舉行東大全共鬥與日大全共鬥的共同集會時，據說日大全共鬥揶揄東大全共鬥的鬥爭是「貴族的鬥爭」。這種「貴族的鬥爭」面向，可說從醫學部鬥爭時起便已存在。

經濟高度成長下的社會結構變化，其結果使東大醫學部學生們的將來只能不斷成為「身分低微的上班族」。四三青醫聯的手冊上寫著「醫師這種職業，從古老美好時代中的『享有名譽的自由業』到被醫療制度綁手綁腳，之後又變得白領化。」[56]就像第二章所述，大學生都感受到類似的閉塞感。

但舊世代的教授們並不理解這種變化。根據當時的報導，東大醫學部的教授們表示「連我們也都撐過無薪醫局成員的日子。為何今天的媳婦（指醫局成員）不照樣做呢？」[57]「媳婦」的形容很貼切地表現出教授們對實習醫師的看法，過往的「媳婦」如果忍受一段時期的底層勞動就能熬成「婆婆」。然而經濟高度成長帶來的社會變化，逐漸使此事變得不可能，而教授們卻無法認知到此點。

評論家酒井角三郎則從不同的觀點談論醫學部鬥爭。據酒井稱，東大的醫局成員「即便無薪，但從經濟層面來看，就算他們身為勞工也是相當貴族的一群人。」而青醫聯的幹部「一成不變地」「把他們的鬥爭主張為『反對醫療的帝國主義重整之鬥爭』。」但「恐怕真正的理由，與其以此種政治經濟概念來加以說明，不如說起於身為一個人卻遭受羞辱的感受。」[58]

東大的醫局成員們在經濟上屬於「貴族」，但他們的命運卻掌控在教授們的手中。這給在民主教育下成長的醫局人員帶來「身而為人卻遭到羞辱」的感受。酒井觀察到的這個表面上主張與「醫療帝國主義重整」的戰鬥，底子裡卻是「身而為人卻遭到羞辱」，確實雖不中亦不遠矣。

醫學部鬥爭的背景，在於醫學部的體質不適應於經濟高度成長帶來的社會結構變化，以及背離接受戰後民主教育的學生感受，學生們對未來感到閉塞不前。日後東大社會學部教授福武直寫道「東大紛爭的背景因素……是過去數十年實現了驚人經濟成長的國家中，存在一種既新且舊的矛盾」，此觀察可謂大致正確[59]。在這層意義上，東大鬥爭與其他大學鬥爭有著類似的背景。

醫學部發生不當懲處事件

醫師登錄制度在國會通過的時程已然迫在眉睫，醫學部學生被逼入無計可施的狀態。就在一九六八年二月十九日，發生了所謂的「春見事件」。

此事件與之後發生的許多事件一樣，因相關當事人的主張有出入，真相始終不明。[60]學生方的主張是，正午過後部上學生找到上田院長，對方想要逃走，學生隨後追趕，此時上田的部下春見健一醫局長對學生施暴。而醫學部方則主張是學生對春見醫局長施暴。無論如何，上田院長與學生約定，「這裡是病房前，我們到三樓的上田內科醫局見面。」

但上田院長因畏懼學生的追究而逃走。學生們對上田內科醫局內的「學生們對院長施暴」的傳言感到憤怒，下午四時許再度蜂擁至上田內科追究春見醫局長。人數增加到數十人的學生們追著春見醫局長直到隔天早上七點半，堅持不住的春見最終在賠罪文上簽了字。

這是即便在部上也不太為人知的小事件。當時越南的新春攻勢（一月三十日）、在日朝鮮人金嬉老的步槍亂射事件（一月二十至二十四日）、佐世保鬥爭（一月十七至二十一日）、成田—王子鬥爭（二月至四月）等重大新聞接連發生，忙煞新聞記者。據內藤國夫稱，東大醫學部罷課被視為醫療問題，「採訪與報導即便同樣是由社會部記者來做，也是由熟知醫師、醫學的『科學班』一手承接處理。」[61]

然而因為此次事件，豐川學部長與上田院長的態度轉為鎮壓學生。事件隔天發出了帶有學部長名字的告示，指此事件乃「學習醫學者不該做出的行為」，提出要召集目擊者查出參加學生，並實施懲處。某醫學部教授斷言，「一直以來大學對學生太過親切。這次才是理所當然的處置。」[62]

學生方依舊團結如故。二月下旬醫學部舉行畢業考，但參加考試者僅有十一名，他們或者畢業，或者被班會除名。[63]而豐川醫學部長等人則認為春見事件是個好機會，打算一口氣懲處青醫聯的運動者。

醫學部長主張要大量懲處春見事件中的學生，在教授會上雖有人質疑並未聽取學生方的說法，但面對學部長等有力教授的意見，幾乎無人提出反對，在三月三日的教授會上決議「完全聽任學部長處理。」[64]三月五日，豐川醫學部長在東大全校的學部長會議，提出退學六人、停學四人、譴責七人的懲處案。這是東大創立以來的大規模懲處，學部長會議對未聽取學生說法等部分提出了異議，要求重新檢討，而豐川則無視這些要求。

當時的東大各學部的教授會是某種獨立王國，其他學部的教授會、學部長會議或評議會等都不能對醫學部教授會做出「干涉內政」的行動。學部長會議即便對醫學部懲處案表示疑慮，但能做的也僅是委請醫學部教授會再度檢討。

三月十一日，豐川再度於學部長會議與以校長為中心的評議會上提出未修改的懲處案。而當時的校長大河內一男是個被評價為「優柔寡斷，對於他人的話總回答『是，是』，隨即改變態度」的人物。[65]

評議會上也冒出許多質疑，但因豐川態度強勢，最終依原案通過。內藤國夫表示，「如果從一開始就與學生對話（豐川就任學部長後從未回應過與學生對話的請求），肯定無須提出這種嚴厲懲處，便可讓紛爭結束。」[66]

在此情況下，三月十二日部方公布「春見事件」的懲處。明明是小事件卻做出大量懲處，讓學生感到詫異。且被懲處對象皆為醫學部全共鬥的核心運動者，等於是針對各新左翼黨派的領導者進行退學懲處。根據內藤國夫的說法，「日共派與反日共派的學生之間開始出現微妙的敵意和對立。」[67]

對於此次懲處，醫學部學生們群情激憤，認為這完全是片面決定，從未聽取學生方的說法。《每日新聞》記者松尾康二如此寫道[68]：

「像醫學部這種一直到未來大家都是命運共同體的團體，懲處的烙印經常會給當事人帶來不利狀況。他們更不會採取即便自己遭遇不利（例如一生都無法成為臨床的教授）仍為了抽象目的犧牲奉獻的做法。『鋼鐵團結』是為了保護他們自身，對於分化他們團結的懲處，為了保護自身也只能戰鬥——我是如此理解的。」

此外還被發現，其中一位受懲處的無黨派學生粒本良彥（化名），事件發生當天他人根本就在九州。接受粒本的抗議後，三月下旬，醫學部的兩位講師自發前往九州調查，收集粒本當天人在九州的證詞並做成報告書。

作證者中，也有豐川學部長的外甥，他說「粒本君確實來過，要不要我打電話給豐川？」[69]此報告書於三月二十六日的東大全校教授懇談會上公開，隔天《朝日新聞》也加以刊登。但製作報告書的講師卻被告知「這是背叛教授會的行徑」[70]。

而且不只醫學部的教授抱持這種態度。據內藤國夫的說法，當時懲處的評議員教授說「我認為懲處是正確的」，學生委員長表示「根據我的心證無法斷言學生確實清白，仍有值得懷疑之處。」甚至給內藤消息的教授也說「如果試著調查真相，肯定會相當有趣。」[71]

不過，醫學部內部的立場開始有所動搖。根據一九六八年五月底「醫院講師、助教、研修生之會」針對東大醫院全體醫局成員進行的調查，有五十一人回答「異常事態的責任」在教授會，四十八人回答責任在豐川學部長及上田院長，而回答應由青醫聯執行部負責者僅有二十八人。而針對懲處，有九十九人表示「應全部重新檢討」，有二十五人回答「完全撤銷」，有十九人回答「可維持原案」[72]。

據負責懲處的山本俊一教授回憶，有三位目擊證人見到粒本出現在春見事件的現場，但當兩位講師的報告公布後，兩人撤回自己的證詞，剩下一人開始主張「沒有自信」確實見到粒本。教授會雇用私家偵探與律師進行商量，律師的回答是，如果承認冤枉對方，就只有道歉一途[73]。

但醫學部教授會的態度沒有改變，因為如果道歉，將有可能發展成豐川學部長與上田院長辭職的事態。山本教授與另一名同樣負責懲處的教授一起跟豐川商討，提議「我們兩人都會辭職，所以也請豐川先生辭職」，豐川則一口回絕道：「你們什麼都不懂。」[74]

六月二十五日醫學部公開的「關於醫學部異常事態」的文件中，斷言「所謂全學鬥爭委員會的活動，是由企圖在日本發起暴力革命的部分學生運動領導者，在很大程度上加以掌控所為」，「他們為了爭取對自身的有利立場，屢屢表現不惜扭曲事實的態度。」[75]可說，從中能看出豐川對事態的認知。

同時，醫學部學生群起抗議大量懲處，在三月十二日公布懲處當天，他們蜂擁至校長、醫學部長、院長等人的辦公室，但這幾位皆不在。晚上七點，學生獲得評議會假神田的學士會館舉行的情報，一百多名學生前往學士會館訴求處分不當，並包圍校長追究，直至隔日清晨五點，學生遭機動隊驅離[76]。

學生們於三月十四日前往大河內校長宅邸，要求再度展開團交。校長回答「若公開三位代表的姓名，今天下午三點起就在安田講堂會見」，但卻在開始之前以「沒人能保障會見可安穩進行」為由臨陣脫逃。大河內於三月二十三日在自宅舉行記者會，表示「無論學生想說什麼，我們都沒有錯」，「不跟身分不明的人對話。畢竟學生之中滲入什麼暴力團體，我根本搞不清楚。」[77]

在此記者會上，大河內還表示，「想起」在學士館內直到隔天清晨五點為止「被軟禁的那晚，至今還是憤恨不已。」[78]日後他表示「我的脈搏飆到一百六，處於危險狀態，應該最尊重人命的醫學生竟然依舊若無其事地不准我離開。那份震驚我至今無法忘懷。」[79]對大河內而言，遭大量學生長時間追究一事，只讓他感受到暴力的威脅。

但站在學生方的立場則主張，校方單方面決定懲處，對學生反覆提出的請願書與對話要求都置之不理，在此情況下也只能多少使用強硬的對抗手段。「無力者也有無力者的戰鬥方式。」這是學生方的說法[80]。

教授與校長越採取強硬的姿態，只會讓學生的戰術更加升級。醫學部全學鬥表明將採取強硬手段佔領校長將出席的畢業典禮，打算當場將典禮轉變為與校長團交的場所。對此大河內校長召開記者會宣布，為了讓畢業典禮順利舉行，不惜請警方介入[81]。

而民青則反對粉碎畢業典禮的方針。民青掌控的東京大學自治會中央委員會書記局發行文書，表示「全學鬥佔據校長室、粉碎畢業典禮等方針，必然會招來機動隊，完全是敵視大學的自治組織和校園民主化的方針」，「全學鬥內的一個新左翼黨派〔社學同〕表示，關於該鬥爭的定位，目標不在於撤銷懲處，而在於形成七〇年安保的主體，對他們而言，撤銷懲處鬥爭不過是單方面把醫學生引導向七〇年安保的一種手段罷了。」[82]

同時間，醫學部全學鬥委員會則提出抗議，表示「民青諸君對醫學部全學鬥爭委員會的毀謗中傷，實在是令人看不下去的行為」。[83]民青與社學同的對立逐漸變得表面化。

根據日後成為全共鬥無黨派運動者的大原紀美子於一九六九年書寫的手記，曾任理學部的自治委員的她，在畢業典禮前夕突然接到民青派理學部自治會委員長打來的電話，聯絡內容為：對於醫學部鬥爭與引入機動隊相關問題，將於三月二十三日舉行緊急擴大自治委員會，希望大原前來參加[84]。

但此時尚值春假，不僅到校學生人數稀少，而且幾乎沒邀請反民青派的自治委員。加上自治委員長等人的發言，專門針對無可避免會招來機動隊的「挑釁方針」批評，之後以理學部自治委員會的名義聲明，在「澈底撤銷不當懲處」之前加入「斷然阻止引入機動隊」的口號。

畢業典禮當天的三月二十八日，醫學部全學鬥等從一早便進入預定舉行畢業典禮的安田講堂。校方被迫決定要請來機動隊或者取消畢業典禮，而學生委員會主張中止典禮[85]。東大法學部助教以及研究所志同道合的學生也發表聲明稱，「東大本鄉校區從未請來警隊」，「說現在是『大學自治』的存亡之秋，也不為過。」[86]

就這樣，畢業典禮中止了。一部分的家長吐露不滿，不過依據內藤國夫的說法，學生中「不滿典禮中止的聲浪意外地小，反而大量湧現『校方應該迅速解決醫學部紛爭。為了此事，犧牲畢業典禮也不算什麼……』的意見。」[87]

對此民青則呼籲舉行集會，聲討將招來機動隊的「粉碎畢業典禮」方針。大原紀美子思考，「若僅以避免招來機動隊為最高命題，那麼比起與大學抗爭，不如一發現激進化的學生鬥爭就立即鎮壓，這樣反而能更快達成目的吧。真是令人搞不懂的黨派啊」，之後便前往於鐘樓前舉行的全學鬥一方集會[88]。

據說大河內校長對於中止畢業典禮感到「憤慨難耐」[89]。每年畢業典禮他都會照例發表演說，這年他原本預定演說如下內容：「雖說諸君畢業自東大，但已不像過往那樣是菁英了。希望各位能對社會扭曲之處，伸出溫暖的手。」然而，對醫學部的「扭曲」不聞不問的人，就是大河內本人。刊登大河內這篇訓示草稿的雜誌，還諷刺地寫道「對扭曲伸出溫暖的手，其具體實例，不就是他正被醫學部學生們強硬要求的東西嗎？」[90]

雖然如此，醫學部全學鬥打算將畢業典禮轉變成團交場地的戰術，終究是揮了一記空棒。而且此時包含社學同運動者在內的醫學部全學鬥成員，首次在校內戴上頭盔舉行抗爭遊行。對此，大眾傳媒也出現了如下的報導[91]：「見到這番景象，不少人都感到『幽靈露原形，原是枯芒草』。難道醫學部的罷課是由三派系在搞的嗎——這樣的認知廣為流傳。」

同時內藤國夫如此敘述[92]：「對於學生們提出的問題，校方太缺乏理解其深刻程度的能力。他們抱持『只要拖時間把事情拉長，大概就有解決方法。而在這段期間內學生們應該就會放棄』這種極端不負責任且脫離現實的判斷。」「對學生們而言，他們深信大學當局的高牆太過厚實，也太過高聳，若不戴上頭盔、罩上面具，便無法衝破這堵牆。」

然則醫學部教授會相當強硬。據東大名譽教授朱牟田夏雄表示，畢業典禮後他對醫學部的核心教授表示，「醫學部的態度似乎有點過度蠻橫，如此持續下去，恐怕會發生難以收拾的狀況啊」，但「該君卻以昂然自信的口吻說，只有校長與其他學部不支持醫學部，才是真的問題。」[93]

四月十二日，醫學部全學鬥也在入學典禮嘗試同樣的戰術。預定在入學典禮前一晚於安田講堂入口靜坐的醫學部四年級生表示：「校長出席入學典禮，代表他也有進行大眾團交的覺悟吧。我們希望校長不要規避責任，能以積極的態度面對當前事態。」據當時的報導稱，「他們在班會討論上商量好，將避免輕率的行動，運動要保持安靜、禮儀端正。」[94]

但校長卻由後門進入安田講堂，入學典禮約遲了十分鐘開始，接著校長對新鮮人表示，「集體暴力，是種令人憎惡的，對大學自治傳統的挑戰。頭盔是大學自治的敵人，是該加以恥笑的暴力主義。」[95]全學鬥的學生在正面玄關與教授們發生衝突，但對於強行闖入破壞儀式這點，學生內有人提出「班會上可沒確認要這麼幹啊」，最終大家自我克制並未闖入[96]。

評論家大野明男與東大研究生增山明夫於一九六九年三月進行對談，根據他們的說法，民青派與反代代木派的「對立檯面化，始於粉碎畢業典禮和粉碎入學典禮」，但雙方都缺乏對運動的展望。反代代木派的方針僅有介入畢業、入學典禮以擴大鬥爭，同時，民青方也只有在安田講堂前舉行集會這種程度的方針，兩者皆「完全沒有把鬥爭擴及全校，藉此在醫學部鬥爭上獲得勝利的發想。」[97]此時，沒有人能預料到醫學部鬥爭將把整個東大都捲進去。

又根據增山的說法，「反代代木派拚命幹的只有醫學部，而整個大學，至少從主觀意識的角度來看，民青派的諸君則一直在拚命努力。」[98]反之，日後東大全共鬥編纂之《在堡壘上打造我們的世界》中則指出，東大自治會中央委員會的民青「對醫學部罷課，都一貫置之不理。」[99]事實真相如何並不明朗，然而恐怕增山的意見更為妥適。

因為，分布在東大各學部的反代代木派新左翼黨派運動者中，不關心醫學部鬥爭者並不在少數。

當初這個問題被當作醫學部的特殊鬥爭，而且還是與革命毫無關聯的改良鬥爭。

前述的今井澄雖也參加了醫學部鬥爭，但因他是社學同的運動者，到後述六月十五日的佔領安田講堂為止，他都認為「醫師的鬥爭頂多就是小布爾喬亞（小市民）式的，沒有特別值得期待。」[100]一九六八年夏天舉行的東大全共鬥研究生座談會上，也表示在四月的階段，「〔新左翼黨派的〕運動者認定醫學部鬥爭是擁護醫師特權的運動，並未給予太高評價。」[101]

另一方面，民青的路線是透過擴大學生權利的鬥爭來擴大黨派勢力，所以比新左翼黨派更加熱中此種改良鬥爭。當時一位醫學部的民青派運動者在一九六八年十二月回顧當年年初的醫學部鬥爭時，如此說明：[102]

「雖說是以社學同的諸君為核心，但還是得對青醫聯揭示的要求與集結能力給予高度評價。即便政治課題很明確地一直不同，但基本上仍站在一起幹的陣線上，所以我參加了鬥爭。」「而且，直到去年為止社學同那種無論何事都以暴力強制通過的幹法，此次並沒有表現得那麼露骨啊。」

因此，此時大眾傳媒的評論家們以及醫學部的學生們，都未把此次活動當作反權力運動。評論家青地晨評價道，「醫學部的紛爭，首先是場真正的人權鬥爭。」[103]一九六八年春，見到在粉碎入學典禮鬥爭上戴頭盔現身的社學同運動者後，週刊雜誌的記者問某醫學部的學生「醫學部的罷課是三派系搞的嗎？」該學生如此回答[104]：

「為何大眾傳媒會如此感興趣呢？我們通過班會討論提出方針，既有民青的人，也有社學同的人。而且，這次鬥爭與羽田或佐世保鬥爭的性質相異，是醫學部學生與實習生全體的問題。與純粹的政治鬥爭截然不同。」

被誤認而遭懲處的粒本良彥在一九六九年春天接受雜誌採訪，如此說明[105]：

首先，這是純粹的經濟鬥爭。換言之，我們就算從醫學部畢業，也與往昔不同，如果不是相當程度的布爾喬亞子弟根本無法成為開業醫師。從十年前開始就已然不同。因此，老舊的實習制度依舊。即便畢業，最初的四、五年仍得在學校的附屬醫院、外頭的醫院擔任實習醫師，或者使用登錄醫師的名義，實際上就是給師父免費工作的徒弟，在這些工作中領取研究主題，除了被對方利用提出「論文」之外，什麼也幹不了，就這樣來到第五、六年。此時我們大多數人都已經超過三十歲。而且為了讓論文合格，大多數的人還得更進一步提供無薪服務。等待主任教授賜予一個好職位……。在這種陳舊又封建的制度下，我們沒有自信成為一個有良心的醫師。所以這是抗議不合理制度而奮起的經濟鬥爭。

當原為「純粹經濟鬥爭」的東大鬥爭日後變得激進化，東大全共鬥喊出「大學解體」口號時，粒本逐漸不能追隨這樣的腳步，此部分將於後文敘述。

《每日新聞》記者松尾康二當時也如此思考[106]：「即便事態發展到阻止畢業典禮、阻止入學典禮（雖然最終以失敗告終），也不令人訝異。學生方根據多數決反對接納外人部隊（來自其他大學新左翼黨派的支援部隊），一直堅持不使用物理性暴力進行人身攻擊的原則。即便為了防禦而展開撤銷懲處的鬥爭，將校內秩序一直推到極限為止，但並未發展成不可收拾的局面。」

另一方面，日後成為東大全共鬥議長的山本義隆在一九六八年十一月號的《情況》雜誌中寫道

[107]，「如果青醫聯是為了達成將來的醫師夢，而對研修協約做出抗爭，那麼它和作為厚生省壓力團體的醫師會並無不同。」「但青醫聯、醫學部學生的抗爭本質並非如此。至少帶著並非如此的動機。」據山本稱，青醫聯的抗爭既是對醫療帝國主義重整的抗爭，同時也是醫學部學生意識到在現行體制下當醫師不過是「讓受傷的工人重新回到掠奪場域」的自我否定鬥爭。然而山本的這些文章，卻與一九六八年春天以前的醫學部鬥爭的現實有所出入。

為何山本會寫下上述文章，理由不明。推測其中的一個理由，是因山本雖身為無黨派但仍「參與粉碎畢業、入學典禮的鬥爭」，並曾在其著作中說他與青醫聯的社學同運動者關係很好[108]。社學同的官方見解是，醫學部鬥爭是對醫療帝國主義重整的鬥爭。所以山本有可能從社學同的運動者們之處聽取他們對醫學部鬥爭的觀點，誤解了醫學部鬥爭的實際狀況。

不過，僅從現存資料來看，即便是社學同，在一九六八年春的時間點上也未提倡醫學部鬥爭是自我否定的鬥爭。山本上述文章中所寫的，是東大全共鬥在一九六八年秋季以後，東大學生主張應當否定走在支持現行體制的官僚或高級技術人員菁英路線上的自己，亦即必須進行「自我否定」之後的事情。

恐怕山本是把東大鬥爭描繪成從醫學部鬥爭開始就一以貫之地推進，因而將一九六八年秋天以後的東大全共鬥主張投射到了過往。但或許山本也意識到自己描寫的內容與現實有所脫節，才加上「至少帶著並非如此的動機」這句話。

然而，一部分醫學部學生的武力行動讓教授們感到恐懼。畢業典禮與入學典禮之後，大河內校長、豐川醫學部長與上田院長等因害怕學生，變得不再接近大學。醫學部教授會在校外秘密舉行，為了保持機密，很多時候出席的教授都是「早上五、六點接到聯絡電話，八點左右匆匆開會」。對此內藤國夫寫道「他們害怕學生，把學生當成不共戴天的仇敵，逃走躲藏的模樣，簡直到了讓人歪頭懷疑『這樣也算教育人士嗎』的地步。」[109]

另一方面，豐川醫學部長在四月五日的臨時研究所長會議上表示，「在不撤銷懲處的狀態下，路線會改由民青領導。」[110]亦即，只要拒絕交涉拖延下去，學生方的罷課會陷入疲憊，便會轉而支持穩健派的民青醫學部學生，問題就會得到解決。這便是豐川的見解。

四月六日，醫學部全學鬥對校長提出訴求書，要求完全撤銷懲處以及與醫學部教授會會面，如果不同意上述訴求，則要校長及評議會提出令人信服的說法。與日後東大全共鬥的「大學解體」、「全校封鎖」口號相比，這些訴求顯得溫和得多。但校方實際上仍選擇了置之不理[111]。這種持續置之不理的態度，之後被學生們通稱為「沉默的暴力」。

五月十日，國會通過包含醫師登錄制度在內的醫師法修正。賭上留級的罷課，最終未能改變事態。至此，東大鬥爭的性質一口氣發生改變。

佔領安田講堂與請來機動隊

拒絕畢業的罷課已經超過五個月，在無法打破僵局的狀況下，全學鬥執行部於六月六日打出佔領安田講堂的方針。今井澄回憶道，「因為對方置之不理，所以我們變成在唱獨腳戲，這樣鬥爭找不到出路」，故此舉乃「起死回生之策」[112]。

某社學同的醫學部運動者也在八月如此敘述[113]：「當入學典禮的騷動告一段落後，情況變得十分倦怠，學生群眾完全不再抱持關心，如此下去我們必然會脫離群眾，某個時候將被拋棄。那時就是這種悲壯的感覺。」

六月十日，全學鬥執行部通告校方，如果不接受四月六日提出的訴求書，將佔領安田講堂。但校方只在十一日發出告示，指出「無論目的為何，都不該意圖以暴力行為解決問題」，全然未提及全學鬥的訴求書。然而醫學部各班卻以佔領安田講堂太過激進而加以否決，另行同意民青派提議之「追求教授會團交」[114]。

不過全學鬥執行部，特別是社學同運動者們受到先驅性論影響，即「鬥爭由進步的分子預先掌握理解狀況，透過這種形式的開拓，才能有所發展。鬥爭的指導性無法由鬥爭之前的多數意見反映出來。」[115]。六月十五日星期六的清晨五點多，醫學部全學鬥執行部加上東京醫科齒科大學的五十名支持者，湊足約八十人部隊的學生戴著頭盔手持角材，趕走約四百名職員後，佔領了安田講堂。他們封鎖了所有的出入口，以桌子和置物櫃築起街壘。

六月十五日這天，如第十五章所述，適逢以越平聯主導的非暴力反越戰遊行大規模展開之際，全學鬥執行部選在警方將注意力放在該遊行的空檔，於此日果敢執行封鎖。

當天前往本鄉校區的教養學部研究生柏崎千枝子，見到事務職員們聚集在安田講堂後側，他們表示「醫學部的學生說反對醫學部的懲處，所以佔領、封鎖了講堂啊。早上來了才發現這種狀況，實在很困擾呀。」當事務職員拜託學生讓他們卸下辦公作業上的必需品時，學生們問道「放在哪？」之後以繩索將物品卸下，呈現出一派和諧的封鎖風景[116]。

柏崎是一九六二年反對大學管理法鬥爭以來的老經驗運動者，她尋思「竟然還有這種鬥爭方法啊」，並感到「新鮮與驚奇」[117]。此處可以看出街壘封鎖戰術此時還未被廣泛知悉。

但此行動也遭到醫學部學生的非難。十五日全醫學部共同班會上決議反對佔領，全學鬥執行部遭罷免。七點多，醫學部各班級代表共一百一十六人聚集於講堂前，呼籲「進行自我批判後撤出講堂」。法學部綠會（自治會）的學生也加入陣容，呼籲解除佔領[118]。

而根據報導，一九六八年四月考上醫學部的學生在甫入學後旋即遇到決議繼續罷課的投票，當時「即便前輩運動者們訴求什麼醫療帝國主義的重整、廢除師徒制、反對把配屬至大醫院的狀態合理化，我們卻什麼都不清楚」，但仍在這種狀況下投下贊成票。據稱一百名學生的班級有八十五人出席，有八十一張贊成票，但有多少人理解「究竟為了什麼罷課」才投票，值得存疑[119]。以這種方式湊集選票的全學鬥執行部，似乎也遭到暗地裡的批評。

同情醫學部鬥爭的《每日新聞》記者松尾康二也對佔領表達批評。他認為之前皆基於醫學部全體學生意見來搞運動，而全學鬥執行部此舉即「打破原則」，加上引入醫科齒科大學的「外人部隊」的舉措，可用「『背叛』一語道盡」[120]。

另一方面，一九六九年春東大全共鬥編纂的《在堡壘上打造我們的世界》對無視班級決議逕行佔領一事，做出如此評價[121]：「日共＝民青的諸君，正是以『多數決原則』作為唯一的武器，而真正思考醫學部問題的人，見到始終堅持鬥爭的那部分人遭到肅清時，不僅會看清『班會民主主義』，更逼近了戰後民主主義在人民支配機能上的本質。」

不過，全學鬥在佔領安田講堂時提出的聲明中，雖字面上可見到把大學批評為「幻想的共同體」，但對「戰後民主主義」卻未提出批評[122]。實際上，如同前述社學同運動者們的證詞般，說這是無計可施的全學鬥執行部賭上一把的做法，大概也是實情。然而，全學鬥執行部遭醫學部學生孤立、罷免。如果事態就此發展，大概會如豐川學部長推估般，主導權將落入民青手中。

不過大河內校長卻焦急著要解決眼前狀況，十五日召開緊急學部長會議，決議「即便請來機動隊也是不得已而為之，最終的決定全賴校長。」民青派的學生與東大職員工會要求避免引入機動隊，但校長並未接納[123]。

十七日星期一凌晨兩點，校長委託機動隊出動。清晨四點半在約一千兩百人的機動隊抵達之前，佔領學生撤離了講堂。清晨五點半，學校發出告示，內容為「為排除一部分暴力學生的不法行為，不得不請來機動隊。」[124]

被認為優柔寡斷的大河內校長，會做出如此迅速的對應，據說與他及文部省的關係有關。根據醫學部教授山本俊一的說法，在安田講堂的是文部省派遣的文部事務官僚，因該工作場地遭到破壞，庶務部長要求大河內驅離學生。這種文部省直轄的庶務部長意見，校長也無法忽視[125]。

距離前次在東大校內請來機動隊，已經時隔十六年。據當時的報導稱，為解決醫學部紛爭而剛被特意任命的特別學生委員福武直教授並未接獲通知，對於請來機動隊，他感到有如「青天霹靂」[126]。而大河內校長因認為「如果長時間被學生圍困，腦袋不清晰時可能被迫說出什麼，這樣絕對會造成困擾」而畏懼「大眾團交」，據稱醫學部以外的教授對他因此把問題一直擱置感到不滿[127]。

此外，見到東大迅速請來機動隊，在學生長期處於罷課狀態的京大醫學部，校長奧田東抱著將長時間遭學生圍困的覺悟，進行了大眾團交，大幅採納青醫聯要求的醫學部與附屬醫院中的人員配置、實習方法，締結了實習協約，於六月十一日解決罷課事件。這樣的處理方式，與東大的大河內校長呈現出明顯的對照[128]。

同時，警視廳在一九六八年初制訂「關於警方進入校內之基準」，通告轄下各警察署署長「即便大學當局沒有請求，只要發生危害生命、財產的犯罪，便發動搜查、檢舉、鎮壓等，進行嚴正取締的行動。」一九六七年十月第一次羽田事件以來，警察開始瞄準能自由進入大學校內的機會[129]。

東大突然請來機動隊，也讓新聞記者感到訝異。《每日新聞》記者內藤國夫記道，「我自己接到深夜出勤的聯絡，在前往報社途中心中不斷想著，『不會吧，應該不至於發生那種事情。即便校方再怎麼憤怒狂躁，應該也不會做出那麼輕率的事情』。即便從報社前往大學時，也仍舊抱持半信半疑的想法。」[130]

不過佔領講堂的學生們，其行徑也不令人讚賞。學生們因畏懼遭逮捕而在機動隊到達之前撤離。據松尾康二回憶，某教授「很不屑地說」，「真卑鄙無恥啊，這些學生們」，「而我也完全贊同這說法。」[131]

僅僅兩天的佔領，講堂卻遭到激烈的破壞。內藤國夫如此記述[132]：

不管哪個房間都有如被「一群強盜」搶過一般，東西散亂一地，甚至沒有可以踏腳的地方。電話機被強行扯下，打字機被掀翻，印刷品散落一地。桌子與置物櫃散亂地堆放在窗邊，用來當作街壘。書本與私人物品被胡亂堆放在房間角落，而房間中央卻滾滿酒瓶、吃空的罐頭，一旁則是堆積如山的頭盔與角材。校長室特別嚴重。大型桌子與抽屜都被翻搜過，私人物品宛如都遭

「檢閱完畢」般。大量的名片、介紹信、私人信件都被取出；門被敲壞搞出了一個大洞，椅子被拉出翻倒，長椅或沙發被當作床，漫畫散落四處，威士忌等酒瓶遭隨意棄置，吃剩的麵包屑灑落各處。對於這種滿目瘡痍感到震驚之餘，也推測可能是少數學生倉皇失措搞出的結果。

如第七章所述，內藤曾經歷過給中大街壘送去酒和關東煮，但遭學生退回說「我們是認真在進行鬥爭的，酒之類的，不是在這種場合〔街壘〕喝的東西。」對於東大，他則憤慨表示，「在裡頭搞喝酒宴會，這算什麼？對私人物品出手，這算什麼？這些傢伙此等聲名狼藉的幹法，根本稱不上『革命家』啊。」

東大學生則有別種反應。東大法學部的學生們見到大多數佔領安田講堂的學生皆屬東京醫科齒科大學的支援部隊，便說「他們是考不上東大才去那邊的學生，所以光靠這個時候發洩怨氣吧。」[133]東大學生這種對「外人部隊」的優越意識，也透過東大鬥爭顯露出來。

不過，引入機動隊終究引發學生反彈。根據內藤國夫的說法，學生「因為一直信奉『大學自治』的神話，因此那份震驚的感受難以言喻。」[134]工學部碩士生大橋憲三回憶道，「雖然我們原本就不信任校方所說的『大學自治』，但心中還是湧起一股『這究竟是怎麼回事』的憤怒。內心尋思『那些大人物們，真就如此輕易引入機動隊嗎？』」[135]

柏崎千枝子也是對此處理方式感到氣憤的人。她讀到大河內發出的聲明告示中寫著「凡是在大學內，無論發生什麼狀況，原則上都不會企圖以力量來解決問題。然而因全學鬥的諸君使用暴力，所以我們也不得不引入機動隊」，讓她冒出如下想法[136]：

「對十七人的大量懲處，難道就不是行使暴力嗎？何況同學們已經持續四個月的無限期罷課，對此發出抗議，校方卻對一切置之不理，這難道不是暴力嗎？所謂懲處，就是把學生的一生搞得亂七八糟，是種強力的手段，難道校方沒有自覺嗎？」此處也帶有對「沉默暴力」的反彈。

批評佔領安田講堂的學生們也相繼發出如下的聲音[137]：「星期六執行佔領，星期一天還未亮就出動機動隊，這算什麼？」「如果發生危及生命的狀況也就罷了，只是建築物遭佔領，如此毛躁的做法，究竟是怎麼回事？」「這個決定有至少取得各學部教授會、評議會與學部長會議的同意嗎？」「幾乎都沒努力嘗試校內自行解決，突然就委託外部權力，這算什麼『大學自治』？」

更加憤怒的是前去呼籲解除佔領的學生。他們主張[138]，「我們才剛開始說服佔領的學生。為何無視我們的努力。不僅如此，還反過來把我們的說服活動宣傳成『全學鬥遭普通學生拋棄』，這絕對無法容忍。」

此外，大河內等人在大眾傳媒或上課時總是暢談進步的思想，可一旦自身可能遇險便立刻請來機動隊的行徑，也招來反感。參加東大全共鬥的小阪修平在回憶錄中談及，「口頭上擺出進步的姿態，說著反權力的發言，但實際行動卻完全相反，委託機動隊前來，這種落差引起學生們的激憤。」[139]此種憤怒與日後東大全共鬥批評「進步文化人」有所關聯。

如前說明，廣泛引起學生怒火的，與其說是大學做出調漲學費這類決定，不如說因為該決定的方法並不民主，學生們認為大學應當是「探求真理的學府」，但卻遭校方破壞。而校內引入機動隊一事，一如在早大鬥爭與日大鬥爭中可見的，反映出校方破壞「大學自治」與使用暴力處置學生，乃身為教育者不該做出的行為。六月十七日突然引入機動隊的做法，達到了所有引發學生怒火的條件。東大當局，完全未從過往事例中學到任何教訓。

「大學自治」觀的世代差異

大河內無法預料到學生們的憤怒，背景原因之一，在於他的感覺與學生間存在著世代差異。如第一章曾說明的，一九六五年十一月東京大學發布關於大學自治，名為〈大學自治與學生自治〉（通稱〈東大手冊〉）的文件。

根據該文，大學作為研究與教育場域，決定權由對研究與教育具備專門知識的教授掌握，所謂的大學自治即是教授會的自治。而學生的自治會活動不過是社會性「教育的一環」，放棄上課的學生罷課等行為，是「阻礙大學原本機能的做法」。即便如此，近年來的學生運動中「甚至有學生聲稱，以武力癱瘓大學規則與慣習才是自治活動的目的。」[140]

這份〈東大手冊〉雖然受文部省及大部分的大學教授歡迎，但也遭批評輕視學生的自治權。新聞工作者丸山邦男批評這份〈東大手冊〉，在當時的《現代之眼》雜誌寫道「無論起草的大內（東大經濟學部教授，大內力）氏，或讀過這篇文章後表示通過的大河內氏，性格上都屬於自信過剩型，換言之，他們僅有無可救藥的菁英意識」，對手冊做出嚴厲批評[141]。

此外，在一九六二年的大學管理法（大管法）遭大學及學生反對而無法通過後，全國七十五所國立大學協議機構的國立大學協會（國大協）曾承諾文部省，大學將會防止學生運動失控。接著一九六六年六月，國大協遵循〈東大手冊〉方針，提出〈關於大學經營管理之意見書〉，指出所謂大學自治即是「教授會的自治」，並將其定位為「評議會的自治」[142]。

然而文部省對國大協的意見書表示不滿，為了對大學實施更強力的國家管理，一九六七年度起將文部省的課長或課長輔佐、科長送入大學的事務局[143]。全學鬥自安田講堂中趕出的事務職員中也包含這類文部省派遣職員。

而當東大醫學部開始罷課後，國大協立刻於一九六八年二月九日公布〈關於最近學生運動的意見書〉。內容為「若判斷有必要以懲處形式使學生反省其行動時，則不得迴避之」，「大學沒有治外法權。……為了恢復校園的和平與秩序，不得已時可請警方介入。」[144]而當時的國大協會長，即是東大校長大河內。

不少學生都認定國大協的聲明、東大當局的強硬姿態與引入機動隊三事環環相扣，故日後東大全共鬥對「國大協路線」採取強烈批評的態度。

不過，許多東大教授對主張「大學自治」是「教授會自治」的〈東大手冊〉也抱持疑問。一九六六年十月，〈東大手冊〉的執筆者大內力在雜誌上如此說明〈東大手冊〉[145]：

「只是把東大過往的想法重新做一次確認，並未提出任何新的見解。所以我以為會因寫得太過理所當然而遭受批評，未料卻被批評裡頭的想法不妥，這讓我略感意外。」「當然，需把一部分的學生運動者除外，因為無論如何，不管多麼理所當然的事情，他們也沒有辦法認定那就是理所當然，必定會扭曲解釋並加諸抱怨，根本拿他們沒辦法。」「在各處豎立醜陋的看板，最終還在教室牆壁上貼傳單，這種事情，他們就稱之為『學生自治』。」

馬克思主義經濟學者的大內，以在論壇上發表左派言論而聞名，但在維持校內秩序與對學生運動的認知，卻僅有上述水準。這種態度日後被東大全共鬥批評為「進步文化人的欺瞞」。然而教授們會抱持這種「大學自治觀」，其實有兩項歷史背景因素。

其一，當時大學的幹部教授世代，在戰爭期間屬於年輕教授。戰時實施言論管制，發生過提倡天皇機關說的法學者美濃部達吉、自由主義經濟學者河合榮治郎等，接連被趕出大學的事件。大河內一男是河合榮治郎的愛徒，也親眼見證過河合遭趕出大學的場面。

因此，他們抱持著「大學自治」就是在外界的政治壓力下守護教授學術自由的觀念。而這種想法透過戰爭期間大學內容許自由發言與研究的形式，部分獲得實現，這也是事實。

例如東大法學部教授丸山真男回憶戰爭中他身為法學部助教的時期，如此敘述[146]：「即便從今日的角度來看，東大法學部的研究，也是宛如另一個世界般的自由主義，我在戰爭中把這種僅存的自由主義空氣，當作氧氣呼吸器般貪婪吸入，藉此熬過戰爭期間。」「對我而言『東大法學部研究室』正是一種『亡命國內』的場域，當時的日本國內，幾乎沒有這般亡命的場域。」

經歷過這種時代的教授們，會把「大學自治」當作保障教授自身的研究自由，有其依據。大河內於一九六六年一月公開的評論中表示，「日本的大學『自治』問題，從戰前就有長遠的歷史，其核心便是抵抗思想管制，一直以來抵抗官方對『紅色』教師或『令人厭惡』教授的驅逐計畫，鞏固自身的立足點。而與此相連的教師人事自主性問題，就是『自治』問題的核心。」[147]

招致學生不滿的〈東大手冊〉中，亦有如下記述[148]：「大學中的研究主題、內容、方法等，由對研究、教育直接負責的教師（教授、助教授、專任講師）及教師組織（教授會、評議會）自主決定與調整，不應受外界任何掣肘。」

執筆的大內抱著防止軍部或政府干預學術自由的意圖而如此書寫。但在不識戰爭的戰後出生世代的學生看來，這卻是無視學生自主性，宣示教授及教授會擁有專制性決定權，因此他們無法接受這種說法。

實際上，東大也曾有過反對政府介入的狀況。一九六八年四月十五日，文部省因參加三派系遊行者多為大一、大二學生，故召集全國三十六所大學的教養學部長，對「大學自治能力」表達不滿。然而，東大以這樣的介入「觸及大學自治存廢的核心議題」為由，教養學部長拒絕出席[149]。

如此這般，身為戰前世代的東大教授們，面對包括政府在內的外界介入，採取上述的態度守護「大學自治」。然而他們當中的多數，則對擾亂校內靜謐研究環境的學生運動不抱好感。

大河內在前述一九六六年的評論中，一面感嘆大學升學率急速上升，一面如此寫道[150]：自小學至高中，「被迫活在升學主義掛帥氛圍中的青年們，當他們順利考上大學之後，瞬間就爆發反動。」「踏入大學之門一事，或許可以當作精神病理學的對象，在越軌的學生運動氣氛中，他們長年累積的抑鬱，找到了一處逃生口。」

另一方面，山本義隆記下大管法鬥爭時理學部長的發言：「大學自治，就是那棵樹〔東大校內的大樹〕啊，這個校園竟如此寧靜。」這是壓低身姿穿過戰爭中言論管制風暴的教授，昭示能享受校內研究自由的靜謐環境方為「大學自治」的表達。不過山本評價這是「似是而非、迷惑人心的說法」，但也是「真實的狀況」[151]。兩者間的經驗與理解，存在太過龐大的落差。

安田講堂攻防戰之後，法學者也是東大名譽教授的我妻榮如此敘述[152]：「隨著戰爭結束，這些〔被大學驅逐的〕進步學者都回到大學，而教授們也得以不用擔心受怕，自由從事自身研究與授課，也能在外發表。我們都直呼快哉。」「但僅是如此，並未完全解決問題。今日回頭思考，……應該針對大學經營管理進行思索。但我們卻未充分重視此事。」

我妻發言的時間點，是在東大鬥爭持續超過三百天，因安田講堂攻防戰造成本鄉校區荒廢之後。當時年長的教授們也終於察覺，「大學自治」不僅僅是教授研究自由的問題。但在東大鬥爭之前，他們滿足於日本敗戰後取得的研究與言論自由，對大學經營與師生關係中教授握有權力等事，依舊沿襲戰前而來的習慣。

其二，當時年長教授在上述「大學自治」觀的深處，因自身在戰前舊制高中裡形成人格，因此與接受戰後民主教育的學生之間，存在著世代間的感覺差異。

報導當時大學紛爭的雜誌如此介紹某大學教授的發言[153]：「以往我進入教室站上講台，學生們就會起立行禮。現在我站上講台對學生點頭打招呼，他們也只是呆呆地看著我。學生的態度已經不同了。」引用這段發言的雜誌報導指出：「鬥爭會如此惡化的原因究竟是什麼？其中之一，正是被稱為『戰無派』的新世代，與戰爭前或者在戰爭中接受教育的教授、大學管理者之間，橫亙著巨大的鴻溝吧。」

此外，年長的教授有種傾向，便是把師生關係想像為東大還處於小規模時代的那種菁英共同體關係。在這種關係中，身為人生前輩的教師會致力於與學生一起鑽研學問、從事研究與培養人格。一九六九年一月，東大名譽教授杉捷夫寫下下面一則軼事，說此事讓他意識到「自己的思想有多麼陳舊」[154]：

「這次東大紛爭期間，在東大教養學部長期負責學生事務的西村助教授，指出現代學生的觀念已不再是請老師教導自己學問，他們每個月繳交高額補習費，通過辛苦的升學考試關卡，進入大學後他們是客人，而對老師們要求相應的服務。……我感到一陣愕然，有股恍然大悟的心情。……『大學是經由學問形成人格的場域』等我們心目中的大學形象，已宛如泛黃陳舊、不再通用的支票一般。」

這種老舊的大學形象，被東大全共鬥批評為「大學共同體幻想」。而在第四章曾引用過的文章，東大鬥爭中的一九六八年九月提出之國文學部研究生手冊，如此敘述道[155]：

「學生皆是成長於二次世界大戰後的年輕人。他們在以往世代無法企及的富裕物質和精神環境下長大，同時呼吸著資本主義體制的『尊重自我』、『追求自我自由』的氛圍迎向青年期，屬於『自我的世代』。現在學生的自我主張，較二十、三十年前更為強烈。」「當然，在教育的場域不喜歡『被支配』。特別是在封建式的師徒關係中，不樂於在主君面前成為『家臣』。對老師不使用敬語的學生所在多有。」

傳統「師徒關係」的崩毀，也與經濟高度成長造成的社會變動相關。政治學者高畠通敏於一九六九年一月的評論中，論及東大鬥爭並如此敘述[156]：「大學已不再是保障通往菁英之道的機構。所謂的『師徒之禮』之類，是以弟子能繼承師父地位為前提才能成立，故今日教授的『支配地位』受到學生的普遍抵抗與否定，也是理所當然的。」

在戰前形成人格的教授們，即便稍微覺察到這種結構變動，但仍未有深刻的認識。他們認為，在大學外發表進步的言論，以及在大學內保持「探究真理的學府」之靜謐秩序，並無任何矛盾之處。因此，學生對教授必須以禮相待，遵循教導，懲處擾亂校內靜謐的活動，也屬情理之中。但戰後成長的青年們卻未共享這種感覺。

大河內也是馬克思主義經濟學者，屬於進步的知識分子。但他也是保有上述「大學自治」觀的人。恐怕從他的觀點來看，如引入機動隊能維持校內的靜謐秩序，那應當就是保護「大學自治」。但這樣的決定卻引發學生怨憤，應該超出他的預期。如後所述，大河內於一九六八年十一月一日辭去校長職務，而當時他對學生公開的文章中表示「機動隊進入講堂對諸君造成的衝擊程度，遠超乎我的想像。」[157]

而且舊世代教授們抱持的「大學自治」觀，不僅有違新世代的感覺，也不適合經濟高度成長下轉變形貌的大學現狀。

為了回應政府與經濟界需要大量技術人員的期待，東大的學生與研究生人數急增。創立九十年間的東大畢業生總數為十三萬二千餘人，其中一成以上都是一九六四年至六八年的畢業生。東大的教師人數也大幅增加，教授有七百二十三人，助教授七百五十五人，講師二百四十人，助教一千八百人，此外職員也增加到五千四百人以上[158]。

在巨型化的東大，教授會也隨之膨脹。醫學部教授會的成員有教授五十一人，助教授七十一人，合計一百二十二人，有不少教授甚至不知道醫學部懲處問題的內容。此外，工學部教授一百三十二人、助教授一百二十一人，即構成教授會的成員有二百五十三人。教養學部有教授九十八人、助教授一百五十四人，加上講師二十二人，教授會成員共有二百七十四人。當時的雜誌寫道「教授會，在公司的話就是董事會。共有二百七十四人參加的董事會，平常算是想像不到的事情吧。」[159]

而被視為「封建」、「老舊」產物的教授特權式地位，似乎部分也源於經濟高度成長的結果。雖非東大的例子，不過戰後新制大學弘前大的某位教授，於一九六七年如此說明[160]：

「大學設立之際，教授人數較今日少許多……讓大學有意義是大家共通的心情，也不被頭銜所束縛，對研究與學生教育也較自由，年輕人們也能表達意見。然而最近四、五年（伴隨大學巨型化與教授人數增加），教授會也逐漸變成只有教授才能參加的會議，這種傾向益發加強後，助教授或講師等的發言空間也變得緊縮。」

無論如何，在這種巨型教授會上不可能出現認真的討論。之後當東大鬥爭激化後，校方的行動總是慢半拍，原因之一就是彙整教授會成員的全體意見得花太多時間。當時甚至被說成東大裡「有一千六百位教授，所以有一千六百種意見」[161]。

而且，這一千六百人中並非每個人都認為自己是當事人。即便在鬥爭激烈的時期，仍有許多教授以研究或留學等理由缺席教授會。著名的數學家、理學部教授小平邦彥於東大鬥爭中公然表示「現在東大紛爭什麼的，進行到什麼狀況，我完全不清楚」，因為他一直缺席教授會而埋首研究[162]。

後文將說明東大全共鬥的七項訴求，而當時東大教養學部助教授增田義郎如此描寫教授會一片混亂的樣子[163]：「從極右到極左，從誠懇派到無節操派，彼此的差異令人驚愕。有人主張應請來警隊，在他們保護下繼續授課。有人主張那些率直接受所謂學生的七項訴求者，應當雙手伏地道歉。還有人說真不像話，也有人要求把七項訴求全吞下去，筆者試著試探眾人是否知道訴求內容，其中也有人完全不了解狀況。」

在過往東京大學的小規模菁英共同體中，以教授掌握大學整體狀態為前提的「大學自治＝教授會自治」的觀念，已不再適應因經濟高度成長而巨型化的東大現狀。一九六八年秋，某學生陳述紛爭的原因，「再怎麼說，大學正在巨型化。在這樣的過程中，時至今日的講座制與教授會自治，除了落後於時代之外，也成了官僚化、行屍走肉的東西吧。」[164]

如前文所述，醫學部鬥爭的根柢中，存在教授與學生間的世代差異與因經濟高度成長造成的社會變動。而關於「大學自治」，也有著相同的問題。

延燒全校的東大鬥爭

大學當局引入機動隊後，對學生依舊恐懼。大河內校長得知引入機動隊引發學生反彈後，以生病為由住院。六月十七日舉行的學部長會議中，傳來「學生們察覺此處正在舉行學部長會議，現在正成群趕往此處」的假情報，結果教授們立刻當場解散[165]。

引入機動隊一事，給學生帶來很大的衝擊。教養學部的學生船曳建夫回憶道：「我想當時東大的學生應該記得很清楚。六月十七日的清晨，大概就像自己父母在一九四一年（昭和十六年）十二月八日聽到開戰新聞般的感受，我當時就是這樣的心情。我記得當下的猝不及防，以及得知消息時我到底在做什麼。我也是被電話叫起，暫且不論鬥爭的政治意義，六月十七日的早上情緒一下子就高漲起來。」

收到引入機動隊的通知後，一、二年級生所在的駒場校區一時間看板林立。根據當時學生的回憶，「從駒場東大前站到大學正門（約五十公尺）林立著看板，瀰漫著一股發生重大事件的氛圍。」在這五十公尺之間，每天都有超過二十人排在此處散發印刷著各自黨派主張的傳單，此前不關心的學生們見到這些傳單也開始覺得「稍微讀一下吧」[166]。

民青掌控的東大自治會中央委員會於二十日呼籲各學部自治會實施全校罷課，抗議引入機動隊。雖然各學部陸續通過支持罷課的決議，但此時民青的統治也有動搖的跡象。中央委員會提出「聲討引入機動隊」、「聲討無視民主程序的部分挑釁分子」、「豐川與上田負起責任下台」、「七者協大團結」等口號，但卻在各學部學生大會上飽受批評[167]。「聲討部分挑釁分子」很明顯其矛頭直指社學同等新左翼黨派。而「七者協」則是由東大自治會中央委員會、東大職員工會、合作社工會、合作社理事會、東大宿舍聯、東大研究生協議會、好仁會工會等七個工會組成，但共產黨對這些組織的影響力甚強，因此學生們認為民青想藉此掌握主導權。此外，除了豐川、上田之外，學生們要追究大河內校長責任的聲浪也頗高。

不僅運動者，普通學生也紛紛響應批評，原封不動採用中央委員會口號的，只有之後也成為民青據點的教育學部自治會，大部分的學部自治會都加以否決，許多學部採用「追究大河內校長責任並要求大眾團交」、「支援醫學部罷課」等口號。醫學部也通過再度選舉，讓全學鬥的前執行部重新回歸。

適逢駒場的教養學部選舉自治會委員長，六月十六日委員長由民青轉為結構改革派。結構改革派（FRONT）在當時以穩健的新左翼黨派聞名，支持構改派的理由有：第一，面對過度溫和的民青與過度激進的其他新左翼黨派，學生兩種都討厭；第二，如第八章所述，一九六七年十一月第二次羽田鬥爭之際，三派全學聯終於來到駒場時，居中斡旋避免混亂的駒場祭實行委員高層就是構改派的運動者，該舉動獲得相當高的評價[168]。

駒場校區的一、二年級生對量產型授課感到不滿。當時的學生如此敘述[169]：「入學時，聽說過從第一高等學校時期延續下來的傳統班級制度，內心相當期待。但是，就算級任導師也只有上、下學期各一次的餐會上才能同席。這樣的做法根本無法與同學有所接觸。」

日後組成的無黨派學生組織「班級聯合」，其討論資料也如此敘述[170]：「東大教養學部打碎了我們的幻想。被學分制束縛，無法自由選擇的科目。在不使用麥克風便聽不到聲音的大教室進行量產型授課；編制的學程與我們的問題意識毫不相關；不夠充分的研討課程；學習只不過是義務，我們對這樣的情況感到不滿，內心一直累積不平的情緒。」

在這種潛在不滿累積之際，引入機動隊成了導火線。六〇年代中期，東大的普通學生也不關心政治，當新左翼黨派內鬥激化時，普通學生只想遠離，陷入一種惡性循環中。如第一章所述，「三無氣質」一詞會出現在大眾傳媒，據說就是因為這是駒場校區的流行語。

日後一九六八年十月的駒場祭實行委員會手冊上，也如此描述過去數年的情況[171]：「自治會的運動崩毀，被自治會的新左翼黨派牽著鼻子走↓對『自治會』運動的不信任」。「在這個過程中，學生的意識結構被變質的私生活主義、民主主義等整個社會的狀況所制約。」

曾為駒場校區研究生的柏崎千枝子在一九六九年的手記中，如此回憶一九六〇年代中期駒場校區的狀態[172]：

「學生們聽說有〔關於大學管理法的〕班會討論便早早回家，即便沒回家也要避開討論去讀書，人數多到讓人憤怒。這種東大學生說出『學習第一，接受講課是學生的本分，所以無法贊成罷課』的話。……而這種把『學生的本分』、『學習』之類的詞語掛在嘴邊的人，平常花大把時間遊玩，請人代簽出席來逃課，充其量只把東大畢業當作出人頭地的護照。」

然而，六月十五日引入機動隊之後，駒場校區可見到許多學生如其他各大學鬥爭初期一樣，都變得情緒高昂。當時的報導如此記述[173]：

「〔六月二十日的〕罷課前後十天期間，位於駒場的教養學部瀰漫著異樣的熱情亢奮。引入機動隊之後，幾乎所有的班級都連日舉行五至六小時的討論會。噴水池旁的草地上，正門旁的樹叢間，都可見到插著班旗的圓陣。不僅如此，不關心政治的學生還對散發傳單的學生運動者們拚命吐露自己的疑問；學生在街上用止不住的高分貝聲量彼此議論；無論在學生大廳、教室、宿舍或者校園座椅上，只要有幾位學生聚在一起，一定會展開討論。」

在此狀況下，也有人表示「能與目前從未談過話的同學交流，更讓人感到開心」（理科II類大一生）。六月十八日舉行了臨時的代議員大會（集合班代表的代議員的學生大會），即便過往代議員大會經常因出席人數不足而流會，此時代議員卻帶著班會討論內容大舉湧來，出席人數達到代議員總數的九成，創下前所未有的出席率。且該代議員大會也是「散發著與〔新左翼黨派的〕運動者們不同、由普通學生的班代表堂堂表達主張的氣氛。」[174]

在這股熱潮中，新左翼黨派的立牌旁林立著緊急打造的、訴求班級決議的看板，直到代議員大會時，已有超過六十個班級提出「反對引入機動隊」的決議。而十九日舉行的「是否贊成對引入機動隊抗議進行罷課」的全校投票中，駒場有投票權的約六千人中有五千零七十七人參與投票。至二十二日，召開學部長主辦的全學部集會，超過一千二百名的學生與約五十名的教授「井然有序地進行熱烈討論。」[175]

此全學部集會的翌日二十三日，教養學部一百餘名的教授對醫學部全體教授發送要求〈教授會與學生進行直率的對話〉的請願書[176]。來自教養學部，寄給醫學部的請願書總計超過五百封[177]。

其他學部也給醫學部教授發信，或者與醫學部鴿派的教授們展開對話。六月二十五日，在東大圖書館舉行了全校教授懇談會，醫學部教授會遭到其他學部的批評，除此之外來自醫學部內部，不隸屬教授會的講師、助教、研究生、醫學部過往的畢業生等也接連提出批評[178]。

六月二十日罷課當天，來自本鄉及駒場的約六千名學生聚集於安田講堂之前，成為一場空前的大集會。駒場的教養學部自治會雇了四十輛巴士把學生送到本鄉。教養學部大二生的橋爪大三郎如此回憶當時的模樣[179]：

因為有安排巴士，所以就先前往本鄉抗議，大家匆忙抓了班旗之類的雜物。還有許多人沒搞清楚狀況就坐上巴士，便向這樣的學生發傳單從頭解釋醫學部的問題，在巴士上也有班級討論。車上也有運動者之類的人，也有人想先搞清事實關係，也有人想要求學校說明，各種立場的人齊聚車上。大家都穿著整齊，與同班好友一同乘坐巴士。不管共產黨派的人或新左翼黨派的人，眾人同乘巴士，在安田講堂前廣場參加同場集會，呈現出一派牧歌式的狀態。

可以看出，此時民青與新左翼黨派的對立也尚未激化。扮演接著劑角色的，是與雙方政治思想沒有關係的普通學生們。

與駒場的場合相仿，本鄉的專業課程中，也不乏「無聊」的課。日後參加助教共鬥的農學部林學科助教村尾行一，對進入林學科後首次接觸專業課程時的失望，說道[180]：「對『東京帝國大學』的課程抱持巨大期待，也是很自然的事情吧。可是說起教導的內容，從各種角度來說，都算不上學術的東西。……那股失望感，至今仍歷歷在目。」

抱持這種不滿的普通學生大舉集合在安田講堂前的現象，超出新左翼黨派運動者的預期。本鄉沒有學生會館，學生運動相當低調。與較為自由的駒場相較，升上高年級來到本鄉後，管制明顯嚴格許多，當時民青派的運動者回憶，「從沒想過可以在安田講堂前集會」，「若在講堂前辦集會便會遭懲處。沒想到，現在竟然可以在此處進行活動。」[181]

見到六月二十日安田講堂前聚集的學生，今井澄如此回憶[182]：

這對我是全新的經驗，各學科、各班級舉著各自的旗幟湧現於安田講堂前抗議。見到此番光景，我也深感驚訝。以前所謂的學生運動，就是在選舉中選出指揮部，再根據指揮部訂出的方針展開運動。勞工運動也是如此。

但此時完全不是如此。自動自發，由下而上，個別且分散地奮起，這樣的人們擠滿了安田講堂前廣場。我前去一看，不覺呆然。這究竟是怎麼一回事？我心想，這簡直就是一種全新的運動形式。

今井雖說是醫學部四年級學生，但他是一九五九年入學的。他參加六〇年的反安保修訂鬥爭，就任東大自治會中央委員會議長後，在一九六二年的反對大學管理法鬥爭中，他被認定必須對軟禁當時茅誠司校長一事負責，遭到無限期停學處分，再歷經社學同派的再建都學聯委員長等職位後，於一九六六年復學並成為老手運動者[183]。在有如此經歷的今井眼中，學生的自發集會，「簡直就是一種全新的運動形式」。

一九六六年四月進入東大的小阪修平也在回憶錄中如此敘述[184]：「要知道兩年前才有個被叫做全都百（某黨派的遊行隊伍即便在東京都內進行全體動員，也不過只有一百名左右）的無精打采遊行，面對此等令人無法置信的光景，給我一種宛若非現實世界的感覺。」事實上，這場大型集會也是之後持續近一年的東大鬥爭中，東大學生最大規模的集會。大原紀美子在一九六九年的手記中寫道[185]：

> 十九日的學生大會一直開到深夜為止，之後迎向二十日的全校總誓師集會。理學部最終仍無法確立罷課權，但透過放棄上課，實際上已實現全校罷課，鐘樓的前面被數不清的學生、研究生所填滿。簡單製作的旗幟林立，學生們集體靜坐，因臉上表情太過燦爛，有點不像抗議集會。超過一年漫長的東大鬥爭過程中，像這樣開朗燦爛的集會，就我所知不管之前或之後都未再出現過。出生以來首次放棄上課，參加總誓師集會的每一位學生，應該感受到莫大的興奮與愉悅吧。只要想幹的話什麼都能幹得成。有這麼多學生聚集，校長還能裝出一副不知情的表情嗎？

然而，一部分的教授會仍舊無法脫離往昔的意識。六月二十日舉行的工學部教授會上，據說接連出現「這是與學生的戰爭。不如率先發起攻勢禁止集會，如何」、「應該積極去分裂學生」等意見[186]。

在六月下旬舉行的東大教授的雜誌座談會上，教授們的意見相當強硬。某教授表示[187]：「即便是〔在醫學部懲處中〕吵鬧『有』或『沒有』不在場證明的學生，醫學部的大多數人都不認為他有不在場證明。認得他長相的老師也在〔當天的現場〕，表示當時確實見到了他，認為他無疑參與了包圍軟禁。就算退一步說『疑則不罰』，但時至今日才變更懲處，他們將會指責教授會的軟弱。」

但學生方的高昂氣勢，超出了教授們的預估。六月二十六日，由革馬派掌控自治會的文學部，展開無限期罷課。六月二十八日，經濟學部則開始限期罷課。六月二十六日，被認為是東大最保守的法學部學生大會，通過限時三天的罷課決議。東大法學部的罷課，算是史上頭一遭。

對於運動發展超出預期而感到震驚的大河內校長，思考如何解除事態，但如前所述，他對「大眾團交」極度恐懼。大河內在其著作《我的大學論》中，如此描述與學生的「大眾團交」[188]：

「被稱為大眾團交的東西，根本沒有任何可以舉出成果的前例，只有加強雙方的不信任感而已。煽動對方的不信任感，在想要擴大事件時或許是有效的戰術，但在表達自己想說的，與對方所言進行對決，找出雙方的妥協點此事上，卻毫無幫助。何況大學中的關係是與教師、研究緊密相連的人際關係，而非雇用條件良窳與否的勞資關係，所以與主張罷課的團體進行交涉，在大學中是不該被承認的。」

大河內的這種態度，不太可能接受「大眾團交」。六月二十日的集會上決議「要求與校長的大眾團交」，故由大眾團交實現委員向學生部長轉達要求[189]。但大河內最初要求學生人數只能維持在十人左右，引起學生反彈，最終大河內單方面宣布有意願召開無人數限制的「校長會見」。就這樣，六月二十八日於安田講堂舉行了約有四百名學生參加的會見。

但此次校長會見以完全失敗告終。會議淪為大河內單方面陳述必須收拾事態，為尊重事務職員立場而不得不引入機動隊等事宜。

對此，學生運動者們起鬨冒出「在說些什麼呀，蠢貨」，「老狐狸，那是什麼態度」，「扯啥事務職員啦」等等，校長則神經質地一一回說「肅靜」，表明信念的演說屢屢遭到中斷，最終場面變得一團混亂。連最初拍手歡迎校長前來的普通學生，見到此景也感到失望。校長發現無法認真回應，暫停議程休息之後便未再度現身[190]。

不只運動者，普通學生對校長的態度也大感不滿。當時的報導如此傳達普通學生的聲音[191]：「那種方式根本不是對話。只是單方面的通告罷了」，「校長只是在拖延時間，同樣的事情翻來覆去重複好幾次」，「展現病容，乞求憐憫。那種討人情的三流演技，該有所收斂吧。」

當時為一年級學生、日後成為記者的伊藤千尋如此回憶道[192]：「說不出邏輯一貫的應答，就像在國會答辯般一味推託。我還以為東大校長很偉大呢。當時我們心中的『東大權威』嘩啦嘩啦地崩毀了。我究竟是以什麼為目標？一直以來相信的東大權威、日本權威，究竟是什麼？」長期忍受嚴苛的升學考試，相信東大是「探究真理的學府」，這種形象崩毀後，即招來學生的失望與憤怒。

大河內校長提出讓步案，即關於醫學部懲處問題，粒本的懲處將退回重審，其餘十六人如果提出申請，將再度展開調查。但此舉未能平息學生的怒火。根據內藤國夫的說法，事前協商時，明明說的是對粒本「不進行懲處」，但校長卻改口說「退回重審」[193]。

但最刺激到學生的，則是校方的態度。某位學生接受週刊雜誌的採訪時，如此表示[194]：「教授會的態度就是他們寬宏大量不予追究。明明就是他們自己的過失，既不向我們道歉，還擺出那副態度。至少豐川部長與上田院長應該負起責任辭職吧。我們不需要他們的寬大。從那以後，我們的憤怒反而變得更強烈。」「大河內走的是國立大學協會路線。換言之，就是受文部省委託管理大學。引入警隊並不是因為大學自治瀕臨危機，而是畏懼暴露自己的無能才這麼幹的。他把這種狀況偷換成大學的自治問題。他們根本沒資格談什麼大學自治。」

結果，沒有任何學生申請重新調查。內藤國夫表示，「如果，這個時候發布類似日後出現的八·一〇告示〔撤銷醫學部懲處，豐川、上田辭職〕般的東西，東大紛爭肯定能在暑假前一舉解決。」[195]

研究生爆發不滿與微媒體的氾濫

校長會見以失敗告終，事態益發難以收拾。從引入機動隊到暑假為止，學生們一邊請來青醫聯的成員，一邊發行回顧醫學部問題的相關手冊，發起熱烈的班會討論。

今井澄也回憶道，「與醫學部的同學一起出動進行全校招募，接著組織各班、各學科與各學部的鬥爭委員會。」[196]如此，七月三日教養學部經代議員大會通過無限期罷課。同樣於七月三日，法學部與教育學部進入八十四小時的限期罷課，工學部進入約一週的「長期罷課」。

各學部展開罷課時，比大學部學生反應更激烈的，是研究生與助教。今井澄如此回憶道[197]：

試著與其他學部的人交談，得知那不只是醫學部的問題。大學內無論哪裡，都殘存著某種意義上的封建制度或師徒制。雖然在某些地方非常現代化，但都專門汲汲營營於產學合作這種服務企業類的研究。大學變得不再是讓學生、研究生能自由學習、自由研究，追求真理的場域，這點透過醫學部鬥爭，大家都感受到了。再加上引入機動隊的舉措，更讓不滿一口氣噴發，大家都從各自的立場上憤然而起。

當時的雜誌刊登了東大助教們的聲音[198]：「助教之類的就像家僕下人般，為了教授全力以赴，奮勉忠誠。」「學問的自由、發表研究的自由什麼的，只是名義上的事情，實際上就是教授的專屬物。如果得罪了名師，就會被說『很好，那就到此為止』，接著面臨被逐出講座的悲慘經驗。連僕人都比不上的研究生們，即便是不想做的研究，也必須為了老師而做下去。」

一九六九年初，東大各學部的助教座談會上有如下發言[199]：「在東大裡，無論望向哪個場所，年輕人之中總有不滿和抱怨。」「從進入研究所起，便已決定自己的未來將走向助教授、教授之途。然而，即便想成為助教，在現今的講座制中，某種程度上也只能仰賴幸運與僥倖……從會乖乖聽從老闆所言、不會擅自發起反叛的人物中逐一被挑選出來。」「有關就業等問題，全部掌控在教授老闆手中，狀況非常不明朗，特別是研究生，就在非常晦暗的氣氛中被擊垮。」

何況東大雖然獨佔十分之一的國立大學總預算，但研究水準卻未必最高。當時的雜誌刊登了其他大學教授對東大的評價[200]：「醫學被阪大超越，物理與京大、名大相較，只算三流」，「在醫學部，在臨床方面的落後非常顯著，此外百分之七十五的研究皆僅是追隨測試美國開發的技術」，「被專門領域的友人喚為無能者的教授，也託權威主義之福，得以『東大教授』的名義招搖過市。」

其中也有感到矛盾的人，如工學部都市工學科的助教與研究生，其中一人即如此說道[201]：

「都市工學，甚至教室（教授）都與國家權力、大資本勾結。」「教室（教授）做出的結果，例如因公害而喧騰一時的四日市、其他的複合企業體、成田機場與伴隨而來的市區改造……幾乎都違反了人民群眾的利益。」「現在的都市工學科已經成為某種行政學科。畢業的人大多進入中央政府單位，在與群眾無關的狀態下掌控著日本的都市計畫。」

都市工學科的研究生和助教的失望，與醫學部的狀況相同，亦與經濟高度成長下社會結構的變化有關。戰後十數年左右，修習都市工學能成為擁有自己設計事務所的「自由建築師」，然而在經濟高度成長之下，設計事務所或土木建築業者等逐漸統合形成自身體系，經營獨立的設計事務所成了難以為繼的工作。

東大工學部都市工學科碩士二年級的川島宏，因為「喜歡繪圖」而就讀都市工學科的研究所，但他在安田講堂攻防戰後寫下的評論有如下論述[202]：

「我夢想將來成為一位自由建築師。那是多麼天真的想法。即便擁有事務所進行設計、建築工作，但只要不與權力勾結，就無法進入銀行的統合系統中，如此也就得不到委託。」川島從前輩處聽到「就是以建築為主，計畫只是輔助。就算是集合住宅區的計畫，也不是靠設計費就能撐下去，設計事務所仍舊得靠大建設公司的外包才有飯吃。大建設公司與金融資本的體系相互結合，脫離該體系絕對沒有工作。中小設計事務所就更慘了。」

今井澄在一九六八年末的座談會上表示[203]，現在即便是東大學生，「也逐漸勞工化。過往那種作為小資產階級的菁英，享有自由業樂趣的狀況，已日漸減少。」這樣的不滿不僅止於醫學部，也在大學各處蔓延。

川島進入研究所後拒絕接受外包給他的研究，而他的研究生同學則被派去教授承包來的四日市或成田的都市設計底下工作。川島提出的「地區開發計畫」案則遭教授退回。川島不禁苦惱，認為「大學研究應當包含對現狀的批評。這究竟是為了什麼的研究，為了什麼的大學？」

這段期間，川島「逐漸認為停止技術過程而從事繪圖或製圖是種犯罪。」接著「去年（一九六八年」初左右起，我思考必須反抗這種狀況。逃避抗爭的話，也不過是變身為高級技術者的高階無產階級或小資產階級罷了。現在不反抗的話，就會一輩子過著自己無法認同的生活方式，所以在內心下了決定。」

最終川島效法青醫聯組織了青都聯（青年都市工學者聯合），之後都市工學科的研究生在東大全共鬥中，也成為最具戰鬥性的一群。

不過，上述川島的言論取自一九六九年採訪川島的報導或川島自己撰寫的文章。最首悟在一九六八年十一月的座談會上表示，「思考學問、思想、研究自由是否為絕對之善的人，僅限於一小部分。至於成為全校思潮，得等到九月之後。」[204]因此，上述川島的言論，也有可能在一九六八年只是模糊地感到不滿，到一九六九年才明確化。即便如此，許多研究生與助教對講座制的壓制與對研究室的現狀，確實有所不滿。

不僅都市工學科，工學部中也有教授接受來自企業或政府的委託研究及資金援助，除了私吞謝禮之外，有些案例中還讓助教、研究生在其手下工作。工學部的助教與研究生們如此敘述[205]：「工學部一個講座一年的平均研究費約一百六十萬日圓。相對於此，各講座大約有三到五件的委託研究，而企業給的謝禮每件約三十萬至一百萬日圓。」「都市與建築關係的教授之中，有各式各樣的金錢收入，因此也有人公開放話根本不需要加入什麼職員工會之類的。」「都市計畫審議會委員這類的頭銜，許多時候一個人就有十個甚至二十個。」「我們年輕人雖然頂著研究者的名稱，但已然是把學問上的實際業績當作商品出售，淪落為研究勞工。」

文化類的研究生也抱持著相同的不滿。文學部國文學科的博士班一年級生於七月底指出[206]：「我們的研究室也具有與醫局同樣的封建性問題。例如，研究室人手不足的狀況波及研究生，大家被迫從事管理圖書與編輯學會期刊等雜事。儘管每個月的酬謝金較大學部學生高（一年約一萬八千日圓），但待遇很差，簡直就像附屬隨從般。因此，與教授、助教授之間存在著主從關係，沒有自由。」

文學部國文學科志同道合的研究生發行的手冊如此主張[207]：

「在研究室，讓助教及研究生浪費不必要的勞力去處理學會的雜務。那就是『全國大學國語國文會』、『近世文學會』、『近代文學會』等最近輪到東大的學會。作為研究生的研究場域，這些學會有多少是值得主動參與的？定期大會多相互勾結，一直在欺瞞的氣氛中。在大會會場只有學會大老在對話，或者機械式地輪流舉辦，輪到的大學，就要求研究生負擔雜務。」「見到國文學者是那種極端小心翼翼、謹慎觀察周遭氣氛又氣量狹小的人士後，讓人不禁感慨。我們能否縮小再生產（限縮）這樣的狀況呢？」

此手冊更進一步敘述：「即便放棄一般的社交生活，我們也要以研究生活為優先，把永恆的青春都賭在其上。甚至可以說，研究成果宛如靈魂的一部分，包含著我們無法與社會建構起正常關係的怨念。說穿了，無論人格多麼高尚的教授，也沒有對此打成績、評價優秀或不佳的權力。」而且，歷經經濟高度成長的今日，國文學科研究所的畢業生幾乎只能選擇當國文老師，如此一來「國文研究所一如其字面意義般，竟成了教師的培訓機構。」

而六月十七日社會學科研究所自治會提出的聲明中，說明「反對醫師登錄制度等醫學部學生的要求，與我們面對之保障研究生身分問題有所關聯，因此毅然支持他們。」[208]研究生與助教的不滿，因引入機動隊而一口氣爆發。某理學部博士班研究生於七月底如此敘述[209]：

「本次〔醫學部〕的懲處，不僅波及大學生，也是波及我們自身的攻擊。校方擺出我們隨時可以懲處你們、我們會叫來機動隊的態度，藉此讓我們服從。我們實際上被動處於權利遭剝奪的狀態，被迫順從規則、遵守秩序。面對我們提出的意見，校方聽後都不加處理。同時，還強迫我們從事自己良心無法認同的研究。……我們拚上研究者的良心，無法對此坐視不管。」

越戰或佐世保、王子等鬥爭的高漲期，一些埋頭研究的學生或研究生也在心中抱持懷疑。希望進入研究所、成為科學家，對人類未來的進步與和平做出貢獻的理學部大四生大原紀美子，如第八章所述，是位因對山崎博昭之死倍感衝擊而參與王子鬥爭的學生，她於一九六九年的手記中寫道[210]：

〔一九六八年〕五月底在某學會打工，負責投影幻燈片與開關窗簾，猶記得當時只感覺學問這種東西，實在無趣至極。以十分鐘、十五分鐘為限，一篇又一篇地發表研究。還有些人一開頭就說：「研究還沒太多進展，所以與上次學會提出的內容幾乎一樣，實在抱歉。」此處發表的研究，我不認為全都有要花上一年半載的價值。……在某處挖出的某某岩石的磁性是……。……唷，那麼，那邊也調查看看了嗎？／啊不，還沒做到那邊……／那，誤差相當大啊。／對，有百分之XX。／下次試著用……，應該會相當有趣喔。／至今沒人著手過這塊，如果成功的話……。

尚—保羅．沙特似乎說過：在對文學感到飢渴的孩子面前，我們能做些什麼？那麼，在對科學感到飢渴的孩子面前，我們又能做些什麼呢？……這半年間在越南，人民可是不斷遭到殺害啊，而在這之前也是如此。即便在日本，勞工與學生也持續抗爭至今，一直流血至今。在這樣的世態中，竟還能關在研究室不停思考自己的研究！我試著想像他們看電視新聞後悔恨地跺腳，讀報紙後眼眶泛淚的模樣，但無論如何也想像不出來。

大原的父親在女兒考上東大後，期許她成為「傑出科學家」，大原則對父親這麼說[211]：「所謂科學家的世界，並不是那樣的。而且，也沒那麼容易就能成為大學的助教啊。……如果參與學生運動，就會遭教授怨恨。即便習慣了這種環境，但就此默不作聲，輪流等待自己出人頭地，這可真令人難以忍受。我不要那麼做，不想當那種板著臉內心毫無感動的科學家。」之後，大原以理學部罷課實行委員的身分，成為東大全共鬥的運動者。

同時期，也經常可見因過往對醫學部鬥爭「見死不救」而抱有罪惡感的聲明。都市工學科志同道合的十四名碩士連署，於六月中旬提出的傳單中表示，「沉浸於甜美日常生活中的我們，竟讓醫學部同學諸君陷入孤立，這形同是共犯，強化了對他們的鎮壓」，「首先必須聲討的，就是放棄抗爭的我們自己。」[212]大原紀美子在引入機動隊後不久的班會討論上，面對民青派運動者指責無視班會決議而執行佔領一事，回應道[213]：「使他們陷入孤立的我們，一樣必須負責。我們沒辦法指責他們的做法。」

助教們也有同樣感受。由青木保及其他十名東洋文化研究所助教連署，於七月三日提出的呼籲中也如此主張[214]：「透過本次以引入警隊為開端的危機狀態，我們也首次深刻意識到『自治』的實情，了解到校內的統治何等腐敗與頹廢，這也讓我們下定決心要認真對此進行抗爭。我們無法否認自己的精神內部存在著渴求怠惰的頹廢，這才讓醫學部諸君陷入孤立。」

這篇由東洋文化研究所志同道合的助教發表的呼籲，以「偶爾也把潛藏內心的想法一吐為快吧」作為開頭，接著表示「藉由發表這篇文章，我們做了一個選擇。」研究生和助教反抗教授，必然覺悟到自己可能失去研究者的前途。而這篇呼籲的結尾為「我們尋求連帶，而不畏懼孤立。不惜力竭倒下，也拒絕未盡全力而失敗。」這一段話在東大鬥爭中廣為流傳。

根據當時的雜誌報導，提出此篇呼籲的東洋文化研究所助教們，原本策劃要給校長提出由志同道合的教授們收拾事態的意見書，但因教授們半途而廢而導致此計畫失敗。對教授們選擇明哲保身的態度，憤怒的助教們批評教授「你們根本就是緊拖著教授自治會的殘骸」，並放棄與教授對話來解決問題，決心支持學生與研究生們的鬥爭[215]。

這篇呼籲引起了研究生和助教的廣大共鳴。日後成為助教共鬥核心人物的教養學部助教最首悟，於一九六九年的座談會上表示[216]：「可以說，我們的出發點就是東洋文化研究所的呼籲。這篇呼籲始於『偶爾也把潛藏內心的想法一吐為快吧』，以『尋求連帶而不畏懼孤立』為終，而我們運動觀的核心，正可以『尋求連帶而不畏懼孤立』來一語道盡。」

在東大鬥爭的整個時期發出的文宣品，日後由東大全共鬥議長山本義隆等人彙整，於一九九四年將全二十三冊（收錄約五千件的傳單、手冊）的資料集捐贈給國會圖書館。但根據最首悟於一九九八年的說法，「山本義隆後來收集成冊的傳單，真的只是幾萬分之一啊。」[217]

如後所述，一九六八年七月五日教養學部進入無限期罷課，最首悟回憶甫罷課後的狀態[218]：「助教們突然變得開朗，奇妙地開朗，有一種解放感。學生的傳單如潮水氾濫，但又如朝露般消失。數量是如此龐大。大家想表達的意見，就是如此巨量。塗鴉也不少，那究竟是怎麼回事呢？」

當時東大的學生、研究生和助教積累了各種不滿。安田講堂攻防戰後，採訪東大鬥爭的報紙、雜誌、廣播等記者座談會上，某記者表示，「要說量產型教育是原因，我認為在東大並不準確。」[219]在東大，大學生雖也對量產型授課有所不滿，但研究生與助教對此並無特別不滿。

接著以引入機動隊為契機，這些潛在的不滿一口氣爆發。當時以團體或個人名義大量發行了膠版印刷的傳單、手冊及立牌看板等。東洋文化研究所助教的呼籲，開頭的「偶爾也把潛藏內心的想法一吐為快吧」，正是此狀況的象徵。

如前所述，本鄉校區對學生運動的管制相當嚴格，集會必須申請，而若未取得學生部許可，立牌看板與傳單也無法發行。但根據前述記者座談會，至六月左右為止尚有取得許可，但之後規則便一點一滴地崩毀。[220]

此外，在記者座談會上，有人將立牌看板、傳單、以手持麥克風進行鼓動演說這三者稱為「他們的微媒體」、「抵抗式媒體」，之後又如此敘述[221]：「在那種封閉社會中，微媒體的威力相當龐大啊。特別是這並非一種單向賦予的偽溝通。也就是說，並非事先決定由誰發起述說，並由已確定的誰聆聽，而是隨時有機會成為發言者的溝通。」

立牌看板、傳單、麥克風演講、塗鴉等，即是「隨時有機會成為發言者」的雙向性溝通，從今天的角度來看，便是類似網路或部落格之類的功能。透過這些媒體，大量的詞彙氾濫滿溢，給人一種「有這麼多話想說嗎」的感受。

重新佔領安田講堂與鬥爭的質變

在此狀況下，校方引入機動隊的六月十七日之夜，由六月十五日參加反越戰遊行的研究生為核心之九個團體，聯合組成了全學鬥爭聯合（全鬥聯）。此組織與之前的自治會組織不同，乃「允許個人和團體自由、自主參加之新戰鬥組織。」[222]

組成全鬥聯的契機，是聽聞佔據安田講堂情報的東大學生、研究生，在六月十五日遊行結束後約有百餘人舉行的集會。對於竟能在管制嚴厲的本鄉校區舉行集會，大原紀美子寫下心中的感慨[223]：「總結大會上，由首次組成一隊的新聞所研究生與各系所研究生激動地談論著抱負。雖然僅有一百餘人，但卻能漸漸看到，即便在本鄉也有建構群眾運動的希望。」

參加六月十五日反越戰遊行的研究生與助教中，許多人也參加過六〇年安保鬥爭、一九六二年的大管法鬥爭和一九六五年的日韓鬥爭等運動。他們自一九六六年左右起，成立了「東大反越戰會議（越反會）」、「東大青年研究者會議」等團體。東大全共鬥議長山本義隆也是東大反越戰會議的成員之一[224]。

根據柏崎千枝子的說法，六月十五日聚集的研究生、助教約二十五人，於六月十七日自主集會，在學生大廳對話之後，成立了全鬥聯作為研究生的抗爭組織。但柏崎表示，全鬥聯「到了日後竟成為積極推動東大鬥爭的核心組織，這點當時作夢都沒想到。」[225]

他們之所以建立全鬥聯，是因與研究生自治會互相合作的東院協（東大研究生協議會）被民青所掌控，而他們為了站在批評民青的立場進行活動，方成立此組織。因此全鬥聯成立之際也確認「今後亦將持續批評民青，特別是批評東院協」的要項[226]。他們這種忽視民青掌控的自治會，由志同道合者組建鬥爭組織的舉動，最終引導出七月五日東大全共鬥的成立。

七月二日夜間，全鬥聯由數百人組成「本部封鎖實行委員會」，再度封鎖了安田講堂。對校長會見抱持不滿的全鬥聯加上四三青醫聯、決議展開罷課的文學部、經濟研究所、新聞研究所研究生等罷課實行委員會等約百人，夜宿安田講堂討論時，演變成佔領整個講堂[227]。

佔領隔天的七月三日，以「工學研究所鬥爭委員會」之名發出的號召中，指出校長會見以後進入「膠著狀態」，「陷入一種有可能喪失戰鬥意義與今後目標的危機」，而「在此危機階段」有必要「展示明快的戰鬥姿態與方向」[228]。此處可以見到學生們在總算實現校長會見（大眾團交）後，卻無後續的行動方針，在此侷限下感受到一種鬥爭將無疾而終的危機意識。

然而此次重新佔領的方針，東大內的新左翼黨派卻很少有人表示贊同。因不滿六月二十八日的校長會見而夜宿的學生之中，也有掌控教養學部自治會的構改派，掌控文學部自治會的革馬、四三青醫聯執行部核心的社學同等新左翼黨派成員。但根據社青同解放派七月五日發出的宣傳，構改派提出「因〔普通學生〕不樂見本部封鎖，群眾運動將崩毀，敗給民青的反托洛斯基宣傳活動」，革馬派則主張「九月封鎖」[229]。

與山本義隆關係很好的《朝日新聞》記者宇佐美承於一九七〇年寫道[230]：「強硬主張」重新佔領安田講堂的「全鬥聯傳出其中有舊反越會成員，特別是山本君，因此反帝學評〔社青同解放派〕之外的新左翼黨派，表現都十分冷淡。」

宇佐美把這次重新佔領形容為「瘋狂的戰術」。在擅長盤算戰術的運動者看來，於全校支持度不高的情況下重新佔領，只不過是種自殺式的行為。根據山本的說法，在安田講堂的一個房間中，從七月一日晚上八點至隔天早晨五點，眾人進行了九個小時的激辯，最終由全鬥聯等為核心實施了封鎖[231]。

民青方面自然不認同重新佔領。自治會中央委員會書記局發出聲明，批評「所謂『本部封鎖實行委員會』組織，是與各學部自治會完全無關的『私下組織』，關於戰術決定，不具任何正當的權限。」而且「封鎖是在蹂躪自治會民主主義下強制而為」，有可能再度引來機動隊，破壞「大學自治」，指責這是「沒有展現任何勝利前景的，毫不負責的方針。」[232]

但全鬥聯則訴求，「指責我們的諸君有提出其他任何解決方案嗎？希望他們回答這個問題。透過請求教授，學生就可以參與大學行政，他們是認真這樣覺得嗎？」[233]「支援實習醫師、學生的東大醫師之會」呼籲中則訴求「有人叫嚷『做得太過頭了』、『這是暴力行為』。然而，既無權力，又無地位的實習醫師與學生（包含我們在內），能夠採取的鬥爭手段又有多少呢？」[234]

未隸屬新左翼黨派的學生當時被稱為「非政治」學生。而重新佔領安田講堂中不隸屬新左翼黨派的研究生們自稱是「非政治－激進派」。此詞彙最終改稱「無黨派激進派」，並在東大鬥爭以後成為定稱。

前述七月三日工學研究所鬥爭委員會提出的呼籲中，訴求「站在非政治－激進派的立場」支持重新佔領[235]。文中主張「透過展現明確的抗爭姿態，我們向前邁出一步，並藉由這樣的手段迫使我們每個人重新做選擇，質問我們自身，並將全校罷課的態勢賦予新鮮感」，並「希望每個人都能思考多元的抗爭方式。」

此呼籲的特徵在於「本部的辦公用品幾乎全已搬至中央圖書館」，此外，也認定重新佔領安田講堂，其意義不過是表現「我們的戰鬥意志」罷了。安田講堂的二度佔領，並非政治性的戰術，而是為了逼迫普通學生選擇是否參加鬥爭的手段，被當作一種表現行為來執行。

這樣的旨趣在七月至八月舉行的雜誌座談會上獲得更明確的闡述。會上全共鬥派的研究生們表示，「封鎖本部」是為了「賭上我們自身的存在來打造鬥爭」的一種「思想表現」，主張那並非「戰術判斷」。因此，大學鬥爭是「為了奪回我們自身」的鬥爭，「我們的目的在於將我們自身融合為一個主體。」236

從這些論述我們可以得知，七月二日重新佔領安田講堂，是基於三個目的而實施。第一，是作為展現自身「存在」的「思想表現」。第二，一如「奪回我們自身」、「將我們自身融合為一個主體」等表述，是為了確認認同。第三，透過這種「抗爭姿態的展現」，「迫使每個人都做選擇。」

從中可以端詳出欲從「現代的不幸」中脫離的想法，但缺乏癱瘓大學本部功能的政治前景。這樣的做法，會被身為政治組織的新左翼黨派或民青視為「瘋狂的戰術」也是理所當然。

這種缺乏政治前景，亦即所謂「存在論式」的鬥爭態度，成為東大全共鬥的特徵。此前的大學鬥爭，要麼反對調漲學費，要麼打倒「古田體制」等，皆是為了實現具體訴求或達成協議而進行。在這類鬥爭中，學生雖尋得「主體確立」或在意志表現上獲得欣喜，但那並非鬥爭的目的，而僅是副產品。

然而如後所述，東大全共鬥則是堅持「確立主體」或「思想表現」的鬥爭，拒絕達成任何政治上的協議。這種態度是東大鬥爭與之前大學鬥爭相異之處，並以東大鬥爭為轉捩點，成為全共鬥運動的特徵。

接著，與新左翼黨派的預測相反，普通學生對再度佔領並未出現反彈。七月三日的工學部學生大會與教養學部代議員大會上，佔領安田講堂獲得支持，如前所述，工學部從三日至十日進行長期罷課，而教養學部決議從五日起展開無限期罷課。此外，各學部、研習課、班級等陸續出現支持佔領安田講堂的呼籲[237]。非政治性的戰術，以「確立主體」為目標之「思想表現」的佔領，給在經濟高度成長下面臨「現代的不幸」之學生們一種鮮明強烈的印象。

根據當時的學生神水理一郎在日後書寫的回憶錄小說，以作者為原型的大一生如此描述他參加七月五日東大全共鬥成立集會後的印象（關於此集會將於後文敘述）[238]：

他是聽到「產學合作」這個詞彙，便想著「學問要在現實社會中派上用場，不就是要對企業有所幫助嗎？」這樣一個全無左翼色彩的學生。面對重新佔領安田講堂，他的朋友也冷淡地表示「不過就是過激的傢伙自暴自棄的暴行吧。」不過，當他受同班運動者的邀約前往集會一探時，「突然察覺至今當成耳邊風般的詞語，竟是攸關生存的根源性設問。胸中湧起一股熱意，開始覺得自己也必須做點什麼才行。」此處可以窺見，追問「確立主體」的表現行為，對學生而言是如此具有魅力。

當時是大一學生的伊藤千尋，日後如此描繪一九六八年六月至十月校內各處舉行討論的情景[239]：

「『那麼，你會怎麼做！』手指著對方互相這麼說。比起批評這批評那，首先自己試著實際行動，這是在訴求對方的主體性。沒有人逃避這個質問。大家都認真地回答『我會如何如何做』。」前述的記者座談會上，「問全共鬥的人們時，他們表示，我們最注重的問題就是主體性，每一個人如何轉變、如何接受，把這樣的主體性放在一切的起點上。」[240]

當時的文宣品或全共鬥派學生的發言中，充滿了大量「主體性」、「自我解放」的詞彙。例如，工學研究所的同志針對六月二十日罷課提出之訴求中，即稱此鬥爭是「自我解放的戰鬥」[241]。全鬥聯在七月三日重新佔領安田講堂後立刻發布的訴求中，表示佔領「正是我們的自我解放宣言。」[242]七月十一日新聞研究所研究生自治會提出的傳單中也高呼「從自己的內心奪回整個狀況！」[243]而在七月四日文學部同志提出的傳單，揭示了「追尋普遍性的自我權力！！」口號，有如下主張[244]：

我們，與那些依動員人數多寡判斷「鬥爭」「勝利或敗北」的所有組織都沒有關係。……因為我們知道，好玩的齊呼口號或愉快的示威遊行後，還是得回歸生活。——租屋處塞滿了該洗的衣物、應該匯入的款項是否入帳、僅剩三天份的餐費、失戀了或懷孕了、是否成功就業、畢業論文的目標完全還沒確定，既美好又無趣，既出色又拙劣的，我們的生活實際狀態，當下，就在此「鬥爭」的背後，儼然存在。

我們的現實生活過程，是否比民青、構改派的（幼稚園的）理論更加強烈？

我們的現實生活過程，是否比三派的（雜菜粥）理論更加一無是處？

我們的現實生活過程，是否比革馬（「原則性」的）理論更加根本？

誠然，誠然而且誠然。……

與沒有任何感性，不帶任何思想性的民青不同，「我們」應與全學共鬥會議連帶。……「我們」不能把「鬥爭」限定在完全撤銷懲處等等吧。而今日，「我們」絕不被「○○××」的組織收編，若希望成為具體的我們，就應該採取行動。
沒有「不該做的事情」——因為所有事情都被許可。
應該〔也〕享受任何組織的「混亂」——因為能有更深的連結。
無論什麼樣的自我發現的細節，都可以化為自身的意識，直到能覺醒為止，覺醒——因為那就是「我們」的快樂。
把我們現實的個別之「生」，客體化到極限，如此對「○○XX」進行根本性的超越，就足夠了。
就是這樣，我們樹立起「命題」。
樹立起自我權力吧！
直至無以名狀的時空為止，在這茫然相通的過渡期中，個別樹立起普遍性的自我權力吧！！

這張如詩的傳單提到「無以名狀」，「我們現實的個別之『生』」等，表明拒絕被整併到包含新左翼黨派理論在內的既存言詞中。鬥爭的目的不能限定在「完全撤銷懲處」的政治目的上。我們不是要實現那種政治目的，而是作為「個別」且「普遍的」實際存在，追求與他者「更深層的連結」，因此才參加「我們的鬥爭」。

摸索著找出新語彙，表達新左翼黨派等既存用語無法表現的願望，這樣的過程貫穿著整個東大鬥爭。因此，大量使用創新詞彙、強調標記和引號的傳單與看板，在東大鬥爭中被大量生產。

參加這種鬥爭時，與具體的要求是否獲得實現並不相干，只求從中取得自己「活著」的實際感受。教養學部二年級的橋爪大三郎於一九九五年如此敘述[245]：「校內的情勢以令人眼花撩亂的速度在改變。如此一來，不斷翻頁的日曆也就不再與自己無關，能夠獲得『因為自己的行動而使時間、空間都產生改變』的感覺。與之前中學、高中及管理主義教育相較，確實感受到『活著』的感覺。」

大原紀美子也在一九六九年的手記中寫道[246]：「六月鬥爭擴大後，出席上課成了比以往都更難忍受的義務。鬥爭發展中的課堂，猶如長了黴菌般失去了活力。我們自己打造出的鬥爭，其樂趣沒有任何東西可以取代。」

在七月三日代議員大會上決議進入無限期罷課的教養學部，以自治會委員長的名義發出宣言。內容指出，在街壘內舉行自主講座，「我們為了戰鬥的勝利，本日起將開始學生的自主管理」，「與日常的、失去綜合性與有機性的授課內容訣別，我們將依靠自己的力量打造講座。」[247]而經濟學部研究所經濟學研究科自治會認為「學部自治論已然只是陳舊的外皮」，而把建立以學生為主人公的大學自治稱為「大學革命」[248]。

從這些宣言和發言中可以看出，對他們而言，鬥爭不是為了達成具體目標的政治性行為。這些文字中，幾乎未曾對校方提出具體的要求，書寫的皆是「奪回我們自身」、「活著」、「自行創造出」等，以一種獲得生存實際感受的表現行為，禮讚著鬥爭。重新佔領安田講堂這種「表現行為」，高明地抓住了學生們的心理。

如此，從改善實習醫師待遇的具體「經濟鬥爭」為始的東大鬥爭，以重新佔據安田講堂為轉捩點，轉變為在經濟高度成長下面臨「現代的不幸」的青年追求「活著」實際感受的表現行為。也可說，若非如此，改善實習醫師待遇這種特殊的鬥爭，就無法發展成席捲全校的鬥爭。但與此同時，相較於日大那種無論在任何人看來都是與被壓抑的「近代的不幸」做鬥爭，東大鬥爭卻包含了未能讓當時社會理解、無法獲得輿論支持的要素。

東大全共鬥的成立

佔領的安田講堂被當作東大鬥爭的本部加以活用。七月五日，安田講堂前聚集了約四千名學生、研究生、助教，確定成立「東大鬥爭全學共鬥會議」（東大全共鬥）[249]。全共鬥的組成，六月二十八日起即由全鬥聯提議，於七月五日的集會上做出正式承認[250]。

根據當時的報導，東大全共鬥組成時「主力為研究生」。[251]助教們也組成了助教共鬥。最首悟回憶道[252]：「六八年七月，全校約一百名助教聚集。那可是劃時代的事情。今日難以想像當年的狀況，助教的存在、立場相當微妙，他們的名字幾乎不會出現在人們眼前。如果名字和臉被人知道，就完蛋了。會正式露臉、說出名字的，只有我而已。」

不過，當時的學生們並沒有「死守」安田講堂的想法。參加全鬥聯的川島宏於一九六九年三月寫道[253]：「去年七月二日封鎖講堂時，我們並沒有絕不放棄的想法。排除鐘樓裡的官僚，癱瘓大學的中樞機能，接著把學生大廳當作鬥爭的本部，充其量就是這種程度而已。」

七月一日提及全鬥聯重新佔領的文章也指出，解放安田講堂的學生預定使用學生大廳，「並無固守城池的打算」[254]。一九六八年七月的某雜誌中報導學生的「重新佔領，打算持續到暑假結束」，能理解學生並無長期佔領的意圖[255]。其他報導稱，七月上旬，東大全共鬥的學生與研究生談及現在的鬥爭已是「最終的局面」[256]。

封鎖之後，學生在記者會上說明佔領的意義。當時的某記者根據許多大學放暑假後到校學生減少，運動因此變得遲緩一事，認為「簡單來說，為了防止暑假中鬥爭萎縮，所以打造『戰鬥據點』，將其物質化。」安田講堂的入口掛起「除了民青之外，講堂解放給戰鬥的學生、研究生、職員」，而「解放講堂」中也聚集了許多學生[257]。

這一重新佔領獲得普通學生的支持，給抗爭學生帶來心理上的餘裕，而沒有重蹈六月佔領時的破壞行動。當時的週刊雜誌如此報導：「乘勢而起的學生們，也有效地『踩煞車』。本部下達『建立街壘時不可破壞物品』、『不可對私人物品出手』、『遵守革命軍的規律』、『整理整潔』等指令，學生們的神情也十分開朗。」佔領初期「講堂內有學生下圍棋，立刻被指責『太鬆懈了』」[258]。當時的口號也是「開朗、正確的佔領」[259]。

川島宏也回顧一九六八年七月時的情況[260]：「即便是街壘，也只是作為象徵的街壘，極為粗糙，機動隊只要兩、三分鐘就能攻克吧。就算〈為了建築街壘而〉堆疊桌子和置物櫃，內心深處也留意不要造成破壞，之後還得歸回原位。」山本義隆也記道，「辦公室全部封鎖，除了移動置物櫃外不碰觸任何東西，只解放了講堂、會議室、校長室、事務局長室。」[261]

東大教授們則試著說服學生。七月四日，約四百五十名教授聚集安田講堂前，呼籲學生們解除街壘，進行對話。如第六章與第七章所述，在早大鬥爭或中大鬥爭中，即便這些說服相當無力，但大多數場合還是會進行學生與教授的討論會。

但東大全共鬥卻未展現這種態度。他們的反應是，「我們不是在追求對話。是否回應大眾團交、是否完全撤銷懲處，我們希望這些事情必須先澈底解釋清楚」，「醫學部的問題遭擱置近半年，現在才要對話，簡直是荒謬。」[262]

佔領安田講堂的學生們藉由傳單與立牌看板等自身的微媒體，訴求佔領的正當性。他們厭惡大眾傳媒，稱之為「布爾喬亞報導機構」、「布爾新（聞）」等。特別是八月二十九日發生了《讀賣新聞》記者「遭暴行」事件[263]，更加深了他們對媒體的不信任。

此事件也如往例，當事者雙方各執一詞，事實如何已無法判斷，事件大致如下。八月二十八日，東大全共鬥舉行名為「粉碎醫學部畢業考」的集會，與醫學部當局進行團交。全共鬥稱，此時學生方並未持角材，也未對教授們施加暴行。然而，隔天《讀賣新聞》卻刊登了標題為〈手持角材的「大眾團交」〉之報導[264]。

當《讀賣新聞》記者前往學生們自主管理的醫學部圖書館採訪時，憤怒的他們質問記者。根據《讀賣新聞》的主張，此時記者遭學生施暴，匆忙跑到本鄉的本富士警察局後入院。同時，根據全共鬥的主張，他們雖然抓住該記者要求解釋，記者卻突然掙脫學生逃走，雖然有些摩擦，「但最後他舉起一隻手說了聲『掰』，就微笑地回去了。」

現已無法確認哪一方所言是事實，但《讀賣新聞》將此「記者遭暴行事件」大肆報導，在專欄裡寫著「群毆採訪記者，這種行徑宛如報導黑道爭端的記者被對方當作小弟迫害。」因為這個事件，九月警方對醫學部學生發出拘票，十月十四日於校內執行逮捕。同時東大全共鬥對讀賣新聞社送交抗議書，要求「立即訂正扭曲事實的報導，撤銷『告發』，向我們道歉。若拒絕則認定為敵人，之後將拒絕任何讀賣新聞社的採訪。」

此後，全共鬥的學生經常咒罵新聞記者「布爾新滾回去！」等。據前述的記者座談會稱，「新左翼黨派的學生因有政治上的打算，有時會對大眾傳媒示好，為了利用而展現積極配合的態度，但無黨派激進派，卻對媒體展現出最強力的反彈。」[265]

此外，東大全共鬥也要求採訪者的「主體性」。根據八月初的雜誌報導，《東京大學新聞》的學生記者打算在安田講堂內採訪時，在入口遭到拒絕。拒絕記者的學生如此對他說[266]：「你們只以第三者的角度觀看鬥爭。你在執行記者任務前，不應該先認知自己是東大學生嗎？」他們無法接受「第三者」的態度，若無法答出「自己將怎麼做」，就不被允許進入安田講堂。普通的報紙記者或雜誌記者中，也有許多面臨同樣狀況的案例[267]。

全共鬥與普通學生的背離

如此一來，重新佔領安田講堂，似乎證實了先驅性論，亦即由有戰鬥意識的分子打開局面。然則事態並非如此單純。以下為了說明，將稍微進行回溯。

首先，普通學生不必然喜歡新左翼黨派或醫學部全學鬥的鬥爭態度。六月十七日引入機動隊時，普通學生雖對校方片面引入機動隊，破壞「大學自治」感到憤怒，但不必然支持全學鬥佔領講堂的行為。

根據一九六九年二月ＮＨＫ進行之東大學生問卷調查，對一九六八年六月十七日引入機動隊表示反對的學生高達七十三・〇％[268]。但反對機動隊的大部分理由為「對輕率引入機動隊的大學當局的缺乏見識，感到憤慨」、「無法容許侵犯大學自治」，而「同樣不容許打壓醫學部鬥爭」則只有九・七%。這個數值，遠比贊成引入機動隊的十九・七%（主要的理由為「為驅離部分學生的不法佔領而不得不如此」）低上許多。

如前所述，醫學部全學鬥在六月十五日封鎖安田講堂時，稱大學為「幻想共同體」。校方引入機動隊後，工學研究所學生同志旋即提出的訴求也主張，引入機動隊破壞的是「『大學自治』的幻想」，暴露所謂的「大學自治」不過是由教授會進行統治罷了[269]。

確實，「大學自治」不過是教授會的統治這種想法，或許已經擴及到醫學部的實習醫師或工學部的研究生等處，但若此想法亦普及至普通學生，那麼他們即便對引入機動隊破壞「大學自治」感到憤怒，運動氣氛可能也不會如此高漲。

前述六月二十日安田講堂大集會上，也已蘊藏著問題。實際上到前一天為止，自治會中央委員會的民青派運動者以及包含各新左翼黨派成員在內等，日後成為全共鬥運動者的人們尚在各自準備自身的活動，至二十日當天達成妥協才變成統一集會[270]。而集會上民青派主張「守護大學自治」，全共鬥派則提倡「應守護的自治早已消逝」，結果議事的推進一片混亂[271]。

講台上，要求「大河內校長辭職」的新左翼黨派運動者與批評社學同佔領安田講堂的民青派運動者爭相發言，互相搶奪麥克風。普通學生「見到戴著頭盔的學生上台拿麥克風，眾人便嚷嚷著『摘下頭盔』，該名學生迫於壓力摘下頭盔後，台下一片歡聲雷動。」[272]見到其他大學頭戴頭盔的社學同學生身影，普通學生更是齊喊「其他大學的學生滾回去」，將其驅離[273]。

參加這場集會的大原紀美子描述，「學生大眾既不接受新左翼黨派之間醜陋的爭端，也不願被任何黨派所利用。」而根據大原的說法，醫學部學生一上台闡述醫學部鬥爭的原委，台下學生也冒出「我們不是為了支援醫學部的鬥爭才來的」[274]。不少學生對引入機動隊感到憤怒，但並不關心醫學部的鬥爭。

民青與各新左翼黨派的爭端變得愈發激烈，議長團陷入混亂。在無法決定今後行動方針的狀態下，僅議決「聲討引入機動隊」、「讓校長回應大眾團交」、「完全撤銷醫學部懲處」三點[275]。約六千名學生只是在安田講堂前靜坐到黃昏時分。之後，民青派與全共鬥派再也沒同時舉行共同舉辦的集會。

一九六九年四月由東大全共鬥編纂之《在堡壘上打造我們的世界》中，如此敘述此次集會[276]：「無法把不從事抗爭的民青派指揮部從議長團中排除，口號中也無法加入類似行動指令的內容。從而，全校聚集而來的六千名同學，他們的能量，那股團結起來的力量，無法擊向大學當局＝國家權力，變成以所謂『盛大的零』的狀態擴散。」

然而在一九六八年六月的此時，日後組成東大全共鬥的運動者們，是否已考量到以「六千名同學的能量」打擊「大學當局＝國家權力」，仍值得存疑。從東大鬥爭初期便展開採訪的內藤國夫，在一九六九年如此寫道[277]：「去年春開始的這個『個別東大鬥爭』，至少到去年（六八年）十一月底為止，連共鬥會議的學生都沒考慮過與『七〇年安保鬥爭』直接連結。只有這點可確認無誤。」

根據八月後半的報導，雜誌記者詢問在安田講堂的學生「許多意見都認為學生借大學現代化之名，實際上卻朝安保修訂的七〇年籌組鬥爭。」但學生的回答是「現在的東大鬥爭尚未脫離校內鬥爭的領域」，「對七〇年的展望，還在摸索中吧。」[278]

若八月後半的反應是如此，那麼一九六八年六月時，無法以「六千名同學的能量」打擊「大學當局＝國家權力」的敘述，只能理解為是由一九六九年東大全共鬥的餘黨在編輯書本時事後加上的。即便六月二十日的集會上提起這樣的方針，能否獲得普通學生的贊同，仍是個疑問。

六月二十日的集會同樣是貌合神離的狀態，此狀況於六月二十八日的校長會見中再度上演。趕來會見的普通學生對著戴頭盔的醫學部全學鬥成員齊吼「脫下頭盔」，迫使對方脫下。而當校長上台時，普通學生拍手歡迎，而學生運動者卻不滿地表示「為何要拍手。」[279]

校長會見的結果，「連那些打算拍手對大河內表示擁護的學生，也覺得這實在太荒唐，最終爆出大笑」[280]。普通學生們對校長會見的情況感到失望，也是因為還相信東大校長的權威，才會先給大河內拍手。反之，若從一開始便不承認校長的權威，那應該既不會覺得失望，也不會感到憤怒。

而醫學部全學鬥內部也出現了微妙的對立。如前所述，大河內提案把粒本的懲處退回重審，而粒本已經打破醫學部全學鬥的公約，對校方的事件調查做出回應。醫學部的學生委員長等人，把粒本軟禁了九天並不斷質問他。根據粒本的說法，最後學生委員長終於說出「你說的好像是真的」，「大概會撤銷懲處吧」。[281]

十七名遭懲處的醫學部學生，僅有粒本沒有隸屬新左翼黨派。而粒本接受調查一事被視為一種背叛，遭到全學鬥的批評。在校長會見上提議僅把粒本的懲處發回重審時，運動者們也喧嚷「喂！粒本！站出來吧。只有你一個人當好孩子，這像話嗎？」[282]

七月二日由全學鬥重新佔領安田講堂後，教養學部追隨已決議進入無限期罷課的文學部，於五日也進入無限期罷課。只是這些行動，從某些方面來看，實在不能說是普通學生堅定鬥爭意志下的產物。

教養學部的某大二生表示，所謂七月初「是新鮮人（對大學的）幻想破滅的時期，加上也是接近暑假」的時期，因此學生們很容易贊成無限期罷課[283]。神水理一郎也記道，「反正七月後便幾乎沒有上課，學生們的心情是，早點放暑假也算賺到。等暑假結束進入九月，罷課也大概會結束了吧」，學生們充滿了「樂觀的氣氛」[284]。

教養學部的代議員大會也談不上熱烈支持全共鬥。六月二十五日舉行的教養學部代議員大會上，針對限期罷課是否延長，構改派、民青、社青同解放派的提案全遭否決[285]。許多代議員對於二十日的集會又成了黨派鬥爭而感到厭煩。

教養學部決定無限期罷課，是在七月三日的代議員大會上。如同註釋中所記般，內容因敘述者不同而有所出入，不過根據柏崎千枝子的手記，此大會似乎成為民青與新左翼黨派相互競爭的狀態[286]。

如前所述，教養學部在六月的選舉上由構改派的候選人當選自治會委員長，但自治委員會仍屬於民青派。而引入機動隊之後決定的限期罷課實行委員長，則屬於社青同解放派。構改派和社青同解放派，以及隸屬社學同ＭＬ派的柏崎，為了通過無限期罷課的決議，四處遊說出席代議員大會的普通學生。

結果，七月三日下午兩點舉行的教養學部代議員大會聚集了近七百人。但社青同解放派的罷課實行委員會提案、構改派的自治會委員長提案、民青的自治會常任委員會提案，任一個都未能過半數。此時社青同解放派與構改派聯手，雙方合作提出無限期罷課的緊急提議，終於獲得通過。

接著構改派運動者提出將民青派自治會常任委員全數罷免的動議。根據柏崎的手記，民青的運動者們主張動議的提出方式有程序上的問題，但覺悟到沒有勝算後，「打破會場窗戶，衝撞入口負責管理的人員，企圖逃亡。」柏崎推測這是基於自身加上同情派的人離開後，代議員大會的定額將不足，如此可使罷免提案無法成立。之後，自治會常任委員罷免動議獲得通過。代議員大會結束時，距離召開已經過了十二小時，來到凌晨兩點。

於是，在歷經艱辛後，教養學部支持全共鬥的無限期罷課提議。不過，由於普通學生認為最後將引來機動隊的決議在程序上不具民主性而有所反彈，所以特意採取代議員大會決議的民主程序通過罷課，這背後，似乎有進步分子無視形式民主主義，以行動打開局面的痕跡，亦即以先驅性論的模式來推動事態。

作為「民主化鬥爭」、「校內鬥爭」的初期東大鬥爭

民青掌控的自治會中央委員會書記局，從四月起即批評醫學部全學鬥「完全站在校園民主化的對立面」[287]。之後民青也用「校園民主化」批評東大全共鬥，因此全共鬥為反擊，最終也傾向批評「自治會民主主義」與「戰後民主主義」。

不過從東大鬥爭前期的文宣品來看，可以見到支持全學鬥或全共鬥的學生、研究生們也把此鬥爭當作大學民主化的抗爭。例如，社會科學研究所助教會六月十八日的聲明即批評「校方一直拒絕任何形式的對話，並且維持封建、不民主的醫學部與醫局體制」。[288]七月三日，工學研究所鬥爭委員會提出的訴求也主張，在鬥爭中的自我變革才是「真正的民主主義原則」[289]。

東大鬥爭也舉行自主講座，七月十日全學鬥自主講座局的「第一回自主講座」的介紹上，以「社會經濟中的大學」為企畫主題，一方面批評「產學合作路線」，一方面主張「應保障學生學習的自由，作為自身權利，有必要參與大學經營。」[290]這就是一種「大學民主化」的要求。

這種傾向直到一九六八年九月尚可見到。八月五日的東大醫學部基礎與醫院聯合實行委員會之手冊上如此敘述[291]：「我們必須認識到，今日我國的大學已經來到必須從明治時代官僚機構蛻變為民主式經營機構的歷史轉換期。那是因為一路接受戰後民主教育的學生、年輕官僚中已積蓄了民主化的能量，而且已接近引爆點了。」

此外，構改派系的教養學部自治會委員長於九月十七日發表的聲明中，也主張他們「正在思考東大整體能如何轉變為民主主義的國民性格。」[292]九月十二日，國文學科研究生同志的手冊上也提及「課程編排時讓大學生參加」、「有關新聘教授的人事，應聽取研究生的意見」，揭示學生參與的更具體民主化要求[293]。

一九六八年秋季之後的東大全共鬥，因民青主張設置讓學生、研究生、職員等參與大學經營的協議會，全共鬥為與之對抗，反對設置協議會或參與大學經營等，拒絕被嵌入大學的管理體制內。但如上述言論，從七月到九月，東大全共鬥也存在要求「參與大學經營」的部分。

普通學生希望參與的傾向則更明顯。法學部也於六月二十日舉行約五百名法學部學生參加的抗議引入機動隊遊行，六月二十六日的學生大會上，決議展開六月二十九日至七月三日的限時罷課。當決定罷課後，法學部的某學生如此談論道[294]：

「罷課之所以能夠通過，在於這不僅是單純抗議引入機動隊的罷課，也包含了我們深切希望民主化的要求。上課是用麥克風的量產型授課，學生無法全數都進入小組討論課。即便進去了，也是數十人為單位，很難有機會與教授對話。法學部五年制（因兩年的專業課程並不足夠所以檢討要延長）的問題也對我們有重大影響。這種情況下，我們這些當事者卻被放在最偏遠的地方，僅憑教授會操控一切……。」

此處對大學經營「要求民主化」相當明顯。他們是「戰後民主主義的天之驕子」，初期的東大全共鬥可見的「大學民主化」主張，可說也反映出他們世代的普遍感性。

同時，一些新左翼黨派認為，若要使東大鬥爭不侷限在東大內部的「個別改良主義」，就必須把高度提升至打倒資本主義國家體制，這類的主張此時已然出現。六月二十八日校長會見，隔天二十九日社學同東大支部散發內容為「確認大眾團交路線破產、無限期罷課→重新佔領鐘樓並與帝國主義權力對決吧！！」的傳單[295]。

傳單中主張，「大眾團交路線是在個別大學框架內解決＝改良主義、經濟主義掛帥＝敗北路線」，「大眾團交路線＝經濟主義、改良主義，其引入警方、以懲處作為攻擊，是在隱蔽日帝對東南亞的侵略與反革命制約下國內重整的一環。」而「我們必須以廢除充當勞動力商品生產工廠的帝國主義大學為目標，將鬥爭朝此方向發展。同時必須意識到，這必須透過廢除以資本為基礎的勞動分工模式和推翻資產階級國家權力來實現。」

此傳單又批評社青同解放派與革馬派採取的「大眾團交路線」，「我們倡議，需持續全面展開對這種經濟主義、改良主義黨派的抗爭，把重新佔領鐘樓當作與帝國主義國家權力的對決。」如此，新左翼黨派與普通學生意識脫節的過激化傾向與黨派鬥爭，此時早已出現。最終東大全共鬥就在新左翼黨派的影響下逐漸變得激進。

七月十六日，東大全共鬥舉行代表會議，確認並公告「七項訴求」[296]：

一、完全撤銷醫學部的不當懲處。
二、對引入機動隊進行自我批評，撤銷引入聲明。
三、承認青醫聯為協約團體。
四、完全撤銷文學部的不當懲處。
五、停止一切對調查的協助。
六、不可懲處自一月二十九日以來本次事件的相關人事物。
七、以上內容須於大眾團交場合以文字確認，並要求負責人引咎辭職。

其中第四項的「完全撤銷文學部的不當懲處」，是指一九六七年十月與教授對話時某學生抓住教授領帶，之後該學生遭停學懲處的事件[297]。可推測此項應採納自掌控文學部自治會的革馬派主張。至於社學同反對的「大眾團交」，大概也因其他新左翼黨派的要求而加以採納。

然而，所有的訴求都是針對大學內的具體問題，並未納入「革命」或「七〇年安保」。而東大全共鬥在一九六八年秋天以後提倡之「自我否定」、「大學解體」、「現代理性主義批判」、「戰後民主主義批判」等訴求，在這七項中當然也不存在，而在七月至八月的東大全共鬥的傳單中也幾乎難以見到。

知名的馬克思主義者梅本克己在東大全共鬥激進化的一九六八年底如此寫道[298]：「學生們在原初起點提出之要求……與革命並無什麼關聯。一切都起於其訴求遭拒。」東大工學部都市工學科助教授川上秀光在安田講堂攻防戰之後如此敘述[299]：

「確認七月十六日全共鬥代表會議開出的七項訴求後，並未見到此會議的會議記錄，也未見到顯示『七項訴求的革命意義』的理論建構過程資料。我不得不如此判斷：七項訴求是此時期學生方對Event的要求，通過共鬥會議派的各學部、各新左翼黨派，企圖尋求一個平衡，並做一種偶發式的彙整。」

川上亦認為當時全共鬥提出的傳單中，七項訴求是「在當前局面下的具體目標」，「共鬥會議本身並未預料到七項訴求的『鬥爭』會跨過年底，變成長期性的事件。」若佔領安田講堂僅預設進行到「暑假結束」，那麼川上的想法確實相當精準。

學生的反應也幾乎相仿。身為教養學部的學生且參加全共鬥的船曳建夫，如此回憶得知七項訴求時的印象[300]：「詳細閱讀的話，這全都是大學內的問題，勉強都可以談判。」「完全撤銷文學部懲處一項，原本就是畫蛇添足，我認為有可能遭到擱置。」「我認為，這是把文學部的懲處趁機一起打包加入，企圖同時解決。」

簡要而言，「七項訴求」羅列了與校方有交涉可能的大學內部要求。想法歧異的各新左翼黨派與無黨派雜牌軍組成之全共鬥，難以系統性地提出訴求，只能停留在羅列訴求的程度。

雖說如此，前文引用的傳單中可見「不能把『鬥爭』限定在完全撤銷懲處等等」、「無以名狀的」欲求等，並無法在這些訴求中獲得表現。如後所述，一九六八年秋天以降的東大全共鬥，企圖將這些欲求以七項訴求中沒有的「自我否定」、「大學解體」等詞彙加以表現，並苦於此時狀態與七項訴求之間的落差。

另一方面，民青派的自治會中央委員會於六月二十三日的大會上，暫且先決定了訴求方針。其內容為：（一）聲討引入機動隊；（二）撤銷醫學部懲處；（三）當局應回應大眾團交；（四）醫學部教授會須回應大眾團交撤銷懲處，承認學生實習醫師的要求；（五）豐川、上田辭職；（六）反對佔領鐘樓[301]。

之後的八月三十日，民青派自治會中央委員會提出「四項訴求」[302]：

一、校長、評議會針對引入機動隊進行自我批評。釐清事實經過與責任所在。保證絕不再引入機動隊。

二、撤銷醫學部的不當懲處，對一月以降的鬥爭不進行懲處。

三、校長、評議會須回應大眾團交，回應後必須辭職。

四、成立反映全校意見的協議機構。

一九六八年秋天以後，民青與東大全共鬥針對「七項訴求」與「四項訴求」孰優孰劣進行爭執。民青方指責七項訴求全都是實際要求，而包含設置協議會進行組織性改革的四項訴求才更優越。另一方面，東大全共鬥方則反駁，協議會等只是把學生嵌入大學的管理中。

只是，在七月時說七項訴求是羅列實際要求，在某種程度上也屬事實。且在七月時，全共鬥內部一部分人也要求參與大學經營。另一方面，民青在六月時也未要求設置協議會，而且四項訴求的內容也屢屢更改。在民青方編纂的《邁向東大變革的戰鬥》中，指出這種更改是因「各團體間的調整與經過鬥爭發展之後，逐漸變得豐富。」[303]

然而，無論民青或全共鬥，在要求大學進行民主經營這點上，最初是共通的。在這層意義上，東大鬥爭也是始於民主化鬥爭。然而，在民青與全共鬥對立逐漸激化之中，東大全共鬥也漸漸朝向批評「民主主義」的方向。

東大全共鬥的特徵

七月十一日，東大進入暑假。為了打破放假時學生不到校導致鬥爭冷卻的慣例，東大全共鬥把每週二設定為「返校日」，在安田講堂內外舉行集會[304]。

一部分的學生移居安田講堂，在講堂也邀請新左翼黨派的理論領導者，以及受學生與新左翼黨派歡迎的講師舉行演講。七月底，利用講堂屋頂的擴音器開設了「鐘樓廣播局」[305]。安田講堂內的會議室成為各新左翼黨派與全學鬥等的討論室。校長室與事務局長室等「高級房間」，則成為各派據點。各學部與學科的鬥爭委員會也都分配到房間[306]。在那個少有空調設備的年代，擁有完整冷氣設施的安田講堂，稱得上是個舒適的場地。

山本義隆日後如此敘述[307]：「封鎖講堂後才第一次知道，那地方實在是非常方便啊。在此之前，各學部的自治會室分散於各學部的校舍，光是要聯絡就大費周章。不過，當我們在安田講堂中給各學部分配〔鬥爭委員會的〕房間後，隨時都可刷地一聲集合開會，實在非常有效率。」

長期以來，安田講堂一直是東大權威的象徵。大河內校長在一九六八年三月的記者會上表示，「在安田講堂，過往每個學生都脫帽通過，更沒想過在講堂前舉行集會。在東大原本是神聖的場所。」但全共鬥則宣言，「我們否定權威的象徵，為了使其歸屬全體學生，我們解放了安田講堂。鐘樓成為由街壘守護的解放區，重生為所有戰鬥同學的據點」，並將名稱改為「一九六八年解放講堂」[308]。

安田講堂也被用於東大以外人士的集會場所。八月六日「全都高中生反戰集會」、八月十三日「反戰反安保勞工、市民、學生連帶集會」、九月七日「醫學聯大會」等都將講堂作為活動會場[309]。而在街壘內的生活，則與其他大學鬥爭相同，獲得解放感與對話的機會。內藤國夫如此記錄道[310]：

> 東大本鄉校區有件不可思議的事，那就是至今為止沒有學生會館。因為學生們並未要求一個能自由聚集、閒聊、加深連帶感的場所。在如此前提下，一旦佔領、封鎖安田講堂，開始自主管理後，隨時可以使用豪華的會議室，舉行唱片欣賞會、瞎聊天、各處學生都跑來合宿集訓。在大廳接連舉辦電影欣賞會、演講、討論會。不需要任何人的許可，也無須蓋章。只要空間空著，皆可任意、隨時使用。……
>
> 此外還建立了支援講堂封鎖，用以監視機動隊是否前來的帳棚村。由工學部都市工學科研究生為核心的團隊，借用剛好長在講堂前廣場的大樹，搭起了十二頂登山用帳棚。因為是普通學生聚集的場所，所以命名為「無黨派帳棚村」。一匹迷路而來的紅毛小狗成為這裡的主人，學生們輪班夜宿，他們或者彈吉他，或者讀書，或者發起激烈討論。學生們開始「享受」東大鬥爭。超

越學部、學科，忘記年齡，在互相討論中，他們開始重新思考，「說起來，進大學之後，我們有經歷過如此充實又緊張，而且又歡樂的日子嗎？」

此時也有原本靠各種休閒娛樂來散心的學生，從鬥爭中找到真正喜悅的例子[311]。原本每天過著打麻將、泡咖啡館與開車兜風日子的某「花花公子」醫學部無黨派運動者即有如此敘述：「與遊戲人間的駒場時代相較，現在的生活遠遠更加充實。我已不再與過去玩伴往來，也沒打麻將的興致。」「現在我是以殉教者的心情參加東大鬥爭。」

根據當時的報導，「無黨派帳棚村」最初肇始於佔領安田講堂翌日有人搭起兩座帳棚，以此為契機發展而來。據八月上旬的報導稱，帳棚村的立牌看板上寫著「從帳棚村開始打造新大學」，還伴隨「我們熱烈支持在遵守和平與民主主義原則下，清白正確地解放鐘樓與封鎖本部」的口號[312]。由此可知，此時的東大鬥爭果然帶著民主化鬥爭的特性。

東大全共鬥的組織型態，也是另一種獨特之處。全鬥聯成立時起，便承認有意戰鬥的團體或個人可自由參加，東大全共鬥也繼承了此做法。

因此東大全共鬥既無規約也無綱領，也沒有會員登記。依照農學部助教也是助教共鬥成員的村尾行一說法，「各人參加『共鬥會議』的資格，就在於下定決心『戰鬥吧！』」「因為是沒有綱領與規約的組織，本人『認為』『我是全共鬥』，就是『加入』的唯一條件。」[313]

而行動的參加型態也是如此，為了實現七項訴求，每個人以自己想幹的方式去做即可。因此根據村尾的說法，「只做『發傳單』、『寫立牌看板』的參加方式，或者不參加集會僅參與之後的遊行，類似這樣的行動模式經常可見。」[314]這也可說是繼承全鬥聯七月一日發出的傳單，即「只要方向一致，行動多樣也無妨」的內容[315]。

又，東大全共鬥沒有執行部，僅有「代表會議」與「事務局會議」[316]。學科與學部的鬥爭委員會、各新左翼黨派、同志團體的「代表」都可自由參加「代表會議」。會議不設議長，也不採取多數決原則，而採用討論至全體意見一致的做法。

代表會議並無參加資格的規定，無論幾名代表出席都沒關係。換言之，「只要認為『我是代表』，誰都可參加，進而一個組織不論有幾個『代表』，也都可以參加。」據說在此處，新左翼黨派的代表也有控制減少黨派式發言的慣例。

同時，「事務局會議」是在後述八月十一日校方發出告示以後，為因應事態而立即編成的組織。代表會議上，決議的形成無論如何都很遲緩。因此在事務局會議上改為集合各新左翼黨派與青醫聯、全共鬥的代表，針對緊急的實務方針做出合議。

對於東大全共鬥的這種形式，村尾如此敘述：「這樣的東西究竟稱得上組織嗎？與其說是組織，不如說是運動形體，或者說就是運動本身，來得更恰當。」根據村尾的說法，全共鬥是「課題追求型的運動形體」，「抱有必須達成課題的人組成共鬥組織，就是全共鬥。」而且「他們恐怕是這個國家誕生的第一批獨立自我覺醒、追求極限理性的自覺個體所聚集而成的集團。」[317]

實際上這種存在方式，與一九六五年組成的越平聯幾乎相同。因此村尾把東大全共鬥形容為「這個國家誕生的第一批」的運動形體，多少有些不正確，但與有綱領、有本部、有黨員資格，黨員遵從上級指令的共產黨和新左翼黨派形成對照，則是不爭的事實。

全共鬥派學生的橋爪大三郎日後如此敘述[318]：

要說全共鬥的思考方法，可說只要把共產黨的組織型態全部顛覆過來，打造出來的就是全共鬥思想。共產黨或新左翼的組織型態，就是有〔最下層的〕基層組織，有委員會，接著有中央委員會，把高層決定的事傳達給下層。……全共鬥則相反，幾乎沒有由中央決定傳達給下層的事情。

如果以為有共產黨、先鋒什麼的，只要自己為此盡力就能做出點成績，其實根本沒這回事，有的只是背叛與分裂的歷史。新先鋒的「革馬」、「中核」什麼的組織又如何？大家都認為他們大同小異。

那麼這裡有什麼？其實什麼都沒有。什麼都沒有所以即便敗給現實也無妨嗎？但，我們不可能敗給現實。我們心中既有我們的價值觀也有信念，所以更該透過某種形式，以社會運動實現。抱持著這樣的想法，自我負責，盡可能地幹，我認為以這種信念組織起來的團體，就是全共鬥。這是完全自由的個人，個別、零散地聚集一起，什麼時候不幹了回家，也無妨。感覺就是，只要說出「我是全共鬥」，就成了全共鬥。

橋爪的這段話訴說了當時的學生厭惡共產黨或新左翼黨派的組織型態，進而摸索能擔保個人自由的運動模式。可說此處也反映出絕對服從上層命令的組織型態，並不適用於戰後出生的新世代。

如前所述，七月二十九日仿效研究生全鬥聯的全學助教共鬥會議（助教共鬥）成立[319]。助教共鬥的原則也類似東大全共鬥。前全學聯委員長且為助教共鬥成員的鹽川喜信如此敘述[320]：「助教共鬥當然沒有明文規定的規約，成立當時的共識有如下幾點：第一，僅依靠個人自主的意志參加。第二，不設立指揮部，所有的問題都付諸全員討論。第三，當自主參加的意願低落，無法聚集人數，也不會反過來把繼續維持組織當作目標。」

這樣的全共鬥，因也能反映由下而上的意志、想法，故被視為一個雙向溝通的場域。前述的記者座談會上，對於東大全共鬥提出的傳單或立牌看板被評價成對抗大眾傳媒的微媒體，有如下敘述[321]：「我認為他們的存在本身可說就是一種反媒體，或者該說是對抗式的媒體，換言之，他們在既存的媒體，特別是大眾傳媒的網絡中，主張非法的自我。因此沒有必要成為組織，或許可說成為『全共鬥』有其必然性。」

儘管如此，東大全共鬥並非從最初便採用這種原則。助教共鬥的鹽川在一九六九年三月的論文中提及，「全共鬥組織的『不定型性』，在六月十七日以降致力於全校罷課的鬥爭中，起到支持鬥爭擴大的作用，這點不容忽視」，「這並非事先根據『組織論』打造出來的團體，而是全校的這種狀況打造出這樣的運動。」[322]換言之，引入機動隊後，因運動情勢上升而聚集了許多學生，即便不籌設固定的組織，而容許多樣的參加型態，運動仍舊可以成立。當鬥爭後期東大全共鬥的支持趨於低落後，便難以維持此種狀態。這點將於後文說明。

而又如前所述，東大全共鬥的原則在全鬥聯成立時即已萌芽。如鹽川也提及的，那並非組成東大全共鬥時刻意為之，而是當以全鬥聯為核心組成全共鬥時自然繼受，而其結果又符合當時學生們的志向與想法，因此說它是半自動定型下來的，應頗為適切。

更進一步來說，東大全共鬥的特徵，也包含東大獨特條件而形成的部分。第一，東大是民青的重要據點，在七月時幾乎所有的自治會都被民青掌控。因此才會打造忽略自治會，團體或個人能任意加盟組織的全共鬥。

第二，東大新左翼黨派間的力量對比。東大的新左翼黨派有革馬派、社學同、社學同ＭＬ派（之後改名學生解放戰線）、社青同解放派、構改派等，而且各新左翼黨派也加入全共鬥。指揮遊行時，他們的知識經常派上用場，東大全共鬥也帶有新左翼黨派聯盟再加上無黨派運動者的色彩。

如第十三章所述，一九六九年各地大學組成的全共鬥即便訴求參加全憑個人自由，但不少場合仍是由特定新左翼黨派掌控指揮部。然而在東大並無佔絕對優勢的新左翼黨派，這也讓無黨派運動者獲得發言權，能進行更有彈性的學生運動。

助教共鬥的鹽川，在一九六九年三月表示，「可以說，並沒有任何一個新左翼黨派可將東大整體置於自身掌控之下，加上新左翼黨派之間相互牽制，所以造成『無黨派激進派』可以擠進運動核心的結果。」[323]此外，暑假期間各新左翼黨派的運動者忙於自家派系的全學聯大會而不在安田講堂，這也有助無黨派運動者掌握主導權[324]。

無黨派運動者進入核心位置，造成一種把討厭新左翼黨派的學生拉進東大全共鬥的效果。文學部革馬派運動者鈴木貞美如此敘述[325]：

「全共鬥運動至少在前半部，那種由反管理、反權力的心情引導的學生反叛，我認為是最適合的形式。在那裡集合、行動的大量學生們，在政治思想上並非左翼分子，再怎麼說，直到之前，他們還是被新聞工作者視為『無氣力、無關心、無感動』的學生們。」「反日共派各派反覆著拮抗、複雜對立、合作共鬥。因此，為了把校內統整成一個鬥爭機構，讓無黨派激進派的學生、研究生（山本義隆）成為『議長』乃是必要的，因此減緩了對新左翼黨派的反感，而成為集結大量學生的要因。」

第三，東大全共鬥以研究生為核心。東大全共鬥就是由研究生的全鬥聯發展組織而成，圍繞著安田講堂的無黨派帳棚村主力，也是都市工學科等的研究生。根據當時的報導，暑假時「無黨派的研究生成為核心，輪流擔任『講堂看守人』，代替那些去休閒、旅行、四處遊玩的大學生，或忙於『全學聯』大會的各新左翼黨派運動者。」[326]

無黨派研究生成為核心一事，在前述東大全共鬥的特徵形成中扮演著重要的角色。雖說是無黨派，但全鬥聯與助教共鬥的研究生和助教中，也有參加六〇年安保鬥爭或大管法鬥爭者，也有投入新左翼黨派運動經驗者，無論鬥爭經驗或理論素養皆相當豐富，因此才能阻止新左翼黨派掌控東大全共鬥。

在許多大學鬥爭中，新左翼黨派的運動者具備超過普通學生的理論與鬥爭經驗，因此才能掌握主導權。但經驗豐富的東大全共鬥研究生和助教在議論時甚至可以勝過新左翼黨派的運動者。東大全共鬥不具固定的指揮部，根據代表會議採取合議制等，討論這些特徵時，若不提及無黨派核心的研究生與助教，將無從談起。

所謂的東大全共鬥，是偶然的形勢，加上東大特殊條件，形成的獨特的運動形體。因此，東大全共鬥的形式，不能說是所有全共鬥運動的特徵，而且不具東大般條件的大學也不可能實現。

在日大，因自治會變成僅是「舉辦活動的單位」，使得日大有志之士與東大相同，聚集組成全共鬥。但日大幾乎沒有老手運動者這點，與東大有所不同。因此，日大全共鬥有作為實務指揮部的議長與書記長，無法形成東大全共鬥那般無定型的運動形體。

此外，日大全共鬥在鬥爭後期遭到新左翼黨派侵蝕，但東大全共鬥的無黨派運動者核心集團，較新左翼黨派運動者更有經驗，因此能夠避免新左翼黨派的影響。

第十五章說明的越平聯也是自由參加的不定型運動形體，其核心成員是前共產黨員等擁有豐富經驗者，因此不容許新左翼黨派的侵蝕。無論東大全共鬥或越平聯，之所以能呈現這種特徵，其幹部班底皆非運動外行人起到了相當的作用。

但鹽川指出，這種無黨派激進派為主的組織原理，當運動進入低潮期時將有難以為繼的傾向，在醫學部全學鬥處於孤立狀態的六月十七日之前，「政治黨派能恆常舉行活動、對持續鬥爭的強大決心、對組織活動的經驗與技術，都是支持鬥爭的主要因素，這不容置疑。」據他稱，「因新聞界對無黨派激進派的宣傳，導致全共鬥運動中無黨派扮演的角色有遭誇大之嫌。」[327]

如橋爪大三郎所述，若全共鬥是「完全自由的個人，個別、零散地聚集一起，什麼時候不幹了回家也無妨」的運動形體，那麼雖然在運動高昂期可聚集人潮，但在低潮期則顯然比不上有組織的新左翼黨派持久。如第九章所述，日大全共鬥的橋本克彥回憶說「全共鬥方式的組織法」是「進攻的時候非常強大，但防守時則弱點百出」，在東大全共鬥上也發生同樣的狀況，此部分將於後文說明。

此外，東大全共鬥並非整個時期都由無黨派激進派領導。表面上，在群眾討論的代表會議上決定方針，由新左翼黨派及其他代表聚集的事務局會議決定將該方針具體化的戰術，但至鬥爭中期為止，許多時候事務局會議都會變更鬥爭方針[328]。

原因之一是東大全共鬥不得不借助新左翼黨派的力量。東大全共鬥於八月六日封鎖學生部位於山上會議所的暫時辦公室[329]。接著秋天以後，打出全校封鎖方針，漸次進行佔領，而彼時的實際執行部隊便是新左翼黨派。因此，沒有實際執行部隊的無黨派，發言權也必然低落。

在這層意義上，東大全共鬥組成後，與其說暫時是不定型的運動形體，不如說帶有新左翼黨派聯合加上無黨派調停的色彩。一九六八年底以後發生了變化，關於這點將於第十一章後述。而被推舉為此東大全共鬥「議長」的，便是物理學部博士班課程三年級生的無黨派運動者山本義隆。

據內藤國夫稱，他在十月初詢問學生們，東大全共鬥有無代表人？得到如下回答：「因為是新左翼黨派的雜牌軍，所以一直沒能決定代表啊。因為如果是個已參加某新左翼黨派的傢伙，他就不會聽其他黨派所說的話。」「這麼說來，若改來個無黨派的，那又變成這個人沒有背景，所以無力壓制新左翼黨派的朋黨。」「大致來說，我們不需要代表。原本我們的抗爭就是在挑戰階級制度，所以在運動中還打造出新的階級秩序，不是很奇怪嘛。」內藤接著問，那麼有任何人擔任彙整意見的角色嗎？學生們便介紹了山本[330]。

關於山本義隆有各式各樣的傳說。一九四一年出生的山本，六〇年安保鬥爭時為大一新生，有傳言說，安保鬥爭後在共產同分裂的六〇年代前半，山本是小支派之一「Sect No.6」的運動者[331]。不過，實際上他以無黨派運動者的身分參加各種運動，一九六二年反對大學管理法案鬥爭時，他在安田講堂前搭起帳棚，抗議懲處參與鬥爭的學生，六〇年代後半作為「東大反越戰會議」成員，參加越平聯的集會等[332]。

雖說如此，山本並非與他人拉幫結派的類型。因此，根據最首悟的說法，「大管法鬥爭時，山本義隆被視為有如無政府主義者般的一匹孤狼，偶爾現身，寫下措辭激烈的傳單。只是，他撰寫的次數太少，趕不上我們的期待，所以我們很火大地給他下了『這人缺乏恆定性』的評價。」[333]山本在物理學部的專業是粒子理論，前往京都大學基礎物理學研究所做「國內留學」，並在諾貝爾物理學獎得主湯川秀樹教授手下鑽研研究，但當他聽到六月十七日機動隊進入安田講堂的新聞後，即返回東大[334]。

之後山本連日投入到運動，過著每晚在安田講堂留宿的生活。他熱心活動的模樣，瘦長身軀讓人聯想到青年修行僧的斯多葛式外貌，加上明晰且激烈的鼓動演說為他帶來周圍的人望，接著以全鬥聯代表的身分成為事務局會議的成員。而且，他本人表示「為什麼我得做這種事情呢？因為沒新左翼黨派出來做，黨派發生爭執的時候，我才變得重要啊。」這段發言也展現出他對地位無欲無求的程度[335]。

《世界》雜誌的總編輯吉野源三郎與山本私交甚篤。吉野在安田講堂攻防戰後，在〈山本君想說的事情〉一文中，如此書寫山本的性格[336]：

山本君與我的家人成為朋友，已經超過三年。三年前，當我為高中生的女兒尋找能教導她數學的人時，在中村誠太郎教授的介紹下，接受這份打工的人，正是在研究所學習物理的山本君。……

身為家教的山本君，完全不會去做一些投機取巧的行為，讓我們覺得他有多熱心、多努力。偶爾我稍加窺探，或者妻子送紅茶過去，經常看到山本君讓女兒拚命做算數，自己卻躺在沙發上午睡。……雖然是這種教學態度，但等他醒來進行教學後，女兒總是驚嘆於這位老師解題方式的卓越，以及講解的明晰。他稱不上沉默寡言，但也絕不多話，沒有社會上要求的那種和藹可親，多少給人一些怪人的印象，但稍加接觸後，即可知道是個率直、不加矯飾的人。笑起來露出潔白的牙齒，非常俊美的笑顏。「這是個無垢的人啊」，我經常如此對妻子說。

人格無垢，不過身上穿著卻遠非如此。鞋子骯髒到讓人覺得到底幾年沒擦過的程度，而且都踩爛了。穿著陳舊的襯衫與西裝外套，就像掛在他瘦高的身子上似的。自去年大學鬥爭變忙之後，好像連鬍子也沒時間刮。不過在我看來，與在銀座見到的身穿高級西裝的中年男人們，那種屢屢可見的人類貪婪與不純潔相較，山本君反而讓我感到一股潔淨感。妻子與孩子們也能理解山本君的好，大家都對他抱有好感。

山本的這種性格，與教授們的權威姿態或新左翼黨派運動者野心畢露的態度相較，不難想像給東大全共鬥的學生們留下良好印象。而且，身為優秀的研究生且將來教授地位也獲得保障的山本竟參加鬥爭，讓人們非常感動。日後最首悟如此描述山本[337]：

「那傢伙總而言之就是個非常能幹的男人，大家都相當尊敬他，對他另眼相待。如果繼續求學，應該可以撐起東大理論物理研究的一片天，對於這個男人，不只是我們，連教授們也這麼認為。這樣的人投身鬥爭，等同於放棄自己的將來。這給大家帶來相當大的衝擊。因為山本挺身而出，所以才能說『這不是〔新左翼黨派等〕職業革命家領導的學生運動。』」

為何山本會參加東大鬥爭？山本在商業雜誌上撰寫鬥爭相關論文，是在一九六八年秋天以後。彼時「自我否定」、「大學解體」、「民主主義批判」等已成為東大全共鬥內的成套用語，山本也依著這些用語書寫文章。然而截至一九六八年八月左右的東大全共鬥傳單中，幾乎找不到這類主張。因此，很難在山本的著作中看出一九六八年六月他加入鬥爭的動機。

根據吉野源三郎的說法，在「東大紛爭的初期左右」，山本曾有過如下表示：「在戰後保守政權下發展起來的教育官僚管理體系，依序把小學、中學、高中納入管理下，時至今日更致力於把大學也納入控制下。」「文部省官僚的這種意圖，具體化為所謂的大學管理法的草案後，赤裸裸地呈現在眾人眼前，雖然很幸運地他們此舉遭到阻止，但作為代價，國立大學的校長們必須與文部省約定『自行約束』。」而「東大醫學部的學生懲處，與大河內校長面對學生要求時的態度，就是這種『自行約束』。」[338]

這樣的山本，不難想像會把醫學部懲處問題與引入機動隊視為文部省與保守政權不斷把大學納入管理下的徵兆。而他應該也能預料到，自己繼續自身研究的話，他本身也會站到管理學生的教授立場上。

又如前述，反對大管法鬥爭時，軟禁當時茅誠司校長進行團交的學生們（今井澄也在其中）遭到懲處，對此山本即在安田講堂前搭起帳棚抗議。而他與今井也有些緣分，參加過醫學部社學同派運動者的畢業典禮及入學典禮鬥爭，山本在其自述中提及，見到發布春見事件懲處告示那天，還是讓他想起學生遭懲處的「六年前大管法鬥爭的最終階段」。此外，聽聞六月十五日醫學部全學鬥的安田講堂佔領與引入機動隊的新聞而由京大返回東大時，他為自己埋首研究，對畢業典禮、入學典禮鬥爭中一同戰鬥的「醫學部全學鬥諸君不加理睬，讓他們孤軍奮戰的罪行深感羞愧。」[339]

從上述資料推測，山本之所以參加東大鬥爭，大概是因為把鬥爭視為大管法抗議活動的延長，加上對醫學部全學鬥運動者們的夥伴意識。而身為研究者卻放棄將來而參與鬥爭，他的態度也象徵著東大全共鬥的口號「自我否定」。如此，山本也成為東大全共鬥的象徵符號。

「八・一〇告示」與全校封鎖鬥爭的展開

同時，面對大學鬥爭頻發而感到棘手不已的文部省，開始檢討設立特別法。據一九六八年七月二十二日《朝日新聞》稱，其內容為：（一）當大學混亂超過一定基準時，將「停止」教育機能；（二）「停止」期間，將視學生為休學，影響升級、畢業；（三）「重啟」授課時，必須統一大學當局、教職員、學生的意見；學生的意見統合採全校投票等多數決方式[340]。此構想於隔年大學立法時獲得實現。

此方案明顯打算從對升級、畢業感到不安的學生著手。當時紛爭中的東京醫科齒科大學的共鬥會議議長即擔憂「該法案若通過，學生大概就無法保持鎮靜了。即便通過罷課權，也會有人不遵守，罷課拉長時間後也會出現『已經夠了，停止吧』的聲音。」[341]

東大全共鬥也對此抱持危機意識。暑假期間許多學生返鄉，留守安田講堂者不過三十人左右，集會也只能出席四十到五十人。「無黨派帳棚村」由大約二十個人以三天輪班一次夜宿的方式，勉強維持[342]。

據八月造訪安田講堂的記者稱，留守「無黨派帳棚村」的人共有八名，記者由在安田講堂邊讀漫畫和雜誌邊負責看門的學生帶入講堂內，但因白天許多學生外出打工，講堂內幾乎沒有人[343]。日大街壘在暑假期間人數驟減，東大也呈現同樣狀態。

然而，東大的普通學生對事態仍抱著樂觀的態度。某文學部大二生在雜誌採訪中表示「不知道佔領鐘樓是好是壞」，接著如此說道[344]：「關於文部省考量的法律，其看待學生的方式相當低劣，他們從『運動者只不過是自我中心式地拖住其他學生夥伴求學的腳步』的觀點出發，大多數的學生都對這種愚蠢的見解很反彈。」

在此狀況下，八月十日校方公布收拾事態的「告示」[345]。其內容包括將撤回醫學部懲處並重新審查，而且承認引入機動隊「反而導致事態更為升級，造成混亂」。且公布告示的同時，豐川醫學部長與上田院長皆提出辭呈。

此外，此告示也訴求解除佔領安田講堂與罷課，指責全共鬥「使用非法暴力」是「不適合校園的、非理性的行徑。」這份告示也郵寄至返鄉中的學生老家，通告「如上所述，校方已決定最終方針。」

此告示被稱為「八・一〇告示」，對校方而言乃最大限度的讓步。六月二十八日的校長會見上，雖已表示關於醫學部懲處若有人申請重審，即受理重新審查，而此告示則宣布即便未提出申請也將進行二度調查。在學部長會議上，醫學部、理學部、文學部長認為應當守住校長會見時宣布的底線，不該讓步，對此告示提出激烈反對[346]。

此外，醫科研、生產技研、宇宙航空研等研究所提倡「不可向學生暴力屈服」的強硬論調，但暑假結束後旋即得面臨考試的教養學部則希望能儘早解決，其他如經濟學部、教育學部、藥學部等也有同樣狀況，對校方讓步展現積極態度，加上中間派的法學部、農學部、工學部後，決定公布這份告示[347]。

評論家大野明男如此敘述[348]：「社會上對八・一〇告示的評價是『校方的重大讓步』。除了對問題核心的醫學部懲處提出『重新審查』，還更換了懲處負責人的豐川、上田二人，『大致而言學生已經獲勝，在此狀況下收拾事態應屬合理』，這是良心派的想法，也是大眾傳媒的論調。」若就此宣布「勝利宣言」結束鬥爭，大概也是一種處理方法。

然而，東大全共鬥、民青與大多數的普通學生皆對此告示表示不滿。因為內容不但無視東大全共鬥的七項訴求、忽略民青派中央委員會決議，而且也在未與學生方溝通的狀況下，校方單方面地決定「最終方針」還郵寄給學生，這種手法，引起學生反彈。此種告示方法，也展現出大學高層首腦完全不理解學生究竟對大學哪方面的態度感到憤怒。

某同情民青的研究生針對八・一〇告示表示，「不讓我們參與，在別的地方決定『最終方針』並打算『重新調查』，顯示大學的體質沒有絲毫改善。」[349]助教共鬥對八・一〇告示更是嚴厲批評，認為「混合著卑屈與傲慢，企圖分裂學生，這是絲毫沒有道德感的大學當局展現出來的統治者意識。見不到可稱得上實質性讓步的部分，這種態度，只是欺瞞式的讓步罷了。」[350]

而根據當時的《讀賣新聞》記者座談會，告示的草案階段時，原本有對六月十五日引入機動隊表示「大學方面深自反省」的文字，但在大河內校長的反對下刪除[351]。大概是因為引入機動隊乃大河內的個人決定，如果告示中提及「深自反省」，他的自尊不允許之故。

許多普通學生則認為大學反應遲緩。某一年級學生在十一月的座談會上如此表示[352]：「如果三月畢業典禮期間就舉行六月時的大眾會見，在會見後就發出八月的告示，罷課早就已經完全結束了呀。」

東大全共鬥立即製作〈我們對大學當局「最終方針」的態度〉並郵寄給全校學生。文中闡述，八．一〇告示是「對我們一直以來一貫的基本要求，也就是大眾團交，清楚拒絕的回答」，並企圖「把『普通學生』與『部分過激學生』切開，使後者孤立」，因此呼籲全校學生「立刻回京！」「罷考九月的考試，為全校築起街壘、罷課而奮起！」[353]

站在東大全共鬥的角度，拒絕大眾團交的校方強行打出「最終決定」，就是在展現權威主義，而全共鬥希望避免被「普通學生」孤立。而「全校築起街壘、罷課」一事，早在七月二日二度佔領安田講堂時即有部分參與者提出[354]，這份呼籲則顯示此時成為東大全共鬥的全體方針。

全校總誓師集會預定於九月三日舉行，不過，在此之前先於八月二十二日於駒場舉行了全校集會。即便暑假結束，全校人數最多的教養學部仍繼續無限期罷課，因為他們認為是否罷考關係到鬥爭的勝負。據內藤國夫稱，「駐守在安田講堂的研究生與助教大舉前往駒場，進行招募，積極參加討論集會，盡全力散發傳單，本鄉校區一時間幾乎成為空城。」[355]

同時，校方依照「八．一〇告示」這條底線開始收拾事態。在醫學部，豐川部長與上田院長辭職，小林隆繼任醫學部長。小林部長表現願與學生團交的態度，發言中也暗示將完全撤銷懲處[356]。

學生也出現呼應的舉動。八月二十二日，醫學部一百一十八名學生獨立宣言罷課終結。醫師國家考試將於十月舉行，這段期間中，他們必須在九月通過畢業考才能應考。小林學部長公告，希望參加畢業考的人可於九月二日之前進行申請[357]。因為擔心延畢或留級，以四年級為首的學生的立場先動搖了，這是大學鬥爭的固定法則，十二月以後此現象擴散到東大全校，而首先發生於醫學部。

不過此時對東大全共鬥的支持並未減弱太多。醫學部學生全部共有五百二十人，宣言罷課終結一派僅佔全體的兩成左右。即便立場理應明顯動搖的大四生，申請接受畢業考的人，在預定畢業的一百零七人中也只有四十五人提出申請[358]。

九月九日舉行的畢業考試呈現出某種異常的狀態。害怕全共鬥妨礙考試的醫學部教授會，將參加考試的四十五人以六至七人分為一組，分別在秘密會場接受考試。且為了不使秘密洩漏，也不告訴受試者場地，在前一天才以電話聯繫翌日集合地點，之後以計程車將考生載往會場。某受試者透露，「那是場令人厭惡的考試啊。……我雖然是接受考試的那一派，但至今仍對教授會的態度感到不滿。」[359]

參加考試的學生心情相當複雜。據當時報導稱，參加畢業考試者，也有覺得自己配合不了全共鬥方針者，也有因經濟狀況不允許而不得已參加考試者[360]。某位受試學生接受週刊雜誌採訪時表示：「不可能總是啃老啊。想早些畢業，獲取醫師資格。家境不富裕的人，這種心情特別強烈。」

對此，接受同一週刊採訪的今井澄如此說道：「那是自我中心、明哲保身啦。說經濟上有困難，受試派中許多人的家境都比罷課派來得富裕呀。」

某位受試生也在同一雜誌的採訪中如此說道：「無論是繼續罷課派或受試派，大約都有十個核心人物。他們確實有不同想法，但我不認為其他人的想法有太大差異。要麼家中有狀況，要麼希望貫徹當初意志直到最後的感情，就以這種微不足道的事情把雙方分類。然而分類之後，彼此間卻出現重大鴻溝。」這樣的說法應該相當貼近當時的現實。

理所當然地，東大全共鬥對醫學部的行動發出反彈。八月二十四日，醫學部全學鬥與小林學部長接觸，約定於八月二十八日下午一點針對重新舉行畢業考進行對話。不過當晚醫學部發出公告，接受希望參加畢業考的人提出受試申請[361]。

東大全共鬥對這樣的做法感到震怒。且三天後的八月二十七日，四三青醫聯舉行班會，對於希望參加畢業考的決議以四十五對三十票加以否決，對此感到不滿的希望參加考試派因而退場[362]。四三青醫聯就此分裂，留下的強硬派中，社學同的影響力頗大，這也造成民青派運動者離開青醫聯。

預定與小林醫學部長會見的二十八日當天，由全共鬥舉辦的「全校總誓師集會」在安田講堂前集合，下午一點戴頭盔的約二百名全共鬥學生前往醫學部本館，在大講堂靜坐等候小林學部長。然而到了下午五點多仍不見學部長現身，學生們遂封鎖醫學部本館。當天，據說小林學部長原本打算遵守約定，但其他學部長認為一旦「大眾團交」常例化，將給日後行政帶來困擾，因而制止小林學部長[363]。

當天傍晚六點半，小林學部長舉行記者會，表示「今天我表現的優柔寡斷，實在非常不妥。我自我反省後，覺得當時還是應當依照約定前往與學生見面。」此時一百多名全共鬥的學生現身，將學部長帶往講堂軟禁，強迫展開團交[364]。

根據此次團交的錄音帶記錄，學生們批評：在對話之前就通告重啟畢業考乃違反約定。醫學部鬥爭的領導者今井澄更進一步做出如下發言，強迫學部長停辦畢業考[365]：

> 老師呀，你知道老師們幹的事情在學生之間造成了多大的鴻溝嗎？而且，你知道那道鴻溝是什麼嗎？
>
> 那〔宣布停止罷課的〕一百一十八人，最後就是圖個自己能早日拿到醫師執照，盡可能在像東大醫院這種設備好、有好醫師的地方實習，自己想早日成為賺大錢的醫師，或者成為有名望的

醫師，他們那一票就是這種人啊。在這之前，我們〔交流談話〕也搞到晚上十點了對吧，他們說的話，就都是那種內容啊。至於什麼人民的醫療啊，為了國民的醫療啊，或者健保之類的，一句話也沒提到呀。老師您想錄用那樣的人嗎？

此一設問的出現，成為東大鬥爭的一個轉捩點。今井澄在一九九五年如此說明[366]：「不好的，不僅是對方。大學存在的方式本身有問題，但在裡頭悠然學習、畢業的我們本身，大概也有問題。這樣的想法逐漸深入心中之際，實際上，我們漸漸開始思考『今日我們認為理所當然的事情，例如研究、上課，若能暫時停止這些事情，大家停下腳步思索一下，又會如何？』」

產生如此設問的背景因素，是因東大全共鬥的研究生們當暑假留宿在安田講堂時，針對「所謂的大學是什麼」，「所謂的學問、研究是什麼」，「自己也成為大學教授後，也會變得跟那群教授們一樣嗎」等等做過熱烈的討論。例如一九六八年九月一日，在無黨派帳棚村的工學部研究生，以個人名義發出的通信即有如下內容[367]：

「所謂的大學，究竟是什麼地方？……被強制壓入『為國家奉獻』這個偉大名義的鑄造模型中，再被傾倒出來……在這之中我們被強求成為擁有專業知識的白癡，身為專業白癡越是認真努力，體制就越是肥大，我們也變身為加害者迫害國民（看看公害問題吧）。難道這就是大學的理念？我們是為了這種事情而來大學的嗎？」

工學部研究生大橋憲三如此回憶道[368]：

當鬥爭逐漸拉長，搞鬥爭的一方終究還是會疲勞，最終仍是由掌握權力的人獲勝。我們被質疑「到底在做什麼啊？」總之，不是只要待在安田講堂就好（笑）。我們也開始自我質疑：「為何我們會在這裡？」

東京大學這個類似帝國主義大學的地方，終究還是為了打造國家樞要人才的學校。透過輸出人才，東京大學一直在打造我們認為是「惡」的社會。學者雖然相對傾向於批評政府，但最終還是與官僚、大企業人才一同擔任這個社會的樞要體制。我們就是在衝撞這樣的根本性問題。

因此，我們之前雖說「大河內先生很奇怪。大學的研究者的思想稍嫌不足啊」，不過自此翻轉，改問「我們該怎麼做呢？」回到質疑生存方式的思考。我認為這種思考支持著鬥爭的後半部。

以畢業、升級來質問自己人生的現象，此前的大學鬥爭中也出現過，不過這算是運動的障礙，並非主題。然而東大鬥爭中，該運動的副產品，即「主體性的確立」，卻似乎成了目的，「質問自身生存方式」成為主題而浮現，致使運動的開展呈現特異的狀況。這與認同危機同屬「現代的不幸」的問題，同時或許也可說是東大這所最高學府衍生出來的現象，而此現象又源自將學問與自己人生緊密相連的醫學部學生、研究生成為運動核心所帶來的特殊性。

學生們在團交的場合把這樣的疑問丟給教授們，但教授方卻沒有回答的能力。八月二十八日的醫學部團交上，被一百多位學生包圍的小林學部長說出「已經開始頭痛，無法思考了」，在午夜零時過後才獲得釋放[369]。釋放學部長後，全共鬥旋即以街壘封鎖醫學部本館。

九月十六日，醫學部舉行教授與學生的對話集會，實際上這即是「大眾團交」。此時粒本良彥批評即便撤銷對自己的懲處卻仍不認錯的大學當局，疾呼「不承認無罪就是無罪的大學，乾脆關門好了。」[370]日後粒本表示，「我對自己抱持即便腐敗仍是東大，只有真實才應當是崇高的『幻想』，感到很可恥。我逐漸認識到自己的愚蠢與權力的醜陋。」[371]

這場九月十六日的團交由下午兩點開始，被大量學生的意見驅策的小林醫學部長，在晚間十點四十五分左右，聲明「將朝延後畢業考，延遲重啟授課的方向努力。」然而，這項醫學部長的承諾雖於十八日暫時在醫學部教授總會上通過，但翌日的教授大會上，認為為了趕上國家考試時程必須儘速辦理畢業考的意見佔據多數，從而否決該項承諾。到了二十日即片面通告學生將舉行畢業考[372]。

對醫學部長的「背叛」感到憤怒的全共鬥派學生，與醫學部新執行部進行「對話」的「幻想」已然破滅，自九月底至十月初封鎖了醫學部的大部分建築[373]。全校的街壘封鎖，從醫學部開始實現了。

然而即便到了這個時期，教授的回應依舊緩慢。東大全共鬥於九月二十日向工學部教授大會提出希望進行大眾團交，但教授會因害怕來自學生的集體批判，故顯得相當遲疑。

工學部職員工會於九月十八日發行一份傳單，名為〈對工學部教授的訴求〉[374]：「我們期待教授對校內鬥爭能積極地、建設性與具體性地參與，然而教授們要不是站在教授會這座城池之上，要不是在此非常事態中依舊熱中於自身研究，總之相當遺憾地，我們終究沒見到我們希望的狀況。教授們的這種態度，也是讓校內鬥爭延長的重大原因。」九月二十五日農學部的教授與學生集會，也出現「學部長始終採取『如答覆國會質詢般的』閃躲式回答。」[375]

這種傾向一直延續到後述的一九六八年十一月東大執行部更迭為止。青地晨於一九六八年的評論中如此說道[376]：「一、兩個月前，我聽了兩、三位東大教授的說法。當時教授們口徑一致，說學生們有多蠢，事態總是收拾不了。說學生們是『令人畏懼的孩子們』。又力陳，要說服這些愚蠢的學生們根本是在浪費時間，不如埋頭於自身的研究，不要浪費時間才是聰明的做法。東大紛爭對這些教授們而言不過是他人瓦上霜，根本沒有切身的危機感。進入學生圈中談判的要麼是執行部，要麼是好事又極度想成名的俗氣教授。所以教授們的態度就是，這種事情交給他們去幹就好。」

封鎖研究室與「自我否定」

然而，成為東大特徵的「主體性的確立」、「質疑自身的生存方式」、「學問、研究是什麼」等討論，在暑假期間還僅限於留守安田講堂的研究生與助教。如前所述，助教共鬥的最首悟指出，「鬥爭初期，思考學問、思想、研究自由是否為絕對之善的人，僅限於一小部分。要等到九月之後，才成為全校思潮。」[377]

根據最首的說法，轉變的契機在於暑假結束時，教授們為了重啟授課與研究，來到校內各處說服學生中止罷課。隨之發展成學生與教授的討論，產生「大學是什麼」、「學問、研究是什麼」的討論。根據最首的說法，其中學生們「瞭解到所謂的教授會自治，早已淪為形式；所謂的政治中立，也不過是面對社會、國家權力時的明哲保身之術。」[378]

工學部碩士二年級的大橋憲三如此回憶與指導教授的討論[379]：

我問道：「老師是為了探究真理而做研究的人，那您覺得怎麼樣？那個〔醫學部的〕懲處應該撤回嗎？」教授回答：「如果是醫學部的教授所言，那麼我還是覺得那是正確的。」我又問：「這只是您的信念而已吧」，教授回答「或許不盡然正確，但我認定是正確的。」我變得激動地問：「那你所謂的探究真理，又該怎麼說？」教授答：「我沒有去調查的時間，也不可能一一確認。」我質問道：「那，您根本沒有探究真理，不是嗎？」教授最後說：「大橋君啊，我也得生活呀」……。所以我原諒了他。若是如此，一開始就這樣說，不就好了。如果一開始就坦言「大家都得過生活，所以都很辛苦啊」，「身為大學教授為了生活，所以擺出這種明哲保身的態度」，那我也不打算如此澈底追究他的人格。不過，我那時尋思「因事態發展到這樣才這麼說，所以無法原諒。」

這種討論出現在東大校內各處，九月十七日的教養學部罷課實行委員會提出的傳單中，對於教授有這樣的描述[380]：「為了微薄的薪水、滿足布爾喬亞式的自我意識，為了擁抱『公民權』、『地位』的膽小知識分子！你們沒有勇氣放棄一切虛偽與明哲保身，加入我們的列隊一同奮鬥嗎？你們說『沒辦法……。』沒錯，這就是你們毫無矯飾的『走狗』態度。」

助教共鬥的村尾行一在一九六九年四月寫道，東大鬥爭並非一開始就提倡「大學是什麼」、「學問是什麼」等疑問，「然而，當教授們擺出人們不認為是學者該展現的態度——有時是『詭辯』的，有時是壓迫的——讓眾人感到吃驚後，便開始了。」[381]學生與研究生震驚於教授們明哲保身的對應方式，「這份震驚，讓人產生質疑：他們真的是學者、教育者嗎？他們進行的研究真的對得起學問之名嗎？……重新回頭看東京大學時，發現社會上賦予的、而且我們從未懷疑過的耀眼光輝形象，已然消失殆盡。此際，我們對學問是什麼、大學是什麼的質疑，也不得不反身回來自我質疑。」

由大橋與村尾的這些證詞可見，與其他大學的鬥爭一樣，他們（至少在某種程度上）是相信「保守的」大學和知識分子形象，亦即大學乃「探究真理的學府」、研究發展將對人類有助益、教授乃立於頂點等價值觀。因研究生與助教總在教授身邊，即便人數比例上較大學部學生少，但終究懷抱著「保守的」大學和知識分子形象。而在與教授討論之中，這種觀念崩解，所以他們才感到激烈的幻滅與憤怒。

又如第二章所述，他們一路以來是信仰以「原子小金剛」為代表的，科學與學術的進步將給人類帶來幸福的世代。大橋如此回憶。自己從童年起，「接受研究成果將貢獻全體人類福祉的教育而長大」，但「自己加入研究，卻未與人類生活相連，反而首先注重企業利益，剩餘的部分才會落到人們的生活上」，當自己知道此等現實狀況時，感到巨大的幻滅與「憤怒」[382]。

理所當然，最深刻感受到這種幻滅與憤怒者，便是選擇研究者之路的助教與研究生們。他們心中對講座制度的不滿，也與這種情緒疊合。當醫學部本館被封鎖，最初表達「嚴重抗議封鎖，那是一種暴力手段，難以讓人認同」的助教湯淺勝，在當時的訴求中如此寫道[383]：

……八月二十八日，出乎意料地，我們的醫學部研究室被當作全校街壘封鎖的第一步，全共鬥學生突然實行了封鎖。封鎖研究室，使得基礎醫學研究者被迫面臨嚴厲的選邊站問題。在苦於研究中斷的強烈禁斷症狀中，我們必須判斷共鬥會議的學生主張與行動究竟是否正確，為此必須進行連續五天，長達數十小時的緊迫討論。……

面對署名反對醫學部懲處的研究生，某位比經團聯更惡質的教授陰險地提出中止聘任助教的程序，更進一步表示「你們是反體制的嗎？如果是，我將不會聘任屬於三派系的助教。」……簡單而言，我們的教室就像「魑魅魍魎」的住處。……研究室遭封鎖時，心中充斥著憤怒，但，我們真正要抗爭的對手，究竟是誰？究竟是什麼？不消花太多時間，我們便已明瞭。……經歷數度漫長忍耐的痛苦後，浮現在我們面前的，是一種身處街壘中的巨大自由感。

此處提及的「被迫選邊站」，是指參加全共鬥的鬥爭，或者遵循菁英道路邁向統治者之途，自身必須做出選擇之意。封鎖研究室，迫使旁觀鬥爭且埋首研究的教授與研究生必須做出選擇。這種強迫選邊站的發想，始於七月二日重新佔領安田講堂，不過思想上也加上了自行拒絕菁英路線的對「生存方式」的質疑。

但此時的封鎖，其實沒有那麼暴力。根據當時全共鬥派的小冊子，八月二十八日的醫學部本館封鎖中，「透過與『青年研究者之會』的對話，互相取得不妨礙實驗的共識。」[384]據《每日新聞》記者松尾康二稱，當時山本義隆表示，「我們也沒有說不使用暴力，但那份暴力得有理論根據。我們不使用毫無道理的暴力。」九月二十二日，醫學部外科的研究室遭到封鎖，但並未出現毫無目的的破壞行為，「在封鎖內科研究樓時，亢奮著打算反抗的有薪醫局人員遭到其他有薪醫師的責罵。封鎖方與被封鎖方，雙方甚至達成了協定。」[385]

如前所述，九月十六日的醫學部全校集會後，大部分的醫學部建築群遭到封鎖。而面對封鎖，苦惱於講座制度的青年研究員反而採取協助的態度[386]。評論家宇野裕寫道，他們內心深處大概有股「經由封鎖醫局這種展示性的行為，把資本社會中自己的勞動過程凸顯為主體的衝動」[387]。九月二十七日，醫學部精神科的建築由醫局人員進行封鎖，而非學生[388]。與封鎖安田講堂相同，封鎖研究室與其說是運動的戰術，不如說是確立認同的表現行為。某全共鬥派的學生在當時的座談會上表示，「全校封鎖，是對現行所有統治體系表達拒絕，也是我們在恢復自身的主體性。」[389]

然而，這種東大全共鬥的封鎖戰術卻遭到輿論的反彈。日大街壘時，為了從體育會與右翼分子手中自保，因此輿論容許學生採取非常手段，但東大全共鬥為求「表現行為」與「確立主體」進行封鎖，卻令人難以理解，在社會上看來，此舉只反映出東大學生的任性。醫學部本館遭封鎖的隔天八月二十九日，《每日新聞》在一則標題為〈威脅到許多人命的癌症診斷中斷　本部封鎖——憤怒的教授與研究員〉的報導中，如此敘述道[390]：

「〔在醫學部本館，〕每日都必須進行必要的組織培養與解剖的標本製作等實驗、觀察。除此之外，還有都內各醫院與鄰近各縣送來做癌症診斷的組織與血清檢查的樣本，這些檢查、研究、診斷皆因學部本館封鎖而停擺。站在大學的立場來看，此前〔佔據安田講堂〕僅是癱瘓了『行政機能』，但大學更關注學生此舉剝奪了大學原本『研究自由』的任務，加上此舉有關乎患者性命的危險，故狀態更為嚴峻。」

此外，醫學部建築群的封鎖是與醫局成員達成某種程度的共識下進行的，但這種封鎖形式只到九月醫學部封鎖為止。

九月十三日，全共鬥二度舉行「全校總誓師集會」，向校長及大學當局提出團交要求，並附加條件，若未能於十六日前獲得答覆，將封鎖教養學學部辦公室。大河內校長未回應團交，教養學部一號館遭封鎖，而因這場封鎖被逐出辦公室的職員則起而反彈[391]。教養學部教職員工會委員長，在封鎖的兩天前向教養學部自治會委員長今村俊一提出公開質問書[392]：

「我們也是人。為了菁英的教育、菁英的研究提供協助，甚至傷害了自己的健康，但最終卻成了菁英鬥爭戰術下的犧牲品，我們無法容許這樣的狀況。六月二十八日的校長會見上，各位甚至脫口說出『事務職員之類的，算得上什麼』，這種說法，並不能正確表達我們在大學中的地位。我們心中充滿深深的自嘲與悲傷，以及無處發洩的遺憾。」「剝奪他人職場的人，還自稱是與勞工站在一起的夥伴，我們實在萬難認同。」對此，助教共鬥駒場支部的訴求中如此回應[393]：

我們知道，有不少教授毫不忌憚地公開宣稱：學生的無限期罷課，就像章魚吃自己的腳一般，對我們而言根本不痛不癢，因此我們毫不推諉地承認，必須祭出封鎖學部辦公室的戰術。但我們心中終究深切希望，盡可能避免使用這種戰術。但當我們自問是否有與封鎖辦公室相等的有效戰術時，我們卻想不出來。〔如民青主張那般〕全校學生拉攏進步的教授，團結力量，這可以是未來長期的漂亮方針，但非眼下有效的戰術，此事不言自明。此外，面對一部分反動勢力，如果大學中大多數都是進步的教授，根本就不會發生現在的狀況。

我們對自己想不出更好的方法引以為恥。對於如此無力，無法提出替代封鎖辦公室的方針，對自己的努力不足，只深切感到自責。

教養學部的今村自治委員會長也回應：「雖然暫時將各位職員趕出原本的工作場所，但如同封鎖醫學部本館使年輕研究者深化討論，一些人發出宣言支持封鎖，我也衷心期待，各位的討論更加深刻，理解這次鬥爭的意義與我們的戰鬥。」[394]

但這樣的回應並不能使職員們感到滿意。希望在職員身上獲取與質疑大學現狀的醫學部年輕研究員同等的支持，這種期待近乎緣木求魚。最終，九月十六日下午四點，教養學部辦公室遭全共鬥封鎖，辦公職員被驅離至各處的臨時辦公室。職員們提出抗議書，表示「面對這種不適當的做法，我們所有辦公室職員都感到強烈的憤怒與絕望的情緒。我們終究無法容許如此為達目的不擇手段的行動。」[395]

對此，以東大教養學部罷課實行委員長名義發出的傳單上，則有如下主張[396]：「我們認為，此辦公室封鎖鬥爭的目的之一，也在於追求與各位職員的連帶感。」「我們希望，辦公室封鎖鬥爭由事務勞工與學生共同罷工來實現。」但面對「無法實現的現實狀況」，學生才獨自進行封鎖，「各位職員若對我們的行動採取敵對意識，就是扼住了自己的喉嚨。」且「對於淪為統治者忠實走狗的教授，以及熱中於鎮壓學生的以學生部為核心的職員，我們感到強烈的憤怒，想聲討這些人。」只是，贊成這種主張的職員恐怕為數不多。

而全共鬥的封鎖戰術造成與民青之間的對立越演越烈。如後所述，民青自九月七日起採取對東大投入校外的武鬥部隊等手段，擺出與東大全共鬥全面對決的態勢。東大教職員工會也是共產黨派的有力組織之一。

根據民青派的全學聯行動委員會九月十八日的傳單，全共鬥未經代議員大會或自治會決議即封鎖辦公室，此乃「破壞自治會民主主義、鬥爭內民主主義的重大挑釁行為」，給予「政府＝文部省反動當局分裂與介入鬥爭」的藉口，妨礙「校內民主統一戰線」的形成，並訴求「遵守自治會民主主義」。在全共鬥封鎖辦公室的隔天，民青派學生於九月十七日驅逐全共鬥派學生，解除了封鎖，但全共鬥逆襲並再度實施封鎖。根據民青派的傳單，此次衝突有數人負傷[397]。

另一方面，東大全共鬥也批評民青。九月二十日，四三青醫聯（準）執行委員會的傳單指出，自粉碎畢業典禮、入學典禮鬥爭起，民青就把青醫聯學生稱為「托洛斯基分子」，這是種「不可饒恕的侮辱」行為，之後更引入校外武鬥部隊，「他們更加明確地展現自己是東大鬥爭的敵對分子。」此外，「『民青批判』必然會導致『日共批判』」，「他們〔民青〕表現出來的錯誤，根源就在日本共產黨作為先鋒政黨時，基礎上就存在根源性的錯誤」，批評共產黨的態度也相當鮮明。[398]

而全共鬥的封鎖戰術也變得更加強硬。工學部在九月十八日由職員工會為核心舉行反對辦公樓封鎖集會，在工學部學生大會上否決了封鎖辦公樓的方針[399]。不過，九月二十六日文學部的辦公室遭封鎖，職員們提出聲明，抗議由「部分暴力學生」做出的「反民主主義暴力」[400]。

柏崎千枝子在文學學部辦公室甫遭封鎖後前往觀看教授會用的房間，並寫下如下敘述[401]：

> 中午過後，我前往昨天被築起的街壘所封鎖的文學學部辦公室一探，見後大為吃驚。因為裡面的用品實在太過奢華。教授會使用的房間，地板上鋪著英國製的地毯，大沙發的乘坐感比起安田講堂有過之而無不及。而且，這個空間一個月不過使用兩次。學部長辦公室也帶有小套間，以柚木打造，帶有整套打造的別緻家具，但櫃子中卻什麼也沒放。而且，頂多用來燒開水的廚房，

卻裝設了豪華瓦斯爐與全自動瓦斯熱水器，此外甚至還有自動洗碗機。

這不得不令人感到憤怒。擁有這麼多高級品卻鮮少使用，浪費也得有個限度。教師們指責學生佔領講堂是「在浪費國民的稅金、財產，未獲允許任意使用公眾設備」等，說些小家子氣的話指責學生，可他們這種浪費的行徑，又算什麼！……鑽研的研究或教育盡是如何巧妙搾取、統治人民，這些教授們不也是「稅金小偷」嗎？

全共鬥踐行的「封鎖」思想，正是要制止這種反人民的朋黨奪取人民財產，只協助國家統治權力一方，是為了把這些財產都奪回還給人民。

當時學生們的租屋處大多是一個房間，大小只有三張或四張半榻榻米，因此柏崎會驚訝於學部長辦公室的豪華，也不無道理。但，東大全共鬥既未把學部長辦公室開放招待一般「人民」，上述說法恐怕也無法說服職員們全共鬥的封鎖具有正當性。

最後，全共鬥這項封鎖戰術擴展到全校。這迫使所有東大的研究者、研究生、學生選邊站，是要走上菁英路線成為維持現有體制的統治者，或者參加全共鬥的鬥爭。助教共鬥九月二十七日的訴求中，關於封鎖研究室有如下敘述[402]：

「現在藉由學生諸君之手，連續果敢地封鎖研究室，迫使包含助教在內的我們，以及全校教授都得面臨抉擇。」「一方面參與教授會『自治』這種腐敗的校內統治機構，又對自己不斷犯下的罪行缺乏自覺，打算在缺乏責任的體制中繼續享受神聖的研究自由，這種研究自由獲得既存統治秩序的保障，反過來又再生產該秩序，對於打算繼續這麼幹下去的教授會成員，我們必須斷然提出抗議，並以武力支撐我們的抗議主張。」「是要偽裝成有『良知』的成人，嘲笑學生諸君的抗爭，透過批判學生把自己賣身給體制，或者把自己轉變成來自體制內的反叛者，使自己成為創生戰鬥大學的主體？研究室封鎖，迫使大多數時候被沉默和無為掩蓋的助教得做出極限的選擇。」

在此狀況下出現的詞彙，就是「自我否定」。一如未來教授職位已獲保障的山本義隆參加鬥爭所象徵的一般，故意捨棄自己的特權，表現出要在運動中改變自我的決心。

山本義隆在一九六九年的著作《知性的叛亂》中如此寫道[403]：「對作為既存權力機構的一所既存大學」的「根本性批判，同時也是針對身為這所大學的其中一員，接受教育或自主投入研究的自己的告發。在一所當今的大學接受教育並自行植入該體制的意識形態的我們，作為被聲討對象，只要抱著能榮登企業的管理職位的期望，那麼就必須以實踐去否定這樣的自我。」

如前所述，一九六八年九月一日工學部研究生公開表達「身為專業白癡越是認真努力，體制就越是肥大，我們也變身為加害者迫害國民（看看公害問題吧）。」大概就是從這個時期開始，在東大的傳單中流露出參與研究工作可能成為加害者的意識。這也符合「思考學問、思想、研究自由」「要等到九月之後，才成為全校思潮」這段最初的證詞。

此外，這也是對想要得到榮華富貴的自己所做出的鬥爭。九月九日文學部學生發出的傳單中有如此訴求[404]：「東大鬥爭，在變成對資產階級社會的鬥爭之前，不是其他的，正是小資產階級知識分子對自己存在的鬥爭。」十月下旬理學部構改派的小冊子上也有如下主張[405]：

「請看看今日在國家壟斷資本主義下的日本，科學技術體制如何被持續建構，而大多數的東大理學部學生，又如何以進入研究所、成為研究者為志願，不斷投入這樣的體制中。所以，我們應當回頭自省，何謂『科學』、何謂『技術』、何謂『教育』、何謂『研究者』。」現行體制下所謂的「學術自由」，「是被資本所許可的『自由』」，「驅除學術至上主義，打倒學院主義、權威，拒絕閉鎖在專門領域之中。站在這樣的基礎上，我們必須拒絕高級技術分子的統治方把我們編入研究官僚或管理者的體制中。」並且，「若不拒絕這種體制給我們的『教育』，不去追求新的教育，我們就不可能真正地變革自我。」

一九六八年十月，因各地舉發日本的大學研究室在越戰中接受美軍提供的資金，四三青醫聯提出如下主張[406]：「將醫學者（其他領域也相同）的成果佔為己有的統治者、資本家們，只會將這些成果用來統治、壓榨勞工，甚至更進一步用於海外侵略。在此例中，看看生化武器研究所獲得美軍資金，或者公害問題中政府調查團宛如犯罪的結論，應該能立即理解吧。特別是，東大講座制的有力人士經常性地充當共犯，包含無薪醫局人員在內的講座成員，也在無意識中助其一臂之力。」

至此，原本應是被害者的無薪醫局成員也被迫自我否定，審視自己身為加害者的身分。十月二十五日的〈醫學部共鬥會議成立宣言〉中，指出「我們的鬥爭，若以醫局封建制度的被害者自居，在這種認知之下進行抗爭，大概會在對方的攻擊下被粉碎而失敗。」[407]亦即，若僅靠「被害者」意識做鬥爭，只要醫局承諾改善制度，打出懷柔政策，應該就能使鬥爭結束。

十一月十二日的都市工學研究所罷課實行委員會的傳單表達得更直接：研究者並非聖職者（神職人員），而是寄生於工人階級、維持現行體制的統治菁英，因此呼籲「把『聖職者意識』轉化為『加害者意識』吧！」[408]

山本義隆在十一月的座談會上如此表示[409]：「什麼好的研究、為了和平的研究，以及為了戰爭的研究，我們不能這樣分類。」「在物理學會開展拒絕美軍資金鬥爭之際，老闆等人卻表示，因為有美軍的資金所以科學才得以進步，而且那也不是軍事研究。」「說是為了和平的研究，但同時也支撐著現代資本主義社會。因此在這點上我們主張，即便只是讓研究暫時中斷，我們至少要保有能夠放棄的權力。」

身為理學部無黨派運動者的大原紀美子如此記述[410]：「共鬥會議明確提出全校封鎖的方針。此鬥爭中也使原本平穩持續的一切日常活動以及研究、行政事務中斷，讓冷眼旁觀鬥爭、貪戀平靜美夢的教授們，以及全東大的人都感受到基礎遭到撼動，迫使他們必須主動與鬥爭發生關聯。」「隨著鬥爭更加強化，強迫每個人都要選擇做出決斷。我們已經不再容許任何人做客觀主義式的鬥爭批判。」

強迫人們選邊站的全共鬥，不允許「客觀主義式」的、「評論家式」的態度。醫學部某班級的罷課實行委員會在九月發出的傳單上如此敘述[411]：「我們面臨〔畢業〕考試這個重大的試煉。我們已經無法站在評論家的立場。賭上自己的生活，要麼向當局屈服，要麼繼續戰鬥，只能選一邊站。」

這種「自我否定」的背後存在著越戰這個因素。他們認為，自己拒絕以領導者或高級技術人士的身分協助日本資本主義體制，這才是態度最誠實的反越戰方式。

九月十六日，新聞研究所的研究生罷課實行委員會傳單中如此訴求：我們並非「只想偶爾參加一次遊行，即想從遙遠的越南取得贖罪券」，而是「把東大鬥爭持續當作我們『內心的越南』」，若非透過這種貫徹到底的戰鬥，「我們又如何能讓自身取得正當性？」[412]

此處他們也批評形同是「教授會自治」的「大學自治」。根據十月十一日全共鬥派傳單，大管法的內容已經通過國大協的自律路線得到實現，在此狀況下，「『大學自治』這種意識形態，現在只是在遮掩此等自治空洞化的現象。彷彿高呼『大學自治』，大學就從國家機器的意識形態中解放出來，呈現出大學是自由的幻想」，他們主張「剝除幻想的共同體意識吧！！」[413]

前述的理學部構改派十月二日小冊子也如此描述「大學自治」[414]：「國大協路線（＝把學生當成被管理者、被教育者，不讓他們參與大學各項決定，當學生為了實現要求而展開運動時，若該運動超出校方所設定的範圍，便使用國家權力的暴力裝置——機動隊——之力，實行鎮壓，透過這樣的邏輯管理大學，此體制即稱國大協路線），是以『教授會（學部）自治』為媒介進行學生管理的邏輯型態，同時，採取政治中立（這種東西根本不可能存在）以換取『研究自由』，而研究實踐與政府、壟斷企業勾結。另一方面，校長、評議會、各種專門委員會、行政事務機構掌控管理實權的情況下，形成管理學生的意識形態。」「這種大學的自治結構，很符合把大學定位成政府＝壟斷的高級技術官僚之培訓機構。」

由「幻想的共同體意識」一詞，也可看出受吉本隆明《共同幻想論》的影響。但更必須留意的是，他們之所以強烈批評「研究至上主義」或「大學自治」，是因為他們原本就信仰「探究真理的學府」、「大學自治」此等「保守的」大學形象，但由於在研究所生活與鬥爭過程中幻滅，所以才產生這樣的反動。

最首悟在一九六九年一月的雜誌投稿中對東大鬥爭拋出提問，「身為東大學生的意義是什麼？」「對研究生與助教而言，研究者的意義是什麼？」「對青醫聯而言，當上醫師代表著什麼？」雖與之前的運動性質相異，但「暫且不論結果，幾乎所有參與大學鬥爭的人，都希望成為好學生、好醫師、好研究者。」[415]在這層意義上，他們的鬥爭一方面否定現在的大學狀況與研究者，又希望成為「好研究者」，這與希望藉由學生自己的力量讓大學以「真正的學府」重生而實施自主講座的橫濱國大類似，這種行為可說是該路線的延伸。只不過以個人為單位進行「自我否定」，這種形式的自我質問，可說是東大鬥爭的異質之處。

這種「自我否定」一部分也根植於身為東大研究生、助教的「原罪」意識。助教共鬥的村尾行一表示[416]，自己這樣的學生之所以能夠從事研究，是因為「許多人的整體存在和全部行為都被物化、手段化，在這種現行體制下，明顯是種『特權』。從物質的次元而言，只有『支付』我們剩餘價值的『殘餘』才可能辦到。」而「這個部分，存在著我們的『原罪』。」

柏崎千枝子也在手記中表示，「從人民的角度看來，我身為東大學生，本身就是構成東大體制的一員，而這是重大的犯罪。」[417]為了消除這種「原罪」，所以提倡「自我否定」。

在這層意義上，研究室的封鎖，與其說是運動的戰術，不如說是否定自我以探尋新的自我而做出的表現行為。柏崎千枝子如此評價醫局成員們主動執行街壘封鎖[418]：「封鎖，是醫局成員們對大學當局和醫學部當局抗議的象徵，同時，也是對一直以來只聽從上司交代、專注研究的自己進行自我否定，作為自我變革的第一步。」「所謂的封鎖，是為了讓自我重生的一種契機，而只有在街壘中才能做到『與自我的真正對決』。」

在此狀況下，以「民主的研究者」為目標的學生也改變了意識。理學部四年級生（當時東大理學部學生大多會繼續就讀研究所）的大原紀美子在手記中寫道[419]：

「現在我才首次察覺：人透過各行各業組成社會，所以應該以此為基礎推動和平運動或社會革新運動，這種主張根本是謊言。這種主張等於默默要求眼下只需努力學習，以期日後成為一流的科學家，但長此以往，這種主張只會不斷束縛著我。」「『想想看吧，你們對越戰感到憤慨，感嘆資本主義社會的矛盾，今日這樣的情緒又變得如何？你們不過是不敢與機動隊發生衝突的膽小鬼。身體又孱弱，腦袋也空虛。何必著急？你以為明天就會發生革命嗎？首先，要先當上科學家，之後再來思考能從事何種運動。』我已經不是第一次用這樣的論述來說服自己了。過往我就恪守這樣的邏輯而考上了東大。先撐到考上為止，這句話彷彿咒語一般不斷盤旋腦海。到了今天，難道還得繼續遵從這樣的邏輯嗎？」

最終到了十一月，此主張發展成「大學解體」。十一月十四日的學生解放戰線（前社學同ＭＬ派）的傳單中如此敘述[420]：「解體東京『帝國主義』大學吧！」「大學成立以來，一直作為日本高等教育的核心，不斷服侍權力體制的東京『帝國』大學，讓它解體吧！挖出盤踞我們心中的菁英意識吧！然後以街壘封鎖全校來保證成果！」

但工學部助教授川上秀光評價這份傳單「完全就是東京大學的學生才會提出的口號。」[421]所謂的「自我否定」，只是由菁英提出，為了菁英而表達的口號。此外，「研究是什麼」、「大學是什麼」等質問，在東大中更是被精挑細選出的菁英研究生或助教才能提出的問題。

內藤國夫在安田講堂攻防戰後指出，「更加熱烈傾盡全力進行『大學革命』的，並非『通過群體』的大學部學生，而是『學者預備役』的研究生與助教們，這點不足為奇。」[422]與四年後就離開大學與研究無緣的大學生不同，研究生與助教們有相當高的可能性將一輩子都在東大裡度過研究生涯與工作，故他們熱中於「大學革命」、「自我否定」、「大學是什麼」、「研究是什麼」等主題，也在情理之中。

所謂「自我否定」一詞，以及「大學是什麼」、「學問是什麼」等質疑，皆出自東大這種菁英大學，以及更為菁英的研究生與助教鬥爭。一九六九年以全鬥聯名義撰寫的文章中寫道，東大鬥爭首先「是以破壞既存研究（體制）為目標的研究者運動。」[423]

換言之，所謂「自我否定」，是適合類似山本義隆那種已經確保東大物理學部教授職位的人，由他們這類菁英「研究者」提倡的詞彙。東大的研究生與助教大概也未預料到這個詞彙將滲透到大學部學生，甚至連「否定」的特權都沒有之東大以外的學生也流行起來。

再次強調的是，過往的大學鬥爭中也出現過對生存方式與「主體性」的質疑，但那僅是鬥爭副產品而非主題。鬥爭主題至多僅是要求撤銷學費調漲等，為了達成政治目標的內容。東大鬥爭較之政治目標，主題更轉移到探索認同的方向，在此意義上可說是場特異的鬥爭。

擴及大學部學生的「自我否定」

然而，此「自我否定」的詞彙，瞬時便成為東大大學部學生的流行用語。

如本章開頭所述，東大學生抱持著踢落他人而考上的罪惡感。而「大學是什麼」、「自己該怎麼做」等質疑雖與研究生在形式上有所不同，但也是他們從考生時代起即抱持的疑問。如第一章所述，擔任駒場諮詢室教授的西村秀夫，在東大鬥爭爆發前不久如此寫道：

「高中時代，許多青年都有把自我客體化的能力，思考『為何而學、為何而活』。但在升學考試制度下不容許這樣的思索。只能把這樣的問題意識束之高閣，心心念念『先考上大學再說』，以突破入學考為目標拚命學習，之後考上大學。抱持這種前途光明的期待，進入大學後卻遭遇量產型教育，讓這些新鮮人感到幻滅。最終學生們開始認為，當今大學也是為了維持資本主義體制，為了發展該體制的人才培訓機構之一，而進入大學後，自己也已經一半被嵌入體制，變得有如機械般的狀態，被放置在培訓機構的輸送帶上。」

如此，東大大學部的學生們遇到「自我否定」一詞時，立即感覺這似乎就是自己長年抱持的疑問與認同危機，甚至對「現代的不幸」的一個突破口。又因為在未來獲得保障的菁英路線這點，東大比其他大學更具優勢，因而不少東大大學部學生對此同樣抱有質疑與罪惡感。

而「自我否定」則透過否定給資本主義提供高階勞工的東大，使學生得以參與社會變革。助教共鬥的村尾如此敘述[424]：「東京大學的機能，就是體制性菁英的『集貨』、『配送』機能＝『市場』機能。」「身為東大的教授，不過就是種將商品分類，施予若干加工，染上『東大色彩』的服務，亦即把商品交給顧客的市場員工罷了。」因此，必須對身在東大的自己做出自我否定的聲音，也從大學部學生之間傳出。

「自我否定」帶有經由自行放棄東大學生的特權、否定保障東大特權的社會制度、否定一路讓他們受苦的升學競爭，藉此達成自我變革這種「尋找自我」的特質。某法學部學生如此定義「永續性的自我否定」[425]：「把自己的生活、思想以及規範當作『內在之物』加以重新審視，在否定之下浮現的連續軌跡，即可尋出自我的肯定。」

柏崎千枝子也在一九六九年的手記中如此記述[426]：「在與國家權力對決中，必須與所有自己內在盤踞的權力進行澈底鬥爭。為了喊出『東大解體』，就必須把自己內在的『東大』澈底分解。」之後，

「內在的東大」、「內在的越戰」、「內在的歧視」、「內在的女性意識」等等「內在的XX」，遂成為六〇年代末至七〇年代初的流行用語。可說無論何者都包含著某種「尋找自我」的面向。

九月十六日，今村教養學部自治會委員長提出的聲明也有如下敘述[427]：「我們的鬥爭，包含了拒絕我們自身及作為東大特權菁英地位的內涵。」「現行大學乃站在如何合理生產、配置優質勞動力的觀點而形成，我們必須將其轉換成立基於學習權自主化（恢復學習者自主權）的大學。」此處可見到，「拒絕東大特權菁英地位」的「自我否定」，以及「恢復主體性」的「尋找自我」，兩者密不可分。

類似的傳單數量眾多。教養學部罷課實行委員會十七日的傳單上指責「東大當局只教我們如何成為更高級的金錢奴隸」，東大鬥爭「是從舊的自我、舊的幻想（＝未意識到自己為了賣身給國家權力與壟斷資本而大加自我粉飾的知識分子、學生），對於自己的『人性』進行『限制』與『攻擊』活動，從中發現新的自我。就是這樣的鬥爭。」[428]十月份下旬理學部構改派的小冊子也陳述「我們身為高級技術人員，拒絕被統治方收編，作為科學家或與體制對立的人，獲取自己身而為人的整體性。」[429]

這些傳單雖然採納了馬克思主義用詞，但仍是經濟高度成長下迷惘於社會結構變遷的學生們「尋找自我」的表現。「確立主體」、「奪回自我」等詞彙雖在六月至七月也可見到，但否定充當「人才培訓工廠」的大學、否定一直走在菁英路線上的「自我」，這些要素則是從秋天之後才加入的。

東大教養學部的助教授、社會學者見田宗介於一九六九年初論及「自我否定」[430]：「如果這個世界上沒有任何值得肯定的東西，那麼青年就只能透過否定來確認自己的存在。『拒絕』或『粉碎』，都是透過否定自我的存在來確認與證明。」

在大學部學生的場合，量產型授課與「大學是什麼」這個質疑，以及「確立主體」的願望相連結。

在電視節目討論上，評論家宇野裕如此評論東大學生的發言[431]：

十月初的電視上，面對羽仁五郎遞出的麥克風，某東大學生以確切的表達加以回應：「我們雖然還在低年級的教養學部，但教養課程的某堂課，每次就有五百人左右的學生。……」此時這位學生想詢問教師，為何老師現在選擇教學、研究這門學問。……

這個乍看之下很微妙的，恐怕大多數老師都想避開的問題，其實反映出學生們對學問的熱情，想要透過選擇、探求學問以確立主體性的願望。學生們無法忍受這樣的大學輸送帶系統，亦即只是茫然選擇學部或學科，不加思索地接受老師和講座，隨隨便便在四年內取得一百二十八個學分然後去就業；他們不滿的欲求，化為「你為何選擇這門學問」等疑問去向老師發問。……

學生希望形成有志於學的個人主體。原本大學應是實現此願望的場域，但現今存在一百多萬的大學生，在現代以企業為核心的社會，完全只是因應社會、國家的需求而被生產出來，所以不再是確立主體形成的場域。

從這則報導中可以讀到，難以忍受量產教育與「輸送帶系統」的閉塞感的學生，企圖質問為了「形成、確立主體」而存在的教師們的模樣。儘管大學的實際狀態就是不斷變成「就業預備學校」，但所謂的大學乃「探求真理的學府」，因此不僅研究生，連大學生也都發出「研究是什麼」、「學問是什麼」的疑惑，這自然與「保守的」大學形象相互連動。

同時，最首悟指出[432]：「總的來看，全共鬥並未提出改善授課內容、改革學程、擴充小班講習討論課等要求。上課『無聊』、『無趣』等想法，成為大學鬥爭爆發的主要能量，打造全共鬥的諸君大概也確實分享著這樣的能量。但這股能量並不會因授課或學程變得『充實』、『有趣』就能解決。為何會『無聊』、『無趣』，這必須向教師與自己，亦即在教育者—被教育者的關係中來嘗試思考。」

即使改為小班授課，內容也變得「有趣」，但只要「教育者—被教育者」的關係沒有改變，就無法「確立主體的形成」。若不能在某些場合質問教授，打造出雙向討論的關係，問題便無法解決。

在這種狀態下，東大的暑假結束，除了由全共鬥實施街壘封鎖之外，同時受此刺激，全校各處都有學生彼此討論，或者學生圍著教授討論的狀況。根據學生的回憶，「如果有人發傳單，就能見到不認識的人說『我反對這傳單上的內容』，雙方便展開熱烈討論，而且陸續有三人、五人、十人加入討論。如此圍成一圈的討論，在駒場校區四處可見。」[433]

校方為了解決問題，也傾向鼓勵討論。暑假結束後，教養學部部長野上茂吉郎教授為準備實現全學部集會，呼籲學生開班會討論[434]。結果教養學部的駒場校區連日塞滿超過百次的班會討論，每一場大約三個小時，不斷重複[435]。但教養學部代議員會否決了校方要求的學部集會，學部長的計畫終告失敗。

當時的某位學生如此回憶[436]：

> 打破既存的秩序，打造新的大學，老實說很愉快啊。……法國的學生力量（Student Power，或稱學生權力、學生之力）傳單中有「你將成為社會的齒輪嗎？」「成人之後，將變成社會的小齒輪嗎？」等問題意識。我在進入大學之前，也抱持著當

上班族馳騁於世界各地的夢想呀。可是，當開始思考「這樣的事情好嗎」的時候，就見到傳單上寫著「你打算就這樣畢業成為社會上的一顆齒輪嗎」，以及「要成為東大畢業統治階層的幫兇嗎」，「今天的社會沒問題嗎」等等內容。……

在校內針對這點討論時，卻被反駁「你會把這樣的思索貫徹終身嗎？如果你打算這麼做，我由衷感到尊敬，但那終究是辦不到的事情。不過是空談。」即便如此，透過自己的思考，真的可以更接近自我。在二十歲時，感受到什麼都辦得到的充實感，還有「今後什麼都做得到，而且什麼都願意幹」的解放感。

當時的雜誌如此介紹暑假結束時駒場校區的樣子[437]：「現在的駒場，宛如重現兩個月前第一次佔領鐘樓時的模樣。九月二日起，連續幾天教養學部的校區出現超過一百場大家圍成一圈的班會討論。在草坪上，在教室裡，在道路旁的樹叢間，以三至四小時為單位，轉換著討論。三日下午，佔據派的學生潛入，於正門之前舉行『學生集會』，除了十幾面駒場的藍色班旗，還有紅旗、黑旗一同迎風叱吒飄揚。」

如第一章所述，這個世代接受「帶有問題意識，用言語表達出來，進行深入討論」的民主教育。與過往的大學鬥爭相同，東大的學生們也希望有機會交流溝通，同時也實踐他們在初等教育時被教導的行動模式，可說重現了他們心中想望的「大學應有的姿態」。

一部分的教授接受討論是「大學應有的姿態」。當時某助教授如此回憶該時期[438]：「曾被一百多名學生包圍，聊這聊那，一直討論到十一點左右啊。有種大學回到原本應有的姿態，一時回到大學原點的時期呀。」

大野明男在一九六九年三月的對談中，表示「從九月底到十月為止，那場發生於全校的大討論，我認為那正是東大鬥爭的實質性內容。」「自我否定」、「大學解體」等思想於其中養成，「於此東大首次邁開腳步，踏上無法回頭的變革之道。」[439]

不只討論，東大也仿效其他大學鬥爭，透過自主講座追求「大學應有的姿態」。十月一日開始宣傳預定的駒場校區公開自主講座，以〈由我們的手打造新的大學〉為題的宣傳中，有如下敘述[440]：

「所謂的教育就是討論希望。所謂的學習就是把誠實刻劃於心。」這是燃起抵抗運動之火的法國阿拉貢（Louis Aragon）大力提倡之「大學」形象。

我們的東大鬥爭，首先由直視事實開始。我們所見的事實——體制結構原封不動地貫徹大學之中，從而驅逐具有反體制思想者，剩餘的我們就像小羊羔，被灌入人造的鑄模中，打造成猶如拉車之馬般的勞工，之後又從鑄模中被倒出——這就是所見的事實。

此時我們帶著震驚目睹著這個事實，即失去理念的大學即便如此醜陋，仍有人們、教授們想要在黝黑的傷口上粉飾太平。「他們根本不談希望」。無論過了多少年，仍舊一字一句重複著相同的上課內容。既無希望也無憤怒亦無不安的，長滿青苔的例行公事般教學。他們的教育，只是體制精心設計的，用來打造他們複製品的東西。此時，我們的驚訝變成恐懼。……我們既不是為了變成那樣的人（或者該稱為物？）而來大學，大學也不該是這樣的場所。

在這個現實中，我們之所以傾全力於東大鬥爭，完全就是要追求真實、把誠實刻劃於心。……這樣的清新是什麼？就是我們的人類宣言。因為，小羊羔們拒絕成為肥豬。

……討論著希望的人、把誠實刻劃於心的人，在此產生對話，並將對話的圓圈擴散出去，培養相互批判的精神……從中創造出新的大學……。我們，出神地如此想像著。

此傳單中陳述「大家都不擅長編制學程」，雖然邀請了「校內助教、研究生、校外研究者」，卻沒寫具體的講課計畫。他們的企劃能力究竟到達什麼程度雖有疑問，不過根據一九六九年編纂的《在堡壘上打造我們的世界》，「學程有『戰後日本資本主義分析』、『現代國家與教育』、『安保問題研究』、『大學論』等，多采多姿。」[441]新聞研究所的研究生持續批判「布爾喬亞新聞」扭曲關於東大鬥爭的報導，也舉行「（新聞）自律的真實狀態」、「東大鬥爭與報紙」等與鬥爭密切相關的自主講座[442]。

十月下旬，理學部構改派的小冊子也陳述「對抗學程」的必要性[443]：鬥爭的「戰略性口號就是『解體講座制』、『校園自主管理』、『以自主學程打造新研究集團』。」而「對抗學程」的「形式多樣，擁有豐富的獨創性。必須貫穿整體的精神，便是得採取一種形式，以保障學生作為自我教育實施者能發揮其主體性。」「我們最基本的課題……是實踐性地恢復已疏離的自我統治、自我管理能力，亦即透過實現直接民主主義，確立……作為學問研究主體的變革。」

這些「自主講座」、「對抗學程」，是「抗爭姿態」鮮明的「主體確立」，是「恢復人性」、是「恢復自我統治、自我管理」，是他們的「尋找自我」。當時文宣品上可確認的自主講座中，有明顯就是新左翼黨派招募會的黑田寬一（革馬派最高幹部）錄音帶演講會，還有不少一般的「安保問題」、「早期馬克思」等「對抗研究討論課」，可說他們在當時的狀況下仍努力摸索與企劃[444]。

法學部憲法研究會於十月初發出開設自主講座的傳單，有如下主張[445]：「在現行教育體系下，日本壟斷資本主義中的產學合作路線將學生打造成高級技術人士，如此便可當作更高價的勞動力商品並大量生產」，而自主講座便「是恢復全體大學生人性的運動」，「我們做的是：恢復人性、恢復主體性、拒絕現行的整個教育系統。」而「東大鬥爭的真正勝利」就是「透過主動參與來創造對抗講座，藉此形塑以『人』為核心的原則及實體。」

自主講座也強調「確立主體性」、「恢復人性」、「戰鬥的姿態」等表現，這點與東大鬥爭之前的大學鬥爭略有不同。在此之前，即便包含部分這樣的要素，但自主講座也是在嘗試恢復「保守的」大學型態與聚集學生的戰術。東大鬥爭的目標在具備理念性的同時，中途也拋棄了作為具體政治目標的七項訴求。

「主體性的確立」、「恢復人性」現在成了鬥爭的主要目的，也頻繁出現在全共鬥派的傳單上。法學部罷課實行委員會一九六八年十月初的傳單中如此敘述[446]：「我們在醫學部鬥爭，以及更進一步到全東大鬥爭時提起的課題，是恢復我們自身對學術研究的主體性，全面拒絕被當作高級勞動力商品遭大量生產，身而為人確立全人格的統一。」「透過主動參加恢復人性的戰鬥，在法學部罷課上真正團結起來吧。」

四三青醫聯十月的傳單也有類似主張[447]：「拒絕成為《白色巨塔》中服從命令執行醫療行為的機器人。追求把人當人的醫學建設，成為有血有肉的醫師。」全鬥聯十一月十九日的傳單中，主張藉由全學聯的封鎖，「我們粉碎國大協路線的意識獲得武裝，形成封鎖的主體。」[448]

這些傳單中，學生「拒絕」在「產學合作路線」下「被當成售價更高的勞動力商品並被大量生產」，此外「反對產學合作」也被視為一種「人性的恢復」。一九六八年十月二日教養學部某罷課實行委員會發出的傳單中有如下敘述[449]：

> 我們的鬥爭，現在正朝向新的局面。現階段的鬥爭與以醫學部鬥爭為主軸、反對引入警方、實事求是地反對的七月階段的鬥爭，性質上已有所不同。現階段擁有更高層次的內容，必須當作歷史性的鬥爭來加以掌握。所謂更高層次的內容，即與「作為人的自我」有關，乃對自己的人性加以質疑。
>
> 我們透過與產學合作路線的對決，一路以來建構起我們的團結。……像今日這種產業結構的社會，「資本強大化」所帶來的——可以這麼說，就是對我們「人類」的壓抑，也就是一般常說的對「人性的否定」，以各種型態盤踞在我們之上。我們與「產學合作」對決的內容，正是對這種「人性的否定」的否定，為此而團結。
>
> ……發現產學合作的本質（與人性的對立），團結一致地抗爭，只有透過這樣的過程，我們才有可能實現「作為人的自我」。……我們的鬥爭，是全日本，不，是全世界人民奪回「作為人的自我」之鬥爭的開端，藉由我們一點突破，往後全面開展，在這層意義上，我們雙肩上正扛著全世界人民的命運。

東大鬥爭肩負「世界人民的命運」，從這種自負中可以見到青年過剩的自我意識及東大學生的菁英意識。不過此處的「產學合作」、「資本的強大化」等以左翼用語表現的，是當時許多大學生抱持的，不願被置於「輸送帶」送往「微不足道的上班族」未來的一種閉塞感。而為了填補自己的心境與左翼用語之間的錯位，上述傳單的末尾即引用了吉本隆明的詩。

在街壘之內，學生們打造了停止「輸送帶」、從「現代的不幸」中逃脫的空間。十月上旬，理學部化學科無黨派學生發出的傳單中如此敘述[450]：「我們已經不再是現代社會中的齒輪，侷限於限定的範圍中轉動。或許我們運動是局部的，是暫時性的，但我們不再毫無前提地認可現行體制。我們站在否定的立場上，開始新的創造。我們創生的『局面』，絕對不會是一片空白。」「我們不再安逸於教科書風格的意識形態，也不會使用借來的詞語來述說，我們要靠親眼所見，以我們的心臟去感受，用自己的頭腦澈底思考，我們才剛開始知道這樣的事情有多麼美好。」

這種「追尋自我」的態度，在與校方交涉時展現出來。東大全共鬥與大學當局交涉之際，除了屢屢質問是否認可全共鬥方的七項訴求，也質問教授們是否對自己犯下的錯誤進行自我批判，亦即追究他們的「生存方式」。

秋天後東大鬥爭高峰期的傳單中，出現許多如〈現在你被要求什麼〉、〈你今天做什麼，又為何而做〉、〈應該做什麼，不應該做什麼〉、〈諸君選擇什麼樣的道路！〉等標題[451]。其中許多內容皆強力批評鬥爭中「旁觀者的」、「第三者的」、「評論家式的」態度。與教授團交時也提出這些質問。

教授方對全共鬥方的態度感到困擾，並察覺到東大鬥爭已非權利要求運動。從九月到十月舉行的討論之後，教授們表示「學生指責大學即便犯錯，也不承認，也不負責，一味追究道義論與責任問題。」「這種態度與過往的學生運動截然不同」。某年長的教授表示，「到了我們的年紀，很明顯不輕易向人道歉。希望大家考慮到年紀的差異。」[452]

演變成全校罷課及大河內辭職

在此狀況下，大學內陸續通過無限期罷課的決議。九月十八日教養學部代議員大會上，否決了結束罷課的提案，七月的無限期罷課決議自動延長。在經濟學部與工學部，因學生大會不信任民青派自治會執行部而誕生了反民青派暫時執行部，工學部於九月十九日，經濟學部於二十七日，揭示七項訴求並通過無限期罷課[453]。

九月二十八日，民青派重鎮的教育學部，提出民青的四項訴求並展開無限期罷課。十月一日理學部、四日農學部與藥學部，發表支持全共鬥的七項訴求並進入無限期罷課。最終剩下的法學部，民青派與反民青派也於十二日黎明達成妥協，除了七項訴求中的「完全撤銷文學部不當懲處」一項外，支持剩下六項並通過無限期罷課[454]。如此一來，東大迎來史上第一次全校無限期罷課。

法學部罷課在校內外引皆起關注。東大法學部出身的學生在大藏省、通產省、自治省等政府部門中課長官職以上者佔約五到七成，在國公立大學的法科教授、助教授中佔約五成，在最高法院事務總局中課長以上職位者約佔八成，自民黨國會議員中約佔三成，二戰後首相中約八成來自東大法學部，乃日本統治階層的生產母體。而在學生多支持革新政黨的當時，法學部屬於支持共產黨者不到三％的保守型學部，而法學部通過無限期罷課更是前所未聞[455]。

不過，法學部也受到「自我否定」浪潮的影響。法學部罷課執行委員會提出的罷課宣言中，先舉東大法學部生產近代日本的統治階層，接著主張「我們正因知悉前輩們一路走來的汙穢歷史，所以發動無限期罷課。」[456]

今井澄回憶道[457]：「這些罷課決議並非通過既有的自治會，而是由新成立的鬥爭委員會執行，此點與過往學生運動呈現完全不同的型態與歷程。」「他們並非由合法選出的執行部決定方針，在合法的學生大會（許多都得湊足出席委任狀方能達到合法開會人數，並形成常態）上議決的方式，而是採取所謂的直接民主式的，集結大量的學生，透過澈底討論後決定，是在此前未曾見過的熱烈狀態下決議事情。」

實際上，各學部都通過正式的學生大會通過罷課決議，因此今井的說法有所誇大。不過能跨越民青掌控的各學部自治會執行部阻撓，通過無限期罷課，在這層意義上仍符合今井的敘述。

年輕教授們也開始投身大學改革。十月十八日，醫學部神經內科醫局提出改革醫局講座制，二十五日起無薪資醫師決議拒絕診療。十月十七日，志同道合的一百零一名教授，對校長提出批評八・一〇告示的見解[458]。

但校方的反應依舊遲緩。高層首腦全部換人的醫學部，同意完全撤銷懲處暨公開承認青醫聯，但遭其他學部教授們的反對，因為該些教授一直以來都向學生說明不可能完全撤銷懲處。

大河內校長依舊拒絕出席大眾團交。在膠著之中，十月二十八日大河內在評議會上提出新的告示草案，各學部的教授會則加以否決，學部長會議上也完全否決了此草案[459]。

更進一步，大河內出身的經濟學部也提出新告示草案廢止論。根據當時的記者座談會，經濟學部「與醫學部一樣，仍維持封建式的學徒制度」，「每個講座上，都暗中決定教授的後繼者，導致年輕一輩強烈不滿」，此為反對背後的隱含因素[460]。

在這種四面楚歌的狀態下，十一月一日大河內校長辭職。各學部長、評議員也在十一月二日至三日辭職。同時，作為紛爭引爆點的醫學部懲處，基於再審查委員會的報告獲得撤銷[461]。另外，從醫學部長與院長座位退下的豐川教授及上田教授，也於十月三十一日向新學部長表達退休意向[462]。

原本在七月時，經濟學部教授會已決議「大學當局發表收拾事態最終方針時，校長至少也得表明辭意」，獲得許多學部長的贊同。大河內也在七月底表示自己「希望儘早辭職。」[463]

對於大河內的辭職，無論學生或教授的反應都相當冷淡。學生之間大都表示「也太慢了」、「就算辭職也解決不了紛爭」、「就算高層換人也不算負起責任。要求校長與評議員在學生面前『自我批評』」、「在沒提出收拾事態計畫的狀況下辭職，完全不負責任」等[464]。全共鬥的封鎖戰術亦未停止，大河內辭職的十一月一日封鎖了工學部八號館與學部辦公室，三日封鎖經濟學部的部長辦公室與研究室[465]。

原本大河內的優柔寡斷已招致教授們的不滿，他辭職前教授們也表示，「如果現在的校長不是大河內而是矢內原（忠雄）先生，校長肯定會介入醫學部教授會，嚴厲表達『為了平復異常事態，希望你們這樣做，那樣做』，並把事態導向他所規劃的方向吧。」[466]也有不少教授認為，「說著太可怕、太恐怖而逃避學生，身為校長至少要有被學生包圍的覺悟，如果在紛爭發生的初期就與學生會面，大概事情早就解決了。」[467]

另一方面，大河內於五月十六日的《產經新聞》中發表對東大教授的批評，指出「優秀的研究者往往不熱中於教育」，「越是年輕的研究者就越容易在授課與學生指導上擺爛，為了綜合雜誌上的投稿可以熬夜撰寫，面對學生卻不甚親切。」對此，教授們表示「竟然有這種在作戰途中，突然向外說自家士兵壞話的將軍」，「這麼說來，校長為何放下手邊工作，而花時間在商業報社上投稿那樣的文章呢？」[468]

內藤國夫如此評價大河內[469]：「日本的學者，特別是東大教授中有許多除了東大以外完全欠缺在一般社會、組織的經歷，可稱為『東大音癡』。因此，這些大學畢業後一次也沒接受過管理者、統治者教育與訓練的人，突然要求他們拿出統治能力和管理能力，大概也是緣木求魚。」

而大河內在辭職的信上陳述「我原本希望直接對學生諸君說明我的決心與辭職感言，如果健康狀況許可，我期許能與諸君交換意見。」但內藤國夫記錄道，「主治醫師診斷『校長撐過大眾團交，身體已恢復』，對於我們這些了解內幕的人（指負責報導東大鬥爭的記者們）而言，其實他就是鬧彆扭『我不要出去面對學生』，因此他那套漂亮的說詞，根本毫無說服力。」[470]

對「進步的文化人」的反感

研究所也陸續進入罷課狀態。十月二十三日，由社會學科研究所鬥爭委員會、文化人類學專門課程自治會、國際關係論專門課程自治會、社會學新聞學專門課程自治會的志同道合者發出〈無限期罷課宣言〉，其中如此敘述[471]：

原本研究生就像是行會學徒，指導教授對其握有生殺予奪之權。……何況，若我們不變革今日的大學體制，現在大學中的教授身為國家權力的走狗，將來有可能承擔起替國家犯罪的角色。本次東大鬥爭中乍看進步、民主的教授，其實仍汲汲營營於死守當前的地位，面對奉獻自身一切對抗國家權力之帝國主義壓迫制度的學生，他們照例公然表態不當懲處是合理的，此舉也暴露出他們不過是保守、利己主義者的事實。

我們研究生，拒絕成為那種欺瞞大眾的研究者。我們研究生，拒絕繼續順從國家權力的野心，拒絕成為僅會教導學生專心學習專門知識，只將其培養為高級技術人才的教育者。

此處，伴隨拒絕將來教授地位的「自我否定」，也談及對「進步的、民主的教授」之反感。東大教授有不少以民主主張而聞名，大河內也是其中一人。

東大全共鬥對這類「進步的文化人」之批評與憎惡相當強烈。九月教養學部某班級的罷課實行委員會提出之班報《自我權力》上，以〈我們能愛九月的地球嗎？〉為題，把教授們稱為「此鬥爭中讓人憤怒、憎惡的傢伙們」，並舉出如下的教授為例[472]：「在新聞媒體前流淚暗示自己身為教育者的良心啥的，實際上背後卻是若無其事幹著各種卑劣事情的大學掌權者。」

山本義隆更在一九六八年底的座談會上表示[473]：「被稱為進步的文化人的教授們，一路以來幹了些什麼？眼下他們要不就是擔任極為反動的角色，要不就是感到困擾而保持沉默，不就是這兩種態度嗎？被稱為進步的文化人，暢言和平與民主主義，在高度成長的經濟社會中，以欺瞞方式獲取教授這種職位，在這樣的社會中，容許他們談論不痛不癢的和平、民主主義。但這也顯示，除此以外他們什麼都不是。」

如前所述，東大全共鬥的研究生與大學生，對於自己信仰的東大形象、知識分子形象遭教授們顛覆而感到幻滅與憤怒。這樣的他們，見到在校外提倡民主理念，在校內卻身為獨裁掌權者的言行不一（至少在學生們看來是如此）的教授，理所當然會倍感憤怒。

教養學部的研究生柏崎千枝子寫到九月與指導教授斷絕關係的事情[474]，指出該教授發表多篇有關馬克思主義的論文，但當柏崎詢問他對八．一〇告示的看法時，該名教授回答「那是教授會的全體意識，所以沒有任何辦法。如果多數意見是那樣的話，最終還是必須遵從。」聽到這裡柏崎感到「一陣訝異」，並如此思索：

「最終還不是『交給多數決』的思考方式嗎？能若無其事隨口這麼說的人，如何能在《朝日Journal》上對現代馬克思主義各種問題說三道四，還能給《格瓦拉日記》譯本寫序言呢？」「自己公開發表的論文內容與自己切身相關問題抱持完全不同的見解，這就是東大所謂『進步的教授』的本質。這是他們在與自己『實踐』完全無關的領域，用盡心思搜刮書本文意，一味玩弄道理的結果。」

之後，柏崎寄給這位教授「斷絕關係書」，從研究所肄業。而學生們一方面對這類「進步的文化人」反彈，一方面也對言論上、在校內言行一致的保守派教授抱持好感。

例如十一月四日，以保守派言論人士聞名的林健太郎就任新的文學部長，民青與革馬派運動者從四日至十二日將其困住進行團交，但林認定文學部的懲處係屬正當，毫不退讓。根據某普通學生的證詞，該軟禁交涉的狀況是，「〔學生方的〕議長在林教授回答期間，把腳抬到桌子上，哈啊地故意發出大聲的哈欠。……當林教授想發言時就投以失禮的『你這傢伙，別扯謊』、『現在可不是問你那種問題。你還算得上是人嗎？』等話語。不管怎麼看，都算是在拷問吧。」[475]

對此，教授們發起連署運動，要求釋放林文學部長，還變成呼喊口號的騷動。林自始至終皆未退讓，最後被釋放[476]。而全共鬥的學生表示，「林健太郎，論理通暢，所以他就是個了不起的人。他不會看我們的臉色說好話，不會因壓力而躊躇，即便是敵人，也值得尊敬。」[477]

一九六九年一月安田講堂攻防戰後旋即展開的全共鬥學生座談會上，學生們表示，除了林健太郎之外的東大教授，見到了「都想衝上去痛揍一番」，並指出[478]：「特別是那種所謂的進步的文化人啊，總是寫些什麼非武裝中立之類的大賺其錢，等到你們的學校發生問題了，立刻躲到校方那邊，依靠警方的力量。不如以你們說的非武裝中立來試著解決，怎麼樣。」「機動隊那邊，反而更講道理啊。我反而很欣賞、能贊同他們，因為畢竟是冒著生命危險專心致志幹一件事情。」

大眾傳媒上，例如保守派的《週刊文春》也寫道「這次的東大紛爭中，給人一股奇妙印象的，就是當發生社會問題時，那些大眾傳媒賦予『能言善道』資格的東大教授們，反而一直保持沉默」，藉此揶揄「進步的文化人」[479]。一九六八年七月全共鬥派的研究生與助教座談會上，也有人表示「平時暢談和書寫進步言論，這次鬥爭卻自掃門前雪、作壁上觀的教授，根本不在我們討論範圍內」，「事到如今，一定會出現一些大言不慚說什麼『學生是對的』，旁觀者般的教授，這種人，我們更無法原諒」[480]。因為，如果承認學生是對的，就應當對自己身為東大教授進行自我否定，必須參與鬥爭。這種言行不一正是學生們憤怒的原因。

全共鬥對民青的反感也有類似之處。面對主張「自我否定」的全共鬥，民青提倡「大學民主化」。安田講堂攻防戰之後的座談會上，全共鬥的學生指責「民青的傢伙，即便不滿東大也仍牢牢握住東大畢業這塊招牌，他們不過就是靠一張嘴隨口說說革命之類的話。」[481]

東大全共鬥學生的評價基準，就是言行是否一致這種「生存方式」，而非政治立場。這也導致他們比起訴求，更追求「確立主體」的大目標，此可謂東大鬥爭的特色，然而這也展現出第一章介紹的此世代特有的「『大人們說的與做的不一樣，都在扯謊，不能相信』這種青春期獨有的叛逆感」，以及第七章橫濱國大鬥爭中期望能以「自己的語言」與教授談話交流的期待。

不過與這樣的希望同時並存展現出來的，是內化戰後民主教育價值以及在此價值中成長、踢落同學進入東大之後，一方面主張「自我否定」一方面又不願從東大退學，如此無法原諒自己的情感。亦即，可以推測：東大內部對「進步的文化人」的批評，除了東大有眾多以「進步式」發言而聞名的教授外，東大全共鬥學生也意識到自己同樣是言行不一，正因如此，對眼前「言行不一」的大人才會發起這樣的攻擊。

某別所大學的前全共鬥運動者二〇〇三年回憶道，「東大學生幹的反體制運動啥的，我一直不願相信他們的看法。」[482]這樣的觀點，東大全共鬥的學生們也有所意識。前述〈我們能愛九月的地球嗎？〉一文中，除不斷指責「進步的」教授，還如此敘述[483]：「新聞界與搭新聞傳播業便車大賺其錢的盲目學者，企圖把我們稱為暴徒，但我們並沒有任何思想上的負疚。如果說我們有心情上的負疚，那也只是因為我們還沒有過真正的生活。」

雖然當時的大學升學率持續上升，但也只在兩成左右，社會上仍殘留把「大學生」視為不需工作就能讀書的特權分子。某前全共鬥運動者回憶道[484]：「沒自己工作養活自己，感受到來自周遭的龐大壓力，心中也有一種負疚感。畢竟，同世代七成以上的人早已出社會工作了。」東大全共鬥的文宣品中出現今日看來相當不自然的「原罪」、「自我否定」意識，不考慮這種社會背景便難以理解。

而說出「東大學生幹的反體制運動啥的，我一直不願相信他們的看法」的運動者也回憶[485]：「正因如此，所以東大的人才會背負著嚴重的緊張感。」「他們比日大這種質樸的人走得更深，所以才不得不……帶著『自我否定』這種尖銳的倫理性吧。」

東大全共鬥的學生和研究生所抱持的曲折情感，於一九六八年十一月東大全共鬥各新左翼黨派代表與東大教授，以及作家三島由紀夫也出席的座談會上表露無遺。此時各新左翼黨派代表不斷厲聲指責東大教授，各新左翼黨派也不斷主張自己的大學革命論。

不過在該現場發生了一件事。三島慫恿東大教養學部教授小出昭一郎，問他：「為何不跟學生們對等談話？如果學生冒出王八蛋、你這混蛋的說詞，你們也回應混帳東西、小畜生之類的，不就行了？」小出遂對學生們說，「你們這些傢伙，到底是為了什麼進到大學來的，我很想問問你們。這點我真的搞不懂啊。」結果各新左翼黨派代表全數抓狂，陷入連會議速記都無法記錄的大混亂中。[486]

學生們之所以對小出發言瞬間爆發憤怒，大概是被指出了自身的最痛之處。對大聲疾呼勇猛的革命理論、抨擊大學的他們而言，被問及「為了什麼而進入東大」時，若「誠實地」回答「媽媽叫我考東大」，「從考試成績來看，我正好達到合格線」，未免太過屈辱。

某雜誌專欄指出「現代是漫畫式的時代」，接著如此敘述：「例如，東大的校園紛爭也是如此。當事者越擺出認真的表情，越以充滿悲愴的情緒採取行動，就更徒增那份滑稽感。」接著該專欄把上述座談會的大混亂也形容為「這是漫畫。」[487]

十一月的某雜誌訪談上，把林健太郎軟禁的文學部團交議長被問及「為何進入東大呢？」當時他一改之前英勇談論大學革命時的口吻，苦笑地說「真該死」，接著回答「總之，在最能回應國家權力要求的東大，可以發起這樣的鬥爭，讓我感到意義重大，從這個意義上來說，能進入東大實在太好了。」[488]恐怕大多數的東大全共鬥運動者，也提不出比這更好的回答吧。

一九六九年初的座談會上，越平聯代表的作家小田實如此評價東大鬥爭[489]：「學生們如果支持共鬥會議，我主張，每個人都各自建立起自己專屬的革命理論，並從東大退學。放棄自己身為東大學生的身分，單純站在一個人的立場，參加擊垮〔東大的〕行動。」

當時的越平聯正在支援拒絕前往越南的美國逃兵，打算逐一勸說美軍放棄前往越南，藉此讓美軍潰散解體。提倡「即便自己一人也幹下去，即便能勸退一人也好」這種「個人原理」的小田，會提出上述的東大鬥爭觀感，也很自然。

然而實際上，對照日大鬥爭出現了約一萬名退學者，東大鬥爭中退學的學生很少。根據當時的報導，某東大學生表示，「這關係到自己的將來，所以不得不小心謹慎。不像已經沒有什麼可以損失的日大學生，我無法乾脆地退學。」[490]

在東大全共鬥佔領的安田講堂，校方仍繼續供水供電供瓦斯，若打東大代表電話要找全共鬥人員，也會叫安田講堂內的全共鬥成員接聽。雖然他們的秘密聯絡是使用公共電話，或者利用工學部學生製作，連結各學部鬥爭委員會的專用電話線，但明顯可看出，這是一場在大學保護下的佔領[491]。

七月三日，東洋文化研究所志同道合的助教們提出的訴求中，指出在東大一直以來被容許「學術自由」與「大學自治」，是「因沒有做出當今國家權力無法忍受的危險研究，沒有進行危險的教育，這不過是託國家睜隻眼閉隻眼之福罷了。」[492]而東大全共鬥同樣可說是「對國家權力而言還沒到危險的程度」，所以到一九六九年一月為止警察一直未曾介入，「睜隻眼閉隻眼」地處理。

東大鬥爭自一九六八年七月二日重新佔領安田講堂，至一九六九年一月十九日機動隊進入驅離學生為止，持續佔領約超過六個月。美國社會學者派翠西亞．施坦因霍夫（Patricia G. Steinhoff）於一九九一年的著作中敘述道[493]：「學生能如此長期佔領大學建築，癱瘓大學機能，對美國人而言相當難以置信。當時的美國大學若發生學生佔領堅守校舍的狀況，警察將旋即介入驅離學生。因此，即便只能佔領校舍兩、三天，也能獲得眾人的喝采。」

東大全共鬥的鬥爭，正因為校方還遵守著他們責難的日本式「大學自治」信念，才讓全共鬥得以持續。東大全共鬥學生大概在內心深處多少也對自己「說的事情與做的事情不一樣，都在扯謊」有所意識，約莫如此，所以他們才近親相斥式地批評「進步的文化人」，提倡「自我否定」。

換言之，面對經濟高度成長下變樣的大學與社會現實，他們並未遷就而抹殺自己的理念或疑問，而是順應自己的理念要求解體大學，提倡對一直走在菁英路線上的自己進行自我否定，故喊出「自我否定」與「大學解體」。這種理念雖獲得苦於「現代的不幸」之學生們暫時性的支持，但最終仍逃脫不了成為過度概念化的理念，遭到普通學生的孤立。

「鬥爭昂揚」的真實情況

實際上，普通學生與全共鬥間的溫差，早在九月即已然出現。暑假結束後的九月到十月，全校都出現討論的人群，各學部通過無限期罷課，但這種盛況未能長久持續。大學鬥爭中大量學生的熱烈參與，慣例上大約只能維持一週至一個月，東大鬥爭也不例外。

當時的報導如此敘述九月後半駒場校區的樣子[494]：「九月二日暑假結束時，〔駒場校區〕全數七千人的學生中約五千名到校，不斷進行熱烈的班會討論。但這種熱度逐日遞減，到了九日左右出席者已逐漸減少。連日舉行的班會討論，也改為每隔一天、每隔兩天舉行。」

實際上即便暑假結束後，駒場校區的熱度，也不如六月十五日引入機動隊之後，以及七月五日開始無限期罷課之際。當時的雜誌報導指出，「七月初，針對是否進行『無限期罷課』而互相討論時，那種企圖追究到底的氣勢更為高漲。暑假之後不知是否想法尚未確定下來，即便問學生『〔繼續或中止罷課〕你們選擇哪邊？』許多學生似乎都還在摸索之中，想法還很模糊。」[495]

根據當時的報導，班級討論上學生們的意見大致如下[496]：「有人認為記者施暴事件、封鎖醫學部本館都『做過頭了，對罷課的未來感到不安』。」（理科一年級）「意見分裂為兩派。其一是認為『八・一〇告示完全看不到自我批評，還是得繼續罷課』的強硬派，以及認為『告示中可以看出讓步的痕跡，總之先試著回應與對話』的妥協派。」（理科二年級）「有兩三人提出，現在與暑假之前相較人數也較少，也欠缺活躍的感覺，差不多就此打住，收拾事態的意見。但更為強勢的意見是，認為如果就此打住，那便真的不知道為何發動罷課。」（文科一年級）如前所述，原本以為暑假結束，事態即可落幕，樂觀地贊成七月展開無限期罷課的學生不在少數，從這點來看，會出現上述反應也不足為奇。

討論的低迷與意見的分裂，反映出支持繼續罷課的力道並不強。根據當時的報導，九月三日時，「在〔駒場校區的〕一百二十個班級中，針對『支持無限期罷課』與『罷考』提出班會決議的，僅有數班。反之，宣言『罷課終結』的某班同志八人製作的海報，則出現在告示板上。」[497]

到了九月下旬，駒場的熱烈狀態已經完全冷卻。某理科系一年級生在雜誌採訪時回答道：「醫學部的事情、大學自治的問題、罷課的對錯——能談的都已經談了。已經累啦。之後一直講同樣的話，也不是個辦法呀。」這段採訪當天，適逢他的班級預定舉行班會討論，但到場者只有十人，大家覺得「已經沒有什麼可討論的了」便散會了[498]。

普通學生中，也有厭惡新左翼黨派運動者帶領班會討論走向而離開討論的人[499]。其中一人如此說道：「如果做比較基礎性的發言或提問，就被當作白癡。普通學生發言兩、三分鐘後，運動者就刷地站起，發言個三、四十分鐘，滔滔不絕啊。讓人難以忍受，不想待下去。」

這種現象也在教養學部的代議員大會上出現。代議員大會於九月七日與十八日舉行，但控制大會的卻是長篇大論講個不停的新左翼黨派運動者們。

如第十一章將提到的，根據無黨派學生團體「班級聯合」提出的小冊子，九月七日的代議員大會「持續到深夜一點半」，「完全就是各新左翼黨派爭取主導權的場域」，各黨派的提案都無法取得多數同意而遭否決，「就在既無方針也無展望的狀態，未取得任何成果下閉會。」接著，九月十八日舉行的代議員大會也「如同九．七大會的翻版」[500]。如此一來，包含結束罷課在內的提案全數遭到否決，只有暑假前無限期罷課的決議在形式上延續下來，繼續惰性的罷課。

在此狀況下到校的學生，大多是新左翼黨派、全共鬥派與民青派的學生。根據當時的雜誌報導，到了九月十三日時，即便在駒場校區本館前方廣場頭戴藍頭盔（社青同解放派）的學生發表「我們，對大學當局，以堅決的態度，直到最後的勝利為止，戰鬥——戰鬥呀——戰鬥呀——」演說，聽的人也僅有同黨派的四十名學生而已[501]。

大部分的普通學生，因罷課而無課可上時並不到校，要麼返鄉要麼去旅行，又或者在自家從事嗜好或看書。這種學生從一九六六年早大鬥爭以後，以在家睡覺的方式罷課而被稱為「睡罷課派」，這點已於第六章說明。

即便到校，如第一章所述，類似橋本治那般忙於社團活動的學生甚多。十月八日《朝日新聞》刊登的東大學生投書提到[502]：「普通學生幾乎都不到校，有些人去旅行，有些人返鄉，有些人勤於學習、讀書，或者打麻將，享受或甘心接受這個秋天。社團活動照常進行，傍晚時的同窗會館流出舞蹈音樂。這才是持續陷入泥沼紛爭中的東大真實姿態嗎？」根據《展望》雜誌編輯的說法，一九六八年末的駒場「在食堂前立著鬥爭的立牌看板，也並列著密密麻麻的茶道同好會、舞蹈研究會等等的日程表。」[503]

與原本賭上自己在研究室內的地位而鬥爭的醫學部學生、研究生不同，大學部學生顯得相當輕鬆。批評東大並轉學至其他大學的生越忠指出，「〔大學部的〕學生還沒切身理解到大學封建秩序的真實狀態。」[504]

依據當時的報導，到十月中旬的階段，教養學部接近七千名學生中，「暑假結束後在校園中露臉的，此時至多三千人左右」，而且那還是「因為報紙報導留級問題那天，慌慌張張趕來大學詢問狀況。不過，第二天又如海水退潮般，恢復『睡罷課』」，大概就是這麼一副光景：「就算從交通工具的學生票發行數來看，有許多人眼下正在旅行之中。某位學生以毫不關心的態度向我說明，『最近這段期間，似乎大家都流行乾脆利用這個時間去考個汽車駕照。』」[505]

十一月二日的《讀賣新聞》東大鬥爭負責記者座談會上，記者們有如下發言[506]：「教養學部〔駒場，約七千人〕中，九月進入新學期時大半的學生都到校認真討論『八・一〇』告示的問題。到了最近，進大學的人不到一千。工學部也是，當初學生大會時一千六百名學生中出席了一千四百人，最近只剩一小部分的學生。」「就算是本鄉校區，人數也少到了讓人懷疑『這是校園嗎』的程度。」

在十一月的座談會上，駒場的無黨派學生如此說道[507]：「昨天去看了法學部的學生大會，只有六百幾十人而已。法學部應該有一千四百人左右啊。……沒到一千人，實在很奇怪呢。普通的學生大會，需要四分之一才能達到定額人數，需定額的半數才能通過決議，所以也就是八分之一的人就能〔決議〕進行罷課呀。」

前東大校長茅誠司在雜誌採訪中如此評論東大鬥爭[508]：「一言以蔽之，太過舒適樂觀了。〔學生運動者〕與五．一五事件中的青年軍官們的心態一樣，認為日本絕對必須成為社會主義國家，因此不擇手段，使用暴力，而且策略也是模糊的。東大工學部的罷課決議也是，兩千名學生的意志，竟由僅僅兩百五十人來決定。即便〔在學生大會〕有反對者，他們〔運動者〕也會玩弄策略粉碎反對意見。換言之，就是把決議漫無目的地拉長，等滿懷不滿的中立派或反對派離開後，一口氣通過的幹法。」

運動者聚集同情派以增加自家的贊成票數，透過演講拉長達成決議的時間，等普通學生回去後，才進行決議，這種做法在一九六六年的早大鬥爭中已是常見的手法。某學生如此描述學生大會[509]：「學生運動者進行長達三十分鐘甚至四十分鐘的演講啊。如果想要反駁，就會發生了不得的狀況。」

如此一來，普通學生厭惡出席學生大會，秋天以後無法達到定額而經常流會。大原紀美子針對「九月中旬」學生大會流會的感想，如此寫道[510]：

「為了選出議長，首先〔新左翼黨派與民青做交易〕就花費許多程序，運動者接力上演讓人聽不下去的笨拙且冗長演說，沒效果的場邊叫囂與粗俗的笑聲更是糟糕，議事進行沉悶不已，學生大會的每次表決結果都不盡人意。會場中各角落任意交談或討論，不斷有人離開議場去吃飯或轉換心情。集中討論三個小時就能解決的事情，往往要拖到深夜。」「我不禁覺得，人生的真正苦惱或鬥爭，離這種學生大會、集會和遊行的東大鬥爭相去甚遠。」

九月二十日，全共鬥發起「總誓師集會」以要求校長團交。大原如此記錄這天的情況[511]：「我是半分感到義務，半分覺得即便短時間也好可以發洩一下憂鬱的心情，抱著期待去參加集會。可是，這次集會也與其他集會類似，懶散、鬱悶、慘澹。這種集會即便召開一百次也不可能獲勝。這種集會不管出席幾次都不會產生意識的變革。我們迷迷糊糊地，或者假裝以開朗的口吻互開無聊的玩笑，擴音機中源源不絕傳出的聲音，卻充耳不聞。」

即便在這種狀況下，各學部仍不斷通過罷課的決議，其實有幾個理由。

第一，是全共鬥運動者們的努力。文學部社會學科大四生在當時的座談會上表示，「從引入機動隊起，我們在學科討論之類的會議上，最初都是反對罷課的。可是學生運動者的宣傳活動相當高明，讓大家都非常亢奮，也對運動者的理論增加了幾分理解。」[512]

第二，是政治上的手段。在理學部的例子中，九月二十八日終於達到定額的學生大會得以啟動，議長也由全共鬥派的鬥爭委員會所掌控。但這次大會無論民青方的提案或全共鬥方的提案都遭否決，僅決定十月一日重新舉行學生大會。接著在十月一日的學生大會上，全共鬥方澈底進行班級招募，發動同情派學生的總動員。接著全共鬥方把「集結於共鬥會議」的文字從罷課提案中刪除，不讓民青派的自治會委員長加入罷課實行委員會，並一直討論到夜間，終於使無限期罷課的決議獲得通過[513]。

第三個理由，是只要滿足定額，便可由該學部人數「八分之一的同意通過罷課」。法學部十月十二日進入無限期罷課時的學生大會，趁著「睡罷課派」學生不在之際，全共鬥與民青聯手企圖通過罷課，兩派出動同情派學生，在學生大會上通過罷課決議。

已在自治省獲得採用，大會時正好返鄉的法學部大四生憤怒地表示，「心想只有法學部不會參加罷課，就放心地返鄉，沒想到運動者冷不防地通過罷課啊。」此外還有反對罷課派的學生也表示「太過樂觀地推測代代木派與反代代木派不至於勾結通過罷課決議。」「說是『汙濁的歷史』，但這樣就會想問，為何要來東大法學部呢？」[514]

若決議罷課，因無法授課與考試，也有全部學生都遭留級的可能性。教養學部的某教授對「睡罷課派」的學生感到憤怒，於九月底表示[515]：「自己決定要罷課，事到如今卻覺得厭倦，真讓人看不下去啊。如果到了十月還不能重啟授課，有可能全部學生都得留級。現在正是決定性的關鍵時期。他們連這種事情都搞不清楚。」

「睡罷課派」學生的漠不關心與不負責任，也讓教授們感到心灰意冷。文學部教授的堀米庸三如此敘述[516]：「一如文字所表現的，非政治派學生，也就是說，大致上認真學習，但完全遠離政治上的行動，在這層意義上稱為非政治學生，我可以說並不喜歡他們。我毋寧更偏好不隸屬任何新左翼黨派，但自覺地擁有明確政治意見的學生。」

另也有下面這種「很像東大學生」的意見。根據當時的新聞記者表示，一九六八年秋天「抓住學生問過，對方竟回答『不用擔心留級。如果我們無法畢業，日本的官僚機構將會有一年的空窗期。那樣的話政府會很困擾的。』」[517]

「找不到話語」

如前所述，無論哪個大學鬥爭，照例超過半數的學生都屬不關心派。但東大全共鬥卻非常不滿不關心派，強迫對方選邊站，表明是否參加鬥爭。

例如十一月二日都市工學科罷課實行委員會提出的訴求，除持續主張「以街壘封鎖全校」，也呼籲[518]：「所有的學生、研究生都必須強迫選邊站：是集結到全學共鬥會議徹底戰鬥，直至貫徹七項訴求為止；或是與當局＝國家權力勾結，成為壓制我們鬥爭的人。不允許站在鬥爭之外，或採取第三者的旁觀立場。」

以「選邊站」逼迫「中間派」是七月重新佔領安田講堂以後的主張，不過東大全共鬥在一九六八年秋天的態度愈發強烈，並強行封鎖全校。全共鬥的運動者大橋憲三於一九九五年回憶當時的情況[519]：

說是東大全共鬥會議，其人數最大限度也不過三千人左右。……在東大，把教職員也算進去，本鄉與駒場合計大約有三萬人，因此全共鬥不過是其中的一小部分人。最大動員人數三千人左右，日常照樣運行，真的沒有任何改變。校方經過毫無建樹的議論，仍無法回應七項訴求。我們完全不清楚這時該做些什麼。到了這個地步經常覺得「我們是赤貧階級啊。」於是，遂變得「想迫使」他們一口氣「進入決戰」。

「無論如何，都要表達自己的意見」，我們對此有強烈的意識。我們的決心是，包括不管怎樣都不發言的人，「與我們站在敵對立場也沒關係，但什麼都不說的話，事態根本無法推進」。不發聲的人、睡罷課的人，強迫這些人做出選擇，那就是全校封鎖路線。

如此一來，全共鬥藉全校封鎖強迫提出質問：「鬥爭中不可能處於中間立場」，「向教授會＝權力靠攏，或者加入鬥爭的戰爭行列，現在就是決定自己主體的時候！」[520]如前所述，保守派的林健太郎受全共鬥歡迎的原因之一，也在於即便彼此立場敵對，他仍態度鮮明。

但民青派的七者協於十月八日的集會指責「全共鬥固執於七項訴求的方針，而該訴求根本不具改革東大的前景，還不斷推進『全校封鎖』這種毀滅性的行動。」[521]原本民青派的自治會中央委員會書記局在重新佔領安田講堂時，即批評全鬥聯「全校封鎖」的主張，認為「那是沒有任何勝利指望的不負責任方針。就算由一部分的學生從封鎖本部推進到封鎖全校，又有什麼值得期待的？就算說『大學自治—東大的公社化』，究竟能推動到何時，他們有認真思考過嗎？」[522]

但全共鬥的態度強硬。到十月為止，教育學部以外所有的學部自治會皆已驅逐民青，順著實現全校無限期罷課的氣勢，東大全共鬥漸趨激進化。

十月二十六日助教共鬥的訴求中，主張現行大學「是支撐日本壟斷資本主義高度發展的純體制內的統治機關」，「抗爭的同學諸君，冷靜且大膽地破壞『大學』吧。如果想重建燒毀一半的民宅遺址，首先就要把剩下的民宅也一把火燒淨。」而民青主張的設置協議會等制度改良方針，「完全是在與校方約定將提供積極協助，幫助大學『更好、更有效的管理』，這根本就是犯罪。」據此，他們主張「拒絕所有的幻想」，「透過全校街壘封鎖，宣告『大學』的死亡！」[523]十月後半起，全共鬥派的文宣品中，這類激進的論調越來越頻繁。

但另一方面，東大全共鬥的無黨派學生發現那份茫然的不滿，除了「從誰那兒借來的詞彙」之外，實在找不出適合表現的話語。當時全共鬥內要做立牌看板或傳單之際，許多時候都「因『找不到話語』而感到苦悶。」[524]

他們對既存的大學感到不滿，而設置協議會等機構改革或「大學民主化」又不能讓他們感到滿意。這樣的不滿即便藉由「與產學合作路線的對決」這種左翼用語來表現，又悵然地無法完全表達那股不滿，難以捉住那種確實的感受。然而，對自己想要追求什麼，他們卻找尋不到確切的表現手法與言詞。

例如九月十五日無黨派學生個人發行的傳單〈呼籲「你」〉中，提及「從六月十七日至六月二十日駒場湧現的『全校學生團結』今天已不復存在。組織的利益、學部的利益，等等等等，各種方向紛雜的目標逐漸浮現」之後，提出如此訴求[525]：

他已經無法忍耐。必須填補空白，用思考、用行動！他開始吼道：「聲討引入機動隊！完全撤銷不當懲處！要求大眾團交！」然而，他的內心深處則燃起了一個最根本的要求。

「給我話語吧！」

話語並不是說給就能給的。如果發出質問而不能獲得回答，如果抗議卻不能成為力量，那就稱不上保障「言論自由」。「有力的話語」——這就是他的要求。

然而，他並未得到賜予。

這篇文章說明存在著「聲討引入機動隊」或「完全撤銷不當懲處」等語言無法表現的「根本的要求」、「無法忍耐的空白」，笨拙地訴求自己找不出的適當的話語。他們對此不斷感到苦惱，尋求確立「主體」的話語，渴望能夠回應「生」之實際感受的溝通。

十月理工系社會科學研究會提出的傳單中，終於表明對「主體性」這個詞彙的不滿足。這份傳單一邊引用吉本隆明的詩一邊陳述[526]：「提倡『自我變革』，又說『痛苦』云云，那不過是集體性的自慰行為。」「這樣的話，我們的這場鬥爭，並不能用普通的口號來傳達。『民主化』？『反產學合作路線』？『粉碎國大協路線』？」「所謂的『主體性』是什麼？『人性』又是什麼？這不也是從他人之處借來的詞彙嗎？」「我們，必須擁有我們自身的話語。那究竟是什麼？」

學生們找不到表現自己「根本性的欲求」的話語。在這種情況下，也有人摸索屬於自身的表達方式，甚至做出意義不明的傳單。藥學部的全共鬥學生在十一月發出個人傳單，指出「以武力為戰術的擴大封鎖，以存在意識為戰術的吼叫留級！！」傳單的內容如下[527]：

「在自己的存在與未來中，進入新的大學，為了共鬥的存在要創造能延續到二十一世紀的大學。／確立存在啊，展開永久確立化運動吧。／斷然存在留級！！／鬥爭是破壞與創造。鬥爭不允許片刻的安寧。／不要畏懼封鎖。正該展開封鎖啊。／不要怕留級。正該進入留級啊。／一九六八—十一—十八獨立存在派 責任編輯 長田智博」

又署名「D．M．G」的〈起義吧，加倍起義吧！！〉傳單有如此敘述[528]：「起義吧『少女』！！淡藍色〔東大的校色〕的形象，現在只不過纏繞在柔弱的校旗與水手服的少許衣領上。首先用顫抖的感性擺脫一切的『不感性』，擺脫精神的處女性吧。」

「找不到適當話語」的現象，與「自我否定」相互連動。東大全共鬥的機關報《進擊》第三號中，以〈「堡壘的狂人們」〉為題刊登了如下的文章[529]：

「為了尋求失去的東西，我們踏上了非常漫長的鬥爭之旅。最初一直未能明確把握失去的東西究竟是什麼。但現在，確實預感到我們自身內部仍無法以言語型態把握的某種渾沌，似乎正走向崩毀。那是只能透過澈底否定才能回復的東西。」「否定首先要朝向自己。若無澈底的自我否定也就無法取得肯定，那是內在的個人否定。」「走向對存在事物的全面否定，就不得不踏上狂人之道。我們以身為狂人而自豪。只要體制尚且存在，我們的存在就會一直貼近狂人吧。」

即便如此，推動運動之際，仍必須使用自己也感到違和的左翼用語來討論。大原紀美子在一九六九年的手記中寫道[530]：「議論時，即便只有一瞬間，也會苦惱於如何把自己也不確信的東西確實化後說出。……所以，議論之後總是感到空虛。」「東大鬥爭的高峰中無論如何都得進行論爭時，我記得對於把自己的理論確實化說出一事，特別感到害羞。」「為了什麼而做了什麼？東大鬥爭是為何而戰？為何我會知道這種事情呢？畢竟那並非我追求的東西啊。」

在此狀態下，一如日大鬥爭發生過的，能自信滿滿分析現況者，正是新左翼黨派的運動者。大原對身為無黨派的痛苦描述道[531]：「無論與誰對話都不行。就是這種無力感。革命家集團或思想家集團，不是為了與這種無力感做鬥爭，而是為了撫慰這種無力感的人們。」

這種「找不到話語」的狀態，導致了對大學民主化等「改良鬥爭」的拒絕，並升級成不依靠話語的直接行動，這也更促成強迫在他者與自身之間選邊站的嚴格主義（Rigorism）傾向。前述〈我們能愛九月的地球嗎？〉一文中，除了談及對「進步的文化人」與對民青的憎惡外，也如此敘述[532]：

如果我們想找出能掌握本質的場域，那就像，例如在討論最熱烈時，話語突然嘎然而止，想說些什麼卻找不出詞彙，那種徒剩無可奈何的羞恥；或者打算說實話但脫口的卻是謊言，那種痛苦；或者如同與雙親一起生活，無法擁有自己實際生活，對自身無力的自我厭惡……。而今天也是，恐怕明天也是，只能澈底質疑過往猶如習慣性活著的自己。我們不可討論如花似錦般的華麗連帶感。我們必須談論自己。

「我要以我的方式澈底幹下去。你也以你的方式幹下去就好。面對敵人不可手下留情。必須要揚起怨恨。」

此處可看出，「想說些什麼卻找不出詞彙，那種徒剩無可奈何的羞恥」引導出「我要以我的方式澈底幹下去。你也以你的方式幹下去就好」這強迫選邊站的態度，變質為「面對敵人不可手下留情」這種採取直接行動的過程。

青年感受到茫然不滿的「現代的不幸」，在今日或也可用「認同危機」來表達。然而，當時他們僅能取得「產學合作」、「帝國主義的重整」等左翼用語，或者包含「主體性」在內的存在主義用語。欲突破這種困境，姑且只能找出一種方法。那就是透過全校封鎖戰術，強迫對方選邊站：「你是敵人還是戰友？說清楚講明白。得用自己的語言表達」，並把運動升級到「面對敵人不可手下留情」的直接行動。直接行動能賦予他們「活著」的切實感受，而清楚區分對方是敵是友後，他們面對自己，應當也能獲得定位。

這也將東大全共鬥不斷推至在七項訴求中未記載的「東大解體」。柏崎千枝子在手記中如此寫道

：「我思考，單說七項訴求，似乎有什麼不足之處。最終，除非把東大鬥爭發展成『東大存廢』問題，否則就無法說我們站在全人民的立場。」「不從根底把東大解體，不執行到破壞的程度，最終也不過是茶壺裡的一場風暴罷了。」[533]

不過這同時也與傲慢的「自我絕對化」相連。見田宗介在一九六九年初以〈追尋失去的話語〉為題，向《世界》雜誌投稿了一篇東大鬥爭論[534]。

根據見田的觀點，「他們只能活在現代文明的詞語空隙之間。當他們試圖用話語表達自我時，瞬間感到『錯了，不是這樣』。」「學生們喜歡在傳單、私人的手記或日記中，運用奇特的新造詞彙和表達方式……他們難以從既存話語中逃離，還附著著俗惡的一般常識（共同感受！），被迫纏繞在這樣的脈絡中，又拚命表現出拒絕的態度。」

但根據見田的看法，即便拒絕既存的語言體系，「他們也不擁有得以確切表達他們自身的語言體系。」且他們陷入「失語症的狀況，並擺出拒絕溝通的態度」。歸結這種拒絕溝通，即是「毫無底線的自我絕對化傾向」。例如封鎖辦公室本部時，傲慢叫囂「『辦公室職員算什麼東西』、『你們明明啥都不懂』邊將對方趕出辦公室，見到流著淚、雙手發顫的年輕辦公室職員，卻一味冷漠地忽視職員們的憤怒」等現象，接著「產生出無底線的新左翼黨派分裂與『武裝內鬥』。」

東大法學部教授福田歡一在安田講堂攻防戰之後，旋即寫出一篇評論，討論校方與東大全共鬥的對話為何完全無法成立[535]：

……推進運動的學生一方，到最後無法以正確的話語表達他們自身的不滿與要求。大眾團交、學生權利、自由的自治活動之類的要求，說穿了就是對無權利狀態、自由的壓抑、帝國主義大學之類的批判，當事人不按往例使用慣用詞彙，甚至在沒弄清這些詞彙的狀態下，只憑一股模糊的印象使用。如果反問其意義而對方從運動的理論來闡述，很自然從一開始就會遭聽者拒絕，因此演變成只追求回答是或否的狀況。因此，若不能察覺他們用詞背後的真實意欲，搞清那些話語無法承載的意義，無論他們藉此表達什麼樣的情緒或何種的要求，回答方在未能察覺的狀態下，或者即使察覺了但也未盡力釐清的狀態下，就只能繼續維持溝而不通的狀況。

東大全共鬥的學生小阪修平在回憶錄中如此敘述[536]：一九六八年秋天以後，與校方對話時，「全共鬥一方頻繁地要求校方『要有邏輯地回應』，『有邏輯』指的並非討論說明道理，而是對學生們的所言所行，校方要負起責任且仔細妥切地應對，我覺得他們所說的，指的就是這種態度。」

亦即，東大全共鬥所說的「有邏輯」，意謂要求具有「主體性」的自我達到言行一致，屬於倫理上的詞語。不僅僅是「有邏輯」，教授們如果無法察覺話語中大量承載著言外之意，那麼在團交的場合只會讓事態更加混亂與惡化。

福田還如此敘述：「看起來現代的學生諸君，對大學的期待堪稱是過度期待了。但如果換個角度來看，他們幾乎完全犧牲自己的青春，經歷多年的升學考試與學習，相信只要進入大學，所有的問題皆可迎刃而解，如果不懷抱這樣的錯覺，或許他們根本無法忍受這樣的生活。」東大教養學部助教授佐藤誠三郎也寫道，「身為升學考試戰爭的勝利者，風光進入東大時，他們有許多人都對東大與自己，抱持著可說是幻想的過度期待。在此狀況下，當那種幻想破滅時，自然會爆發激烈的憤怒吧。」

確實，當得知大學並非自己夢想中「探究真理的學府」，也無法解決自身面臨之「現代的不幸」，更無法實現「主體的確立」，而將來自己只能成為「微不足道的上班族」時，認為大學不過是「幻想共同體」，不過是「教育工廠」，所以必須將大學解體，這也可說是一種對大學的「過度期待」。但，正如前面章節所述，這樣的「過度期待」，正是六〇年代大學鬥爭的能量來源。[537]

隨著東大全共鬥的激進化，參與型態也發生變化。七月一日的全鬥聯聲明「只要方向一致，行動多樣也無妨。」然而隨著時間推演，全共鬥逐漸展現出「參加」或「不參加」的選邊站嚴格主義傾向。例如都市工學科罷課實行委員會在十一月二日的新聞上即強調，「所有的學生和研究生都必須強迫選邊站：是集結到全學共鬥會議澈底戰鬥，直至貫徹七項訴求為止；或是與當局＝國家權力勾結，成為壓制我們鬥爭的人。」[538]

如前所述，柏崎千枝子見到文學部長辦公室的豪華家具，提及「『封鎖』的思想」也「包含著把財產奪回……還給人民。」只是，她所謂的「人民」，只限於支持東大全共鬥、參與鬥爭的人。她在此文之後寫道[539]：「今後，只要是參與抗爭戰鬥的人，我們一定會讓他們進入街壘之中；只要是不抗爭戰鬥的人，不管是否為東大學生，都要澈底逐出大學。」

之前表示成為「好醫師」乃鬥爭原點的今井澄，在十一月底的座談會上也改變說法[540]：「不管是教授或是學生，只要是幹著支持統治階層研究的人、自己想要成為官僚的人，都必須對他們採取敵對的態度。這不僅是在大學內進行論爭，也要把這樣的想法帶入現實，帶出街壘去。」

到最後，只要參加全共鬥就會被要求拒絕妥協、參與戰鬥，不這麼做的人會被指責為「牆頭草」。「行動的多樣性」在這種嚴格主義面前黯然失色。前述〈我們能愛九月的地球嗎?〉一文中敘述道[541]:「要我們說的話,所謂的鬥爭,只能由一開始就打算澈底幹下去的人來承擔。」「只能澈底質疑自我。」

結構改革派理論家安東仁兵衛於一九六九年一月如此說明[542]:

「這裡有一篇某〔東大全共鬥的〕無黨派激進派學生所寫,名為〈大學革命〉的文章,其中寫道『大學的主人公是學生,教授的存在應是為了侍奉學生』的『主人公理論』。接著又說『學生應該罷免全體教授。因為教授本身就是一種壓迫者,根本不用去管教授中應當留下誰,而且跟民主的教授聯手根本是不可能的事。從教授形成教授會開始,他們就成為管理者、壓迫者,所以正確的做法不是解散教授會,而是罷免全體教授。』文中更進一步說,『辦公室職員之類的,在大學中也只是為了維持飯碗而工作,而不是為了守護大學的自由與平等,所以他們不過是以契約締結雇傭關係的人,並非大學的構成人員或同盟成員,亦非公社的一員。』雖然最後說了一句『當然他們也有團結的勞工基本權』……。這種想法給我一種讓人打從心底恐懼的菁英意識。」

東大全共鬥之所以決定走上嚴格主義路線,強迫大家對封鎖選邊站,是出於大橋所述對「睡罷課派」的不滿等兩個原因。

第一個原因是,大部分的教授或研究生都不理會鬥爭,繼續自己的研究。這對否認自己特權位置,進行自我否定,重新質疑學問與研究意義的全共鬥研究生與助教而言,是無法容許的事情。

助教共鬥的村尾行一在安田講堂攻防戰後寫道[543]:「不幸的是,幾乎所有教授都不理解我們面對著什麼樣的問題。而且,一成不變地繼續『研究、教育』,形成惰性循環。所以不幸地,『全共鬥』

諸君打出『暫時中止現在進行的研究、教育一類事宜，與我們一同思考學問究竟是什麼這個問題』，拋出這種本質性的理念性的問題，而且不得不以暴力的方式來推行。這就是『封鎖』。」

揭示同樣論述邏輯的文宣品不在少數。十一月二日都市工學科罷課實行委員會提出的訴求中表示，「現階段『日常性的研究活動』行為，只有一個意義，那就是壓制鬥爭的同學。」[544]十一月十四日全學鬥及助教共鬥的駒場支部發出之〈封鎖鬥爭宣言〉也陳述，全校封鎖的意義在於「癱瘓成為政府壟斷資本工具的大學機能」，「對那些揭示研究至上主義而與鬥爭敵對、支持當局的『中間派』，必須以尖銳的批判逼迫他們。」[545]

村尾進一步表示，「如此，因為不是當成所謂的鬥爭戰術來使用，所以『東大全共鬥』的『封鎖』具備高度的倫理性。」[546]確實，七月重新佔領安田講堂以及之後的封鎖，與其說是政治戰術，不如說是脅迫選邊站的某種「質疑」的表現行為。正因不是別有所圖的戰術，所以「具備高度的倫理性」。至於這種倫理性變成嚴格主義後，是否會使全共鬥失去支持，此處尚無這種觀點。

第二個原因是，擴大封鎖也本就是他們採取的戰術。山本義隆在一九六九年三月如此說明[547]：「東大鬥爭的過程，最重要的一如七月二日封鎖校本部時明白揭示的那樣，鬥爭由進步的分子預先掌握理解狀況，透過這種形式的開拓，才能有所發展。鬥爭的指導性無法由鬥爭之前的多數意見反映出來。」這是指具備鬥爭意志的進步分子先採取直接行動，之後理當能觸發大眾，屬於典型的先驅性論。

如前所述，七月二日重新佔領安田講堂，是在幾乎所有新左翼黨派的反對下，由全學聯、無黨派激進派為核心來執行。從七月重新佔領後不久舉行的座談會看來，全共鬥的研究生與助教認為重新佔領「封鎖（安田講堂）」，被賦予質疑此事是對是錯，你是支持或者反對的形式」，即「強迫判斷」的行為，並表示「七月二日執行佔領後，一直到五日教養（學部）進入罷課為止，老實說，那三、四天實在相當難熬。」[548]

全鬥聯的助教或研究生，作為具戰鬥意志的「進步分子」重新佔領安田講堂，逼迫全校學生表態支持與否，從結果而言他們取得成功，獲得了支持。某全共鬥派的學生在十二月的座談會上表示，「關於佔領鐘樓，這事幾乎被（自治會決議等）否決，但佔領等於為這場關鍵的賭局打開新的局面。」[549]

前文已說明全鬥聯在重新佔領安田講堂後鼓吹封鎖全校，故九月的全校封鎖可視為七月成功戰術的擴大版。又或者，沒有明確展望的東大全共鬥，實際上只能讓局勢依過往的路線繼續升級。但，十二月在全共鬥派與民青派學生的座談會上擔任司儀的精神科醫師灘．稻田表示，「同樣的戰術不可能每次都獲得成功，希望大家仔細考慮」[550]，以此發言作為對全共鬥派學生的感想。而且，全校封鎖並未如重新佔領安田講堂般那麼獲得支持，這在往後的過程中也歷然呈現。

此外，全共鬥對進入全校封鎖後的大學，並沒有明確的構想。宇野裕在十月的電視上聽到東大全共鬥學生的說法後，「感到非常在意。」[551]因為宇野認為「那段發言表明，東大學生主張大學裡的直接民主主義，就是由學生掌權，由學生對老師發號施令。」

宇野如此寫道：「他們想表達的事情我不是不能理解，學生要命令老師什麼，那段說明並不充分，只是學生們提及霸權（hegemony）與命令這些詞彙時，那種迴盪著冷淡的語調，讓我大為反感。」「如果是被命令者因怨氣爆發而想換到命令的立場的話，那既非社群也非任何東西。打算命令他人的一方，最終必然會再度墜落回被命令的一方。」

如此，東大全共鬥在「找不到話語」的狀態下，開始逐漸傾向嚴格主義，隨著時節往深秋邁進，他們也逐漸遭到孤立。

民青引入「行動隊」

然而，與東大全共鬥的變化同時並行的，是民青於一九六八年九月起投入武鬥行動隊，自此讓東大鬥爭產生質變。從此之後，東大鬥爭突然帶有濃厚的黨派對抗色彩。

從九月到十月，校園接連通過罷課與封鎖，學生對民青的支持呈現停頓狀態。根據內藤國夫的說法，「一時之間，日共派呼籲的集會甚至連三百名學生都湊不到。」[552]前面提及的增山明夫表示，「在十月的階段，全校中的民青呈現相當混亂的狀態」，大家都顯得「意氣消沉」[553]。

原因之一是他們並未確定自身的訴求。全共鬥在七月中提出了七項訴求，而民青派的自治會中央常任委員會則遲至八月三十日才提出四項訴求。

而且四項訴求的內容屢屢更動，九月初的七者協發表、九月十一日的集會決議、十月八日七者協主辦集會的基調報告、十月三十一日「東大鬥爭勝利全學聯行動委員會」——因民青在許多學部都失去了自治會的執行部，無法再以自治會中央委員會的名稱繼續活動——上提出的傳單，刊載的「四項訴求」皆存在微妙的差異[554]。

四項訴求的內容會變更，原因之一在於校內情勢的變化。在民青掌控大多數自治會的時期，只需在學生大會上選出代表與大學當局交涉即可。但根據民青派東大鬥爭紀錄刊行委員會編纂的《邁向東大變革的戰鬥》，十月時「情勢與九月初大為不同。學生大會上遇到得選出代表的時候，很明顯大多數都由全共鬥派當選。」[555]因此推測民青派不得不屢次調整內容。

十月三十一日的四項訴求大致可視為最終版本，包含如下內容[556]：

一、校長、評議會針對引入機動隊進行自我批判，明確承諾絕不再次引入機動隊。

二、撤銷醫學部的不當懲處，不懲罰一月二十九日以來所有鬥爭相關人事物。

三、承認學生、研究生等自治活動的自由，承認學生自治會中央委員會、東院協、青醫聯，承認團交權。

四、為使大學經營民主化，設置各層級自行組織之自治組織皆可參與的全校營運協議會。

以上四項訴求及附加的確認書於大眾團交的場合以文字確認約定；校長、評議會委員等事態相關負責人需引咎辭職。

但民青所說的「大眾團交」，是由「全校各階層經民主方式選出的統一代表團」來執行[557]。身為重視自治會民主主義的民青，這是必然的邏輯。且如前所述，民青的四項訴求包含設置協議會在內的組織改革，與有實際訴求的全共鬥七項訴求相較，是更為激進的主張。

另一方面，東大全共鬥對設置協議會則採取完全否定的態度。七月舉行的座談會上，全共鬥的研究生與助教表示，「只是設置協議會這種程度，大學不會有些許改變」，「最終僅變成現行體制中的，所謂的『管理民主化』罷了」，「如果我們參加這種改造，那反而會變成『共犯』。」[558]一九六九年二月，山本義隆針對民青的協議會設置提案表示「類似說，勞工也具有相應的權利，所以讓他們組織工會，接著勞資協調的對話路線登場，又重新被吸納到企業內部——與這樣的歷程相當雷同呀。」[559]亦即，鬥爭的目的在於否定大學的現狀，而參與既存大學的營運，根本不在討論範圍之內。

此外，全共鬥方認為，設置協議會與全共鬥重視的「確立主體」並無法相容。八月全共鬥派大學生、研究生座談會上，工學研究生有如下主張[560]：「以大眾團交為目標這件事情，我們的目的並非在『參與』，這點必須明確確認，在此基礎上還具有更本質性的意義。我們的目的在於讓我們自身形成一個統一的主體。亦即，我們思考的是自行建構大學。參與他者建構的大學，等於是把我們客體化來處理，更何況還得去拜託對方，這完全就是乞討般的理論，根本不在討論範疇內。」

全共鬥派學生偏愛的《朝日Journal》把東大全共鬥拒絕協議會一事形容為「與管理社會（regimented society）的抗爭」。根據這篇報導，「在全學共鬥會議的學生看來，即將到來的社會就是所謂的管理社會。在這種社會中，反體制性的制度也會被納入到體制內。」因此東大全共鬥認為，協議會「不過是因應管理社會的新的學生管理方式罷了。」[561]

這種「管理社會」的流行語，其意義如同第一章所述，在「輸送帶」與「電腦」所象徵的社會，大學畢業後等待自己的是刻板的上班族生活，而既有的革新政黨或工會也被嵌在體制內，因而「管理社會」作為表達閉塞感的詞彙而流行。上述的報導同樣指出，東大全共鬥在這層意義上也把協議會視為不過與既存工會相同的組織。

雖然如此，如前所述東大全共鬥在七月也曾有提倡參與大學經營的動向。東大全共鬥之所以會堅定團結反對參與大學經營，推測是針對民青八月三十日在四項訴求中主張設置協議會後，燃起一種為與民青抗衡的對抗情緒。

此外，大學當局對設置協議會的態度也顯消極。九月舉行的國大協會議上，針對如何應對大學鬥爭提出協議，指出「應修正大學經營的模式以充分吸收學生的意見。但在制度上無法容忍學生參與大學經營」，而這樣的意見佔大多數[562]。

實際上，對於設置協議會，東大的民青內部也有人抱持著疑問。

據當時東大民青同盟成員的大窪一志稱，一九六八年暑假東大民青在內部組成理論政策委員會，針對當時在大學中已設置類似協議會組織的立命館大學、京都大學、名古屋大學醫學部等實施調查。其結果，大窪表示「實際上是個問題很多的制度」，調查結果顯示「沒處理好也有可能成為類似勞資協調的經營協議會之類的組織。」為此，大窪等人自行從事理論性的研究，構思超越設置協議會的大學組織改革[563]。

根據大窪的回憶，東大民青與全共鬥的相互競爭急速白熱化。大窪稱，「我們已經有覺悟。將穩定下來，澈底進行這次校園鬥爭，因為這是我們的歷史性任務。許多運動者都這麼認為。到了一九六八年秋，運動者開始提出『要讓東大的鬥爭成為全國校園鬥爭爆發的引線』，『將持續打出無限期鬥爭直到七〇年安保為止』等聲音」[564]。十一月上旬，也是由民青的運動者開始軟禁文學部長林健太郎，之後又加入革馬派的運動者。

當然，「要讓東大的鬥爭成為全國校園鬥爭爆發的引線」、「將持續打出無限期鬥爭直到七〇年安保為止」這種讓新左翼黨派臉面掛不住的激進方針，與共產黨中央的指令無法相容。但據大窪稱，即便「全國性課題不得不遵照中央的方針」，但同時也思考「若是校內的問題，則用我們的方針獨自來抗爭。」[565]然而，即便民青知道協議會存在問題，但在與全共鬥的對抗上，也只能把設置協議會當作四項訴求的核心基礎來主張。

只是民青的四項訴求並未獲得太多學生的支持。與以「自我否定」為代表思想，持續質疑生存方式的全共鬥相較，民青給其他學生一種把問題侷限在大學組織改革的感覺。當時的全共鬥派學生在手記中提及「對反代代木派全學聯感到同情。這是因為基本上仍感受到他們保有青年般的率直性情，但同時又厭惡民青的組織第一主義及把握問題時的侷限性。」[566]

某普通學生如此回應當時週刊雜誌的採訪[567]：「民青那夥人，事事都只考慮到拓展自身勢力。他們腦中有的盡是『我們手中握有全國自治會的幾成』啊。但實際上他們什麼都沒有。發生事情時，只會喊聲哇，但也就如此而已。」

另一方面，當時一位東大民青派運動者表示「民青之所以失敗，原因在於民青採取了穩健路線」，並如此回憶[568]：「當時正值第二次經濟高度成長期，社會上逐漸邁向管理社會。就這樣畢業成為官僚進入統治者一方，讓人不禁懷疑，如此真的好嗎？就在此時，因全共鬥喊出『東大是統治階層的馬前卒』，正好適切表達了學生的心情啊。」

雖然各方解釋紛歧，不過此時民青失去支持還有另一個原因。那就是民青引入前述的「武裝內鬥行動隊」。

根據一九六四年重建的民青派全學聯第一屆委員長，當時擔任民青中央本部青年學生對策負責人的川上徹回憶，一九六八年時民青面對的問題是「該如何處理東京都內民青據點大學中與新左翼各黨派之間頻繁發生的暴力對決」。[569]據川上稱，「即便在自治會選舉或方針決定上由民青勝出，但新左翼各黨派仍靠著暴力或街壘進行武力控制，導致民青頻頻無法貫徹方針。在明治大學學苑會（夜間部自治會）上民青獲勝，但共產同派佔領某學生會館的自治會室，導致執行部無法接近使用。法政大學也發生同樣的狀況。」「早稻田文學部的校園完全在革馬派的掌控下，民青派主要的運動者一步也無法踏入，這樣的狀況不斷持續。」

根據川上的說法，民青「也曾指責過新左翼是『暴力學生團體』，而民青一直貫徹非暴力路線。」「我們的方針是，無論發生任何狀況，都以赤手空拳的方式，集結學生群眾的團結力量驅逐他們，然而我們這邊的損傷卻單方面地不斷增加。」「第一線的民青成員積累許多不滿，說他們也希望戴上頭盔，希望為他們準備武鬥棒。這樣才不會讓對方稱心如意。這樣的想法讓他們倍感委屈。」只是，一直以來批評「暴力」的民青，一旦拿起武鬥棒，難保不招致普通學生的反感。此外根據川上的說法，共產黨最高領導者「宮本顯治對此持慎重態度。」

在此狀況下，民青派全學聯於七月二十五日至二十八日舉行的第十九屆大會上，採納了一項方針：「若遭遇新左翼黨派的暴力攻擊，將集結學生的力量，斷然行使正當防衛權，以武力粉碎對方進犯。」[570]亦即，若是正當防衛，民青也將行使武裝鬥爭。為了實現此目標，民青也開始編組特別武鬥行動隊。

擔任此武鬥部隊現場負責人的宮崎學回憶，在民青派全學聯決定實施「正當防衛權」後，旋即組成部隊。核心為早大、明大、法大等東京的私大學生，組織上由都學聯直接管轄，但強烈帶有由共產黨青年學生對策部領導的非公開組織色彩。共產黨內部將此組織稱為「都學聯行動隊」，但不知從何時起，不分內外都將其通稱為「曙行動隊」。鼎盛期約有千名隊員，宮崎回憶道，從各大學選拔出武道上有段數的人，以及第二部（夜間部）在學勞工等「擅長吵架、打架的人」[571]。

這並非民青派首次參加武裝內鬥。一九六六年七月，在明大舉行的全宿舍聯大會（全國學生宿舍自治會代表聚集大會）上，當新左翼黨派運動者們透過武鬥把民青派運動者逼至會場一隅時，宮崎率領由早大民青派學生組成的武鬥部隊加入戰場，擊退新左翼黨派的運動者。宮崎回憶，自己能擔任行動隊現場負責人，就是因該次行動成果之故[572]。

根據川上的回憶，此行動隊之所以會被稱為「曙行動隊」，似乎起因於一九六八年針對明治大學學苑會的攻防戰[573]。

川上敘述此事件始末如下。首先，在自治會選舉中獲勝的民青派執行部，主張他們有權進入社學同ＭＬ派佔據的學生會館內的自治會室，當天晚間八點左右，約兩百人的遊行隊伍打算進入學生會館。ＭＬ派於是從學生會館投石，民青方取出事前準備的頭盔與武鬥棒，雙方開始展開亂鬥。ＭＬ派從其他大學叫來支援部隊，一直到凌晨三點多，雙方仍未分出勝負。

黎明之際，普通學生見到了這場武裝內鬥。當時的內鬥屬於黨派間的秘密事宜，多在夜間進行，何況民青必須避免被別人見到自家派系參與內鬥的模樣。然而近破曉時分，前來支援的都學聯行動隊一舉衝鋒，ＭＬ派瞬間遭到擊潰。因為這場破曉的奇襲成果太過耀眼，所以給他們帶來「曙行動隊」的名號。

不過上述宮崎或川上的回憶來自他們個人的著作。東大民青派團體編輯的東大鬥爭官方記錄資料中，僅記錄「都學聯的同學」前來支援。無論如何，民青在東大投入武裝內鬥部隊是不爭的事實。下文將他們稱為「行動隊」。

如第三章所述，中大、明大、法大、早大等位於東京的大型私立大學由新左翼掌控自治會，包含東大、京大在內的國立大學則由民青掌控自治會，不過這是一九六八年時的結構。其中東大更是民青派全學聯的核心。如後所述，民青讓行動隊長期駐紮東大之前，拚命想掌握東大鬥爭的主導權，當時推測，這是因為若東大落入新左翼黨派手中，「不光是面子上的問題，更帶著一旦失敗可能導致同派系組織〔民青派全學聯〕全面崩解的危機感。」[574]

行動隊首次派入東大，是在一九六八年九月七日。根據宮崎的回憶，東京約三百人的行動隊，與來自關西私校的兩百人在東大醫院前舉行的民青派集會上會師。民青為行動隊員們準備橡木棍棒與工地用的黃色頭盔。行動隊員見到黃色頭盔還反彈說「搞什麼！這不就像工地的歐吉桑嗎？真是的」，據說最初戴上的人並不多[575]。

這天在東大醫院前的民青派集會之所以會動員行動隊，是因為聽聞東大全共鬥在封鎖醫學部本館之後將接著封鎖東大醫院的情報，但東大全共鬥則主張他們無意封鎖醫院，此事僅是民青的假消息宣傳手段。真相究竟為何，依舊不明。

當天的實際狀況，民青、全共鬥、宮崎的主張與回憶皆有不同，真相再度陷於曖昧。根據民青方的主張，當天為了封鎖醫院，全共鬥出動一百五十人以角材與頭盔進行武裝，民青派的學生及醫院職員遭到毆打，接著在「都學聯的同學」援助下將其擊退，但並未敘述之後的發展[576]。

另一方面，全共鬥的「帳棚村通信」則與民青相反，並未提及醫院前的衝突，反而記錄行動隊在安田講堂前發起挑釁式的遊行，並對抗議他們遊行的學生口吐暴言，當行動隊撤回醫院後這些學生還想跟上繼續表達抗議，就在此時行動隊出手施暴，導致無防備的全共鬥派學生與醫局人員負傷[577]。

對此，宮崎的回憶則像兩者的綜合版本[578]。據他稱，手持角材頭戴頭盔的全共鬥約一百人來到東大醫院前的民青集會，民青一方有數人遭毆打，而行動隊出動後，全共鬥方旋即撤退。但他們撤退時說「平時把反對暴力掛在嘴邊的民奴〔對民青的蔑稱〕，根本不會武鬥」，見到此番「澈底遭到輕視」的狀況，憤怒的宮崎與行動隊才前往安田講堂發動遊行。

當宮崎等人在安田講堂前靜坐時，一群全共鬥的人前來說「日共竟然引進外人〔指其他大學的學生〕武鬥部隊，你們快自我批評」、「跑到這裡打算幹什麼？你們這些傢伙」等，「又遭輕蔑的態度」對待，氣憤的宮崎以灌鉛的木刀毆打全共鬥派的一名學生，導致對方頭部負傷。之後作為報復，東大全共鬥闖入自治會中央委員會室搞破壞，在駒場也有民青派遭到襲擊，造成數人受傷。

這三者的描寫中，究竟何者為真，現已無從考證。可以確認的是，在東大是首次出現民青與全共鬥的暴力衝突，而主張反對暴力的民青引入「外人武裝內鬥部隊」，此舉導致東大普通學生的強烈不滿。原本普通東大學生在六月二十日的集會上便已驅離其他大學的社學同學生，而當新左翼黨派引入他校大學生支援，也引起強烈反彈。

根據柏崎千枝子的手記，民青在九月七日東大醫院前的衝突後，於九日學生到校時撤走行動隊，展開「反對暴力學生，聲討托洛斯基分子」的宣傳活動。柏崎如此形容民青的態度[579]：

「面對這種白天與晚上態度截然不同的日共＝民青，見到他們欺騙大眾，操弄群眾的態度，我實在無言以對。」「他們的『守護自治會民主主義，聲討暴力學生』口號，全都是投機式的，只有在符合他們利益時才會主張，不符利益時只會表面上佯裝，實際上卻毫不猶豫地打破那些原則。他們這種毫無節操的做法，讓我倍感憤怒。這與東大教師們，特別是那些『進步的教授』帶給人的厭惡感如出一轍，我認為，我們今後必然要與這樣的人對抗到底。」

因為造成上述的反感，一時之間，東大的民青派集會無法聚集人潮，工學部與經濟學部不信任民青派的自治會執行部，除了教育學部之外，民青喪失了其他學部自治會的主導權。因此，民青不得不在十月之後組成「東大鬥爭勝利全學聯行動委員會」[580]。

然而，此時暴力的行徑尚未被公然認可。同樣依據宮崎的回憶，他讓全共鬥派學生負傷一事，引起東大共產黨基層組織內的許多人批評「那件事幹得太過火了」。宮崎看著東大鬥爭的情況表示，「早大鬥爭時也有過『教育工廠』、『產學合作路線』、『大學自治』等議論。但並沒有搞到這麼複雜」，「一旦到了東大就成了聰明菁英關於這些理念的鬥爭，真是讓我受夠了。」[581]

但在此之後，民青與全共鬥的小規模競爭與鬥爭成為常態，武裝內鬥也急速升級。

據內藤國夫稱，九月七日的衝突與自治會中央委員會室遭破壞之前，民青與全共鬥仍彼此共存，但此事件後就開始互相襲擊對方的據點教室，或者破壞對方的看板，運動者抓對方的人施以私刑等，小規模的衝突頻繁發生。在這些衝突事件後，彼此又會寫下自家派系的主張與事件「真相」並印成傳單散發，指責對方成為家常便飯[582]。

根據現存九月十一日民青派的傳單，九月七日民青導入行動隊後，東大全共鬥，特別是革馬派經常有對民青的暴行或闖入事件[583]。

根據該傳單，九月八日早晨駒場宿舍的民青派社團遭革馬派等約二十人闖入，導致五人身負重傷，印刷機等遭到破壞。除此之外，同樣在九月八日早晨民青派的五月祭實行委員會室遭破壞。在九日夜間，民青掌控的教育學部、工學部、理學部、農學部的自治會室中物資遭盜竊，房間也遭破壞。

從九月八日至十日，醫學部、理學部、工學部等民青派學生與散發傳單的東大職員工會在東大校內或本鄉街頭，遭革馬派等以角材或棍棒施加暴行，導致鼻梁骨折等重傷。九月八日，本鄉的合作社食堂（東大合作社也屬於共產黨派）遭戴頭盔持角材的全共鬥派學生奪走六箱牛奶與可樂空瓶當作丟擲攻擊的資源。上述民青的記述有多少符合事實並不清楚，但可得知黨派之間確實持續發生內鬥。

共產黨的改弦易轍與全校封鎖的挫敗

黨派間不斷發生暴力對抗，民青的支持率也依舊低迷。到了十月似乎有遭全共鬥壓倒之虞，不過十一月卻迎來轉機。

十一月上旬，民青與革馬派運動者們軟禁了文學部長林健太郎做團體交涉。長達八天的這次軟禁團交，在新聞與電視上被報導成「拷問」，東大全共鬥的「暴力學生」給社會留下強烈印象。根據川上徹的回憶，在這個軟禁團交進行之際，共產黨本部由宮本顯治舉行了「對策會議」。之後該「對策會議」連日舉行，在東大除了黨與民青的專業運動學生，也動員大批老資格的運動者參與[584]。

據東大民青運動者的大窪一志稱，「突然不分由說地對文學部的共產黨員下達『撤退命令』」，要民青派運動者撤出林學部長的軟禁團交。接著隔天早上的共產黨機關報《赤旗》上發出聲明，「也沒跟我們聯絡，就指責東大鬥爭的做法，並暗示將改變方針。」[585]

據川上稱，宮本顯治對東大「鬥爭狀況知之甚詳，令人驚訝。」之後宮本又對東大鬥爭下達指令，「關注程度非比尋常。」[586]

宮本為何對東大鬥爭燃起熱情？可以推測不少理由，如宮本自身就畢業自東大、東大的共產黨基層組織乃共產黨幹部的有力供給源，東大的自治會乃民青派全學聯的核心等等。但川上推測，「這一切有可能都只是為了選舉。」[587]

與其他大學鬥爭相比，「最高學府」的東大鬥爭受到的關注更為顯著。東大裡進駐許多新聞記者與電視台班底，連日報導東大鬥爭的情況。如前所述，東大的民青運動者變得激進，參與了軟禁林學部長的團交。大眾媒體連日報導這起「拷問」，而民青也參與這場社會惡評如潮的軟禁團交，這並非共產黨可接受的狀況。

川上稱，宮本指導東大鬥爭的動機在於「評估一九六九年秋天的國會大選，在那之前必須拿出『只有共產黨才能辦得到』的成績。」在社會大眾關注的情況下，連自民黨、社會黨也無法收拾的東大紛爭若由共產黨與民青解決，將可達成共產黨席次增加的目標[588]。

十一月十一日，共產黨的機關報《赤旗》刊出標題為〈為了解決眼前大學問題〉的長篇評論。據大窪稱，這是下令要求民青撤出林文學部長軟禁團交的隔天[589]。

該評論先批評政府的文教政策，「阻止政府、文部省、自民黨策動的破壞大學自治」，「反對大學遭壟斷資本控制的『產學合作』」，之後論及應透過「學生與〈進步的〉教職員，民主且共同地」謀求「大學管理、經營的民主化」。接著批評新左翼黨派與全共鬥「利用學生對大學現狀的不滿，不經學生大會議決即暴力執行『校園封鎖』」，主張「堅決粉碎托洛斯基分子、修正主義者、分裂主義者的挑釁與破壞行動，澈底從學生運動中驅逐他們的影響。」[590]此為共產黨提出的官方正式方針，宣布迎戰東大全共鬥。

同樣在十一月十一日，東大全共鬥與大學當局的交涉期限結束，決定邁向封鎖全校的方針。此全校封鎖方針的第一步，落在位於本鄉校區的綜合圖書館[591]。

在東大鬥爭的高峰期，許多教授與學生仍埋首研究與司法考試學習，綜合圖書館即是這些人聚集的場所。東大全共鬥一九六九年編纂的《在堡壘上打造我們的世界》中，記載綜合圖書館「是那些不關心鬥爭，拚命鑽研『學問』的書蟲的最大巢穴。推動從根底批判東大既存秩序運動的全共鬥，絕不可能一直容許這種狀態。」[592]

隔天的十一月十二日，東大全共鬥封鎖工學部一號館之後，嘗試封鎖綜合圖書館。當天發表的助教共鬥〈封鎖鬥爭宣言〉中，主張「此時正值應深刻掌握暴力的思想性，剔除這種狀況之際。能真正擾亂『理性學府』的，只有暴力」，「透過全校封鎖把教授會成員從研究室中趕出去！」[593]

在八月時，當時的報導指出「無黨派帳棚村」的研究生們對「武裝內鬥採取批評態度」[594]。但十一月二十二日助教共鬥的宣言中主張，「『無論如何不可使用暴力』……這不過是自小學以來我們被教導的資產階級人道主義＝培養順民的思想罷了。」[595]根據全鬥聯的宣稱，封鎖綜合圖書館時，有來自助教共鬥的約五十人戴頭盔部隊參加[596]。

然而，綜合圖書館的封鎖行動遭遇共產黨的行動隊反擊，成為東大首次大規模的武裝內鬥。宮崎學如此描述當天的模樣[597]：

我們五百名行動隊趕到圖書館前時，建築內的燈光已經熄滅。安田講堂前全共鬥一千五百人正舉行總誓師集會拉抬氣勢。終於，其中的五百至六百人展開行動，封鎖工學部，並乘餘威湧向圖書館。

革馬、構改派、共產同、青解等各派聚集，打頭陣團體舉著近三公尺的竹竿，身後全員皆手持武鬥棒。當敵我距離拉近至約十公尺時，領導者吹起高亮的笛聲，全共鬥以此為信號，發出「哇！」的叫喊聲並一口氣衝來。從正面揮來的竹竿或武鬥棒打在行動隊員的頭盔與身體上，一時四處可聞「乓！」「匡噹！」等衝擊聲，那聲音巨大到讓人誤以為是什麼巨大的建築物倒塌了。

與此同時，許多被捲入亂鬥的東大教授與學生發出「啊！住手！」「不要使用暴力，混帳東西！」等哀號或怒吼。接著，大批湧來的大眾傳媒一齊閃起閃光燈，在閃光中四下揮舞的武鬥棒，熠熠生輝。

此時，我站在行動隊背後的台階上指揮，打算充分把對手吸引過來後，一口氣進行反擊。待全共鬥衝鋒大概告一段落後，我吹起笛子發出反擊信號，行動隊一口氣發動反攻。全共鬥似乎見到什麼意料之外的事情般，瞬間露出怯意，行動隊就趁著對方膽怯的空隙衝鋒陷陣。

據宮崎學稱，「之後全共鬥再三發起進攻。最初的激烈衝突中遭到行動隊的強烈反擊，第二次進攻時動用把鋪地石敲碎的石礫、敲碎瓶口的牛奶瓶，以及滅火器的滅火液等進行攻擊。然而，因投石而出現大量傷者，導致行動隊憤怒不已，發動更加猛烈的反擊。對方此時撤退，最終因計畫整個被打亂而逃走。」[598]這天的亂鬥中，包含三名重傷者，共有二十九人受傷[599]。

根據法學部綠會委（推測是綠會內屬於民青派的部分）於事件後散發的傳單，圖書館前衝鋒而來的新左翼黨派中也有革馬派執拗地吼道「回頭，回頭，突擊來了！」[600]遭文學部的革馬派軟禁一百七十三小時的林文學部長記道，「大概是因為把我長時間軟禁卻也沒得到什麼成果，他們（革馬派）威信盡失，所以似乎變得更加凶暴。圖書館前民青與共鬥派交鋒之際，據說最勇猛作戰的，就是革馬派。」[601]

這天的衝突就在大眾傳媒的眼前上演，隔天報紙的報導指出「雙方主張如何暫且擱置一邊，眼前的光景只讓人感覺恍如低成本電影中出現的黑道互砍畫面。」根據報紙報導，甚至出現「在全學共鬥會議準備的角材中，找到前端以鐵板包覆，並插上鐵製細棒的『武器』。還有釘入鐵釘並敲彎的棍棒。看不下去的學生還提醒道『這樣搞會弄出人命吧』。可戴頭盔與面罩的人回吼道『殺了對方也無所謂』」的場面[602]。

這天夜裡約有兩千名無黨派學生與數十名教授在周遭，但據報導稱，教授們「零零散散地躲到人牆之後站立」，「根本做不了什麼，只能跟同事低喃『這下都完了』。」[603]

教授們的這種態度也遭報紙批評為「不制止學生的教授」、「只會旁觀的教授」。接著報導還提到「學生對於『無論何種正當的主張，只要透過教授會這個過濾器，就會消失無蹤』大感不滿。共鬥會議打算從根本改變這種『過濾器』體質的強硬方針，意外地獲得學生們的共鳴。」[604]

但被捲入的普通學生，大部分也只是冷眼旁觀兩派的衝突。根據當時的報導，女學生邊哭邊要求：「這不是我們的學校。你們為什麼不阻止呢？為何只是沉默地旁觀？」但「圍在遠處的學生卻站著談笑道『民青也挺厲害的嘛』，宛如只是在看電視般的口吻。」[605]其中有數名靜坐在兩派之間的助教與學生，呼籲「停止暴力」，報紙評價他們的舉動為「唯一的救贖」[606]。

這些回憶與報導的細節，照例也有些今天無法確認的部分。但有兩件事可以確定。其一，相互行使暴力與教授的無力透過大眾傳媒傳播到全國，如同《讀賣新聞》寫道「理性的學府在這天夜裡，發出轟然巨響，然後崩塌」一般，東大的權威盡喪無遺[607]。另一點就是行動隊打敗東大全共鬥，使全校封鎖遭遇挫折。

東大全共鬥在武裝內鬥中敗北，宮崎表示「簡單來說，人無完人，東大全共鬥（即便擅長講道理）在武鬥上委實沒多大本事。」[608]全共鬥的大橋憲三也回憶道，「我們的力量確實不強。如果是議論事情還有點氣勢，但要逼自己貧弱的肉體強行展示暴力的話，真的打鬥起來也心知肚明沒有勝算。」[609]

然而，「反對暴力」不過是「資產階級人道主義」的思想，已經滲透東大全共鬥。柏崎千枝子不滿自稱馬克思主義者的指導教授批評民青與全共鬥的亂鬥乃「黑道打架」，如此寫道[610]：「你所謂的思想，難道只是『聊天』的同義詞嗎？裝出一副有風度的模樣，以評論家、旁觀者的態度看待歷史和鬥爭，認為我們與民青的激烈衝突不過是『黑道打架』。」「（這種）似是而非的馬克思主義者，我們今後將透過我們的鬥爭，宣告他們的『死亡』。」

就這樣，東大全共鬥繼續推展封鎖全校的戰術。十四日全共鬥也在駒場嘗試封鎖第三、第六兩座本館，但被民青的行動隊以及主張「避免流血」的教授與無黨派學生阻止[611]。

而暴力的連鎖反應，之後卻一路擴大。如果自己這方疏於施暴，就有遭對手攻擊之虞，這種效應對連鎖暴力起到決定性的作用。某全共鬥的學生在座談會上表示，「只要毆打過他人一次，之後便無法停手，無法放下武鬥棒。」加上「民青中似乎有車一族眾多，把他們的車砸毀時，那種快感爽不可言。心中頓感清爽。」如此，無意義的暴力變得橫行[612]。

於是，東大全共鬥逐漸變質。據東大社會學部教授福武直表示，到一九六八年十一月為止，東大全共鬥即便戴著頭盔，「但除了特別的狀況外，校內遊行時並不帶武鬥棒。」但「從此時開始使用武鬥棒逐漸變得常見。」[613]

在十一月之前，對東大全共鬥而言，武鬥棒與其說是武器，不如說是一種象徵，一種表現行為。吉野源三郎於一九六八年夏天詢問山本義隆「與大學當局交涉時為何必須帶角材與頭盔？」山本回答「自羽田、佐世保鬥爭以來那就象徵著我們的鬥爭。不過如此。」[614]

初期東大全共鬥學生所持的武鬥棒，即便外觀很長看來氣派，但材質只是杉木，打在人身上極容易斷裂。但共產黨行動隊的棍棒則是堅實的橡木。等到東大全共鬥與民青的武裝內鬥檯面化之後，東大全共鬥也需要牢固的武鬥棒，最終武鬥棒變成了鐵管。

但，東大全共鬥的模式原非由高層下令下層執行，應該是不適合軍事行動的組織。因此關於武鬥的執行部隊一如十一月十二日綜合圖書館前的衝突，不得不仰賴參加全共鬥的各新左翼黨派部隊。

因此，為了對抗共產黨的行動隊，東大全共鬥開始從校外招來新左翼黨派的支援部隊。各新左翼黨派也認為「稱霸東大即可稱霸全國」而投入部隊。但其組織力量終究無法與共產黨抗衡。內藤國夫如此寫道[615]：

> 東大十個學部中，唯一由日共派牢牢掌控自治會執行部的教育學部校舍，出現相當數量的日共外人部隊常駐校內之體制，給人日共派作戰本部的感覺。日共派學生散發的傳單，也由油印機

印刷改為活字版印刷，連日散發數量龐大的傳單。表示「我們來支援東大鬥爭」的日共派全學聯也堂堂進入東大，以小貨車運來三合板或角材，大量製作新的看板。

日本共產黨在這場總體戰中投入巨大的能量，令我們倍感驚訝。此前遭共鬥會議打壓，無精打采的東大內日共派學生似乎也活了過來，變得更加活躍。日共與反日共的抗爭，屢屢可見雙方攻守互換的光景。……

而在引進外人部隊上，日共派一方明顯更加有實力。那種組織力、持續力，加上全國性的動員能力，任何一項都比反日共派那種弱小的各新左翼黨派更優越，有如大人比小孩、蘇聯比捷克般的差別。

反日共派的外人部隊扛著長達五公尺的竹竿，背著鐵管，抓著石頭，然後分別戴著紅、白、藍、黑等色彩鮮豔的頭盔，乍看之下色彩繽紛，英勇無雙。但一旦展開實戰，立刻呈現「烏合之眾」的難堪。完全看不出有序的「統制」。

零散隨便的雜牌聯合軍，沒有指揮的部隊，不可能贏得戰爭。

與他們相較，雖然日共派的外人部隊並不顯眼，但具備實力。即使只有一支武鬥棒，也絕對不會使用超出遊行、武裝內鬥所需的長度，而選擇不會動輒折斷的材質。……遵照指揮的「嗶——、嗶——」的哨聲，沉默地、一絲不亂地執行行動。與總是開朗喧囂的反日共派不同，日共派一方有著了不起之處。

根據當時的報導，「大量動員外人部隊這個行為本身，反映出東大紛爭中失去支持者的民青派所面臨的困境，這幾乎是該派以外所有大學生都承認的事實。」[616]但自雙方引入支援部隊起，東大鬥爭急速暴力化，由東大校內鬥爭變質成以東大為舞台的共產黨與新左翼黨派之黨派鬥爭。

原本東大鬥爭是始於醫學部學生要求改善待遇的「純粹經濟鬥爭」。但新左翼黨派卻以建立七〇年安保鬥爭據點及發展自家派系勢力為目的。一九六八年十月，教養學部自治會委員長、屬於構改派的今村俊一於雜誌訪談中如此說明[617]：「此東大鬥爭與〔追求大學民主化的〕日大鬥爭不同，以現今的打破醫療體制為一個目標，之後想辦法把我們的勢力延伸到一九七〇年，因此現在不過是一個階段而已。」不到一個月前的九月十七日聲明中，他還發表「正在思考東大整體能如何轉變為民主主義的國民性格」，此時卻起了變化，兩者相去甚遠。

加入東大鬥爭的新左翼黨派打算利用東大鬥爭，將同情全共鬥的東大學生拉入自家派系。十月二十一日的國際反戰日，各新左翼黨派企圖動員東大學生參與自家派系的遊行。一九六八年十月，反帝學評（社青同解放派的學生組織）散發標題為〈將十・二一國際反戰鬥爭當作粉碎安保的突破口〉之傳單，文中如此主張[618]：

「東大鬥爭教導我們各種事情。應該作為『自由』與『聖域』的東京大學，以及在其中求學的我們，實際上卻受到看不見的力量所監視，我們逐漸看清自己是被操弄的。」「政府統治者把我們學生、勞工推入不可饒恕的屈辱狀態時，還使用暴力，有時則用各種懷柔手段。」「七〇年安保必須以國際性的鬥爭加以粉碎。因為安保會給亞洲人民帶來沉重的負擔。將十・二一當作此負擔的突破口！各班參與十・二一實行委！」

此處可見到該派主張，在東大鬥爭中認知到校內問題的學生，必須將眼光投向國家層級、國際層級的權力鬥爭與資本主義體制的問題，接著尚需關注七〇年安保，而為了達成此一目標，參加此派系遊行乃是第一步。

在這種狀況下，東大全共鬥的運動者也發生轉變。如前所述，醫學部運動者今井澄在一九六六年表示：「在當今的體制下，我們無法成為有自信的醫師，去面對國民。這就是我們運動的出發點」，但一九六八年十一月底的座談會上，他對民青的東大學生表示[619]：「關於引入外人部隊，我甚至覺得你們的想法很落後。」最終全共鬥的文宣品也與日大鬥爭時一樣，批判反對引入黨派的「外人部隊」是一種「東大國族主義」。東大全共鬥的變化，展現出一種最終把自身支持基礎掏空的傾向。山本義隆在一九六八年十一月的座談會上，除了主張「大學自治」等實屬幻想，只是教授與壟斷資本企圖掩蓋他們對大學的控制，還如此說道[620]：

「各位同學有一些對權力的定位不夠明確的問題，五〇年代的大學理念，亦即所謂『大學自治』這種落伍的理念至今依然殘留在東大鬥爭中，面對引入機動隊才會有『踏足神聖場所』的批評。」這等於表示普通學生抗議引入機動隊的意識落伍了。

東大全共鬥變質的同時，東大民青也在十一月接受黨中央的指令，被迫澈底改變方針。根據宮崎學的回憶，十一月十二日的綜合圖書館前亂鬥後，東大的全共產黨員被緊急召集，由黨中央告知將改變方針，指出「東大基層組織的領導方針是與托洛斯基分子革命競爭的極左騎牆派。」而且，當有人想要反駁時，則被斷然告知「這不是討論的會議，而是傳達高層決定的會議」，並已備妥印上「東大民主化行動委員會」的活版印刷傳單[621]。

大窪一志的回憶也大致相同[622]。據大窪稱，「十一月十六日，突然拿出來自從未聽過的『東大民主化行動委員會』的活版印刷單。文中揭示了『當前的訴求與主張』，那是改編四項訴求且去掉原本精髓的內容。」再根據大窪的說法，「我們身為東大的黨指揮部也未接到通知。雖然也被通知了一些事項，那就是將改組為東大民主化行動委員會這個組織。」由大窪等人組成的東大鬥爭勝利全學聯行動委員會遭到解散，成員被命令到東大民主化行動委員會底下活動。

據大窪稱，「在這單方面的措施後，以中央委員會書記局的名義召集東大的全部黨員。在晚間使用農學部大教室舉行的會議上，書記局單方面批評東大基層組織，『認定這是偏向極左的問題。』之後，在會議上當有東大黨員提問或要求發言時，遭告知『這不是討論的場合，而是傳達高層決定的場合』，不允許任何的提問與討論。」

如前所述，在黨中央看來，大窪等東大的民青引起了「極左的偏向」。大窪稱，之後「我們在東大鬥爭中的行動，完全被置於黨中央委員會的澈底管理下。從中央委員會送來許多成員到東大，每天早上由他們傳達書記局決定的當日行動，並嚴格確認昨天的行動，檢查是否有脫離黨意之處。」

此外，新的四項訴求中更改了協議會的性質。十月十一日大窪等東大鬥爭勝利全學聯行動委員會的傳單上，表達協議會「必須擁有在評議會、教授會下決定前的討論與決定權；必須賦予學生、研究生當然的拒絕權。」十一月一日該委員會的傳單也寫道「全校營運的協議會，為本校經營相關的實際最高決定機構。」[623]

此種協議會的特質，使協議會必然成為類似「勞資協調的經營協議會」的組織，很明顯這是大窪等人努力的成果。然而，十一月十六日民主化行動委員會提出的訴求中，卻將協議會降格成反映學生與研究生意見的機構。取而代之的是在訴求中加入「驅逐全共鬥」[624]。這種內容變更，很容易推測是來自黨中央的指示。

東大經濟學部教授隅谷三喜男指出，「東大紛爭從十一月十二日以後進入新的階段。應該說，東大紛爭不再是東大的紛爭，而變成以東大為舞台，爭奪全國性學生運動主導權的鬥爭。」[625]如此，在東大鬥爭急速變質之中，最終普通學生開始脫離全共鬥。

第十一章　東大鬥爭（下）

本章將接續前章，描寫東大鬥爭的後期到末期。這段過程決定了全共鬥運動之後的風格。

文部省的對策與加藤新執行部的登場

當共產黨介入東大鬥爭的同時，文部省一方也開始著手處理頻繁發生的大學鬥爭。

首先，一九六八年十一月六日與七日，文部省舉行國立大學學生部長會議，包含東大在內共有七十五所大學的學生部長參與，共商校園紛爭對策。此會議上，文部省確定如下方針：（一）學生只能有限度地參與大學經營；（二）不應回應學生所謂的「大眾團交」；（三）拒絕上課（罷課）引起的留級問題，不應輕易准許學生畢業、升級；（四）為防備紛爭的激化與擴大，各大學間應加強聯絡。[1]

文部省特別感到警戒的是設置協議會。一九六八年九月，富山大學經濟學部在關於教授人事上成立了反映學生意見的協議會。文部省批評此做法，並確立如下方針：「沒有行政責任的學生不得參與教授人事、教育內容、使用國家預算的大學預算等行政事務。」[2]

此外，當時的文部省大臣灘尾弘吉針對文學部長林健太郎遭軟禁團交一事，於八日指責「學生所謂的大眾團交僅是單方面壓迫對方，此事已甚為清楚」，「這種行徑完全不尊重人權、不尊重生命」，並提及「普通學生在想什麼，希望大家能努力站出來」，表達對「普通學生」的期待[3]。灘尾文部大臣於十一月十一日更進一步表示，「如果〔全共鬥〕做出封鎖全校的舉動，那麼我們也不得不封鎖東大。」[4]

接任灘尾成為文部大臣的坂田道太針對東大問題提出如下見解[5]：民青提倡組成教授、職員、學生握有同等權利的協議會，而全共鬥主張「必須澈底破壞這個社會」，「破壞之後並無任何計畫，但屆時一定會訂出計畫」。對於全共鬥的無端暴力，民青與大多數學生都沒有共鳴，但實施大規模處理或引入警隊時卻出現「過敏反應」，「發生全校罷課的狀況」。因此，「學生應確切掌握自己究竟所思為何？所求為何？對當局有何期待？」，「據此在校內孤立別有政治意圖的學生。」

上述發言的旨趣，在於排除全共鬥並積極與普通學生交涉，持續拒絕民青提倡的協議會，以及孤立全共鬥。從結果而言，在此方針下東大鬥爭邁向了終結。

有如與文部省措施同步般，大眾媒體上也把全共鬥派學生稱為「暴力學生」、「激進派學生」，把未加入全共鬥或新左翼黨派的學生稱為「普通學生」。東大全共鬥派的小冊子上對此指出[6]：「『普通學生』一詞被頻繁使用，我們之中也有學生表示『我也是普通學生啊……』。」

另一方面，十一月一日大河內校長辭職與各學部長更迭，十一月四日由法學部長加藤一郎就任代理校長，開始收拾事態。

加藤新執行部的賣點在於「年輕」。學部長平均年齡五十．八歲，較之前學部長的平均年齡小六歲。此人事更新的背景因素中，除了如某教授所言「在現階段，誰也不想擔任校長啊」之外，加藤的就任也被認為「出乎意料」，於是新執行部積極展開與學生的接觸[7]。

與大河內相較，加藤一郎是個大塊頭且活躍的人物。一九六八年七月留美歸國不久的加藤，仔細閱讀過校內的傳單與立牌看板後，於十一月十六日進入安田講堂，與東大全共鬥約定於十八日假安田講堂「公開初步磋商」[8]。當時的報導稱，「東大採訪班記者們認為，教授們『終於在進入十一月後』真正表現出認真的態度。」[9]

只是，即便執行部年輕化，但只要大學的結構未有改變，仍難以提出迅速的解決方法。學生方有許多事項希望透過與代理校長和學部長等進行團交，尋求立即回覆，但東大的制度上，必須透過各部教授會、學部長會議、評議會的決議，否則無法決定校方的意見。

例如十一月九日，與工學部新部長團交之際，全共鬥方宣言「這個大會不是教授們與學生對話的會議，至多只是要求前執行部自我批評，以及搞清新執行部今後態度的會議而已」，並追問對於七項訴求的回應究竟為「是」或「否」。當時面對學生的叫囂而火大的新學部長回應道，「你們這些傢伙，我可不是希特勒啊，如果是希特勒，什麼都可以自己做出承諾，自己實施，可是你們的要求不是我一個人可以決定的啊。所謂大學這種組織呢……。」[10]

關於這點，已辭職的大河內校長也採取同樣態度。大河內只有在引入機動隊一事上專斷獨行，但之後的對策不斷處於落後與下風，他如此說明理由[11]：「如果是公司的社長可以專斷獨行，要求員工這樣做、那樣做。然而，東大校長卻完全沒有那種權限，所有的事情都必須商討之後才能決定。校長只能遵循討論後決定的事宜，說難聽點，就類似一個聽令的機器人。」

教養學部的助教授增田義郎表示，「這麼說好像在說反話，不過本次紛爭之所以如此難以解決，原因之一就是教師方的機構與安排太過民主化。」增田稱，因戰後的民主化，東大也大量增加委員會與各種會議，「無論校長或學部長，只是擔任統籌意見的角色，完全不能有專斷獨行的舉止。」同時，「這種民主式組織的內部，依舊垂懸著舊帝大時期『告示』、『學部細則』般陳舊感覺的闌尾」，這便是當時東大的狀況[12]。

所謂的東大，經歷戰後民主化與經濟高度成長下的巨型化後，仍在各處保留了往昔體制。增田說道，「如果東大這個組織從頭到腳都保持著封建、舊式的時代錯誤體制，那麼問題就不會如此複雜？」[13]的確，在古田會長擁有絕對權力的日大，九月三十日大眾團交時，古田專斷地迅速答應日大全共鬥的要求，所以事態並未發展到東大的狀況。

後述十一月十八日加藤代理校長與東大全共鬥的「初步磋商」亦是如此，全共鬥方宣布此次見面是「大眾團交」，脅迫大學接受七項訴求並進行自我批評。與此相對，加藤將此次見面稱為「初步磋商」，一直堅持「教授方仍在推動意見彙整的程序」，「尚非陳述結論的階段。」[14]而看在全共鬥眼中，這不過是種不誠實的遁辭。

因此，東大全共鬥對「年輕化」的執行部並不抱期待。早在七月的座談會上，東大全共鬥的研究生們即如此說明[15]：在行會般的研究室中，擔任老闆的年長教授是個問題，但「比較年輕的老闆也有問題。這些人將戰後科學推向前沿，但許多人都是留美歸來，這種經歷往往可看出他們執著美式理性主義，要求資料至上主義、科學至上主義。」「在科學至上主義之下，追求資料之際，非人性的要素逐漸膨脹，隨之大學也就邁向非人性化、追求理性化的狀態。」東大全共鬥的學生與研究生把加藤新執行部視為「年輕老闆」的集團。

加藤新執行部在十一月十日的評議會上呼籲「全校集會」，隔天十一月十一日召開的教授集會上，號稱「〔六〇年〕安保鬥爭以來」聚集最多教授的會議，共有約五百名教師參與。但，最終一百五十名戴頭盔模樣的全共鬥派學生還是來到會場，約只留下二十名教授與學生討論，其餘教授則先回去。某教授對新聞記者表示，「今天是教授方的集會，但會議流會了，自然大家都離開。就算學生想對話也得遵照規矩，與不打算遵照規矩的學生既無法對話，也沒有對話的必要。」[16]

如前一章所述，十一月十一日東大全共鬥與大學當局的交涉到期，確定朝封鎖全校的方針邁進。助教共鬥在九月底提出的訴求即主張「大學權力作為國家權力代言者而發揮功能，與為反抗這種大學而戰鬥、欲確立自身權力的學生諸君之間出現對立，而這是種基礎的、根本的對立，絕對無法透過對話或妥協來解決。」[17]

依循這樣的路線，十一月十一日東大的學生解放戰線（前社學同ML派）大聲疾呼「〔加藤新執行部〕只把『對話』當作一面看板，這樣的做法反而更具欺騙性」，「已經到了無法跟當局『對話』或『交涉』的狀態」，「依靠我們的力量澈底擊垮當局！邁向全校街壘封鎖，進擊！！」[18]全鬥聯也在十一月十二日的訴求中主張「擊殺摩拳擦掌企圖靠權力扼殺我們運動的加藤『新』體制！」[19]

然而，十一月十二日東大全共鬥的綜合圖書館封鎖行動遭共產黨行動隊阻止後，態度出現了大轉彎，同意十八日與加藤執行部「公開初步磋商」。理學部罷課實行委員長島泰三如此回憶[20]：「在這個時期，宛如走上與過往完全相反的路線，全共鬥願意接受與大學當局『公開初步磋商』。」「全共鬥最底部的運動者搞不太清楚狀況，只覺得全共鬥幹部聯合與各黨派幹部聯合似乎在盤算著些什麼，又或者，十二日綜合圖書館的戰役失敗，造成了相當大的影響。」

不喜歡雜務而從未參加全共鬥代表會議的島泰三似乎不知道，此時期的全共鬥正陷入危機。如前章所述，十一月十一日共產黨機關報《赤旗》上刊登關於大學問題的評論，明確表達共產黨將介入東大鬥爭的態度。十二日綜合圖書館封鎖遭共產黨行動隊阻止，更加深人們對共產黨決定性的印象。據《朝日Journal》記者且與東大全共鬥相當親近的宇佐美承的說法，因為此事「全共鬥」陷入「最大的危機」[21]。

據宇佐美稱，「想要續命只有兩個策略」，一個是「抵抗日共派，集結新左翼黨派。」此策略與引入其他大學的支援部隊，以及後述十一月二十二日的東大、日大鬥爭聯合集會有所關聯。另一個是「揪出加藤代理校長進行團交。」[22]

這兩個「續命法」並非什麼令人耳目一新的方法。在日大鬥爭時，因一九六八年九月與機動隊攻防戰時消耗太大，日大全共鬥內部也討論過是要對大學當局提出大眾團交，或者引入新左翼黨派支援部隊作為解決方案。在東大，這種事態較日大更遲了兩個月，可說與民青發生的衝突正是引發此狀態的契機。

實際上，一九六九年東大全共鬥編纂的《在堡壘上打造我們的世界》中有如此紀錄[23]：「曾論定與大學當局沒有談判餘地的全共鬥，之所以會答應談判，是因他們自覺到與民青的權力關係中有所不足。」

另一方面，十六日加藤代理校長與東大全共鬥約定十八日舉行初步磋商後，前往理學部校舍與民青派的「統一代表團準備會」見面。前述十一月十一日的《赤旗》評論中，認為全共鬥主張的「大眾團交」是「一部分的托洛斯基分子主張絕對只能採取這種方式，這與只主張『直接民主主義』、否定代議制民主主義的無政府主義見解相通。」[24]原本民青方就主張應由各學部選出統一代表團與校方折衝、談判，並無變成「拷問」式大眾團交之虞。

然而較全共鬥更晚進行交涉的民青方質疑，「加藤代理校長為何推進與暴力集團全共鬥的對話？」[25]十一月十六日東大民主化行動委員會的訴求中主張，「解散暴力團體獨斷成立的『全學共鬥會議』」，「作為真正的學生代表，我們強烈要求大學當局絕對不可與不具任何資格的托洛斯基分子暴力集團（『全共鬥』一派）談判。」[26]但加藤代理校長決定與東大全共鬥並行，也與「統一代表團準備會」約定十九日舉行公開初步磋商。

如前章所述，東大民主化行動委員會是在共產黨的指示下突然成立，不過也聚集了一定數量討厭全共鬥激進化的普通學生支持。一九六九年初與大野明男的對談上，大野詢問「民主化行動委員會中，有多少非民青同盟成員的人？」與他對談的研究生增山明夫回答「不知道確切的數字，不過應該超過半數吧。」[27]

實際上，《世界》雜誌於一九六九年二月十日的東大學生問卷調查（回收率五十八％）中，也顯示東大民主化行動委員會的支持者中，支持共產黨比例為五十七・八％。這在大學生對社共支持率很高的當時，數量也算相當多，不過也可看出東大民主化行動委員會的支持者並未與共產黨支持者完全重合[28]。

此時，東大全共鬥對同時與民青進行談判的加藤代理校長提出抗議。東大全共鬥主張自身為全校唯一的代表團體，校方只能與全共鬥展開大眾團交。全鬥聯於十一月十八日的訴求中主張「日共、民青與當局勾結、沆瀣一氣，打算收拾鬥爭事態」，「此時正應當澈底追究『新執行部』的責任！」[29]

與加藤代理校長預定進行公開初步磋商前一天的十一月十七日，校外新左翼黨派的支援部隊陸續集結到安田講堂。東大全共鬥議長山本義隆與日大全共鬥議長秋田明大舉行共同記者會，宣布二十二日兩個全共鬥將於安田講堂前舉辦聲援集會，此外也有大量各新左翼黨派的支援部隊將前來參加[30]。東大全共鬥同時著手與大學當局重新展開交涉，以及仰賴新左翼黨派支援的兩種「續命法」。

到了十八日下午兩點，加藤代理校長在安田講堂舉行「公開初步磋商」。安田講堂中聚集了約三千五百名學生，無法擠入的學生與教職員則在外傾聽為此特別設置的擴音器。針對七項訴求，校方已經幾乎確定接受「完全撤銷文學部懲處」之外的六項。而在文學部，也已於九月七日公告解除對該遭停學學生的懲處，此時若還堅持要求校方承諾「完全撤銷」也僅具象徵性的意義，等於迫使校方自我批評[31]。

但全共鬥方始終要求加藤代理校長全數接受七項訴求。加藤代理校長表示這個場合僅是初步磋商，不將意見帶回評議會無法得出結論，並希望能站在「更廣泛的立場」重新考量文學部懲處，但全共鬥方毫不退讓。如此來回對話持續了約五個小時，之後全共鬥方咒罵加藤「完全都沒說自己的意見」，「全都在避重就輕」，「沒有認真回應」，單方面地宣布集會結束，並一齊叫喊「滾回去！滾回去！」將加藤趕出安田講堂[32]。

以硬漢形象聞名的加藤代理校長還對新聞記者團表示，「學生一起喊『滾回去！滾回去！』，只是在說再見而已」，留下尚有空間的態度[33]。東大全共鬥此時仍有可能以大部分的訴求獲得接受而宣布鬥爭勝利，但他們卻自行斬斷了與校方繼續折衝的這條續命法。

根據大原紀美子的手記，與加藤代理校長初步磋商決裂的當夜，重新開放了安田講堂內數間之前封鎖的房間，分配給各新左翼黨派與鬥爭委員會[34]。全共鬥方已忽視佔領當初不碰安田講堂內設施的原則，擺出與校方全面對決的態度。

「七項訴求」的極限與全共鬥的「政治」厭惡

十一月十八日，加藤代理校長答應七項訴求中的六項，提議重新審視剩下的「完全撤銷文學部懲處」。第十章提及的都市工學科助教授川上秀光評價，「從過往的學生運動來看，這完全稱得上跌破眼鏡的劃時代大勝利。」[35]

然而，東大全共鬥卻拒絕這麼看待。當時東大教養學部助教授、政治學者的佐藤誠三郎於一九六九年六月的論文上指出「從政治角度來看是令人難以置信的愚行。」佐藤稱，「一九六八年秋天幾度出現得以光榮獲勝的機會，全共鬥卻採取不接受任何妥協的僵化態度，輕易地讓這些機會溜走。」[36]確實當時東大全共鬥在動員能力上明顯較民青劣勢，也喪失全校封鎖的可能性，考量如此情勢，接受加藤代理校長的提議，宣布實質上的「勝利宣言」，從政治上來看是更賢明的做法。事實上，鬥爭後全共鬥運動者之間也傳出「在十一月的階段就該劃下句點」的聲音[37]。

只是，當時東大全共鬥的欲求已發展到七項訴求不足以表達的程度。七月中旬決議的七項訴求，只是將當時各集團視為問題的要求，半分務實地加以羅列而已，其中既無「自我否定」，也無「大學解體」。

東大全共鬥的成員對此也有自覺。一九六八年末，助教共鬥的最首悟如此敘述[38]：「七項訴求乃運動之初，學生對鎮壓自治的抗議，作為一個爭取受教權的學生權利擴大鬥爭，當然屬於個別的改良鬥爭。」但九月時，東大這所菁英輩出的教育機構把質問自身當作鬥爭目的之際，「東大鬥爭在質量上已經達到飛躍性的提升。」

同為助教鬥爭成員的村尾行一也於一九六九年三月如此敘述[39]：「原本聚焦『七項訴求』這種反懲處鬥爭的全共鬥，其戰鬥也「『跨越』了『七項訴求』，『深化』成自省大學究竟是什麼的戰鬥。」

若真是這樣，或許在鬥爭目標轉變之際，東大全共鬥就應該廢棄七項訴求並揭示新的要求。但如前章所見，東大全共鬥的學生與研究生無力找出足以表達自身不滿和不安的話語。

從結果來看，東大全共鬥把七項訴求當作一種象徵，寄託他們無法表現的欲求，並不斷執拗地要求校方全數接受這些要求。之後東大全共鬥把校方是否全數接受七項訴求、進行自我批評的「接受七項訴求的態度」，及個別要求中無法完全表達的「七項訴求的精神」，當成自身疾呼的重點。

十一月以後的東大全共鬥，開始主張七項訴求是邏輯一貫的要求。東大全共鬥在十一月二十五日提出的訴求中公開表示，「『七項訴求』具有一貫的內容……具有顛覆當局過往以來根基的內容。」[40]某無黨派運動者主張，七項訴求「具有統一性，是立足於一貫邏輯上的要求，承認這些要求，就是整體承認這種邏輯」，「在否定一切大學既存性質的意義上，七項訴求乃最高綱領。」[41]

山本義隆也主張「把『七項訴求』定位為具有一貫邏輯，而該邏輯必須從原則上去否定作為既存機構的現存大學，我們提出的就是這樣的理論。」[42]從這樣的論述方式來看，七項訴求即為整體一貫的理論，部分接受沒有任何意義。如此一來，東大全共鬥拒絕校方接受六項的提議，主張必須全數接受。然而，無論如何閱讀列出實際要求的七項訴求，似乎都讀不出上述的主張，這使東大全共鬥以外的人們十分難以理解。

但與其說，東大全共鬥把七項訴求視為「一貫邏輯」，不如說是一種象徵，這在前章提及一九六八年十一月三島由紀夫參加的座談會上已表露無遺。當時青醫聯成員表示「不接受訴求，即便進行團交也毫無意義。接受之際，也就是承認大眾團交之際。」此時小出教養學部教授說道「那麼，只要貼出全數接受七項訴求的告示就可以了嗎？」全共鬥的學生與研究生吼叫道「我們不要什麼告示，告示什麼東西，混蛋！」[43]

當時的《朝日Journal》解釋這種態度「並不是一種政治性的發想，不是只要以某種形式承認七項訴求就算勝利。」[44]如果七項訴求屬於在政治上想獲得的目標，那麼校方接受六項訴求就應當是學生運動的「大勝利」。即便把七項訴求當作一個整體的邏輯，當校方提出全數接受的告示，也算充分達成目標。

但他們當下要求的，是在「大眾團交」的場合，在萬餘學生面前讓校方接受七項訴求，並道歉和自我批評。做到這點，大概他們所謂「接受七項訴求的態度」也就能獲得滿足。然而，即便可以辦到這點，依舊無法填滿他們無法以言語完整表現的心中的茫然、不滿與不安，亦即無法滿足所謂「七項訴求的精神」。東大法學部教授福田歡一針對七項訴求有如下敘述[45]：

首先，這象徵著年輕世代不必然有足夠的能力，能將自身內在要求化為語言表達出來。……去年七月全共鬥組成時，因應「當前局面下的具體目標」而設定的七項訴求，即便在當時也未必能充分表達學生的意見、欲求及心情。更何況其內容在邏輯上因捲入新左翼黨派的各種情狀而夾帶不少雜質，以此作為大學改革的主張，本身就「眼光過於短淺」，無法完全涵蓋暑假後四處奔流、不斷升級的運動欲求。於是，七項訴求被添加上越來越多意義、追加訴求也不斷變動，在毫無止境的狀況下，或者就乾脆主張「承認七項訴求乃對話的前提」，或者不得不主張「不是照字面的意思去理解，重點在於接受的態度。」在大學應對遲緩的期間，因對方的「不作為」而讓運動能量如堆雪人般累積，雖然這掩飾了邏輯上的無力與無理，但隨著大學開始提出應對方法，他們也就錯失了「宣布鬥爭終結」的良機，只能固執於以武力進行全校封鎖的戰術。要把在這種過程中出現的主張、行動全與七項訴求掛勾，本來就是不可能的事，最終只能落到事後才主張其正當性的下場。如此一來，只能讓人推測正因為失去足以表現欲求的話語，所以才讓行使武力演變成最終的目的。

直到大河內校長辭職為止，因大學方面欠缺應對策略，掩蓋了七項訴求的邏輯弱點，一路擴大了普通學生的支持。但當加藤代理校長回應接受七項訴求的大部分時，全共鬥反而落入困境，只能走上沒有邏輯的行使武力一途。

與福田持同樣意見者不在少數。例如桐朋學園助教授北澤方邦寫道，東大全共鬥「除了七項訴求之外，他們提不出任何關於大學改革的知性願景，而且在貫徹訴求的行動上，採取有違大學改革問題初衷且無意義的暴力型態，因此，東大紛爭的『學生力量』幾乎看不見……巴黎『五月革命』時展現出來作為『開端』的創造性願景。」法政大學教授益田勝實也表示東大全共鬥「自始至終執拗於七項訴求，即便途中飛躍成『粉碎東京帝國主義大學』的口號，仍舊無法為七項訴求賦予嶄新、確切克服大學內在矛盾的提案，他們無法延伸、拓展這些要求，實在讓人感到遺憾。」[46]

全共鬥也有人察覺此點。例如安田講堂攻防戰後某經濟學部的研究生如此寫道[47]：「東大鬥爭從一開始就包含對現代社會與身在其中卻毫無意見的自身進行批評，從根本否定自我的契機。」「但讓人感到惋惜的是，共鬥會議的思想侷限於七項訴求這種詞不達意的表現，後續無法提出更尖銳的觀點，補上更快的一刀。」

而且，七項訴求並未凝聚普通學生的支持。十一月的座談會上，駒場的某學生表示，進入罷課時雖提出七項訴求，但「普通學生接受程度不佳，他們提出的訴求與普通學生太有距離感。」[48]確實，七項訴求羅列了各新左翼黨派、全鬥聯、青醫聯運動者眼前直接面臨的問題，但普通學生不滿的源頭，如改善量產型授課或改革講座制等要求，一項也未納入。

更進一步說，對全共鬥的無黨派激進派成員而言，七項訴求從鬥爭之初就不是目的。八月舉行的座談會上，全共鬥的研究生們直截表明：「就我個人而言，對校方以及與之相連的體制方鬥爭時，提出什麼訴求都行。如果專注於實現這些訴求，便無法與體制方展開全面性的對決。」「贊成。本次鬥爭的本質性目的，並不在各項訴求之中。」[49]

在七月的座談會上，這些研究生與助教們直言設置協議會等的改良鬥爭，就是成為體制的「共犯」，將使運動斷送在「民主式管理」上。他們在此座談會上紛紛表示，「為了對抗那種改良鬥爭，我們必須給對手提出非常大的問題。最好提出體制方絕對無法接受的條件。」「我們的基本立場就是，現今應當繼續說『不』。」「無論對方提出什麼提議，我們都得提升一個層級說『不』。」「在這層意義上，對校方的提議，我們必須一直說『不』。」[50]

對他們而言，重要的不是訴求是否獲得實現，他們更看重為了「思想表現」、「奪回主體性」而在鬥爭中獲得充實感的「確立主體性」。十一月二十二日助教共鬥提出的呼籲即表示「我們……不是為了鬥爭而活。而完全是為了活著才進行鬥爭。」[51]

如果目的是在鬥爭中「確立主體性」，訴求不過是一種權宜說法，只要提出對方無法接受的要求，讓鬥爭得以持續即可。因此當校方表示實際上可以接受七項訴求時，東大全共鬥又提出「接受七項訴求的態度」、「七項訴求的精神」，不斷說「不」以持續鬥爭。

如前章所述，東大鬥爭的特異性質在於，過往大學鬥爭以實現訴求為主要目的，從中獲得活著的充實感或「確立主體性」不過是副產品，但在東大鬥爭中卻成了主要目標。因而說明具體要求的七項訴求，成了表現鬥爭意志的象徵。這種「為了鬥爭而鬥爭」的傾向，如上述從七月座談會發言便已出現，不過在校方提出實際上願意接受七項訴求的十一月之後，表現得更加明確。

政治學者高畠通敏於一九六九年一月針對東大鬥爭的評論中如此寫道[52]：

> 東大全共鬥的七項訴求中，並未提及任何關於學生參與經營或如何改造東大的具體計畫。即便文學部問題已撤銷，仍迫切要求取消懲處，這表明鬥爭目標的象徵意義遠大於實質意義。他們認知到採取這種路線時，伴隨著敵方讓步而取得部分勝利，其實與墮入敗北僅有一線之隔。問題的關鍵在於要高舉全面勝利的印象，透過個別的——有可能的話要盡量困難的——戰鬥，來確立革命性的主體。他們在大學社群內感受到的心理上的疏離，無法透過社團活動或與教師「對話」獲得解決。因為他們意識到更「存在性」的東西，所以藉由與教師對決的「決鬥」，或者全面拒

絕嘗試「對話」的教師，加上自己在以身涉險中與同志的深刻交心，方能療癒這種心境。

透過鬥爭的自我實現，有時也以自主管理大學，形成公社的形式展現。十一月十一日東大全共鬥派的社會學科研究所自治會鬥爭委員會傳單中主張，「所謂『真正的大學自治』，就是建構顛覆現行體制的大學」，「透過毅然封鎖執行全校自主管理！！」「邁向全校成為公社的願景！！」[53]

與此同時，民青批評東大全共鬥的這種態度根本不切實際。當時民青掌控的駒場宿舍之宿舍委員會在九月二十日的傳單中如此主張[54]：

「想要創建一個什麼樣的大學呢！關於這點，〔全共鬥派的〕『罷課實行委』諸君並未提出任何具體的形象。粉碎設置協議會！粉碎七者協！粉碎什麼什麼！只會呼喊打倒，但反對之後到底要創造什麼，完全沒有說明。」「他們一部分的『進步分子』公開宣稱的就是這種狀況，封鎖安田講堂、封鎖醫學部本館，接著封鎖醫院、封鎖駒場辦公室，接著再度升級成全校封鎖＝自主管理，這一連串的封鎖戰術就是如此。他們有一部分人更進一步說，要使事態更為發展，讓『東大全校成為解放區！！』然而……這種構想有多夢幻、有多不實際、有多背離時代，應是一目瞭然的。而他們的這種願景，因掌權方直接統管大學、引入機動隊而給了他們藉口，但此願景卻是將東大鬥爭引向『革命性』敗北的、全無展望的方針，與學生、宿舍生的利益站在對立面，這委實再清楚不過。」

此傳單這樣描述與東大全共鬥相異的大學觀點：「『罷課實行委』的諸君主張，資本主義體制下的大學是教育工廠，不過是基於資本家的要求，完全遵照他們的意志不斷生產勞動力。所以他們主張，藉由癱瘓大學的教育功能，進行罷課，亦即讓教育工廠停工，就是他們的戰鬥。」「他們認定教授是教育工廠的一種職務，基本上與我們學生處於敵對關係。」然而，如同馬克思從資產階級經濟學中學習進而寫下《資本論》般，當前體制的大學仍有值得學習之處，從事為人民服務的研究仍屬可行，因此什麼「否定學習就是戰鬥」根本就是胡扯。何況校內還有民主派的教授，理應與他們聯手打造統一戰線，進行東大改革[55]。

對此，東大全共鬥批評在現行體制下進行研究或鑽研學問，就是被編制入體制內，「民主式的研究」、「民主派的教授」不過是妄想，民青的協議會設置案乃「改良主義」，等同於總評的春鬥要求調薪，不過是種「獲取主義」。十月全共鬥提出的傳單主張[56]：

「無論再怎麼『民主』的教授，只要身處現行大學管理機構的『教授會』中，作為其中一員活動，也只能在底層貫徹壟斷〈資本〉的教育政策。」「對於民青獲取主義規範出來的『鬥爭成果』，在客體化後成為一種路線的狀況，我們必須加以批判。在全面革新戰鬥主體上，他們澈底缺乏形成戰鬥主體的契機，藉由『獲取制度鬥爭』而取得的制度，在當今國壟資〈國家壟斷資本〉的強大統合力面前，根本毫無抵抗能力。」

而民青則認為，全共鬥的「七項訴求本身是羅列眼前的、改良式的要求」，不過是「當局容易接受的要求」，較設置協議會等四項訴求拙劣，批評那不過是在彌補全共鬥戰術過於激進的缺失。十月的民青派傳單上批全共鬥「只是把戰術升級」，一直「藉著華麗的行動矮化鬥爭」[57]。

上述一來一往的批評可以看出，東大全共鬥與民青的鬥爭觀念是如何南轅北轍。對東大全共鬥而言，重要的是「形成鬥爭主體」，而民青提倡的設置協議會等要求，則反映在現行體制內追求「改良主義」、「獲取主義」。但民青認為全共鬥毫無願景，只一味讓鬥爭更加激進，藉此彌補缺乏願景的缺失。

而民青認為所謂的運動，即是考量政治上的效果與敵我間的力量，取得能被實現的具體成果。亦即民青把運動視為「政治」來推動。但對東大全共鬥而言，運動乃「思想表現」、「確立主體性」，並非取得某種具體目標的「獲取主義」，從而亦非「政治」。

如前所述，當時的《朝日Journal》把東大全共鬥說成是「缺乏政治發想的」集團。一九六八年九月發出的全共鬥派小冊子中，把「『政治』理論」稱為「外在理論」，並指出「從中脫離有多重要。」[58]當時某教養學部的學生也記下，透過妥協與實現部分要求來結束鬥爭的做法，被全共鬥無黨派的學生「稱為『政治主義』且有遭厭惡」的傾向[59]。

東大全共鬥的這種狀態與過往大學鬥爭當然不同，甚至與日大全共鬥也存在相當差異。在日大，因校內的壓迫顯著，屬於為了獲勝取得具體成果的「政治」鬥爭。因此，一九六八年九月三十日的大眾團交上，古田會長等人若能同意要求，他們便會感到滿意，也未出現如東大鬥爭中的「獲取主義」、「改良主義」等指責聲浪。如果隔天佐藤總理也沒介入，那麼日大鬥爭極可能如第七章所述的一九六八年初的中大鬥爭般，以學生方獲得全面勝利告終。

會有這些相異之處，可思考幾個理由。第一，日大鬥爭中，全共鬥議長秋田明大清楚表示自己閱讀馬克思主義文獻時「我也搞不太懂」；與此相較，東大鬥爭則由概念傾向很強的研究生與助教擔任引導任務。第二，東大雖然存在講座制的弊端，但其壓抑較日大為少，因此比起改良校內制度或實現具體要求，更把焦點移向「形成主體」這種「自我追尋」上。第三，因東大全共鬥與追求校內民主化及改良校內制度的民青彼此對抗，故也從初期提倡參與大學經營轉向拒絕參與經營及改良校內制度。

如此一來，東大全共鬥與民青究竟誰「正確」，因基準不同，其實無法判斷。大致來說，東大全共鬥的態度看在「大人」眼中，就是乳臭未乾的感覺。

一九六八年十二月，擔任東大全共鬥學生座談會司儀的精神科醫師灘·稻田表示，他們「如果有一個摧毀東大便能改革日本學生的計畫，那就太好了」，「但知道他們並沒有這樣的計畫時，真是令人沮喪，並讓人留下他們並非革命家的印象。」[60]確實，既無具體計畫，又熱中於追求「形成主體」的模樣，看在「大人」眼中恐怕絕不像「革命家」。

「民主主義」批判的抬頭

追求「形成主體」、對一切制度改良或大學當局的提案都說「不」的東大全共鬥，把民青提倡的大學「民主化」、「現代化」以及更進一步的「民主主義」都視為他們厭惡的對象。運動早期可舉前述七月研究生們的座談會上，他們把設置協議會批評為「民主式管理」為例。

到了九月，這種論調更為增加。理學部鬥爭委員會於九月十六日的傳單上寫道，醫學部鬥爭是在與「以『現代化』、『合理化』形式登場的醫師登錄制度」抗爭，認為「引入機動隊絕非對『大學自治』或『大學民主主義』的鎮壓」，批評「八·一〇告示中包含著學生『參與』的『現代化』學生管控。」[61]九月二十日教養學部罷課實行委員會的傳單也主張，「在教育學部試行學生運動對策＝讓學生參與大學經營而強化管理控制。我們不可忽略躲在『民主』背後的攻擊」，呼籲反擊「以『民主』、『現代』為幌子的國大協路線、產學合作路線的攻擊。」[62]

但如前章所述，九月十七日今村教養學部自治會委員長表示「正在思考東大整體能如何轉變為民主主義的國民性格。」東大全共鬥的文宣品上對「民主主義」、「民主化」、「現代化」的批評變成家常便飯，大概始於民青以「大學民主化」與全共鬥展開對抗，亦即這種結構完全形成的十月後半左右才開始。十月下旬的全共鬥派訴求中主張「打破遵循校內統治現代化、合理化的『民主化』路線、設置協議會的幻想」，「『封建』＝『惡』；『現代化』＝『善』的結構，我們該毫無批判地接受嗎？」等，而這種傾向在東大全共鬥內迅速擴散[63]。

在日大，這種傾向在後述十一月二十二日「東大、日大鬥爭勝利全國總誓師集會」，亦即日大全共鬥受東大全共鬥的影響之前，並不明顯。在那之前日大全共鬥的口號是「大學民主化」。日大遠比東大有更多「不民主」的壓迫，在東大全共鬥中遭學生嫌惡的「民主的教授」、「進步的文化人」遭日大當局驅逐而不存在，加上日大的民青勢力弱小，毋寧是站在支援全共鬥的一方，這些條件造成日大全共鬥的狀況。換言之，東大全共鬥的鬥爭型態與論調，是在東大特殊的校園情況下方得發生。

在東大加速這種傾向的，正是加藤執行部的登場。如前所述，東大全共鬥的研究生們從七日開始主張「年輕的老闆」依據「美式理性主義」與「科學至上主義」將大學「非人性化、理性化」。接著東大全共鬥將加藤執行部指為「現代派」，主張「粉碎『現代派』收拾事態」[64]。

第十四章將會詳述，對「現代主義」、「民主主義」的批評始於二戰結束前，由共產黨周圍的左派論壇提倡，並非東大全共鬥所創。而東大全共鬥的「菁英」們也感受到因經濟高度成長而激烈變化的社會，他們站在「現代的不幸」面前卻遍尋不著能夠表達自己的話語。在此情況下，他們援用左派論壇流通的用語來表達，對付當前兩方面的敵人——民青與加藤執行部，在使用的過程中形成批評

「民主主義」與「現代」的論調風格。這仍是因東大的特殊狀況而產生的風格，不過此風格也被之後的全共鬥運動所仿效。

十一月十二日的綜合圖書館前衝突之後，對抗民青的意識更加強烈。十八日東大全共鬥派的訴求中出現「他們（民青）已經完全淪落成當局的『私設機動隊』」，「他們攫取黨派的物質利益，為了增加日共教職員的人數而利用這次東大鬥爭」，「全面粉碎日共、民青的反革命」，「消滅日共機動隊！」等充滿敵意的內容[65]。

東大全共鬥對「民主主義」的批評也隨之加強。法學部的助教與研究生組成的法共鬥於十一月二十日呼籲，「我們絕不可忘記，他們（民青）主張的『代議制民主主義』，在東大鬥爭中究竟是如何實現的。」[66]民青主張的校內「自治會民主主義」只會讓抗爭者綁手綁腳，唯有帶有戰鬥意識的少數分子無視多數決，率先邁步才得以突破現狀，促使這場鬥爭前進，就像重新佔領安田講堂那樣。到最後，東大全共鬥更把民主的自治會蔑稱為美國佔領軍賜予的「波茨坦自治會」。

到了十一月下旬左右，東大全共鬥開始主張不僅要在大學內改革，也需要對整個社會進行變革。這大概是因為十一月二十二日東大、日大鬥爭連帶集會成為鼓吹革命的新左翼黨派大集會，在籌備過程中刺激他們產生這種主張。十一月二十日，四三青醫聯東大支部提出〈日共＝民青是『民主主義』的『守護神』嗎？〉，提及「現在我們東京大學中守護『民主主義』的『正義的夥伴』正在全國大動員中盛大登場」，並如此敘述[67]：

> 我們必須打破的，絕不僅僅是「大學」固定觀念承認下的，其框架內各種「不民主」。首先

最重要的是，要正確認識大學作為一個整體在社會的現實定位，接著以邁向社會主義為目標，以先鋒自居，從階級社會中人民的立場出發展開大學論，有別於國家體制方的改變大學邏輯，我們必須提出對大學的根本性變革想法。

十一月二十五日東大全共鬥名義的訴求也如此主張：「全學共鬥會議一般不會要求『民主化』或『參與』。既然大學本身的機能已被納入現行社會體制，由教授會負責，我們身為教授會以外的批評者，應可察覺彼此間的緊張關係才是真正的問題點。」[68]

亦即，只要不改革納入大學的日本資本主義體制，鑽營大學內部的「民主化」或機構便不具意義。這樣的主張有一定的正當性。但這也代表只要未能改革日本或世界上的資本主義體制，東大鬥爭就永無終止之時。這根本遠超東大全共鬥在現實中的能力。

同時，職員們則主張，切實的大學內部制度改革才是重點。理學部職員工會十一月十六日的傳單〈我們向理事的訴求——從勞工的立場出發〉，即如此主張[69]：

> 現在打算強行封鎖的學生主張，「追求民主化的夢想，最終只會淪為敵人（政府、自民黨、壟斷資本）的爪牙。……『大學民主化』不過是一種欺騙，大學應該和『民主化的新芽』一起被封鎖解體。」……封鎖派的人自己放棄大學，我們只看到他們用領導權收走他人（不屬於封鎖派的人）的財產（大學、生活、職場）——那種權限來自所謂的「個人權力」。然而，對我們這些大多數只能賴此為生的底層勞工來說，重點不在「民主化」的可行與否，而是這個民主化就等於

「生活」。

但東大全共鬥懷疑職員工會等組織可能屬於共產黨派的組織，故沒有回應此訴求。

東大全共鬥已經演變至與初期的醫學部鬥爭截然不同的狀態。到了八月初，《東京大學新聞》的記者如此描述負責安田講堂警備的學生[70]：「你們雖然把大學當局的一切都視為敵人，封鎖了本部，但你們覺得這種狀態可以持續到什麼時候？你們已經不知道自己究竟為了什麼而行動，早就失去了目標，不是嗎？」

當時的報導也寫道，「東京大學的紛爭隨著時間的延長與規模的擴大，問題焦點也益發模糊。」[71]此外，八月時造訪安田講堂的雜誌記者詢問東大全共鬥學生對於鬥爭的展望時，只得到「沒有明確的展望」，「或許沒有獲勝的可能，但，鬥爭的經驗將牢牢地留在每一個人的記憶裡」的回答[72]。

而聚集在東大全共鬥的各新左翼黨派對東大鬥爭的定位也各有不同。社青同解放派站在過往理論的延伸上，認為東大鬥爭是對產學合作的抗爭。掌控文學部自治會的革馬派則批評「波茨坦自治會」乃小資產階級激進主義，東大鬥爭「雖是提升至極限的鬥爭，但也是個別改良鬥爭」，重視在鬥爭過程中形成邁向革命的主體（增加革馬派的同盟成員）[73]。

支持毛澤東思想的社學同ＭＬ派（一九六八年十月起，隨著上層政治組織改組為ＭＬ同盟也改名為學生解放戰線）主張，仿效中國革命在地方建立解放區，將「東京帝國大學」解體改為解放區。社學同主張東大鬥爭不限於校內鬥爭，這股力量將朝街頭鬥爭發展，並與國家權力對峙[74]。喜歡引經據典來搞運動的新左翼黨派立場都如此紛呈，無黨派運動者對東大鬥爭的想法，大概就更不一致了。

文學部的革馬派運動者鈴木貞美於一九九三年的回憶錄中敘述道[75]：「東大全共鬥是新左翼的混雜之處，研究生的鬥爭組織『全鬥聯』擔負調停的角色，就此形成組織。這雖可以廣泛促成學生參與，但作為鬥爭組織一開始就有弱點，而這樣的弱點在激進調性的煽動下即暴露無遺。」

如前章所述，東大全共鬥的成員並非共產黨般金字塔型的剛性組織，而是自詡為憑個人自由意志參加的寬鬆運動型態。然而，這與其說是意圖依照某種原則而打造，不如說是由各新左翼黨派與代表全鬥聯的無黨派運動者組成的聯合體，所以不得不保持寬鬆的型態，並在運動高昂時期開放自由參加，因而聚集許多學生，這才是實際的狀態。

全共鬥的這種形式，在校方應對失策導致運動高漲的時期，能保證運動思想的多樣性並得到一般學生支持。但當校方表示願意接受七項訴求中的絕大部分，全共鬥被迫必須與民青進行組織性對抗時，組織與思想皆不統一的全共鬥便陷入困境，思想不統一也導致激進言論頻傳。

校內輿論動向與武裝內鬥橫行

如此一來，激進化的東大全共鬥失去了普通學生的支持。大野道夫根據當時民意調查與學生大會的票數，研究了東京大學內全共鬥的支持率，指出一九六八年暑假前後全共鬥的支持率急增，至十月達到最高峰，之後漸次降低。大野稱，整個運動時期「不關心」與「中立」的回答有所減少，至十月為止全共鬥的支持度是增加的，但此後中立、不關心者卻流向批評全共鬥的一方[76]。

十月後半，東大全共鬥確立全校封鎖路線，但與九月封鎖醫學部時先取得醫局人員同意的狀況不同，此時期逐漸走上強硬暴力封鎖的路線。又如前述，此時起東大全共鬥的傳單頻繁出現激進的語調。

但東大全共鬥的支持率並非單方面的減少。根據一九六九年二月《世界》雜誌針對東大學生的意見調查，一九六八年九月全共鬥參加者有十・三%，支持者二十七・四%，至十一月時參加者有十五・二%、支持者有十八・〇%。到了一九六九年一月，全共鬥參加者更增加至十六・九%[77]。

從上述調查來看，東大全共鬥的參加者與支持者合計約三成，並維持穩定，只是從「支持」轉移到「參加」的人隨月份而持續增加。因此，東大全共鬥透過全校封鎖迫使眾人在是否參加鬥爭上選邊站，促使原本同情全共鬥的人轉而參加鬥爭，此戰術可謂成功。

當時因支持全共鬥，而被稱為「造反教授」聞名的助教授菊地昌典表示，「無黨派激進派的思想，越是概念化、烏托邦化，對那些希望持續尋找未來烏托邦前景，拒絕被現代體制併吞、吸納與去人性化的人們，就越是充滿魅力。」[78]全共鬥的參加者與支持者直到最後皆能維持三成左右，大概是出於上述理由。

當時的東大學生、研究生總數為一萬七千六百九十二人。大野道夫指出，一月的全共鬥「參加者」比率為十五至十八%，若計算為二千七百至三千二百人，那麼全共鬥自稱「『全共鬥三千人』其實雖不中亦不遠矣。」[79]

但《世界》雜誌的調查中，一九六八年九月，對全共鬥表示「對抗」態度的人有十・二%，表示「批判」的人有二十七・八%，表示「中立」的人有十四・四%；而到了十一月，「對抗」的人增為二十二・二%，「批判」的人增為二十九・三%，中立者減少為八・七%。至翌年一九六九年一月，對全共鬥「對抗」的人急速上升到二十八・四%；一九六八年七月時「中立」者為十五・六%，隔年一月則降為五・四%；同年七月「不關心」者為十六・七%，到了一九六九年一月則驟減為一・六%。此外，「支持」全共鬥的人在一九六八年九月達到最高峰，有二十七・四%，至一九六九年一月下降到十八・八%[80]。

亦即，東大全共鬥不允許中立、強迫選邊站的企圖，在兩層意義上獲得實現。此戰術成功讓同情者也加入鬥爭，但從整體來看，在把中立者或不關心者推向批判或對立面上，也發揮了很大的效果。如此一來，十一月以後大致在七比三的比例下，全共鬥的參加者與支持者落入少數派。

中間派的叛離傾向，自九月初封鎖醫學部本館後即已出現。九月二日醫學部學生同志提出的傳單中，承認一九六八年一月以來的鬥爭擠出「東大老舊膿血」的功績，接著強調在八・一〇告示中獲得讓豐川醫學部長與上田院長辭職的成果，之後訴求結束無限期罷課[81]：

「東大全共鬥已因《讀賣新聞》記者暴行等事件，導致輿論不再支持學生。若繼續升級行動，只會給學生帶來更多不利。」「如同封鎖鐘樓，又更進一步封鎖醫學部本館、醫院、全校，對行政事務、研究、診療都構成直接妨礙，等於自行斷送大學的自治。而且，因這種戰術的升級，學界中人的意識結構絕對不可能被改革，而此際大學的最後手段，即是引入機動隊。」

十一月中旬以後，東大全共鬥開始變質成與共產黨、新左翼黨派之間的黨派對抗，即便校方願意接受七項訴求中的絕大部分，東大全共鬥仍予以拒絕，而當他們開始指責「民主主義」、「現代化」並贊同「暴力」，叛離全共鬥的人數就更為增加。

十一月十二日綜合圖書館前的全面衝突後，十一月中旬以降的東大，變為民青、東大全共鬥及新左翼黨派的黨派鬥爭，彼此間的武裝內鬥橫行，校園逐漸成為無法無天的區域。據大原紀美子稱，鬥爭初期民青與全共鬥運動者在同一場所派發傳單的狀況很普遍，「但當雙方反目成仇，開始發動武裝內鬥後，漸漸不可能在同一場所同時拿到全共鬥與民青的傳單。」更有甚者，「十一月到十二月的一個多月期間，甚至無法通過赤門[vii]。」[82]

此時也發生對視為敵方陣營的人處以私刑的事件。據《東京大學新聞》稱，十一月二十五日午夜零時左右，行走於本鄉校區的《東京大學新聞》記者四人與營業員一人，被強行帶入安田講堂內訊問，其中一名記者遭受四個小時的私刑，之後在《東京大學新聞》上描述當時的情況[83]：

> 最初訊問的全鬥聯學生們口口聲聲說「東大新聞對全共鬥一貫採取敵對的態度」，「主張與日共民青相同」，嘲弄著說「日共、民青掌控了編輯部吧」，威脅「正好藉這個場合搞清東大新聞的真實狀況，對全校進行宣傳」，「如果不改變主張，就毀了東大新聞」，並持角材包圍四個編輯部成員，脅迫「說清楚報紙的編輯方針，進行自我批評。」……
>
> 另一方面，凌晨兩點左右，其中一人被與其他四人分開，松井君被帶往三樓……聲稱即便毆打也要套出情報，將他帶往地下室。松井君就這樣被堵上嘴，遭S・F・L〔學生解放戰線，原社學同ML派〕、普羅軍團等人物進行長達四個半小時的集體施暴。
>
> 當時S・F・L、普羅軍團等學生質問「日共的軍事組織是什麼狀況」、「在法政大學等處耀武揚威的日共『曙戰鬥部隊』會來東大嗎」等，接著列出各學部教授、學生的名字，脅迫問道「說出日共、民青的運動者姓名」，「說出在東大的日共、民青的組織」云云。

松井君面對學生質問，若保持沉默不回答，就被嗆道「快說，打到你說為止」邊持續毆打松井君的臉。之後，每提出一個問題就說「再等你十五秒，如果不說，就繼續打」，一超過時間，在場的八、九人便一同上前毆打，除了臉部，也用腳踢下腹部、毆打胸部與頭部。……

他們還使用與特高警察同樣的手法進行訊問，說「其他四個人都招了，你也快說吧」，之後又要求「把到現在為止對全學共鬥會議的敵對行為都做自我批評，今後與全學共鬥會議站在同一個立場一起作戰」，並繼續施加暴行要求寫下自我批評書。

結果造成這位記者全身內出血，必須澈底靜養三天的重傷。報導指出，隔天上午十一點過後東大新聞編輯部前往安田講堂抗議，之後五人才獲得釋放。

根據遭受暴行的「松井君」提供給《東京大學新聞》的口述，對方脅迫要他說出東大內的民青與共產黨組織成員，但「那種事情我怎麼可能知道，但他們就像瘋了一般……說著『挨揍的話就會吐實了吧』、『把知道的事情全部都吐出來』、『只要說了就不揍你，但一定揍到你說為止。就算你死了也無所謂。殺了也無妨。』一邊持續揍我。」而當他對《東京大學新聞》的編輯方針進行自我批評後，全鬥聯成員要求「把你說的內容都寫在立牌看板上，表達東大新聞有多麼胡說八道。貼上那樣的宣傳。」[84]

這些口述有多少為事實，照慣例今日已難以查證。當時的大學報多為自治會掌控的黨派御用報

vii 譯註：位於東大本鄉校區的一個校門，臨本鄉通，原屬加賀藩宅邸的出入口之一，因施以朱漆故俗稱「赤門」。

紙，東大全共鬥也認為《東京大學新聞》屬於民青派，這就是該場暴行的背景因素。

八〇年代後半時，當年採訪東大鬥爭的東大新聞記者北野隆一稱，鬥爭時東大新聞總編輯表示過，「東大鬥爭開始時，編輯部由四到五名民青派，以及對三派系有共鳴的約五到六人組成」，「所謂的運動者極少。」不過，從總編輯「不可進行街壘封鎖」、「那只會造成封殺反對意見，排斥討論的體制」等意見可以看出，不像日大全共鬥中自治會最終只剩形式，在東大，仍有人認為應以自治會進行鬥爭[85]。

有如在反映這位總編輯的意見般，十一月十二日綜合圖書館前的衝突之後，十一月二十五日出版的《東京大學新聞》以〈大量動員阻止全校封鎖〉為標題，報導「（民青派）全學聯派學生在各學部否決封鎖方針，此外，理、農、法等通過反對封鎖決議，即便如此（全共鬥）仍強制執行（封鎖），我們對此提出嚴正抗議。」

但當時的東大新聞編輯部中，民青絕非多數派，而且大多數普通學生皆反對全校封鎖，因此可說編輯部企圖保持中立。但北野訪談的其他編輯部成員則表示，「那個時候不斷被問『你的立場究竟是站在哪一邊？』但就算是報紙，也不可能完全沒有立場，如果這麼幹，不就變成最不負責任的『騎牆派』了。」[86]

無論如何，東大全共鬥似乎很厭惡不支持自己的《東京大學新聞》。北野於一九八〇年代屢次去拜訪在升學補習班擔任講師的山本義隆，但山本拒絕所有媒體的採訪，自然也拒絕了北野。據北野稱，山本如此對北野說[87]：「東大新聞對我們的鬥爭採取敵對態度。時至今日竟然還能若無其事來找我。」如果此事為真，那麼即便鬥爭經過二十年，對在當時狀況下毫無關係的學生記者仍口出此言，也說明了山本對《東京大學新聞》的厭惡有多深。

另一方面，東大全共鬥的學生也主張民青同樣執行私刑[88]。在一九六九年初的座談會上，東大全共鬥的女學生如此敘述：「民青的私刑相當可怕啊。我認識的某個人在深夜十二點半被抓，時間竟長達四個小時。原本是個瓜子臉，卻被整得整張臉都腫起，認不出本人來。把人嘩地扔進大水槽裡，全身濕透就像地溝裡的老鼠，接著把人以這種接近裸體的狀態趕出去，讓人無地自容。」時至今日此敘述真偽同樣無可考證，但十一月以後東大鬥爭中確實有交相內鬥的狀況。

這種暴力橫行的狀態，也是導致十一月以後對東大全共鬥批評變多的原因之一。同情全共鬥的教養學部教授平井啟之於一九六九年初如此敘述[89]：「我自己到十一月為止的階段，仍覺得學生的暴力行為乃不得已而為之」，但「大河內先生辭職後，學生諸君照舊呼籲封鎖全校，並升級暴力，這可以認定完全就是毫無章法、毫無意義、極度不合理的作風。就我所知，學生諸君中同樣也有人改變立場，改採批評的態度。」

文學部教授福武直也在安田講堂攻防戰後如此寫道：「在大學不回應諸君（東大全共鬥）抗議行動的階段，可以主張封鎖與佔領的正當性。許多普通學生也支持諸君。」但與民青的內鬥日常化後支持低落之際，「諸君應當回歸學生自治，在自治中與民主化行動委諸君進行對決才是。」在此狀況下，到了十月「各學部的罷課實行委員會漸次變為全共鬥派」，約莫因為這樣他們才會「在解散（民青派的）東大學生中央委員會的行動中，變得益發驕橫。」[90]

自十一月起至十二月以降的東大全共鬥開始蔑視「班級民主主義」，也很少派運動者前往班會討論。根據大野道夫日後的問卷調查，前全共鬥運動者也表示「全共鬥遠離了班會討論」，「應該著手日常生活的鬥爭」[91]。反映這種情勢，十一月十二日法學部的學生大會，以及十四日理學部學生大會上，分別通過反對全校封鎖的決議[92]。

福武也如此呼籲東大全共鬥[93]：「鬥爭長期化下，諸君嘗試對身為東大的學生、研究生，或身為助教的自己進行自我否定，即便不是百分之百，但我非常想說我能理解各位的心情。在困頓之際打出東大解體的口號，在某種意義上我也能諒解。但是，在那之後諸君對將來又有何展望呢？」「或許要否定日常存在的諸君正視現實，這種要求是徒勞的。當否定日常性成為一種自我陶醉時，最終，夢想的結局會不會與諸君的初衷相違呢？」福武的指摘，多少也切中一些事實。

引發共鳴與反彈兩種情緒的「自我否定」

如第一章所提及般，《世界》雜誌對東大學生的意見調查中，在「你認為東大鬥爭主要目標是什麼」的複選題部分，以回答「大學民主化」佔四十六・二%與「確立自我主體」佔四十一・七%為最多。之後是「自我變革」佔三十一・七%；「解體現行大學體制」佔二十七・二%；「追求根源性的思想」佔二十五・六%；「表明對體制的拒絕」佔二十五・〇%；「恢復理性」佔二十・一%；「驅逐暴力學生」佔十九・一%[94]。

這些選項中，「大學民主化」、「恢復理性」、「驅逐暴力學生」為民青方的主張，「形成自我主體」、「自我變革」、「解體現行大學體制」、「追求根源性的思想」、「表明對體制的拒絕」則接近東大全共鬥的主張。從數據上可看出，這兩股潮流幾乎處於對抗的狀態。

前文反覆提及的「確立主體性」，應該也可用今日的「尋找自我」來表現，認同此口號的學生也不少，不過更多的學生雖對引入機動隊、講座制等大學的不民主態度感到憤怒，卻不必然贊同「全校封鎖」、「大學解體」、「自我否定」等主張。畢竟，若澈底「自我否定」，除了研究、上課之外，只要現代資本主義社會還未改革，自己也就必須拒絕升級、畢業和就業。對大部分的學生而言，這樣的犧牲過於龐大。

當時《週刊朝日》的年輕記者川本三郎在一九八八年的著作中如此寫道[95]：「『自我否定』這個詞」，即「對『你是什麼人』這個問題的自我追求。」而「在此之前想要採取行動卻未能如願的每個人，各自被囚困在孤單的內心世界中，而當『自我否定』這個關鍵詞誕生的瞬間，許多學生頓感『那正是我在想的東西啊』，而深受全共鬥運動的吸引。在這層意義上，這運動與其說是政治革命，不如說是思想革命更為恰當。」

反之，內藤國夫指出[96]：「他們〔東大全共鬥〕會落入少數派，原因也就出在這個自我否定的理論上。」「東大的普通學生雖對懲處、引入機動隊與之後校方的對應方法站在批評的立場，但他們作夢也沒想過要摧毀東大，因此當全共鬥推出大學解體、全校封鎖之後，他們立刻背離全共鬥。」

在某種意義上，川本與內藤的主張都是正確的。在經濟高度成長造成的社會巨變中，惱於「你是什麼人」這種認同危機的年輕人們，受到「自我否定」此「關鍵詞」的吸引，這點從東大全共鬥在校內穩定維持三成的支持率，以及日後全國各地全共鬥中皆愛用此一詞彙亦可加以佐證。但如內藤所言，使七成東大學生背離全共鬥的，也正是「自我否定」理論。

根據內藤的說法，十月與山本義隆對話之際，山本如此告訴內藤[97]：「有些批評指責『我們只有破壞，但沒有將來該怎麼做的藍圖。否定現狀雖有邏輯性，但透過破壞想打造什麼，這點並未澄清。在如何打造大學這點上缺乏邏輯性』等等，但那些批評都是空話。」「大學應有的型態，那根本無法推理，因為沒有整個社會的願景、缺乏變革，那麼單談論大學完全沒有意義。」「你也是如此。只要你作為有良心的新聞工作者，越是努力工作就越能讓社會開心，最終在強化社會體制上就能起到作用。」

對此內藤反駁道，「這麼說有破綻啊。有人會對我說，怠惰吧，當個不負責任的記者嗎？大致而言，只要還活在當今的體制中，無論做什麼最終的結果必定會造成體制肥大。如果感到不滿而扔石頭打破玻璃加以抵抗，那麼玻璃廠商就會感到開心，如果對一切都感到厭煩而自殺，那麼這下殯葬業者就會感到開心，是這樣的嗎？」對此山本回答，「為何立刻說這種充滿侷限性的話呢？我並沒說要怠惰吧。你有思考過在這種關係中的自我究竟是什麼嗎？我說的是失去對工作的緊張感，拿著〈身為良心的新聞工作者〉這種免罪符而自我安逸，你考量過自己是否有這種傾向嗎？」

山本的主張具備一定的邏輯，對重新審視自己的定位有其效果。但如內藤所言，若質疑如何在當今世上生活才好，則猶如東大全共鬥提出「大學解體」後並無建設計畫般，實際上也無法得出具體解答。

山本在一九六八年《情況》雜誌十一月號上說明，所謂的東大鬥爭是「與自己內在的日常保守意識進行對決」，「東大鬥爭基本上並不存在勝利或者敗北。」[98]同樣在一九六九年三月號的《情況》對談中，他主張「這個運動可以作為一次思想運動。如果是要獲取某種東西的運動，可以在獲取之後停止，但這個運動並沒有停止的時候。」[99]

對捨棄研究者菁英路線而參加鬥爭的山本而言，東大鬥爭是為了戰勝想要回歸菁英路線的誘惑，持續到永遠的自我鬥爭。因此與川本所形容之「這運動與其說是政治革命，不如說是思想革命更為恰當」若合符節。但即便大部分東大學生能對這種「自我否定」的邏輯表現一定程度的共鳴，但終究無法跟進到最後。

佐藤誠三郎在評價東大全共鬥的「自我否定」理論時如此敘述[100]：

「人只要活著便不得不獻身於某些組織，而所有的組織都蒙受來自『體制』的汙染，即便程度有所差異。」「如此一來，除了打倒『體制』或自殺之外，沒有貫徹『自我否定』的可能性。即便『現存體制』遭推翻，『新體制』也絕無法保證能擺脫一切的惡並獲致自由。對『體制』的普遍性否定，等同於否定當今人類社會。」「如果一直忠實於自己的理論，最終將走上必須以當下活著的所有人為敵的困境，全共鬥就把自己逼上了這樣的境地。」

民青方的東大民主化行動委員會議長三浦聰雄於一九九五年如此敘述[101]：

這麼說對他們〔全共鬥〕有點失禮，年幼的孩子如果遇到什麼不願面對的事情，不是就會說「夠了，我不要」嗎？說白了，他們就帶有這樣的傾向啊。社會上意外地都如此評價他們的這種反應。東大的學生心中或許有某種菁英意識或者自戀，帶著想要與平常人不同的心情。在這種心境下若被告知「你現在身為東大的學生，如此繼續做研究，這樣真的好嗎？」「必須否定你的這種日常」，那麼自戀與菁英意識將立刻反擊，引發過激反應、情緒反應。將這種反應直接連結到破壞、解體東大，在理論上存在著太過跳躍的部分。

不過詳知東大全共鬥內幕的內藤國夫提出更透澈的見解[102]：「從力量上來看，他們（東大全共鬥）完全不具有立即展開（全校封鎖）的龐大動能。如何處理病床數過千的醫院及住院患者？如何在本鄉、駒場合計八十二萬平方公尺的校園中進行自主管理，很明顯遠超出他們的能耐。」「所以，我們可以旁觀、冷淡地說，即便是叫喊『貫徹封鎖、解體東大』的全共鬥學生……他們也僅僅是『總之先這麼說說看吧』的態度罷了。」

作為佐證內藤推測的證據，可從東大的學生解放戰線機關報中看出[103]：「（十一月）十二日以後，因對日共、民青遭遇軍事性的失敗導致政治上後退的全共鬥……並未釐清之後將如何一如「街壘封鎖」的字面意義般地貫徹執行封鎖，也尚未打算逼迫學生群眾確認是否支持，亦即還處於說說場面話的階段。」簡要而言，「全校封鎖」帶有迫使普通學生下決定的「場面話」成分。

但據內藤稱，「他們普遍不是這樣理解。他們思考的是現在立即轉移到『全校封鎖』，宛如東京大學明天就得面臨解體危機般，並據此宣傳。」「普通的東大學生在全共鬥打出東大解體、全校封鎖的瞬間，便大量脫離全共鬥。」[104]而十一月之後的武裝內鬥橫行，更加速了這種狀況。

全共鬥在肯定暴力時，也有一套他們自己的邏輯。今井澄於十一月底的座談會上如此敘述[105]：「現在東大是透過管理者的暴力在營運，眼下能夠暴露此事的，就只有我們的暴力。我們相信，總有一天一般大眾能理解我們揮舞暴力的本質與意義。」助教共鬥十一月十二日的「封鎖鬥爭宣言」也主張「要暴露『理性學府』的真相，只有依靠暴力」，「支撐我們暴力的，是對人性壓抑、疏離的憤怒。」[106]

不過，工學部助教授川上秀光則如此評價以暴力暴露「敵人」本質的論述[107]：

舉例來說就是這個樣子的：進餐廳故意把湯碗掉落摔碎，服務生便會出來。將她撞倒，領班就會出來罵人。再將他打倒，掀翻桌子，臉色大變的經理便會飛奔而來。此時執拗不屈繼續撂倒對方，打破窗戶，放火燒餐廳，就會引來權力方的爪牙——警察，壟斷資本家的老闆也登場。這是以餐廳作為敵人本體欲揭發真相的情節。這種鬥爭哲學雖有正確的一面，但相反也帶著危險的一面。因為，當摔碎湯碗時周遭的顧客會蹙眉，當撞飛服務生小姐時，顧客們也會一齊壓倒、制止施暴者，而且這種可能性應該不小。

實際上，身為「客人」的普通學生們持續對東大全共鬥發出反彈。當時的雜誌如此報導十一月中旬時普通學生的意見[108]：

「截至『七項訴求』的階段，我贊成共鬥會議的方向。但無法贊成全校封鎖。只要能達成全校集會，就應該在該大會上結束罷課，然後一切結束。」

「問全共鬥會議的那群人封鎖後的方針，他們卻完全回答不出。只要求當下讓封鎖成功，就這樣。」

「確實身而為人，所謂的運動者，許多都比一直在家躺平、毫無責任感的學生來得更有魅力。但他們引發某些事情時，拿著自己目標正確、動機純正等理由就不擇手段的幹法，比起手段錯誤的話就絕不採行的毅然決然態度，來得更差勁。」

「我已經獲得住友商事的雇用。但住友商事雇用原則是比同期生大兩歲就不採用。我已經歷過高四，所以不能畢業的話就一切化為烏有。這種狀況下身為大四生只有兩種態度。第一是無論如何都得畢業。第二是為了目標即便留級也在所不辭。第二種態度純粹就是在騙人。所以我選擇前者。」

「我對這場鬥爭一直採取批評的態度呀。共鬥會議雖然打出校園民主化的藉口，但目的卻是為了七〇年安保鬥爭把大學搞成荒廢狀態吧。就算現在這個階段，學校已拉出一條進步線，但共鬥會議仍拒絕對話、使用暴力。……不僅如此，他們自己都快畢業了，根本沒有那種改革大學的心思啊。……唉，在我看來，如有學生大會提出結束罷課我就會去投票，除此之外就在家讀書準備公務員考試。」

前述灘．稻田主持的十二月座談會上，全共鬥學生主張「對那些反對罷課想要出席上課的人，得強制不讓他們出席。為了鬥爭發展，必要時可以不守正規的程序。」對此，民青派學生回應「這是誰下的判斷？是你們吧。」「你們總絕對是正確的，像我們這種，就被當作愚鈍的人吧。是被你們輕蔑的人啊。」[109]這種對東大全共鬥的反彈，果然還是存在的。

根據前述《世界》對東大學生的意見調查，以十一月為界，不僅對全共鬥的批評變強，而且年級越高，批評鬥爭者便越多[110]。在法學部，罷課贊成派以三年級最多，四年級則多為反對派[111]。東大鬥爭同樣也是對就業更敏感的高年級，比低年級更傾向於批判鬥爭。

再根據《世界》的調查，前述鬥爭目標中，高年級多選擇「大學民主化」等「合理化要求」，低年級則多選擇「確立自我主體」等「存在性的要求」。民青的支持率也在高年級擁有優勢[112]。灌注熱情於「尋找自我」的純真低年級，與追求實際改善制度的高年級，兩者之間的差異於此亦可一窺端倪。

此外，當時以東大為首的「一流大學」中，到二年級為止搞運動，之後轉而準備公務員考試的學生不在少數。當時公安相關人士接受雜誌採訪時說道[113]：「他們升上三、四年級後突然就變得不關心

〔學生運動〕，因為得準備國家公務員考試。他們準備考試頗得要領，也注重出人頭地，所以這些人啊，肯定都把目標放在大藏省、通產省、自治省等單位。」

實際上似乎也有這類東大學生。兩位大一時都在三派全學聯活動的東大法學部學生希望將來在大藏省與自治省工作，他們在九月雜誌訪談上表示[114]：「公家單位的工作在某種意義上也是政治活動啦。」「要當公務員不能不追求出人頭地啊。例如在自治省，花五年在地方當個課長，之後經過三年便能當上本部的代理課長。這樣看來，自治省似乎有容易進入政壇的條件。」

依據前述的《世界》雜誌調查，高舉「存在」目標的多是文學部或工學部，醫學部則多追求民主化與制度改革。對存在感到煩惱的文學部學生；接受委託研究、執行外包工作時思考「研究究竟是什麼」的工學部學生；重視改善醫師登錄制度等制度改革的醫學部學生，此調查中可見到他們之間的差異[115]。

接著，當全共鬥激進化並打出「自我否定」等口號後，以高年級為主、基於現實考量的學生立刻叛離。即便在引發鬥爭的醫學部，秋天之後對全共鬥採取敵對態度者，與其他學部相較也呈現出一條激增曲線[116]。

當原本反對醫師登錄制的具體「經濟鬥爭」變質為提倡「自我否定」、「確立主體」的「思想革命」後，恐怕有不少醫學部學生提出批評。把初期的醫學部鬥爭形容為「原本明明是純粹的經濟鬥爭」的粒本良彥，也在一九六八年末改為支持解除罷課[117]。

於此同時，長期的無限期罷課也顯出疲勞。文學部與醫學部的普通學生於十一月的座談會上表示[118]：「當罷課進入第二個月、第三個月後，罷課變成習以為常的狀況，感覺都麻痺了。我們想努力釐清自己究竟對什麼不滿的慾望，也逐漸消逝。」「自己的要求是什麼，想去獲得什麼，在無限期罷課中自己的角色是什麼等等，在罷課之中逐漸被遺忘。」無法把鬥爭目標轉化為言語的東大全共鬥，無力阻止背離的傾向，除了持續叫囂激進的言詞之外，別無他法。

第三勢力的抬頭

全共鬥與加藤代理校長的公開初步磋商決裂的隔天，也就是十一月十九日，加藤代理校長與民青派的「統一代表團準備會」舉行公開初步磋商。乍看之下呈現出冷靜對話的氣氛，民青方將加藤代理校長的發言逐一文字化，並在確認事項上要求署名。

民青方強烈要求，加藤代理校長不可與東大全共鬥談判。但加藤認為全共鬥一方也有支持的學生，所以有必要也與全共鬥談判。當民青問及全校集會如何選出代表團、議長團時，加藤發言表示，「校方提議，由各學部、研究所選出可反映學生、研究生意志的代表」，民青方旋即確認「那麼全校大眾團交的代表也由各學部、各系研究生的自治組織以民主方式選出擔任代表，這樣行吧」，並要求代理校長寫下確認書[119]。

據此，屆時全校集會將不會由可任意加盟的東大全共鬥出面，而是經由學生大會「民主」選出的代表與校方進行交涉。下一步就是讓各學部自治會中的全共鬥派候補落選，如此只需在學生大會上選出民青甚至同情派擔任代表即可。至此，民青朝選出代表團邁出步伐。

不過，普通學生即便背離東大全共鬥，也不意味著支持民青。過去的大學鬥爭中，就算大眾傳媒期待普通學生奮起而行，但沒有組織的普通學生幾乎都很無力。然而因東大鬥爭曠日持久，各校區產生了無黨派學生的組織，如駒場出現「班級聯合」、「學生協議會」，本鄉出現「法學部懇談會」，經濟學部、農學部、工學部等出現「同志聯合」或「聯絡會議」等，並獲得普通學生的支持。全共鬥方把這些同志組織稱為「溺死在當前環境下的小狗們」[120]。十月九日，在教養學部的班級聯合舉辦「全校討論集會」後，這類活動變得活躍[121]。

經濟學部即是其中之一。經濟學部同志組織的領導人町村信孝——日後成為自民黨政權的官房長官——如此回憶當時情況[122]：「東大鬥爭很明顯已經成為全國校園鬥爭的一環。全共鬥甚至提出全校街壘封鎖、東大解體論，民青則把鬥爭搞成只為保護校園共產黨組織的運動，無論何者都讓人覺得他們有錯誤。我們思考的是更純粹的，把東大變成大家會覺得能來學習真的是值回票價的、充滿魅力的學府。」

日大鬥爭雖也組織了保守派的「有志會」，不過由町村領導的經濟學部同志組織也充滿濃厚的保守色彩。十一月成立的法學部懇談會，也有約三十人吶喊反對封鎖綜合圖書館，據說領頭的是已確定被運輸省錄取的學生[123]。

順帶一提，法學部懇談會的議長、三年級生瀨山俊一在安田講堂攻防戰不久後給《世界》雜誌的投稿中，直言「我們否定現在日本的『革命』」、「現在的日本並不存在某種強烈的矛盾，以至於大眾必須忍受所有〔伴隨革命而來的〕混亂」，「數十年如一日搬弄革命論的共鬥、民青諸君全都在胡言亂語。」瀨山也出席了前述三島由紀夫參加的十一月座談會，但遭全共鬥派學生痛罵「你所說的，簡單來講就是法學部畢業後變身成更好的官僚罷了，不是嗎？」[124]

第三勢力中，如九月組成的駒場「班級聯合」或本鄉的「聯絡會議」原本也屬於革新派[125]。特別是「班級聯合」在九月封鎖醫局時也支持東大全共鬥，有一段時期也以觀察成員身分參加安田講堂內的討論[126]。前述的研究生增山明夫表示，「『法懇』（法學部懇談會）這個組織，說穿了就是自民黨派」，但「『班級聯合』的諸君，徹頭徹尾是站在堅持罷課的左翼立場。」[127]

根據班級聯合發行的手冊，該團體由質疑九月以後的狀況的駒場數個班級的同志組成[128]。如前章所述，暑假結束後駒場的班會討論盛行，但「熱度逐漸開始消退，因討論的『議題消耗殆盡』。」之後九月七日與十八日的代議員大會完全變成新左翼黨派爭奪主導權的場域，讓他們思索「現狀已到了若把本次鬥爭的質與量託付給準職業的新左翼黨派集團，根本就無法獲勝」，因此提倡組織「由下而上，亦即由個人、班級開始」的班級聯合。

該班級聯合的手冊記載「新左翼黨派至今為止讓我們看到激烈的主導權之爭，對於那些醜陋的相互誹謗、中傷，我們已經聽膩了」，並且引用馬克思的《德意志意識形態》的字句，呼籲「起身，行動吧！」在這層意義上說他們站在「左翼的立場」，也非毫無根據。

然而即便是班級聯合，當全共鬥開始主張全校封鎖與大學解體時，也選擇了背離。十一月十四日全共鬥打算封鎖駒場第三、第六兩座本館時，班級聯合訴求避免流血且參加阻止封鎖。某班級聯合成員日後回憶道，「雖然我心中也有自我否定的想法，但當時全共鬥充滿要玉碎的氣氛。此外我們也反對民青的獲取主義。運動的局面上與全共鬥敵對，雖然苦惱於自身困難的立場，但心情上仍不願參加任何一方。」[129]

除了班級聯合，反對全校封鎖與暴力，但心情上支持全共鬥七項訴求的學生仍不少。參加此類同志團體的文學部與法學部學生於十一月底接受雜誌採訪時如此說道：

「鬥爭中大多數時間都在家讀自己想讀的書。……但是，即便沒參加運動，這次的東大鬥爭仍在精神上帶給自己很大的鍛鍊。我們的立場是支持鬥爭本身，支持所做之事的正當性。所以如果說必須選擇，那麼我們還是支持邏輯上具一貫性的全共鬥會議。」[130]（文學部學生）

「自不待言，現在的東大需要根本的改革。但共鬥會議諸君在做此事之前，更著重把東大打造成七〇年鬥爭或革命的據點。他們那種東大變得如何都無所謂的想法，我們無法接受。渴望一種不培養建制派高級官僚的人民大學，這種心情我不是不能理解，但作為現實問題，我們要求的是接受七項訴求，對過往進行澈底自我批評的東大。」[131]（法學部學生）

十一月至十二月中旬，各學部的學生大會上大量出現通過反對全校封鎖的決議，但否決解除無限期罷課的模稜兩可結果。這也反映出上述普通學生贊成七項訴求或罷課，但反對封鎖與暴力的心情。上述的文學部學生雖感受到東大全共鬥的魅力，但反對以暴力實施全校封鎖，表示「所以才出現貫徹七項訴求但反對暴力封鎖全校的矛盾口號。」

連被形容為「自民黨派」且提議解除罷課的法學部懇談會學生也在雜誌訪談中表示[132]：

「我不是躲在暗處提倡反對暴力，批評他們（全共鬥）。我只是不同意他們只認同自己信仰的，基於馬克思主義與反體制的意識形態和學問，除此之外都片面歸類為『布爾喬亞式』的思想。我要批評的是他們這種獨善式的、自以為是的態度。」

「我在情感上雖然也對共鬥會議的諸君有所共鳴，但在政治上無論如何都必須表達反對。採用暴力的方式威脅他人的自由。毫不在意地強迫他人接受自身主張的幹法，令人感到恐懼。」

這兩位表示，「最令人害怕的是，我們解除罷課的提議遭到為了就業而急於畢業的學生所利用。」依照當時報導的形容，同志團體的學生比起「睡罷課」的學生更讓人感到「由衷的純粹」[133]。

根據前述《世界》雜誌的調查，十一月二十二日時，學生支持的組織比例為：全共鬥三十四％、民青派的東大民主化行動委員會十七・二％、班級聯合二十・四％、同志聯合十六・三％。可以看出，這些第三勢力獲得既不滿全共鬥也不滿民青的學生支持[134]。

同樣根據《世界》雜誌的調查，「班級聯合」、「同志聯合」等的支持者，其家長多屬年收入高的階層。而全共鬥支持者則與階層幾乎無關，平均分布。支持東大民主化行動委員會則以低收入層居多。此外，參加全共鬥的人將來希望成為「研究者」的人最多，希望成為政府或經營者的人明顯偏少，希望進入政界的人不滿一％[135]。

參加全共鬥者極少希望成為政治家，也與東大全共鬥批評「議會制民主主義」有關。從此處可看出，討厭「政治」的東大全共鬥運動認為「比起政治運動更願投身思想革命」。此問題關係到全共鬥運動的整體特性，因此將於結論處再次論及。

同時，到十一月仍不到校的「睡罷課」學生數量眾多。一九六八年公務員高級職考試合格者一千二百八十八人中，被中央各省廳採用者有六百二十五人，其中三分之一的二百一十四人來自東大。因此仍有許多學生認為「要說留級，如果不雇用我們的話，政府也會感到困擾」，「大藏省明年好像錄取了十六人，據說東大十五人，京大一人。所以被大藏省錄取的一派說『不可能不被雇用』。」[136]

教養學部的某助教授如此感嘆道[137]：「學生缺乏危機感啊。因為沒上課，結果就泡在麻將屋裡打發時間。即便對罷課感到困擾，那最多也是為了自己的狀況而困擾，似乎沒考慮到其他人。在這種狀況下，許多人都屬於心中暗忖『總會有人出來做些什麼吧』的凡事交給他人型。」贊成繼續罷課的學生中也有基於這種「安心感」而表示贊同的人。法學部於十月舉行兩次學生大會，中旬時贊成中止罷課有二百三十八票，下旬減至一百三十票，這結果反而使全共鬥派運動者等繼續罷課派感到驚訝。

此狀況的背景原因之一，除「睡罷課派」出席更為減少外，文學部事務長還如此說明[138]：「已經確定獲得一流企業、大藏、通產省錄取的學生，多積極支持罷課。他們這些現代學生心中的算盤是，大學已不可能做出阻止我們畢業的大動作了。感到焦慮的只有他們的家長。」不同於陷入就業危機從秋天起家長會發起反彈的日大，東大學生們在就業上可說仍遊刃有餘。

「東大、日大鬥爭勝利全國總誓師集會」的內幕

這種狀況下，十一月二十二日舉行了「東大、日大鬥爭勝利全國總誓師集會」。此舉可視為東大全共鬥「續命法」之一，請來新左翼黨派支援戰術的一環。

當天，來自校外的各新左翼黨派與日大全共鬥頭盔部隊齊聚安田講堂前。中核派、革馬派、社學同約各二千人，學生解放戰線與結構改革派約各一千，此外還有普羅軍團、第四國際、東大全共鬥與日大全共鬥、中大與明大越平聯等無黨派學生聚集，總數超過一萬名的學生在安田講堂前廣場拉抬氣勢[139]。

如第十三章後述，十月二十一日國際反戰日遊行中，各新左翼黨派闖入防衛廳，或在新宿引發騷

亂，迎來學生反叛的最高潮。此集會上東大和日大雙方大學全共鬥提出共同聲明，稱「以東大、日大鬥爭作為關鍵戰役的全國校園鬥爭，其勝利或敗北，關係到日本全國學生，以及全日本人民的未來。」[140]

各新左翼黨派在東大集結，也帶來是否會與民青發生大規模內鬥的擔憂。前一天十一月二十一日，與一九六六年早大鬥爭的「白手帕之會」相似，此時也有家長成立了倡導「母愛」的家長會，訴求學生們避免暴力，步行散發焦糖糖果。

東大全共鬥的學生中有人表示「想起在鄉下的媽媽，就會落淚。」但大多數學生的反應卻只是「胡說八道！像你們說的那樣只是對談根本沒有用。比起這種主張，為何不說『兒子呀！改革大學使其步入正軌吧』。」社會上的反應也多是「錯誤的母愛」，「反倒使學生更加依賴與任性」，最終只留下「焦糖媽媽」這個流行語，家長會並無造成太多影響[141]。

東大鬥爭中與家人的矛盾同樣是學生們的煩惱之一。一九六八年九月，某班級的罷課實行委員會傳單上一名學生如此寫道[142]：「面對父親，我無法向他『說明』自己思想的核心。」「為了把『父親』、『母親』或『妹妹』放入『他者』的範疇，必須執行暴力式的抽象化。」某全共鬥派學生在日記中寫下「家人——現在他們就代表著體制。」[143]

十一月二十一日晚間，當男性幹部運動者議論之際，大原紀美子為了隔天的集會在一旁，「我們兩個女學生徹夜煮飯，不斷捏飯糰。」這天夜裡大原不斷思考「主張放棄所有既定思考方式的全共鬥學生們，為何竟能毫不存疑地接受家事就是女性的專責，這種最通俗、在歷史中最根深柢固的既定觀念呢？」抱持著這樣的疑問，大原一味地做著飯糰[144]。

不少全共鬥的男性學生偶爾回老家，享用母親親手做的料理，洗個澡領零用錢。大原想像他們的母親大概對兒子說：「雖然不能理解你所做的事情，但如果認為是正確的，就去做吧，不過要注重營養唷。說完可能還給兒子一張千元紙鈔」，她思索著一邊高唱反體制又一邊依存於老家的男學生，究竟是種什麼樣的矛盾。她也指出「焦糖媽媽」們「大概只會被當成笑柄吧，不禁為這些母親感到可憐。」[145]

對左派知識分子而言，此次集會光是能集結反覆武裝內鬥的十五個新左翼黨派，大野明男認為「就是值得驚訝的狀況，完全就是一次大會師。」三派全學聯於一九六八年七月分裂，在革馬派執牛耳的東大首次出現大量的中核派。某自由新聞攝影師感動地表示「如果這次集會變成重建全學聯的第一屆大會，不知會如何啊。畢竟所有的新左翼黨派都聚集在此了。」[146]

不過，新左翼黨派之間那種爭強好勝與力量比拚，也在搶奪會場位置這種瑣碎的場面中上演。在東大具有勢力的新左翼黨派有：掌控文學部自治會的革馬派、擔任教養學部自治會委員長的構改派，以及社青同解放派。評論家池田信一如此描寫集會的模樣[147]：「首先正面左方的好場地，由這天動員人數最多的『革馬』白頭盔所佔據。……在其旁邊並排的是最近益發激進的構改派（ＦＲＯＮＴ）的綠頭盔。從各派系的排列位置可看出主辦方下過心思，另一支大部隊『反帝學評（社青同解放派的學生組織）』被安排在會場右側。」

當各新左翼黨派代表開始互相問候時，各黨派的學生們給自家代表拍手並喊「毫無異議」聲援，對他派代表則叫囂「胡說八道！」據池田稱，「各派一同喊『毫無異議』的，只有演說者攻擊民青的時候。」[148]大野明男表示，聽到在安田講堂前統一集會旁吃著麵包的某新左翼黨派學生們談到，能舉行這樣的集會乃「託民青之福啊」的說法，並寫道「說穿了就是針對民青，這句話也只有這種時候才會出現吧。」[149]

請來新左翼黨派支援部隊的東大全共鬥學生，其反應卻不盡相同。也有對自家部隊前來感到歡欣的學生，不過某學生表示[150]：「我們身為東大，實在不想拜託其他大學前來支援。真的。不過比民青更早集合所有同伴，下次更說準備從全國動員。這麼大的場面，實在沒辦法，我們這邊也必須集結支援啊。」

從各地被動員而來的新左翼黨派學生們則如此說道[151]：

「比起說前來支持東大的同學什麼的，不如說想支持持續加溫到一九七〇年的學生運動，或者作為反政府運動的主導權之爭的關卡，這種意識非常熱烈。不管在哪個大學舉行都無所謂，場地在法政、早大，都可以。」

「東大不過作為學生發散能量的場地。那樣激烈衝突的日大，要不是最後草草結尾——日大要是搞得更轟轟烈烈，場地可能就在日大了。」

「接到說明全國校園鬥爭的關鍵戰是東大的聯絡，甚至還收到電報，周遭的學生都動員前來東京。再怎麼說，九月起民青在各大學展開武裝內鬥不是嗎？……必須在東大好好幹掉他們，讓他們無法再出手。」

「因為缺錢，所以如果要幹〔跟民青武鬥對決〕就趕緊幹，然後想早點回去。……因為什麼都沒幹，只是互相大眼瞪小眼就解散的話，實在無法對被動員的夥伴交代啊。」

當時，日大鬥爭以九月三十日的大眾團交為最高潮，之後便一路走向沉寂。且同時期發生紛爭的大學多達五十所，但因引入美軍資金而開始的慶大鬥爭，以及相模女子大學、東洋大學的鬥爭已於十一月重新開始上課[152]，這些大學皆因面臨畢業與就業時期導致鬥爭退潮。只有東大一半因「要說留級，如果不雇用我們，政府也會感到困擾」的特權意識在支持，所以表面上仍維持著鬥爭態勢與全校罷課。

加上民青如第十章所述，在七月的第十九屆全學聯大會上決定「正當防衛權」之後，自九月起也於法政大等大學發起武裝內鬥，開始攻擊新左翼黨派。從上述他校學生的發言可知，他們乃基於這種對抗心理而參加集會，至於東大鬥爭及其理念，他們根本毫不關心。

這天民青也在據點的教育學部集結行動隊，但盡力對媒體隱藏此事。某自由新聞攝影師表示[153]：「總之，民青拒絕我們拍攝。不准架燈，打閃光燈也被抱怨。甚至連搬運、分配工作手套也不讓我們拍攝，更別提拿來類似木刀的木材等場景，絕對不讓拍攝，還出動人牆包圍起來。」

十一月二十二日的集會狀況也獲得電視等媒體的報導。但根據川上徹的回憶，因為「電視上如果出現民青拿武鬥棒的畫面，將會降低對他們的支持」，從這層意義上，共產黨的「中央委員還半認真半開玩笑地傳出『一支武鬥棒丟失一萬票』的說法。」[154]

如第十三章後述，新宿事件以後輿論對「暴力學生」的反感益發強烈。感受到這股風潮的共產黨，採取上述戰術可謂大獲成功。一九六九年十二月的大選中，未與「激進派」澈底劃清界線的社會黨失去五十個席位，議席驟減至九十席，但共產黨從五議席躍進到十四席，一九六九年夏天的都議會選舉議席亦倍增。

在十一月二十二日夜間，全共鬥與各新左翼黨派的部分學生朝共產黨行動隊靜候的綜合圖書館進發，但雙方之間卻隔著由「班級聯合」約千人、「同志聯合」、「大學革新會議」等約五百人，共約兩千名無黨派學生的靜坐行列，他們對全共鬥與新左翼黨派眾口喊道「丟掉武鬥棒」、「反對暴力」、「外人部隊滾回去」等口號[155]。

據報導稱，當無黨派學生對教授們如此呼籲後，教授們也加入靜坐[156]。「教授們贊成封鎖嗎！」「反對啦！」「那就別呆站在那裡！加入我們一起靜坐！」最終，全共鬥與新左翼黨派的聯合部隊當晚在未與民青發生衝突的狀況下撤退。

從過往就期待「普通學生」奮起批評全共鬥暴力的各家報社，於隔天早報立即刊出「普通學生防止了激烈衝突」、「面對武裝隊伍一步也不退讓」、「學生們的『徒手抵抗』終於獲勝」等報導[157]。不過見證當日模樣的東京教育大學名譽教授務台理作給《世界》雜誌的投稿上寫道「在圖書館東西兩側靜坐的學生與教授，究竟有無東大學生和教授的幾十分之一人數呢？」[158]

東大社會科學研究所教授石田雄也提到「良知派」的教授與學生太少。二十二日的集會之前，石田與教養學部學生部長西村秀夫教授等人一同製作訴求「在避免流血這點上尋求非暴力的團結」傳單，並製作「團結非暴力、避免流血」的值星帶發起共同宣傳行動。然而，全共鬥自然不參加，民青與其他學生同志團體也未參與，僅有駒場的大學革新會議加入石田等人的行動，除此之外僅有「教授十餘名，職員數名」參加[159]。

根據務台的說法，東大全共鬥與新左翼黨派的聯合部隊如果想驅散無黨派學生，其實可行，但當天警方為警戒大量集結的新左翼黨派與共產黨行動隊發生衝突，在本鄉校區附近安排了約四千名機動隊員伺機行動。對此務台如此推測[160]，全共鬥與新左翼黨派認為如果發生衝突，「包括來自全國的代表在內，肯定都預料到當然會遭受毀滅性的打擊。進而各報都會報導面對角材威脅的靜坐舉牌人群取得勝利，但全共鬥與新左翼黨派肯定都不願輕易接受這樣的結果。」

率領共產黨行動隊的宮崎學也思考「在機動隊包圍大學伺機介入的狀況下，（東大全共鬥與新左翼黨派）不可能發生讓警方與大學得利的愚蠢行動。」又根據宮崎的說法，「之後試著詢問新左翼的幹部，各新左翼黨派這天似乎說定了要停止武裝鬥爭（示威行動）。」[161]

另一方面，內藤國夫則提出別的記述。據他稱，新左翼黨派中，革馬派對武力行動採取消極的態度，但社青同解放派則主張一口氣封鎖正門與赤門，雙方劍拔弩張，幾乎形成武裝內鬥，日大全共鬥因而感到厭煩而早早撤退[162]。

柏崎千枝子的手記可作為全共鬥內部的證詞[163]。據柏崎稱，十一月二十二日的數天前起，社學同、學生解放戰線（前社學同ＭＬ派）、全鬥聯的無黨派激進派等在代表會議上主張二十二日「應朝全校封鎖展開進擊，力圖團結全國大學鬥爭。」

但革馬派對全校封鎖卻表現出遲疑的態度。原本革馬派即重視理論而對街頭戰態度消極，批評其他派系是「小資產階級激進主義」，對全共鬥的「波茨坦自治會」批評也持否定態度。據柏崎稱，他們在代表會議上「胡亂地辯論著論點不明的事情」，之後轉移到新左翼黨派代表聚集的事務局會議上討論。

柏崎稱，二十一日晚間為止，「事務局會議僅由十幾個人沒完沒了地討論，至於他們討論了什麼，細節談到什麼程度，我們幾乎都不知情。」而「因為日大幾乎沒有革馬派，革馬派自始至終都反對將『日大鬥爭勝利』放入集會名稱，簡直不要臉至極。」「這種黨派同志的高層交涉，最後就是演變成能動員最多部隊的一方獲勝的荒謬結果。」

柏崎向自己所屬的ML同盟的成員、出席事務局會議的今井澄表達了不滿。但今井卻回答「我也完全不贊同這種形式，但擺在眼前的現實是，不解決新左翼黨派間的問題，就無法踏出下一步啊。」

接著革馬派在二十二日拚上自家派系的面子，在各黨派中成為動員最多成員的派系。二十二日早上，事務局會議的討論結果同意革馬派與構改派所提意見，通知眾人僅封鎖圖書館，之後不進行鬥爭集會與遊行。到前一晚都還「攤開學校地圖」討論「要怎麼進攻民青」的全鬥聯研究生與學生得知後，只感到啞然無語。

柏崎原本就討厭重視理論的革馬派。十一月中旬，她與夥伴正在安田講堂前重新修整街壘時，構改派與社青同解放派也派人前來幫忙，但革馬派卻「邊說『閃開閃開』邊往裡面走，只瞥了我們一眼，說『唷，幹得不錯啊』，接著迅速進入講堂參加集會去了。」而且革馬派在該集會還針對發言時間與社青同解放派發生爭執。柏崎覺得「實質性的工作幾乎什麼都沒做，只有耍帥的份，他們覺得只要自己能引人注目就好嗎？」[164]

《朝日新聞》記者宇佐美承指出，二十二日的集會前，各新左翼黨派高層便已議定將以「大拜拜（お祭り，此指各新左翼黨派大會師）」作結。真相照例無可考，不過，恐怕當時的狀況是：各新左翼黨派高層已彼此同意二十二日集會將以「大拜拜」結束，但東大全共鬥的無黨派激進派與部分新左翼黨派的東大運動者們未被告知，因此二十一日在事務局會議上激烈爭論到晚間。

東大全共鬥的底層運動者與從各地集結而來的新左翼黨派學生並不清楚高層的想法。根據比柏崎更為底層的運動者大原紀美子手記，其中寫到欲趁民青疏於防備而在二十二日早晨封鎖圖書館的行動，「對多數共鬥會議派的學生而言根本是出乎意料的作戰」，而關於未與民青發生全面衝突，她只記道「想像得到的，最糟糕的事態並未發生。」[165]

來採訪的作家與新聞工作者多少覺得有些失望。作家安岡章太郎如此表達從白天到深夜陪著學生「玩軍隊扮演遊戲」、「搞革命扮演遊戲」之後的感想[166]：「在這種虛構的幼稚與現實的危機混合一氣的緊張感中，真的是給人一種奇妙的疲勞感。要說像是蠢蛋，確實無比像蠢蛋。」

山本義隆在一九六九年的著作《知性的叛亂》中如此寫道[167]：

……二二鬥爭具有劃時代的政治意義。這是安保鬥爭以後新左翼諸潮流首次的大統一戰線，集結二萬餘人頭盔部隊的大集會，此乃學生運動史上的空前壯舉，依循羽田鬥爭以後學生運動的方向，為七〇年的鬥爭打開了廣闊的前景。……

如同由東大全共鬥三千名、日大全共鬥三千名學生為主集結的部隊配置所象徵的，這一天的統一戰線並非如安保鬥爭以後那樣，透過黨派間的高層會談做出交易才團結，而是透過東大、日大群眾組織的連帶而結合，在這裡必須強調這點的重要性。

出席事務局會議的山本，應當知道該日集會是「透過黨派間的高層會談做出交易」才得以實現。身為「無垢的人」的山本，會寫下這種官方口徑的文章，或許是身為東大全共鬥議長故不得已而為之。

另一方面，叫嚷「反對暴力」、「外人部隊滾回去」的無黨派學生諸團體，其政治光譜也非常廣泛，從保守派的法學部懇談會與經濟學部同志，到支持七項訴求的班級聯合都有。據大野明男稱，無黨派學生們雖然一同叫喊「停止暴力吧」、「外人部隊滾回去」，但保守派團體還叫道「反對全校街壘封鎖」，班級聯合則喊道「七項訴求取得勝利」、「我們將在東大鬥爭中獲勝」等[168]。據當時報導稱，大學革新會議呼籲班級聯合與同志聯合統一行動，但在是否加入「反對全校封鎖」口號一事上，卻未能達成共識[169]。

某班級聯合的學生如此敘述[170]：「在駒場也有提倡結束罷課的良知派作風的夥伴。他們認為，因作為紛爭出發點的醫學部懲處已然撤銷，罷課目的即已達成，但我們認為大學針對懲處問題的態度或想法依然完全沒變，所以如果現在停止罷課，那麼究竟為何而戰，目標將變得模糊。」「東大現今的鬥爭並無向外擴散之意。所以無論被稱為『無黨派』或『良知派』什麼的，或被一些什麼都搞不清楚狀況的媒體報導之類的，都讓人真心感到厭惡。」

班級聯合的學生更進一步說明，他們是為了「避免流血」才靜坐，「說極端些，如果民青早早撤退，即便全共鬥要執行街壘封鎖，我們也不會靜坐阻止。」「我認為實際上有不少夥伴內心都想向後轉，朝著赤門附近的民青喊『外人部隊滾回去』啊。」[171]之後班級聯合對同志聯合與大學革新會議提出批評，指其「不參加主張大學團交的我們的行動，更加暴露一直以來敵視鬥爭的右翼性質。」[172]

但東大全共鬥方也批評班級聯合「跑去充當右翼的角色」，逼迫他們選擇是否參加全共鬥的鬥爭[173]。對於訴求「避免流血」的石田雄等人，助教共鬥則於十一月二十五日豎起指責的立牌看板，寫著「拿手的旁觀者認知」，並如此主張[174]：「諸兄敵視打破體制的能量也無妨。……那就以敵視的態度，站在我們面前採取敵對行動吧！喊出『鎮壓騷亂』吧！」

或許在一味逼迫對方選邊站的東大全共鬥眼中，與其中立地叫嚷「避免流血」，還不如斷然採取敵視態度才「更為合理」。但全共鬥的這種態度反而讓普通學生與教授更加遠離，僅有給全共鬥徒增敵人的效果。

順帶一提，十一月二十二日的隔日正是駒場的校慶「駒場祭」。且如第一章所述，無黨派學生橋本治繪製，以背上有紋身的男子為背景寫著「媽媽／不要攔我／背上的銀杏正在哭泣／男子漢呀／東大將何去何從」標語的駒場祭海報，一時成為話題。

這張海報頗受喜歡黑道電影的全共鬥派學生好評，但大多數的成人或有識之士卻感到愕然。前述的北澤方邦形容，現在東大鬥爭的暴力並非為了思想或政治目標的暴力，而墮落成「模仿暴力團體征伐般的，單純的肉體暴力層次」，評價道「駒場祭中出現的幼稚且低俗的海報（部分可能是為了表現幽默吧），只是這種頹廢態度的象徵之一。」[175]

結構改革派的理論家安東仁兵衛也在對談中談及這張海報：「歸根結柢來說，我不認為自認是黑道的大學會出現那種海報。東大學生因懷著『我們遲早能……』的心情，所以才有心理餘裕提出那種東西。」「讓人不禁想對他們說『耍帥也要有點限度』。」對談者的梅本克己則回應「果然還是一種菁英意識的表現啊。」[176]

無黨派的抬頭與嚴格主義的傾向

十一月二十二日的集會雖以「大拜拜」作結，但此舉給東大鬥爭帶來幾項變化。

第一，舉行集會的安田講堂，其定位發生了變化。全鬥聯的川島宏指出，「十一月左右起，安田講堂不再只是東大鬥爭的中心，而是日本學生運動的據點，或更確切地說，是日本階級鬥爭的據點、勞學合作的據點。」[177]

第二，與日大全共鬥的接觸促使東大全共鬥變得過於激進。日大學生構築了堅實的街壘，來抵禦右翼和體育會的暴力，他們見到東大簡易式的街壘後不禁加以嘲笑，稱東大鬥爭是「貴族的鬥爭」。

十一月二十二日集會後舉行的東大全共鬥與日大全共鬥幹部座談會上，日大全共鬥書記長田村正敏如此表示[178]：在東大「我想像著究竟會打造出什麼樣的街壘，沒想到，就是擺上幾張桌子而已（笑）。而且更令我吃驚的是，國家權力也沒介入，日本的右翼也沒介入，這在我們的鬥爭中是不可想像的狀況。」十一月二十二日的集會上，某日大全共鬥的學生談到「東大的街壘啊，雖然這麼說有點失禮，說難聽點不過就像儀式性的護身符般，要是來了四、五個日大體育會的學生，簡簡單單就能收拾掉那街壘呀。」[179]

原本東大的街壘比起實質性的效果，更似一種表達戰鬥意志的「思想表現」。因此看在日大全共鬥學生的眼中，這種街壘會變成「儀式性的護身符」也不難理解。受到刺激的東大全共鬥，遂在日大全共鬥的指導下強化安田講堂的街壘，還依照「拿五分夾板[viii]頂住，內側塞滿金屬製的置物櫃，留一空缺當出入口，只需三十秒就能拿幾個置物櫃塞住，成為無法進出的門」的結構進行改造[180]。

第三，最大的影響是，東大全共鬥中無黨派激進派的發言權大增。最首悟於一九六九年表示「我認為真正把全共鬥運動以全共鬥來描述，是從一一・二二鬥爭以後的事情。」[181]

據最首稱，此前的東大全共鬥「還是充滿新左翼黨派間合作共鬥的強烈色彩」，但十一月二十二日的集會後，「當各黨派方針不同而難以協調時，無黨派組織就被當作寶貝般地推出。」之後「變得若不以無黨派為核心推進，運動就會化為烏有」，並「在新左翼黨派六方相互牽制的狀態下產生了全共鬥。」[182]

川上秀光從另一個角度提出與最首悟類似的觀察。據川上稱，圍繞著東大鬥爭的定位與鬥爭方針，各新左翼黨派之間對立加劇的十一月二十二日以後，以新左翼黨派共鬥為核心的東大全共鬥已面臨解體，之後因為無黨派激進派的努力終於維持下來。

川上如此描述這種狀態[183]：「一一．二二以後，更進一步是一二．二（將於後文詳述，校方宣布實際上接受七項訴求宣言）以後，以共鬥會議名義推出的立牌看板、傳單旋即變得稀少。或許是基於新左翼黨派間的對抗，傳單、立牌看板多以各個黨派的名義推出。這段期間由屬於全鬥聯的都市建築共鬥會議、助教共鬥等人為核心，支撐著紛擾不斷的共鬥會議，進行活躍的宣傳活動。」

更詳細說明同一件事的，是熟悉東大全共鬥的《朝日Journal》記者宇佐美承。他於一九七〇年如此敘述[184]：

東大全共鬥作為一個滑溜的運動形體，就算是「代表」也不承認幾月幾日、在什麼會議上承認了什麼，時至今日已無需多言。不過，這種全共鬥的特質在一九六八年一一．二二呈現得最清楚，也就是從東大校園中新舊左派雙方即將發生激烈衝突大戲，但終究未發生之後起，到隔年

viii 譯註：依尺貫法即一寸的一半，厚度約一點五公分，常用於支撐結構。

一・一八、一九〔安田講堂攻防戰〕的時期。

在此之前，決定權大多由〔新左翼黨派代表聚集的〕事務局掌控。再度封鎖鐘樓後擁有發言權的是：掌控文學部自治會的革馬派、由教養學部撐腰的構改派，以及贊成封鎖的反帝〔社青同解放派〕。其中革馬派擁有最大的發言權。八・一〇告示之後，各派希望無論如何成立一個中介的協調機構，因此成立了事務局會議。反帝、構改派、革馬派各派出一人，從東大全共鬥伊始便參與的青醫聯派出兩人，而山本君則代表全共鬥出席。實際上內部為新左翼黨派間的共鬥，是經由山本君與青醫聯，學生群眾的意見才終於能有所反映。

全鬥聯對山本君說「你比較熱心所以你去」，他「沒辦法之下」才出席事務局，回來之後說「為什麼我得幹這種事情啊？因為新左翼黨派沒有這樣的角色，當新左翼黨派發生爭執時，我就變成重要人物了。」就這樣出現了所謂的「山本代表」。

……當時各新左翼黨派於十一月二十三日大舉前往三里塚。見到全共鬥運動的高昂狀態，某新左翼黨派幹部認為必須暫時解散黨派，並由每個人建立新的組織，這樣的想法與東大全共鬥的期待相符，配合之下還獲得日大的支援，出現了一一・二二的大集結。

因此，一一・二二從最初就沒想過要與「民青」發生衝突。新左翼黨派想在日共派前誇示自身的勢力，東大全共鬥則想藉此脫離〔受民青威脅〕的困境。當天我感到憂心而前去查看，藤田〔雄三，《朝日Journal》記者〕君說「今天只是大拜拜唷。」

學生群眾並不知情，因此對集結之後卻不讓他們戰鬥非常不滿，日後的決定便不在事務局討論，而在代表會議這種大眾集合的場合議決。接下來到一・一八、一九為止，算是真正呈現出符合全共鬥模樣的時期。

柏崎千枝子的手記也提及，對事務局會議讓十一月二十二日在「大拜拜」告終的不滿，之後於代表會議爆發，她寫道「最終事務局會議的犯罪性做法遭到群眾的聲討。」[185]十一月二十二日以後，新左翼黨派掌控的事務局會議地位趨於低落，聚集於代表會議的無黨派激進派發言權大增。

但宇佐美記道「同時，這樣的做法也造成許多學生背離。」「在此之前我直接採訪過的校園鬥爭有慶應、早稻田、明治等。這些案例中要麼是特定的新左翼黨派，要麼是數個新左翼黨派加上普通學生呼朋引伴，早稻田樣態不同，但也是找個合適地方與高層交談彙整，就是這樣。」

新左翼黨派的目的，在於利用大學鬥爭打造七〇年安保的據點與發展自家派系勢力，因此若可獲得某種程度的成果，慣例上即通過高層交涉與大學當局妥協，在控制自治會或合作社上取得校方承認，並宣稱「獲勝」。即便組織崩毀也要一拚，澈底與大學當局或警方纏鬥的新左翼黨派則不在此討論範圍。

據宇佐美稱，「那些領導者們擅長演說與交易，為了實施戰術能面不改色地對採訪者說謊。」而個性純真且理論型的「山本君這種人，則幾乎沒有插足餘地。」不過隨著情況的變化，十一月二十二日以後無黨派激進派逐漸進佔東大全共鬥的核心。

然而，在差不多的地方與大學當局展開高層交涉，進而使鬥爭結束的政治交易，山本或最首等純真的無黨派激進派們根本未加考慮。早在七月的座談會上，某全鬥聯的研究生就如此表示[186]：「某教授吐露說：『無黨派激進派很難溝通。他們根本不懂妥協或交易。』『如果是那些有組織的傢伙，大家都知道怎麼做啊……』。」

隨著無黨派激進派成為東大全共鬥的核心，相較過往透過新左翼黨派進行交易推進運動的時期，東大全共鬥轉為全面拒絕與大學當局妥協，更強力打出「自我否定」與「大學解體」的理念。但這樣的變化也讓不認同追求純粹理念的普通學生背離了全共鬥。在七月的座談會上，主持會議的編輯部提問「靠著全面說『NO』，可以拉攏許多學生嗎？」東大全共鬥的研究生們僅回答「狀況非常令人絕望。」[187]

且相當諷刺的是，當無黨派激進派開始領導全共鬥後，東大鬥爭變得更加激進與嚴格。鹽川喜信於一九六九年公開的〈全共鬥運動的組織結構〉中如此寫道[188]：當普通學生的鬥爭意識上漲之際，全共鬥的寬鬆組織原理獲得了有效發揮。但「去年（一九六八年）底群眾意識朝沉潛的方向邁進以來，全共鬥的組織原理也不得不做出一定程度的變化。」亦即，沒有固定領導部門也沒有組織結構的「全共鬥，除了依賴群眾鬥爭的擴大和深化，與運動的質的發展來支撐外，並無固有的存在基礎。」假如普通學生的意識開始背離，便無法指望運動獲得量的拓展。若走到這步，可說僅能讓鬥爭原則變得更激進，或者升級戰術，否則別無他法。

帶來的結果，就是東大全共鬥的變質。初期的東大全共鬥是由普通學生的「個人主體鬥爭決心」在支撐，容許多樣化的參與型態。但當普通學生背離後，即轉變為強迫參加全共鬥或與全共鬥為敵的選邊站嚴格主義。這種傾向自十月起便開始展現，但從十一月二十二日之後變得更為顯著。

佐藤誠三郎也在一九六九年如此寫道[189]：「共鬥會議在作為非組織性的組織的同時，也不僅僅是夥伴對話與告白信仰的場域，它具有需達成的課題，也是必須與敵人戰鬥的戰鬥組織，為達成此點或需要非常良好的背景條件，又或者可以兼容、跨越目標與手段多樣性。而初期的全共鬥完全滿足這兩種條件。」但「對非組織性的全共鬥而言，軍事性行動原本就是不擅長的領域……無法對抗動員能力及組織效率都更優秀的民青武鬥部隊，只能持續喪失威信與士氣低落。」

據佐藤稱，東大全共鬥的激進化與戰術升級使普通學生背離，「作為非組織的戰鬥集團，全共鬥自己破壞了能夠存續下去的條件。」如此一來，加強嚴格主義，也失去了對多樣性的寬容，「以是否參加封鎖加以區別，是否揮舞武鬥棒加以區別，是否投石加以區別，到最後變成是否對民青澈底攻擊來加以區別，甚至還冒出『街壘內的騎牆派』這種詞語。」

研究東大鬥爭的大野道夫認為，「十一月以降，全共鬥在膨脹問題的同時卻缺乏具體性，搞錯運動的樣式導致自我滅亡。」[190]據大野稱，鬥爭初期自由參加、全員討論的原則尚能有效發揮，但「隨著鬥爭的長期化，（一）缺乏把鬥爭的新議題明確化、具體化的手段；（二）容易通過強硬的意見，而對此提出批判的人比起留在內部，更容易被掃地出門；（三）將整個狀況還原至『個人做出多少努力』的個人『決心』上」，這些問題益發明顯。

在運動逐漸消沉的局面中，「自我否定」也開始變質。根據大野道夫，「這種自我否定，原本要否定什麼（作為大學生的自己？或活在社會中作為整體的自己？），要成為什麼（學生運動家？職業革命家？），都極其模糊。從而當鬥爭處於活躍之際，透過參加討論、出去遊行即可具體指出對過往自我的否定與革新的生存方式，然而運動進入『收場』時，自我否定的方向開始模糊，在鬥爭與日常之間，凸顯出了認同的危機。」如此遂展現出不遵從強硬路線的人被指責為「騎牆派」，而且有被逼迫進行「自我批評」的傾向。

東大全共鬥對教授們，以至於那些在鬥爭中「懈怠」的夥伴們都有要求他們「自我批評」的傾向，關於這點，吉野源三郎在一九六九年如此敘述[191]：「所謂的自我批評，即自動自發批評自己，原本就不該強迫。暴力性地強迫他人承認自己的錯誤，藉力量使人屈服，是放棄自由，也是人格崩壞的開始。有人主張：身而為人即便遭人輕蔑也無可奈何，然後透過暴力強求其他人接受這件事情，這是在踐踏人類的尊嚴。」

但之後，「自我批評」或「總結」變成強求他人執行，在有些場合更使用暴力強迫他人，這種傾向在全共鬥運動中擴散，一直持續到一九七二年的聯合赤軍事件。

東大法學部教授丸山真男在一九六九年的筆記中如此寫道[192]：

> 去年（一九六八年）秋天，加藤執行部成立，就在對於全共鬥的七項訴求的大部分都表示願意接受時，全共鬥卻提出「問題不在是否接受七項訴求，而是接受的方式。」今天回想起來，當時是東大紛爭的重大轉變期。也就是說，東大紛爭某種擬似宗教的特性即從該時候開始顯現。接受態度好或不好，這是一種心證的問題，從外在行動無法判定，也因此無法成為群眾運動甚至社會＝政治運動的問題。……把關於內在性與良心的事情以非常簡單粗暴的方式在群眾面前強求自白，這種「要求自我批判」甚至「無休止鬥爭」的無意義思考型態竟如此擴散開來。而這種狀況就發生在無黨派激進派掌握安田城[ix]主導權的時期。我並不清楚「良心的自由」到底是什麼，但那完全沒有脫離二戰前的思考型態。他們究竟有何膽量說自己是新左翼呢！

如此招致背離的東大全共鬥，原本九月從民青手中奪來的各學部主導權，到十一月以後又逐漸失去。十一月二十六日，全共鬥派的經濟學部罷課實行委員會遭學生大會罷免，町村等經濟學部同志的無黨派集團掌握主導權[193]。二十七日農學部也驅逐全共鬥派的執行部，由無黨派集團取而代之。

此外，各學部的學生大會陸續通過反對全校封鎖的決議。到十一月底，教育學部、工學部、經濟學部、農學部、理學部、藥學部、法學部的七學部，為了民青主張的全校集會已完成代表團的選舉[194]。主張大眾團交的全共鬥方因否認全校集會，故對選舉代表團的投票進行罷投。

然而東大全共鬥面對支持低迷的狀況並未提出對策，他們的論調仍是批評依據形式上多數決理論的「民主主義」與「波茨坦自治會」純屬荒誕無稽。

例如柏崎千枝子在手記寫道「賭上自己一切而奮起的人，也與決定在家睡罷課、對問題本質完全沒認真思考的人一樣，僅握有一票」，這種「自治會民主主義、議會制民主主義的邏輯，經常如此愚弄人，僅僅是充滿虛偽矯飾的東西。」[195]山本義隆也寫道「所謂的『民主主義』乃是從普遍立場出發，把有心戰鬥者的手腳，透過基於個別利害而行動的人將其捆束起來，並且把決定的責任分散給群眾，導致全部的人都無需負責。」[196]大橋憲三在日後的訪談中也表示，「這不是多數決。說『幹下去』的傢伙一口咬定除了就去幹之外沒有其他方法，也摧毀了『波茨坦自治會』，而我們更無法容許選舉制度或者代議制度。」[197]

不過，收藏在東大教養學部圖書館的柏崎手記中，她指責「自治會民主主義」的部分，則有其他

ix　譯註：此指安田講堂。

的閱覽者留下意見：「真是這樣的話，為何無限期罷課會（在學生大會上以多數決）通過呢？（柏崎的主張）不過是愚弄人充滿虛偽矯飾的東西罷了。」

柏崎在七月三日教養學部的代議員大會上，為了通過罷課決議拚命組織多數派。她還指責在多數決中失敗的民青，在狀況對他們有利時便主張「自治會民主主義」，若不利時就破壞規則。然而，輪到東大全共鬥時，當狀況有利時便歡迎各學部的代議員大會或學生大會的罷課決議，而狀況不利時就指責是「波茨坦自治會」。柏崎等人對這種矛盾似乎沒有自覺。

況且東大全共鬥最初也沒有批評「波茨坦自治會」。在一九七一年舉行的座談會上，日大全共鬥書記長田村正敏如此證實[198]：「六月十一日我在（日大）法學部搭建街壘後前往東大安田講堂，在那裡我說我們已經確立揚棄波茨坦自治會的新鬥爭型態了，這麼一說，卻被大家指責是『胡說八道』啊。」

由於東大大多數的自治會皆由民青掌控，志同道合的人不得不打造全共鬥，但在一九六八年六月時，東大的學生仍認為超越自治會的鬥爭組織是「胡說八道」。而東大全共鬥直到一九六八年十月，也在各學部的學生大會上拚命循正規程序要確立罷課。他們是在失去支持、在自治會這個場域必將面臨敗北的十一月以後，才開始全面批評「波茨坦自治會」。

十一月時，大原紀美子所屬罷課實行委員會的理學部也選出代表團。大原如此描述「右派」（一般學生）與民青合作選出代表團的理由[199]：「理由非常明白。如果跟隨全共鬥，不管等多久鬥爭也不會結束，全共鬥或許希望這種狀態能一直持續到七〇年，這實在無法接受，就是這麼回事。」「右派的學生們對民青既不喜歡也無共鳴，但他們清楚知道如果選擇民青將可與校方妥協，早日結束鬥爭。」

接著大原如此敘述[200]：「我不擅長論爭也不善於招募成員，在這種劣勢下活動實在很痛苦。而我學部的鬥爭委成員也不是全都稱得上運動者，沒有運動經歷的我身處其中，卻必須擔負領導者角色，實在過於沉重。這遠超過我的能力。即使大家有同樣的心情，卻什麼也辦不到。」

沒有活動經歷的無黨派學生也能參加全共鬥，這種組織風格在運動上升期可以發揮長處，但進入逆境期卻缺乏新左翼黨派般的活動知識與持久力。全共鬥「進攻的時候非常強大，但防守時則弱點百出」的特性，於此展露無遺。

鬥爭荒廢與內鬥激化

十二月二日，大學當局散發「給學生諸君的提議」，表示除了「完全撤銷文學部懲處」這項訴求以外，可接受七項訴求的其餘項目，並追加可討論學生參與大學營運，並言及「若十二月上旬重啟授課，可保證許多學部的畢業時間不會明顯延遲。」[201]六日時發布「如果狀況依舊，至三月三十一日的學期末將難以讓諸君畢業、升級。若無法在年內重啟授課，或無法預期何時重啟授課時，有可能將中止新生入學考試。」[202]

堅持必須全數接受七項訴求的全共鬥立即回絕此項提議。但一旦危及畢業和就業，罷課即會瓦解，此乃大學鬥爭的鐵則。一九六六年早大鬥爭、一九六八年中大鬥爭與日大鬥爭，都為了對應此問題而籌組了四年級生聯絡協議會等組織。

但東大全共鬥並未採取這種「政治性」的對策。他們提出的，是脅迫群眾決定是要參加鬥爭或與鬥爭敵對的選邊站要求[203]：「唱和全校集會的諸君應清楚表明自身意圖。亦即說出『我跟鬥爭啥的根本無關。只要能升級、能畢業就好。不要鬥爭！』」

大原紀美子也在一九六九年的手記中如此寫道[204]：「若有人感到自己身為東大學生的地位搖搖欲墜便離開共鬥會議，那也沒辦法。這場鬥爭並非東大內的民主化鬥爭，而是對現今資本主義國度日本下的東大進行告發，對支持東大走上國大協路線的教授會進行告發，是對走在他們架好的路線上以菁英自居邁步前行的東大學生自身做出告發，只要處於這種狀況，東大就暴露在危險之中，教授會便身處危機，我們也暴露在危險中，這不是理所當然的事情嗎？」「透過鬥爭的強化，強迫每一個人下定決心做選擇。」

這樣的東大全共鬥愈發失去支持。但如前所述，即便對全共鬥的「對抗」和「批評」增加，但「參加」與「支持」仍維持合計三成多的狀態。在選出代表團上，東大全共鬥罷選，仍成功阻止各學部解除無限期鬥爭。當運動者以鼓動演講等手段延長學生大會，不關心派的學生便離場，相對少數的全共鬥派及同情派學生即可在投票時佔有多數。

東大全共鬥透過這種方法，十二月四日在法學部、農學部的學生大會，七日在工學部、經濟學部的學生大會上，否決解除無限期罷課的提案。在革馬派掌控自治會的文學部，則在十二月十二日的學生大會上通過自治會提議的「貫徹七項訴求，拒絕加藤提議」的議案[205]。

當時的報導如此描述十二月舉行的法學部學生大會：「之前所謂的大會，只有日共派、反日共派運動者及其同情派出席」，但此時在志同道合的學生呼籲下，睡罷課派的學生也前來參與，法學部一千四百三十七人中有九百三十一人出席。但在民青派、全共鬥派、同志會派長時間的爭論後，針對否決解除罷課案議決時，贊成解除罷課匯聚了三百六十六票，但一個小時後再度提出解除罷課案時，贊成票卻減至八十五票。這是因為睡罷課派的學生見到第一次解除罷課提案未能通過後，便一齊離開之故[206]。

此外，這時期普通學生之間仍存在恥於為畢業和就業而贊成解除罷課的氛圍。根據理學部的學生唐木田健一的回憶，十二月二十七日的理學部學生大會上說明解除罷課提案的意義時，當時唐木田叫囂「你們在幹什麼，這不是在說想要接受畢業考嘛！」結果會場傳出大笑，提議者就這麼呆站著，會上也否決了解除罷課[207]。

而東大全共鬥在某些環節似乎也採取了強硬的手段。根據民青的主張，十一月五日至六日長達十五個鐘頭的教養學部代議員大會上，全共鬥藉由偽造委任書、有計畫地數錯票數以及強行投票等手法，進行對自家派系有利的投票，並戴上頭盔驅逐抗議的民青與班級聯合，片面宣告閉會宣言[208]。

在這些行動之中，留級、延畢、中止入學考試的時限也在迫近。只要不解除罷課便將危及入學考試的實施。十二月起，家長與考生的詢問和抗議電話大量湧入東大。十二月六日文部大臣在文部省內成立委員會，檢討（一）讓當下的東大學生全部留級，也不招收新生；（二）舉行入學考試，但讓新生在家等候一段時間；（三）舉行入學考試但降低招收員額等對策[209]。

十二月二十三日，東大當局與文部省針對入學考試舉行第一次交涉，文部省暗示中止入學考，東大方則表明為了實施入學考將努力結束事態。十二月二十九日的第二次交涉上，坂田文部大臣表示「即便辦理入學考也無法提供適切的教育環境」，強迫中止入學考；東大方則提出，若在一月十五日前解除事態，將繼續辦理入學考，接受文部省的要求。對校方而言，無論是非對錯，迅速收拾事態成為最迫切的事[210]。

同時，東大很可能中止入學考試的新聞，讓考生及家長倍感震撼。內藤國夫詢問東大全共鬥內各新左翼黨派運動者的看法時，無黨派激進派與學生解放戰線態度最為強硬，表示要「粉碎入學考試」；社青同解放派的運動者回答「唉，最終還是會演變成粉碎入學考試吧」；革馬派運動者的態度則是「真的很不願意妨礙別人的入學考試啊」，顯示全共鬥內部對此也有不同的反應[211]。

與此同時，尚未選出代表團的僅剩醫學部、文學部和教養學部。革馬派掌控的文學部自治會上，在十二月十二日的學生大會上否決選出代表[212]。醫學部的自治會則呈現崩壞狀態，為了選出代表團，雖於十二月二十四日舉行學生大會，卻爆發被稱為「血色聖誕夜」的大亂鬥，輕重傷者達七十三人。最終醫學部未能選出代表，只選出兩名參加全校集會的觀察員[213]。

這場「血色聖誕夜」，是機動隊於大學前的馬路待命時，民青與東大全共鬥發生的一場投石會戰。位於安田講堂的大原紀美子接到全共鬥女學生的通知說，「不好啦！那邊，『民』堵住通路了。趕快幫忙收集石頭搬運過去助戰。」沒有武裝內鬥經驗的大原內心掙扎著想「我也得撿石塊？搬運石塊？」「這個膽小鬼。不願弄髒自己的手嗎？」「第一次持棍棒拿石塊，不是在深思熟慮後而為之，卻是在這種氣氛下被迫硬著頭皮上場啊。」[214]

在文學部與醫學部無法選出代表團之後，餘下吸引眾人關注的，便是包含一、二年級學生，佔東大全部學生近半數的教養學部。東大全共鬥認定能否阻止教養學部選出代表團乃「東大鬥爭的絕命關頭」，擺出絕對要阻止的架勢。

在教養學部內部，實際情況卻非常混亂。教養學部的全學鬥與罷課實行委員會是由構改派、革馬派、社青同解放派組成的雜牌軍，而且缺乏類似本鄉可撮合各新左翼黨派的研究生組織。只有助教共鬥的最首悟充當各黨派間的協調角色[215]。然而九月之後，這三個新左翼黨派衝突不斷，罷課實行委員會與全學鬥實際上停止運作，只有掌握自治會委員長的構改派自行打著「全學鬥書記局」的名號[216]。

若在這種情況下舉行代議員大會，全共鬥明顯會敗北，因此民青與班級聯合等提出召集代議員大會要求時，今村自治會委員長始終拒絕。民青理所當然批評今村，理解當時狀況的學生日後如此說[217]：「今村君身為自治委員長是一種象徵，但實權則握在其他新左翼黨派手中。他所處的位置是，就算想召集〔代議員大會〕也不是他一個人能自行決定的呀。」

讓狀況更加惡化的，是革馬派與社青同解放派的武裝內鬥。十二月一日，駒場的東大全共鬥封鎖第八本館作為根據地。駒場共鬥的本部人員，使用支持全共鬥的平井啟之教授的研究室，舉行代表會議[218]。但來到駒場的革馬派與社青同解放派支援部隊在早大內就彼此內鬥，在駒場竟也展開武裝內鬥。

雙方在駒場的內鬥發生於十二月前半，雙方發起全東京都總動員的大動作，結果造成大量輕重傷患。八日，駒場共鬥全體會議決定要求兩派停止內鬥並撤離駒場，但依舊未能阻止其內鬥[219]。根據當時為了捍衛駒場代議員大會的舉辦，而率領民青行動隊前往駒場的宮崎學回憶，「深夜時分，兩派在各自佔據並以街壘封鎖的建築物內折磨綁架來的男女俘虜，並通過擴音器把他們的哀嚎聲播放出來，他們就敢做到這種程度。」[220]

這場陰森悽慘的武裝內鬥造成普通學生的反彈，結果搞得不得不匆忙收場。民青與班級聯合等志同道合組織終於向今村自治會委員長直接要求，於十二月十三日舉行緊急代議員大會。班級聯合內部有人認為，一直以來他們都與全共鬥、民青保持距離，因此質疑這次與民青的共同行動，但終究為了收拾事態而不得不同意[221]。

民青與班級聯合為了要求舉行代議員大會，帶著兩千五百人的連署進入封鎖中的建築。在此之前今村已拒絕了十次舉行代議員大會的要求，但根據規定如有超過八百人的連署，自治會委員長即有義務召開代議員大會[222]。

可就在此時，民青與班級聯合的學生遭到東大全共鬥與支援部隊學生以鐵管毆打、驅逐。因為此事，過往支持東大全共鬥的班級聯合，也毅然背離了全共鬥[223]。日後某位班級聯合的成員在訪談上表示，當時「從心底湧出了一股怒火。」[224]

東大全共鬥的學生與研究生在面對與全共鬥為敵者時，會毫不猶豫地發動武裝內鬥，並將武裝內鬥當作「自我否定」與「形成鬥爭主體」的一環來執行。柏崎千枝子在一九六九年的手記中如此寫道[225]：

為何我們得武裝內鬥呢？

我們太孱弱了。身為一個人帶著無奈的孱弱。在這個與權力機構緊密勾結的東京大學中，作為其中一員，身為一個「東大學生」，對人民來說就是壓迫者＝犯罪者，而對於自甘墮落於這種狀態的教師、民青、右翼（同志聯合與希望解除罷課的普通學生），我不由自主地感覺他們是種反面教材，他們往往在這種溫水煮青蛙的狀態下成長，也因此被轉移了注意力。正因為意識到自己很容易就被拉離正確方向，所以才告發、否定自我，為此我們進行武裝內鬥。……

更進一步而言，這是為了讓自己的思想自始至終保持澄澈。擺出背水一戰的陣形，為了逼迫自己下定決心主動不留後路、為了讓自己的話語保持「真實」、為了絕不逃避鬥爭，我們在民青、右翼秩序派和機動隊之中，面對鮮豔映照出的「醜陋自我的樣子」，揮舞起武鬥棒。

如前所述，東大全共鬥原則上是自由參加的同志團體，搞運動的方式也可自由發揮。東大全共鬥的運動者們知道，現在放棄運動將可升級與畢業，也知道有朋友因反對全共鬥激進化而背離。這樣的他們於是傾向於只相信直接行動。根據柏崎的描述，他們接觸過東大「進步的教授」，萌生「我們不信任不帶行動的思想。一直以來我們見過太多以『不可使用暴力』為藉口，不願在思想上賭上自我，若無其事背叛『語言』和『思想』的人。」[226]

在此狀態下，為了澈底擺脫自己也想脫離運動「隨遇而安」的迷惘，為了安定認同，他們進行武裝內鬥。這是透過行動讓自己的「思想」成為「真實」。此外，想表現他們那種無法以語言體現的「精神」，武裝內鬥也是一個最簡單的表達方法。然而，遭柏崎單方面以「醜陋自我的樣子」投射的武鬥棒痛毆的一方，大概不會甘心忍受吧。

如前所述，東大全共鬥的武裝內鬥自十一月以後招來普通學生的反感。根據民青方的紀錄，十一月十四日在駒場阻止封鎖之後，某普通學生表示[227]：「『全共鬥』的那群人，嘴上經常掛著『從人的異化中解放出來』。在此之前，我們也覺得他們說的話有一定的道理。但今天看著他們的模樣，我覺得再也不能相信他們。高唱『解放人類』，為何能若無其事做出揮舞武鬥棒、投擲石頭、潑灑硫酸等，這些非人性的行徑呢？」

而在同一時期，東大全共鬥的成員對武裝內鬥的認知，卻開始朝正向的方向變化。在民青與全共鬥不時發生武裝內鬥的十一月初，大原紀美子寫道「當時已經頻繁發生對個人的恐怖攻擊或單純類似互毆的武鬥，在我看來都是令人恐懼的事情。」[228]

十一月十二日綜合圖書館前的衝突之後，她也寫道「腦海中不禁浮現『這難道僅是一場兒童們的戰爭遊戲』這句話。」但到了十二月，她則寫道「到了最近，見到機動隊受傷自然無感，甚至見到民青或右派傢伙的受傷，也終於不再感到同情。終究，大家都得為自己受傷負責，違背歷史的人、無法理解鬥爭的人，雖然可憐，但那就是他們的命運。」[229]

在沒有自治會委員長召集的狀態下，為了選出代表團，十二月十三日在駒場宿舍食堂舉行了教養學部的代議員大會。全共鬥方約六百人嚷嚷著「粉碎捏造的代議員大會」蜂擁進入會場。根據民青方的說法，闖入會場的他們「拿著鐵管敲破大門，投石把玻璃窗砸得粉碎，隨手抄起附近的牛奶瓶或食堂椅子亂扔，像瘋了般揮舞著鐵管，導致數十名學生受傷。」不過在宮崎學率領的行動隊、東大民主化行動委員會以及包含班級聯合的無黨派學生約五千人的抵抗下，全共鬥方撤退，代表團選舉得以順利進行[230]。

但即便選出代表團，暴力交鋒並未停止。宮崎如此回憶當時駒場校區的模樣[231]：

> 當全共鬥方動員外人部隊擺出誓師集會的架式，展現要攻擊日共方據點的動作後，我們立刻趕去擊潰對方。當然，全共鬥也會應戰，雙方都拿著武鬥棒、竹槍，在廣大的校園各處交

戰。……

就這樣，武器也逐步升級，最後的階段都改持鐵管（而非容易折斷的角材），使用汽油彈。當汽油彈登場後就得改變服裝。絎縫外套外頭須套上雨衣，如果被火燒著立刻脫下雨衣扔開。即便如此，臉部與手部還是蒙受許多燒傷。

武鬥部隊之間的亂鬥，在夜間也會進行。雖說在澀谷附近，但晚間的駒場校區卻寂靜得聽不到任何聲響，太陽下山後夜幕覆蓋，在昏暗中只有雙方蠢動的武鬥部隊。接著，拳頭大小的石塊突然飛來，從樹叢中殺來手持鐵管的武裝全共鬥派外人武鬥部隊。……

部隊在昏暗中行進時也曾遭全共鬥襲擊。帶頭的嘶啞吼聲突然響起：「殺掉民青！」瞬間四處傳來大量雜沓的足音，都朝著我們而來。之後便進入亂鬥……身體遭毆打發出「乒噹！」「噗哧！」的聲響，雙方領隊吼著「不准撤退！」「別散開！聚在一起！」，此外只能聽到紛亂的腳步聲。對方的身影模糊，只聽到擊打聲與領隊的聲音，那情景實在相當恐怖。

武裝內鬥的橫行不限於各派運動者，也將普通學生捲入。根據理學部的學生唐木田健一的回憶，十一月下旬之後「不管校內或校外，只要一不留神就可能有東西砸過來」，所以參加校內集會等場合時，也發給普通學生頭盔[232]。

安東仁兵衛在一九七二年的對談上，提及過往被當作黨派間的秘密，只在夜間進行的武裝內鬥，在東大鬥爭之後，也變成公然在白天進行，他如此說道[233]：

……在東大全共鬥之前，所謂的「武裝內鬥」仍是新左翼黨派間的「機密事宜」。即使不得不執行，但本意是不希望發生這種狀況的。畢竟那時還是會覺得「這是可恥的事情」。然而，首先公然用武鬥棒對付民青，就是在東大全共鬥。那根本是誤解了革命武裝，彷彿成了在演奏對武裝內鬥的謳歌、讚歌般。

關於這點，我認為東大全共鬥無法卸責。……東大〔全共鬥〕對民青挑起武裝內鬥，即使從發展史角度來看就是如此演變，但套用一句列寧的話來說，該說是帝國主義國家間的戰爭，誰先扔出第一塊石頭，不是決定誰對誰錯的因素。這是雙方都在執行非正義的戰爭啊。面對民青的挑釁，東大全共鬥也順勢以暴力回應，就是這種狀況。

在這種暴力橫行之下，東大成為比起理論更先訴諸暴力的場所。過去同志組織或個人自由豎立的立牌看板等，也是早上才剛豎立，當天就遭敵對黨派破壞，或者被盜取當作該黨派製作立牌看板的材料。

川上秀光如此描述一九六八年末以後的東大鬥爭[234]：「想在校園鬥爭中找出運動的新主題，各新左翼黨派一齊來到東大。武裝內鬥、私刑的橫行，使東大校園成為全國僅見的無法無天地帶。」「東大紛爭的出發點，亦即學生、學界人士的基本權利，此時遭到了蹂躪，不僅未能承認學生自治活動的正當性，還因私刑的恐怖行徑剝奪了眾人的行動自由，立牌看板等道具的破壞與盜用，也讓意見表達的自由蕩然無存。」「要讓自我主張成立，唯有透過武鬥的勝利。理論的對決，早已成明日黃花。」

這種狀況，導致校內外對東大全共鬥的支持低落。吉野源三郎在安田講堂攻防戰後書寫的〈想對山本君說的話〉中，如此敘述[235]：

十一月以後，東大校內因頭盔與角材，竟成了比完全由保守黨政府統治的東大校外更沒有言論和集會自由的世界。這是由哪個黨派、哪種行動引發的，哪一方需負責，即便對立的黨派有各自的說詞，但無論如何東大的這種狀況，可以確定的是參加鬥爭的學生諸君當初的意圖已蕩然無存。因封鎖研究室而侵害研究自由，也是同樣的道理。根據封鎖者的主張，他們不允許現今於東大任教的人們迴避道義責任，為了不讓他們躲在研究背後而這麼做，但即便有這樣的情狀，那這種做法等於是把應立足於良心的反省，改以物理性的現實力量加以強制執行。去年〔一九六八年〕春天，完全無視學生多次要求的醫學部教授們與東大前執行部的態度，我聽說有人稱之為「沉默的暴力」、「緘默的暴力」，指責這是一種暴力行為。東大鬥爭是激憤於這種暴力而展開的鬥爭，但數個月之後，反而發展成原本為了鬥爭而奮起的人們，以類似法西斯的行徑侵害研究自由。而我甚至聽到有人說，「光是為了爭奪東大學生運動領導權就幹出這些事情的人，如果真的讓他們掌控了國家政治的權力，真不知道他們會幹出些什麼事來。」

此際全共鬥的孤立與不利局面，已經不言自明。根據大原紀美子的說法，十一月十八日在公開初步磋商上與校方決裂後，東大全共鬥的氛圍是「在獲得許多同志的同時，明顯也可看出走入了困境。不知何時會被幹掉，會怎麼被幹掉，無論如何，已經無法說能有個光明的未來」[236]。

如前所述，十一月以後東大內支持全共鬥轉而參加運動者有所增加，但整體而言中間派背離全共鬥的傾向相當顯著。大原聲稱「獲得許多同志」的同時，「已經無法說能有個光明的未來」，也符合上述的調查結果。

在這種狀況下，因為對「敵人」的憎惡，加上一種戰友的意識，仍讓東大全共鬥勉強維持團結。大原如此描述一九六八年末的氣氛[237]：「現在，共鬥會議派在大學中持續變成少數派，在整體社會中更是少數派中的少數派。」但「只要進入解放講堂裡，就是只屬於共鬥會議的世界。在這個世界，能讓人一時忘卻自己身為孤獨的反叛者。」「沾上油漆的桌子，被泥土覆蓋的書架，因下水道管線毀損而泡水的，洗臉台下的地板，裝著煙灰的飯碗，已經綻出棉絮的骯髒棉被，散落四處的油性筆，被折得亂七八糟的報紙，幾乎數不清的各式各樣雜亂無章的棄置傳單。說混亂確實是混亂，但也流露出一股甚至可說是美妙的氣氛。」

然而，他們的不安並未消去。大原寫道[238]：「為何我在鬥爭呢？我必須進行鬥爭的必然性在哪？說實話，已經對鬥爭感到厭煩了吧？為了誰在鬥爭？如果不是為了我自己。為了其他人？為了人民？為了普羅大眾？為了更好的世界？騙人。」「我沒有讓東大鬥爭以這種型態持續下去的熱情。這是理所當然的，因為我認為即便東大鬥爭持續一百年也無法形成革命。」

大原稱，對長期的街壘生活感到疲倦，在東大鬥爭顯得不利的這個時期，運動者也不再有一起用餐一起討論的心情。大原如此記道[239]：「最終大家都是孤獨的吧。一起邊抗爭邊用餐的狀況幾乎不復得見。有集會或遊行都不再聚餐，只是啃麵包。去食堂時也都找空檔自己一個人去啊。從什麼時候起大家不再習慣一起用餐了呢？」「就算交談也都是開玩笑之類的。大家一起談話總不提任何深刻的話題，或許這種逃避正反映出底下的那份沉重。」

接著大原寫下自己在這種狀況中的心境[240]：「我不屬於任何地方。這個廣大的世界中沒有我的歸屬。」

錯失「獲勝」的最後機會

此時期的東大全共鬥，內部也陷入動盪。在代表會議上，實際上做出決議以武力堅決粉碎十二月十三日的駒場代議員大會。但之後在代表聚集的事務局會議上，卻將活動降級為抗議鬥爭[241]。當時的駒場正在警戒革馬派與社青同解放派的武裝內鬥升溫，機動隊就在校外靜候。若真的要粉碎代議員大會，而與共產黨的行動隊發生衝突，將會引來機動隊介入，新左翼黨派也可能有人會被逮捕。為了保存組織實力，新左翼黨派領導者們應該心中已有盤算，即阻止代議員大會只能做到一定程度。

又根據柏崎千枝子的手記，駒場代議員大會前一天的十二日夜晚，東大全共鬥駒場支部的代表會議上，對革馬派與社青同解放派提出，強烈「希望明天彼此間的內鬥能延後，先把全力集中在對日共＝民青的抗爭上」，革馬派的代表看似接受了這項請求，但十三日早晨革馬派的幹部們卻現身代表會議，單方面宣言「我們完全沒想要進行武裝內鬥。」[242]

東大全共鬥的無黨派激進派對新左翼黨派的如此行徑感到震怒。十二月十三日之後的代表會議上，無黨派運動者陸續指責「新左翼黨派又再度見風轉舵了嗎？總是在考慮要保存黨派實力，他們究竟有沒有想要貫徹東大鬥爭的決心？」「新左翼黨派與東大鬥爭，究竟何者重要？」「為了黨派而把東大鬥爭牽著鼻子跑的做法，也該有個限度吧」，「對扭曲代表會議的方針進行自我批評！」[243]除了革馬派以外的新左翼黨派代表，都陸續被迫自我批評。

之後無黨派激進派認為實戰部隊已不能再倚靠新左翼黨派，全鬥聯研究生組織了自己的武裝內鬥部隊。進一步讓他們實力增強的事件是：他們在駒場阻止了革馬派與社青同解放派的內鬥，並驅離了革馬派的「外人部隊」。山本義隆和川島宏等人一直嘗試說服革馬派幹部們，最後甚至告知對方：「如果你們不自行離去，就只好由我們驅離你們。任何破壞東大鬥爭的人都將被我們視為敵對分子。」

此時正值美國核能潛艦靠港佐世保，革馬派也讓在駒場的部隊移往佐世保。山本等人的最後通牒對此次革馬派改變方針起到多大影響並不清楚，不過無黨派在東大全共鬥內的地位則更為提升。《每日新聞》採訪班發表與最首等人的不同見解，寫道：代表會議變得比事務局會議更具優勢，無黨派成為全共鬥的領導者，就從此時期開始。

另一方面，進入十二月中旬後，「睡罷課」的學生們也出現變化。根據一九六八年十二月二十六日發行的週刊雜誌報導，十二月四日法學部學生大會上解除罷課提案遭否決後，內閣官房的人事課長表明，「事態發展實在出乎意料」，「如果校方決定讓學生留級，將立即召開臨時的負責人會議協商對策」，說明將重新思考如何處理已預定錄取的東大學生。此外民間一流企業也開始對預定錄取者展開調查，確認「預定錄取者中是否有頭盔與武鬥棒的三派全學聯運動者？」[244]

為此東大附近的咖啡館中交織著學生們的討論：「我昨天突然被叫去問話，暫且含混地應付過去了」、「接下來我得去一趟了。」某政府單位錄取者告訴週刊雜誌，「我被錄取單位叫去一次，一個人唷」，「對方威脅我說：『我們是以你三月能畢業為前提才錄取的，如果畢不了業我們會感到很困擾』。」[245]

走到這一步，察覺危機感的「睡罷課」學生遂大舉出席學生大會。某學生在十一月時表示，「能否畢業的最終時限好像在十二月上旬。到那個時候預定被錄取的人將會感到相當不安」，這個預測果然實現，只不過比他預測的稍晚[246]。十一月末，教養學部的某學生表示「情感上沒有人願意留級，不過在公開場合表示意見時，還是會說就算留級也無所謂」，但很快地他們便沒有餘裕可擺出這種無所謂的態度[247]。

當這樣的「睡罷課」學生出席學生大會後，東大全共鬥的運動者或同情派學生即完全落入少數派。在法學部，法學部懇談會此前已經提議過七次的解除罷課案，終於在十二月二十五日的學生大會上獲得通過。隔天二十六日，經濟學部的學生大會也通過了經濟學部同志的解除罷課提案。後者的領導人町村信孝回憶，「因為大家想在三月畢業，所以許多學生都想要解除罷課，在某種意義上我們利用了這點。」[248]

同時，隨著教養學部選出代表，十個學部中有七個學部已選畢代表團。為了給全校集會鋪路，法學部懇談會、經濟學部同志、班級聯合等無黨派學生組織與民青派的東大民主化行動委員會，一同於十二月二十三日對校方提出初步磋商的申請[249]。

代表團以全共鬥的七項訴求為基本條件，約定一九六九年一月九日舉行實現訴求的全校集會（大眾團交）。面對學生一方面解除罷課，一方面透過大眾團交脅迫校方接受七項訴求的態度，某位教授表示「許多學生根本不想冒險，一旦自己有可能受損，便立刻放棄。也就是說，他們藏起想要就業的想法，只表現出強硬要求大學的態度，但只要苗頭不對便擺出不滿的態度脫離談判。」[250]

東大全共鬥在這種局勢下卻缺乏有效的對策，只能升級封鎖戰術。十二月二十三日，封鎖了實際上取代安田講堂成為大學本部的法學部研究室。

報導指出，此時研究室遭佔領的丸山真男對學生說：「我並不憎恨你們，只是輕蔑而已」，「你們這種暴行，軍國主義也沒幹過，納粹也沒幹過。」對法學部研究室作為軍國主義下唯一一片安全地帶，並在此生活過的丸山而言，理所當然會做出這樣的發言。但批評「進步文化人欺瞞大眾」的學生們，只回應「就是為了趕出像你這樣的教授，我們才實施封鎖。」[251]

這種毫無展望的升級封鎖戰術，引發同情全共鬥的學生與研究生的反彈。某法學部研究生在法學部研究室遭封鎖之前發出〈對全共鬥會議諸君的訴求〉之個人傳單，如此敦促他們自重[252]：

東大正面臨存亡的危機。政府文部省在虎視眈眈可以介入的機會。學生們早已疲勞困頓。在此狀況下，全共鬥會議的諸君依舊無止境地推動不妥協的鬥爭，我衷心獻上讚美之情。東大鬥爭可以一路披荊斬棘至此，除卻你們的熱情根本無法辦到，這點沒有任何人可以否認。

但我聽聞，今天你們為了這個鬥爭的個別勝利，決定新的戰術，將封鎖法研排進了日程。我衷心向各位呼籲，這種猶如神經過敏般將戰術升級到毫無道理的佔領，在當下這個時間點上，實在不可取。好不容易才握在手中的寶物，不應任其掉落。七學部代表團的不正當性、偏頗性已展露無遺，此時正是你們該出面「與大學交涉」的時候。你們充滿勇氣的交涉，理當可以獲得所有同學們的支持。

再度呼籲一次：我衷心期望你們能進行充滿勇氣的交涉。

但封鎖法學部研究室的行動，卻無視這樣的聲音並強制執行。柏崎千枝子記道，「只有意識到朝向自我變革的第一步，我們才能下定絕無回頭路的決心，抱著這樣的決心築起街壘。在這層意義上，街壘不單只是對著他人，這也是一記重槌，擊向我們在鬥爭中想要見風轉舵的內在。」[253]這已然與揮舞武鬥棒相同，當面對不利狀況時便斬斷自身退路，是為了「形成主體」而進行的封鎖。

不過法學部研究生們組成的法共鬥，在封鎖時與教授私下約定「將不會對內部的研究資料、圖書與私人物品動手」[254]。但如後述，隔年一月的安田講堂攻防戰後，發生了資料大規模散逸的狀況。

與此並行的是十二月二十三日，加藤代理校長再度對全共鬥提出初步磋商[255]。校方提議將接受七項訴求中的六項，而且文學部懲處的問題也將「回歸原點」。對東大全共鬥而言，這很明顯是獲得「勝利」的最後機會。

文學部革馬派運動者鈴木貞美如此回憶[256]：「各學部中已舉行學生大會，否決罷課方針，此時已然可以見到將從敗退的坡道上滾落墜下。這種程度的事情，只要神經還算正常的人，應該都可看清。」「對於〔加藤代理校長的〕這個回答，東大全共鬥的中樞已檢討宣布『鬥爭全面勝利』並就此閉幕。只要是當時的運動者都知道這件事情。」

然而，東大全共鬥依舊拒絕了加藤代理校長的提議。根據加藤的回憶，居中斡旋的全共鬥幹部於二十四日晚上十一點多來電，表示「很抱歉，無法彙整大家的意見。」加藤在日後表示，「那個人說『全共鬥也很差勁啊』，對於最終未能整合意見似乎感到很遺憾。」[257]

為何東大全共鬥會採行這種「從政治角度來看乃難以置信的愚行」？照例，真相已無從考證，但從日後的證詞及其他資料，或許可以做出如下的推測。

第一，當東大鬥爭揭示「自我否定」時，依照山本義隆的說法，就已然變成「沒有在此停下腳步的道理」。今井澄在日後表示，「全共鬥運動早就從要求什麼並獲勝的階段，提升到如『自我否定』這個詞彙所象徵的一般，成為賭上自我存在的抗爭。如此一來，某種意義上也就啟動了『無終止的鬥爭』，我認為存在著這樣一個面向。」[258]即便想簡要說明成沒有盡頭地「尋找自我」，大概也無法道盡這種狀態。

根據內藤國夫的說法，當他詢問山本義隆，「東大鬥爭到什麼地步你們才會感到滿意，覺得『鬥爭獲勝』並暫且解除罷課體制呢？」，山本如此回答[259]：「個別東大鬥爭這件事情，本來就不可能有勝利。我們的鬥爭否定『對國家社會有幫助、符合資本要求的大學』，無論如何必須是不妥協的。」「在這層意義上，我們的戰鬥將會是永續的。」「不是在哪個時間點上將停止，硬要說的話，只能說是將在哪個時間點上土崩瓦解。」

一九六八年十一月的《朝日Journal》座談會上，山本也如此闡明[260]：「即便現在與我們對立的是更好的教育機構，最終仍舊是由權力方提出的協議機關介入，實際上就是將我們收編，我們不過就是跑龍套的角色。所以站在我們的立場，對校方的改革提議抱著澈底批判的觀點，堅持拒絕的態度，除此之外不作他想。」「簡單來說就是現在正在進行鬥爭，無法考慮之後的事情。」「這不是勝利或敗北的問題，唯一的問題是，鬥爭的結束，將是另一場什麼鬥爭的開始。」

在同一座談會上，助教共鬥的最首悟也主張「僅從結論而言，只能對所有事情都加以否定。」同席的教育學部研究生形容山本與最首的主張「完全就是僅存在概念中的世界。」[261]若遵循他們的理論，只要沒有外力擊潰運動，鬥爭便不得不變成「永續經營」的事業。

這樣的意識在東大全共鬥中廣為滲透。十二月的《朝日Journal》刊出聚集各新左翼黨派的東大全共鬥學生舉行的座談會上，某位學生的敘述[262]：

「以為只要接受七項訴求就行，實際上並沒有這樣的事情。什麼學生參加大學經營啦、承認學生權利啦，我們沒打算以這種形式解決鬥爭。」「〔東大鬥爭是〕透過運動徹底對當前社會中的自我存在進行追究的戰鬥。在東大，畢業生要麼成為高級菁英官僚，要麼成為君臨產業的高層人士，在這種狀況下所謂與大學進行對決，意味著從我們的團結中不斷意識到社會性，而非大學和學生這種意識結構，這連結的是從根底變革當今社會。」「在當今的資產階級機構中，想如何變革大學的問題並不成立。所以，我們根本不考慮大學的願景。」

吉野源三郎在〈想對山本君說的話〉中如此記道[263]：

> 就必須與權力對決而言，是思想的問題。而如何與權力對決，則是政治的問題。……就我的認知，山本君對此並無思想準備。山本君來訪我家時……我說道……若要與權力對決……沒有計畫則無法作戰。山本君說「所言甚是」，並答道，準備那樣的計畫，對每個鬥爭做出調整是政黨的任務，希望能由政黨來處理。且山本君提及，日本沒有真正的先鋒政黨。他既不信任共產黨，也不信任社會黨。因此，要以學生運動為基礎，跨越先鋒政黨，承擔先鋒政黨的任務，特意與權力進行對決——但這件事情，再怎麼看都不是年輕物理學者山本君所能負擔的。

另方面，佐藤誠三郎則如此敘述[264]：「秋天以後，面對光輝到來的勝利契機，卻在全共鬥排除一切妥協的強硬態度中硬是讓機會逃走，這種在政治上難以置信的愚行，在立足於思想運動立場的他們看來，乃是理所當然。」佐藤的認知是，東大全共鬥並非政治運動，而是順著「思想運動」在進行。這在一定程度上算是合適的見解。

其次，無法停止鬥爭的第二個理由是，一如前述學生發言可見，十二月時東大全共鬥的學生們開始把東大全共鬥視為與改造整體社會相連結的運動。當時的全共鬥派學生橋爪大三郎日後如此敘述[265]：

> 若帶有現實感，就得據此彙整並妥適展開對話，但全共鬥中還存在著夢想。這不只是一個校園鬥爭，其意義已然超越校園鬥爭。例如「七〇安保」，或者更擴大拓展到全世界的意義。若一切皆按照該原則行動，或許能改變今後的歷史。我們肩負著這樣的責任。因此我們才認為不可輕易妥協。

然而，根據內藤國夫的說法，東大全共鬥將七〇年安保與革命納入視野，是在十一月底以後。此外，體制變革遠遠超出東大全共鬥的能力，他們也沒打算以體制變革作為其行動的導火線。一九六八年十二月《每日新聞》做的民意調查中，對於東大鬥爭等學生運動的「說法與行動皆表贊成」的人只佔全體的五％，即便只看二十幾歲這個年齡層，也只有六％[266]。

何況，從考生及其家長的角度看來，東大學生的「自我否定」等想法，只是考上東大的人才有的奢侈的煩惱。當時的雜誌收錄了報考的高中生與高四生想法，如「我們究竟做了多壞的事情呀？」「不過就是大家想聚在安田講堂互毆罷了。」[267]

這一年伴隨東大停招的，還有因反對遷址筑波運動而風雨飄搖的東京教育大學。這兩所大學的招生人數，佔所有國立大學招生員額六萬五千多人的六%[268]。高中生與高四生之間互傳流言，認為東大停止招生，將導致京大與阪大更難考取。

某位自民黨文教族的議員如此敘述：「我不想指責他們究竟如何看待國民的稅金啦。國立大學的例子中，文學部的學生一年花五十四萬日圓，在醫學部甚至得花八十萬到一百萬。如果留級，在那一年國家還得多出一年的錢啊。」某早大教授回顧一九六六年的早大鬥爭說道，「早稻田的學生還是有良知的呀。他們進行的是按計畫表的鬥爭，連出席上課的日數都經過縝密計算呢。」[269]

但某東大全共鬥的學生面對雜誌採訪時卻如此回答[270]：「這是革命呀。就像韓國那樣，會成為左右政治的一股力量。考生啥的不是問題。革命必定帶著犧牲，那是沒辦法的啦。所有的大學停止招生個一、兩年，那不是挺有趣的嘛。」

山本義隆也如此主張阻止入學考的正當性[271]：「考生們究竟為了什麼目的，站在什麼立場要進入東大呢？如果真心想研究學問，他們必須理解東大的教授既不具備教育者的資格，也沒有研究者該有的誠實態度。如果想要尋求更好的就業處所，那他們也是東大鬥爭聲討的對象，因此，我們具有阻止這種人入學的道義性。無論如何，全共鬥擁有強行粉碎入學考的充分邏輯正當性。」

山本於一九六九年二月又說道[272]：「要說〔中止東大入學考〕有多少考生感到困擾，不過是七、八十萬考生中的兩、三萬。這些傢伙是大家玩耍時他們也拚命學習，讓人感覺很不好的一群人啊。」

不過大原紀美子在安田講堂攻防戰後的一九六九年四月，因打工出席大學錄取生的座談會時，也記下因東大中止入學考而不得不報考其他大學的出席者意見[273]：「全共鬥的山本等人，說東大不是學習的環境。可是，六〇年安保的時候那傢伙大概是高三學生吧。那傢伙當時也拚命學習才能考上東大不是嗎？在加害別人時，又自我否定身為東大學生的自己，到底為什麼憑著他一句話，這件事就該這麼算了？」

大原如此寫道：「在安保鬥爭時，山本氏已經在東大戰鬥，是說，全共鬥中也有當時還身為高中生即加入抗爭的人，在這個場合這種事情怎樣都無所謂。不管是自我批評或自我否定，你和我都是東大學生，都帶有陰暗的過往，而這在長達一年的東大鬥爭過程中就是縈繞我腦海中的『感覺』，但此時第一次有人扔給我這番『話』，還是給我一陣衝擊感。」

如前所述，第十三章說明的十月二十一日新宿事件之後，「暴力學生」成為社會益發厭惡的對象。而且東大鬥爭看在社會大眾眼中，不過就是一群享有特權地位的東大學生們，一邊使用意義不明的抽象用語，一邊揮舞暴力罷了。

山本義隆主張，現在東大鬥爭著眼於整體社會的變革，在此基礎上「完全不追求學生的特權及其附帶的利害，而是站在普遍的、全體人民的立場在奮戰。」[274]然而根據評論家中島誠的說法，在關東地方的某工廠，職場的電視上「只要一出現東大鬥爭的畫面，高中畢業或中學畢業的第一線勞工，立刻刷地轉台，觀賞其他的節目。」[275]

十一月《朝日Journal》編輯部成員談到，「東大紛爭中把問題提升到國家體制層級一事，普通人根本不知情。」[276]同樣在十一月，《文藝春秋》舉辦的東大學生和教授座談會上，主持的編輯說「一般人對東大紛爭的感想，就是完全搞不懂為什麼要抗爭這麼長的時間，不是嗎？」[277]包括「自我否定」在內，東大鬥爭內部的議論，不過就是茶壺裡的風暴罷了。

相比日大鬥爭是學生奮起對抗校方逃稅與壓抑學生人權等，這樣一種再清楚不過的「近代的不幸」，東大鬥爭主張「自我否定」和「確立主體」，則讓一般人難以理解。當時《展望》雜誌的時事評論上如此敘述[278]：

「與日大相較，一般人對東大紛爭的反應更為冷淡。」「社會上普遍存在一種質疑，那就是東大學生今日依舊乘坐著特權的電梯，而且還貪求更多的特權。校長辭職、校內民主化、撤銷不當懲處——七項訴求中的四項，全都是校內主義、東大主義。持續了半年也提不出新的口號，毫無發展性。」「東大也好，日大也罷，如果解除大學的特權，告訴他們全部憑喜好聽課去吧，大概東大學生還是會大加反對吧。」

丸山真男在當時的筆記中如此寫道[279]：「對東大運動的冷嘲熱諷」與「對日大運動的同情，這種明顯的對照具有什麼意義，〔東大全共鬥的學生〕思考過嗎？去聽聽本鄉商店街的意見吧。去聽聽公車與計程車司機的意見吧。」

實際上，十一月二十二日的東大、日大聯合集會被電視台轉播，播出新左翼黨派學生們舉行集會的模樣時，本鄉的攤販老闆對同情全共鬥的學生這麼說[280]：「這種學生，全都該殺。客人你說是吧。」根據最首悟的說法，十二月底看到法學部與經濟學部解除罷課，某位同情日大鬥爭的「本鄉壽司店老闆」說，「實在不像話，讓文部省多當掉一些人就會老實解除罷課，真不識好歹。」[281]

因為東大是資本主義社會製造菁英的機構所以要將其解體的主張，有一部分人知情，但大多數的反應是「廢除東大只是徒勞地在他處又打造出第二所東大罷了。」[282]

越平聯代表小田實在一九六九年一月寫道：「共鬥會議的諸君，可曾直接向校外的市民們表明自己在想什麼，打算做什麼？」「校園外的市民都只能靠著『布爾喬亞新聞』得知事情。本來在東大校內有許多『立看』（立牌看板），但內容大體都是給夥伴或『敵人』（民青甚或大學當局）看的，並未對市民有任何呼籲。或許至少要在東京都內各處，以壁報的方式張貼自己的訴求。這是我的個人見解。」[283]

實際上，東大全共鬥幾乎未曾努力對外宣揚自身的訴求。反倒是七月全學鬥散發的傳單中，提出東大鬥爭「是全國性暨歷史性的鬥爭」，「對全國各地湧現的大學鬥爭運動，勞工們卻幾乎不知情，這不得不說有些不可思議。」[284]在現存可確認的傳單中，直到鬥爭最末期的安田講堂攻防戰第二天，亦即一九六九年一月十九日起才有東大全共鬥學生在校外散發傳單，呼籲一般市民理解和支持鬥爭[285]。

許多東大全共鬥的運動者也欠缺向一般市民或勞工講述問題意識的能力。撰寫十一月二十二日的東大、日大聯合集會專題報導的作家安岡章太郎寫道，聽見新左翼黨派運動者透過擴音器，嘶吼著充滿難懂左翼用詞的鼓動演說時，「一開始還尋思，難道這是祭司在請神上身？」[286]

更不用說，如果不依靠左翼用詞來表達欲求，「找不到合適語言」的學生就更無所適從。十一月二十二日，安岡詢問東大的無黨派學生究竟為何而戰時，學生回答，「我們，在本次的鬥爭中，要求包含教授在內所有東大當權者進行人的意識改革」，若只是這樣，東大以外的人只會覺得「與自己無關」，故安岡追問「那麼，關於意識改革，要對什麼做什麼樣的改變，你們怎麼思考呢？」該學生「露出不知所措的表情，一句話也回答不上來。」[287]

東大鬥爭中並沒有如巴黎五月革命般，喚起勞工發動總罷工的支援。山本義隆回應記者詢問為何東大鬥爭並無勞工支持時，回答「那是勞工運動的領導層那邊有問題」，主張總評及其他既定工會幹部的騎牆派思想得負起責任[288]。但這只能說是有點勉強的回答。

如同日大鬥爭一開始也在警察內部獲得同情，自民黨的政治家中也有人對東大鬥爭表示一定程度的理解。中曾根康弘在安田講堂攻防戰後的座談會上表示，「最大的責任在教授會」，「從醫學部和工學部的建築科這種充滿類似行會封建要素的學部發起鬥爭。」但中曾根在最終評價時也表示，「為了打破該封建性而拚命鬥爭，最後卻發現自己茫然站在一片燒毀的荒蕪中。他們的做法不可否認地是一種暴走啊。」[289]

總體而言，這類政治家與一般輿論能夠理解東大的教授會或講座制的「封建性」，學生乃為此抗爭。當日大惡劣的人權狀況暴露出來時，他們同樣抱持同情。但東大全共鬥的學生與研究生揭示的「確立主體」、「自我否定」，提倡全校封鎖進行武裝內鬥等等，他們既不理解也不同情。

安田講堂攻防戰後退休的東大田村教養學部長，在一九六九年二月十八日的《朝日新聞》表示，「全共鬥諸君提出的問題究竟是什麼，以及他們究竟該怎麼做才好，我到最後還是搞不懂。」[290]對東大全共鬥的心情表示理解的高畠通敏也談及，對全共鬥學生對保守派的林健太郎抱持好感一事，「我無法理解。」[291]

在《朝日Journal》雜誌上，主持東大全共鬥學生座談會的小中陽太郎也寫道：「內部武裝鬥爭、理論鬥爭，以及他們的戰術與思想，站在局外人的角度來看，澈底超出了我的理解能力。」[292]與學生們接觸的有識之士都如此表示，一般輿論會評價「完全搞不懂為什麼要抗爭這麼長的時間」也是理所當然的事情。

就這樣，東大全共鬥的鬥爭不僅無法獲得支持，也無法得到一般群眾的理解。東大全共鬥拒絕「勝利」的第二個理由中提及，東大鬥爭中只要不實現社會變革就想繼續抗爭下去的意識，從一九六八年十一月以後成為他們內部繼續抗爭的理由，即便如此，這樣的想法可說幾乎無法在東大以外適用。

新左翼各黨派的想法與研究生的心情

不過，東大全共鬥拒絕「勝利」還有第三個理由，亦即新左翼黨派的想法。

例如，中核派全學聯在一九六八年十二月的臨時全國大會報告中表示[293]：「作為第二個日大鬥爭，必須把東大鬥爭推向不和解的『泥沼』。此事完全有可能辦到，而其關鍵突破口，就在我們全學聯的革命性自我變革中。」

原本新左翼黨派的企圖是不讓大學鬥爭停留在「校內改良鬥爭」，並將其視為打倒資本主義體制的立足點。因此，東大鬥爭的目的在於將改造社會的意識，滲透進東大全共鬥成員，因而有必要把街壘一直維持到七〇年安保鬥爭。

如同一九六八年二月的中大鬥爭般，雖然反對學費調漲的訴求獲得成功讓學生湧出勝利感，但學生們齊喊「共產同滾回去」時，對新左翼黨派則完全沒有助益。因此，無論校方提出何種讓步提議都必須拒絕，得把鬥爭「推向不和解的『泥沼』。」

隸屬構改派的今村教養學部自治會委員長，早在十月上旬的訪談中已如此表示[294]：「如果校方承認七項訴求，我們的鬥爭也將被削弱，只能成為『改良鬥爭』。對我們而言，除了訴求獲得校方承認，如果不能加上強化我們的運動，或者讓運動更為發展，那便稱不上勝利。」

梅本克己在一九六九年初寫下他對東大鬥爭的評價[295]：隸屬新左翼黨派的「激進運動者，腦海中的念頭是……展望應會到來的七〇年安保鬥爭，並把此處〔東大〕打造為鬥爭的根據地，而這樣的展望又進一步與日本的革命銜接。在此前提下，如果走在現今的路線上，而萬一大學明天就接受學生方的七項訴求，那麼看在普通學生眼中，就已達成鬥爭目標，但這種狀態對持續鬥爭而言屬於『最糟的狀態』，為了避開這種『最糟的狀態』，遂一腳踢開與校方的談判準備集會。」這段推測在某些部分稱得上正確。

此外，還有新左翼黨派間的競爭意識在起作用。藉由提出比其他新左翼黨派更激進的鬥爭方針以領先對手的傾向，一如第三章所見從六〇年安保鬥爭共產同時便已存在。

文學部革馬派的運動者鈴木貞美回憶道，「文學部的執行部為搶先其他學部企圖升級鬥爭形式，目的之一就是想誇示自身的領導性與戰鬥性。」[296]當時的報導如此敘述[297]：「〔東大〕全共鬥為何非得變得如此強硬？這與全共鬥由雜牌軍組成似乎有關。幹部們感覺差不多該收手了，但因各派必須爭奪領導權，若說出解除罷課會遭指責有『當牆頭草』之嫌，所以說不出口。所以剩下的選擇，就只有讓運動不斷升級的辦法。」

根據鈴木貞美的回憶，「〔文學部懲處〕並未『撤銷』，但如果解讀校方〔實際上〕已『撤銷』並提出讓事件落幕的方針，光是這樣就會遭指責採取妥協的態度。此外，著眼於七〇年安保修訂鬥爭，越是進行鬥爭就越能鍛鍊組織的黨派邏輯更為優先。在可以宣布勝利的場面，勝利卻被說成敗北主義，這也反映出『邏輯』顛倒橫行的氣氛。」[298]此外，鈴木於一九九五年的訪談中說道[299]：

新左翼各黨派把目標設定在七〇年反安保鬥爭這場重大鬥爭上，而在高昂的學生運動中哪個黨派取得領導權，其帶來的好處明顯可見，故也造成競爭。比起一所大學的鬥爭發展得如何，更重要的是身為政治黨派能取得什麼樣的發展。〔在東大鬥爭中〕如何得出結論，該判斷根本不是學部執行部所能決定，而是由上級組織的政治黨派官僚端詳其他黨派動向後下達決定。我記得當時在封鎖的學部長辦公室裡的房間集合，黨派幹部花了長時間討論，之後邊說「所謂的鬥爭，對黨派來說能在戰鬥中以最衝鋒、最轟轟烈烈的方式倒下，就是勝利。即便運動失敗了，還是勝利」，邊從房間裡走出來。

即便東大鬥爭轟轟烈烈地失敗了，如果能為接下來的七〇年鬥爭培養出許多運動者，對〔革馬派的〕文學部執行部大概仍是好事。……東大鬥爭已經夠了，接下來是在全國的大學鬥爭中爭奪哪個派系能幹得最出色帥氣，我認為已經變成這種爭奪了。

東大全共鬥缺乏支持成為少數派之後，已不能寄望掌控自治會與大學當局妥協會帶來好處。如此一來，剩下的便是盡可能拉長鬥爭，強調自家派系的存在感，即便一個人也好，盡可能爭取更多東大學生運動者，此方為上策。這便是新左翼黨派的邏輯。

根據當時早大助教的西川潤聽到的風聞，十二月二十六日東大全共鬥在討論是否接受加藤提議時，「全共鬥內部商量後，大部分派系一度都傾向接受，其中僅有一個新左翼黨派反對，卻反轉了最後的決定。」[300]此段風聞的真偽，照例無從考證，不過或許真的有可能存在風聞中的新左翼黨派。

鈴木又在一九九三年如此回憶[301]：「研究生的『全鬥聯』之中，也有相當積極主張應當劃下句點的人。在不容許任何妥協態度的激進氣氛中，提出這種主張應該需要很大的勇氣。」「現在回頭思考，我並不認為那是正確的方針。」

但根據鈴木所言，當時東大全共鬥內部「說來有股風氣，就是認為誰要把鬥爭結束了，那便是背叛行為。」因此，「對我和其他人而言，研究生主張鬥爭結束的理由是他們還得在大學的世界生活下去，我們認為那是因為這層利害關係促使他們提出這種主張。」[302]亦即，在普通學生為了升級與就業決議解除罷課的情勢下，有一股主張鬥爭結束就與他們同罪的風潮。

然而，儘管新左翼黨派希望延長鬥爭，但不能說無黨派的研究生就一定主張要結束鬥爭。山本義隆等人對鬥爭以妥協方式告終採取否定的態度。而此處也引出了東大全共鬥拒絕「勝利」的第四個理由。

如前章開頭所述，東大鬥爭的特徵是由研究生與助教主導。如果由大學部學生主導，當七項訴求的大部分獲得校方承認時便會宣布「勝利」，大概能夠乾脆地從大學畢業。

但研究生與助教只要對教授舉起反叛旗幟，就無法期待能修復與教授的關係並回歸研究室，能辦得到這點的僅有少數人。這種狀況下，研究生的選擇只有不斷繼續鬥爭，或者離開大學另覓生路。可以推測，這類研究生之中存在著強硬主張繼續鬥爭的人。

一九六九年初，山本義隆論及大學部學生與研究生的差異[303]：

……大學部的學生在思想上有天真的部分。只要找藉口說「因為那個時候甚至現在都還不懂」，對社會、對大學依舊通用，也就是〔去找工作〕，依然有回到原本資產階級路線的可能性。然而，在研究所像是博士班三年級的狀況，就不是這樣了。參加鬥爭意味著重大的決定與自我否定。換言之，一旦鬥爭開始，就不可能回頭，如果不能打倒教授、取得鬥爭勝利，就只能被逐出大學。所以，一旦啟動就別無選擇，必須硬幹到底。

恐怕這是東大全共鬥的研究生與助教澈底喊「不」並拒絕「勝利」的原因之一。據大原紀美子稱，東大全共鬥的研究生與助教早在十一月即討論到「鬥爭失敗便無法再度回到研究室，民青和我們，要麼被趕出大學要麼將對方趕出大學，只能選邊站」，並主張全校封鎖[304]。

實際上，東大全共鬥雖說由研究生與助教領導，但參加全鬥聯或助教共鬥的研究生與助教卻是少數派。安岡章太郎在一九六八年十一月的東大鬥爭專題報導中寫道[305]：「本次鬥爭中最消極的，是助教與研究生。〔在講座制的壓抑下〕理當站在第一線抗爭的人，竟如此縮頭縮尾，這是因為他們畏懼紛爭結束後，他們便再也無法回到教室去了。」

一九六八年九月，農學部的助教會發表聲明，內容是在指責全共鬥的「封鎖學生」[306]。根據一九六八年十一月全共鬥的理學部研究所鬥爭委員會發布的新聞，各講座的「研究室〔之研究生〕參加鬥爭者，只有一到兩人。」[307]大多數的助教和研究生，為求自保多與鬥爭保持距離。

亦即，全鬥聯與助教共鬥的研究生及助教，都是強烈抱持純粹意圖的少數者。這樣的他們，批評忽視鬥爭專心致力於研究的教授和研究生，主張將這些人趕出研究室與全校封鎖，也就顯得理所當然。此外，除了少數有望與教授恢復關係的研究生以外，其他人會執拗主張繼續鬥爭，也就不足為奇。

根據種種因素而在安田講堂訂出徹底抗爭方針後，各學部鬥爭委員會也遵從該方針。東大全共鬥的余村康隆在一九七一年的座談會上指出，雖然東大全共鬥提倡排除階級權力，但實際上卻是個「金字塔型」組織，無法脫離「有一個頂點，由該處上令下達」的傾向，實際狀態是「每一個鬥爭委員會都得等待」在安田講堂做出的決定。余村也證實，「全鬥聯那些年長的人一直都在，所以東大全共鬥的學部、駒場部分」發言權並不高[308]。

因主導權由事務局會議轉移至代表會議，東大全共鬥脫離新左翼黨派的主導。但在代表會議上討論的話，大學部學生或駒場的一、二年級生不可能勝過在經驗與理論上都更加擅長的全鬥聯研究生。

如前所述，村尾行一或橋爪大三郎都在鬥爭後的文章或訪談中提到，東大全共鬥是排除階級權力的運動形體，容許參加鬥爭的型態擁有多樣性。但實際上容許多樣性只限於鬥爭上升前期，後期的東大全共鬥改為強迫對方表明是否參加全校封鎖、是否參加武裝內鬥的選邊站型態。

此外，鬥爭前期東大全共鬥具有強烈的「新左翼黨派聯合體」特性，至於代表會議比事務局會議更佔優位成為不定型的運動形體是在鬥爭的末期。村尾與橋爪所描述的，或許可說是把鬥爭前後期的東大全共鬥長處串連起來而描繪出來的理想形象。而且，東大全共鬥一直到最終階段也沒能脫離以安田講堂為頂點的「金字塔型」體制。

無論如何，東大全共鬥喪失了最後「勝利」的機會。東大鬥爭之前的大學鬥爭中，並無大多數訴求獲得承認後還堅持繼續鬥爭的例子。在這層意義上，東大鬥爭是極為特異的鬥爭。

會出現這種特異性的主要原因有許多個。如：共產黨和新左翼黨派重視東大而全面介入；鬥爭由研究生與助教領導；因為是全國首屈一指的菁英大學所以「自我否定」的觀念更加容易散播；在鬥爭過程中無法納入七項訴求的，從「現代的不幸」中逃離的欲求，轉變成鬥爭的慾望等等。這些原因互相纏繞，即便達成訴求仍不顧一切，導致鬥爭變成最終目的。這些原因的交錯，也誕生出了東大鬥爭的特異型態。

更為特別的是，東大全共鬥決定死守安田講堂。根據川島宏的說法，他們決定「安田講堂絕不能放手，我們出現這樣的覺悟是在十二月底的時候。即便不得不放棄，也要讓講堂化為殘磚斷瓦的水泥塊，使其無法再被利用，如果能辦到這點，就可以放手。」之後，他們在安田講堂囤積糧食，並以水泥加固各層樓梯[309]。

此決定已幾近政治上的自殺行為。數百名學生面對機動隊發起毫無勝算的守城之戰，此為前所未見的特例。在日大鬥爭中，也極力避免與機動隊正面對決，採取事前撤退、事後再重新佔領的戰術。

但東大鬥爭從七月重新佔領安田講堂與秋天的全校封鎖之後，已轉變為「思想表現」與「自我否定」的鬥爭。即便死守安田講堂是政治上的自殺行為，從「思想表現」的觀點來看仍有可為。

經濟學部的研究生阿部知彥表示：「很遺憾的是，共鬥會議的基本思想只能以辭不達意的七項訴求來表現。」東大全共鬥的「基本精神」是「既存『語言』無法傳達的某種意念」，只能「透過明確的行動」來展現。因此「解放講堂的死守，形成了我們的抗爭主體」，「是讓辭不達意的訴求獲得重生之道。」[310]

對東大全共鬥的學生而言，死守城池的作戰完全出乎他們意料。內藤國夫表示，「最強硬派的學生們」也「在四月時擔心『運動堅持不到五月』，六月時感到『不知能否撐到七月』的危機，八月時已經半放棄地想著『到九月就都完了吧』。」川島宏在二〇〇五年表示，在安田講堂死守城池是宛如「在有自知之明的狀況下打造自身終點」的行動[311]。

同情東大全共鬥的《朝日Journal》報導如此記錄[312]：「全學共鬥派的領導者們，面對紛爭的最終局面，為我們展示出一幅到秋末為止『一個接著一個，各學部解除罷課，在不知不覺間學生都坐回課桌前……』的收拾殘局畫面。局面有所變動時，口中強硬地呼喊繼續鬥爭，但內心卻放棄般地想著『或許這就是終點了』。然而令人意外（？）的是，鬥爭一直沒有結束，因此有種『在不斷宣示堅決戰鬥之中，終於走到了這一步』的感覺。而隨著時間經過，加深了對『心中的東大』的追求，最終被逼上決心解體東大的境地。」

東大鬥爭最初從「經濟鬥爭」開始，之後成為高喊「自我否定」與「大學解體」的「思想表現」，最終演變成與「國家權力」的對決，這種發展任誰也預料不到。所謂的東大全共鬥，在此處被局勢「逼入」了結局。接著十二月以後的東大全共鬥，猶如「從坡道上滾落墜下」般，走上了「敗北」之途。

代表團交涉與最後的武裝內鬥交戰

一九六九年正月，武裝內鬥也進入休戰。除夕當天，安田講堂的「鐘樓廣播」流淌出貝多芬的第九號交響曲，正月時在安田講堂前掛起以頭盔做成的注連飾[x]。

一月四日，加藤代理校長發出「以克服大學危機為目標」的宣言。加藤在文中表示東大處於「存亡的歧途」上，首次批評全共鬥，訴求儘速舉行全校集會，以及已選出代表團的七學部集會[313]。當最終提案遭全共鬥一腳踢開，學校當局放棄了全共鬥，將交涉對象聚焦於民青與無黨派學生。

東大全共鬥對此並無有效對抗手段，仍舊持續封鎖戰術。若舉行學生大會，很明顯定會通過解除罷課，因此，一月五日全共鬥把可能成為學生大會會場的農學部大教室全數封鎖。六日於安田講堂前聚集東大、日大、中大、上智大、東京教育大、東外大、電通大、明學大、東洋大的各全共鬥，將東大鬥爭定位為全國校園鬥爭的關鍵，主張阻止東大入學考[314]。

同樣在一月六日，東大全共鬥湧入議決解除罷課議題的農學部學生大會，「武力粉碎」了大會[315]。但此時已無力阻止普通學生奔走收拾事態的趨勢。

另一方面，代表團內部的狀況也相當複雜。普通學生即便打算背離全共鬥，但不代表民青的支持率就上升。班級聯合或經濟學部同志等無黨派學生組織獲得支持，農學部的代表團中也有支持全共鬥的學生[316]。這些無黨派學生組織贊成與校方舉行全校集會，但厭惡被民青利用來收拾紛爭。

雙方的對立早在十二月十五日便已浮上檯面。這天，非民青派的經濟學部與工學部代表，以及法學部及農學部代表的一部分，提出了如下條件：（一）初步磋商的議題以七項訴求為主軸；（二）代表團中不得加入研究生與東大職員工會；（三）協議會不放入討論議題中。[317]

東大研究生協議會與東大職員工會屬共產黨派的有力組織。十一月十一日的《赤旗》提出共產黨的官方方針，即聯合學生、研究生、職員、進步的教授形成統一戰線，力推大學民主化，而設置協議會則是民青四項訴求的核心項目。

經濟學部與工學部代表團提出的這些條件，等同對民青的挑戰書。民青派的東大鬥爭紀錄指出，對方提出這些條件是因為「懼怕『有研究生在，顯然『民青派』的力量就會增強』。」[318]另一方面，班級聯合的資料則表示「官方承認學生團體和參與大學活動，違背七項訴求的『精神』。」[319]透過設置協議會使學生得以參加大學營運的要求，此前已遭全共鬥強烈批評，因此才表示「違背七項訴求的『精神』。」從此處可以得知，無黨派學生在此階段仍帶著對民青的反彈與對全共鬥的同情。

儘管如此，暫且不論與東大全共鬥原本就關係友好的班級聯合，處於對立關係的經濟學部同志等組織也主張站在七項訴求這條基調與大學交涉，某種意義上算是令人意外的開展。不過七項訴求中不包含大學的組織改革，羅列的都是眼前需求，而且校方幾乎都已接受。

東大全共鬥的學生們已主張：「我們的鬥爭，並非七項訴求獲得接受便宣告勝利且即告終的問題。七項訴求是必須達到的突破口，是最低限度的要求，屬於過渡性的產物。」[320]但結構改革派的直原弘道在安田講堂攻防戰後如此敘述[321]：「在東大鬥爭中，最終這個運動終究未能擺脫由少數有自覺的運動者推動的框架。其原因在於，為了七項訴求而匯聚的學生群眾意識，無論事後運動者如何給七

x　譯註：しめ飾り。日本在新年時裝飾在門上的稻草繩。

項訴求附加意義，七項訴求仍舊維持原貌，受到原本的意識形態所規制。」

簡而言之，經濟學部同志等保守派無黨派學生們不理會東大全共鬥提倡的「七項訴求精神」，只把七項訴求當作現實性的要求來提出。為求盡速收拾事態，說得更直白些便是：為重啟授課、確保畢業與升級，最快的捷徑就是用校方已大致接受的七項訴求進行談判。

對民青而言，無黨派代表團的這種態度出乎他們意料，但代表團若分裂將對東大全共鬥有利，因此民青幾乎是全面讓步，只讓研究生以觀察員身分參加，並要求以七項訴求為中心，不提協議會設置。沿著這一思路，二十六日與校方舉行了非公開初步磋商，加藤代理校長基本上接受了學生方的主張[322]。

民青的妥協也超乎無黨派學生的預料。事實上，無黨派學生的代表團在與民青會談時曾決裂過一次，無黨派學生們放棄與民青協議，考慮「由工、經、農加上藥學再次與大學進行對話」[323]。不過最終民青還是以收拾當前事態作為最優先考量。

當時的雜誌報導民青的態度大轉向是「令人非常詫異，許多記者驚呼『真不要臉』，教授們也表示『意想不到啊……。竟如此恬不知恥』。」根據同一篇報導，「傳聞『日共中央似乎下令二十日以後解除罷課』」，在學生與教授之間流傳[324]。

這則傳聞的真偽不明，但也反映出民青的態度轉變相當令人詫異，乃至出現這種傳聞。作家佐木隆三認為東大的民青「只是為了收拾事態，而擺出無論什麼妥協都可接受，我們乃順應大勢的態度罷了。」[325]

共產黨與民青的官方紀錄中，並無提及東大民青運動者們對此發展有何想法。不過日後脫離共產黨的大窪一志於二〇〇六年表示，「那種不由分說的介入與完全沒有原則的無條件收場方針相當低劣。在七學部代表團與評議會交換確認書之前，黨中央主導的與大學當局的高層交涉也很糟糕。」[326] 從這段證詞可以推測：民青從一開始便做出妥協，延後設置協議會，乃因共產黨中央「不由分說的介入」，故共產黨中央與加藤執行部早已有過「高層交涉」。

大窪又提及，黨本部幾乎每天都會對活動進行查核，在此狀況下「變成乖乖聆聽那些被認為是忠心黨員的中央幹部們的訓示，結果就是導致大家感到極度幻滅」，他回憶自己在當時的日記中還寫下「我們要反抗，澈底反抗到底」的字句。但代表團交涉最終仍出現上述結果，因此他感到「究竟為何要搞東大鬥爭啊！心中忍不住想要哭泣。」[327]

另一方面，東大全共鬥依舊鼓吹全校封鎖。評論家中島誠如此評論[328]：「面對〔民青〕毫無原則的政治臨機應變之道，全共鬥會議卻提不出迅速的應對方法。對此，當然會出現『沒用、缺乏方針、態度僵化』等批評。」「不可忘卻初心，與貫徹初心的方法，兩者無法兼顧時，初心必然變成非政治性的空言空語，這就是現實政治的冷酷無情。」

而政府與自民黨方面，也對大學接受七項訴求的「低姿態」產生反彈。十二月二十七日，荒木國家公安委員長發言指出「幾乎完全接受學生的要求」，「這已非文教問題，而是治安問題。」文部省早於九月初即表示「如果事態繼續惡化，大學無法靠自身力量解決困難的話，政府、文部省將負起責任提出解決對策」，暗示將由治安角度進行介入[329]。

如前所述，十二月二十九日，加藤代理校長與坂田文部大臣舉行會談。坂田主張入學考已窒礙難行，雙方達成停止入學考的「共識」，但加藤代理校長強烈要求「若能在一月十五日左右解除罷課，預定重啟授課，仍想盡力實施入學考。」對此坂田文部大臣僅回應「這種事情，等可預見校內秩序恢復之際再來商量吧」，不過加藤代理校長從中聽出一線希望，更加速收拾事態的腳步[330]。

下一個問題是一月十日舉行全校集會的方式。經濟學部、工學部、法學部等代表團的一部分，預測校內集會可能會與全共鬥發生衝突，主張應請機動隊在校外待命保護，校方對此表示同意。同時，東大民主化行動委員會要求校內團交，若無法實施，則由代表在校內團交作為替代方案[331]。

推測民青之所以要求校內團交，是因如果在校外接受機動隊保護舉行集會，對鼓吹與政府對決的民青將「面子上掛不住」，此外，若派遣民青行動隊前往校外集會，東大全共鬥有可能趁機進行全校封鎖。另一方面，班級聯合認為「在校外接受機動隊的保護舉行大眾團交雖不太適當，但在校內讓同學冒著流血的危險做大眾團交，未免讓人心情太過沉重」，最終無法凝聚共識[332]。

全校集會前一天的一月九日，東大全共鬥集結包含日大在內的都內紛爭九大學全共鬥，加上新左翼黨派支援部隊等約三千人馬，齊集於民青據點的教育學部及町村等無黨派同志掌控執行部的經濟學部。全共鬥無黨派運動者為了補強戰力，說服了革馬派參加，結果讓之前未參加東大鬥爭的中核派也前來參與[333]。

根據柏崎千枝子的說法，東大全共鬥一月九日的行動是基於以下計畫[334]。一月十一日，民青與班級聯合將於駒場聯合主導舉行代議員大會，會中可能決議解除教養學部的無限期罷課，故十一日東大全共鬥需把主力投入駒場以阻止代議員大會。全共鬥認為，民青為了準備十日的全校集會，將導致他們在本鄉缺乏人手，所以先於九日攻擊本鄉民青據點的教育學部，驅離民青，實現本鄉的全校封鎖。這樣一來，十日的全校集會就舉行不了，或者不再具有政治上的意義。

這樣的作戰方式能否封鎖全校？而即便成功封鎖全校，東大全共鬥真的以為隔天的全校集會就變得毫無意義嗎？這點無從得知。實際上如後所述，真實的情況似乎是東大全共鬥並沒有縝密的計畫，僅是實施武裝內鬥攻擊而已。不過仍能推測，全校集會的前一天，東大全共鬥決定與其坐以待斃讓全校集會舉行，不如在無甚計畫的狀況下仍舊採取武裝內鬥攻勢，擊潰民青。

根據內藤國夫的說法，一月九日的襲擊「成為一場慘烈的亂鬥，全共鬥只要對方人手不足便出動襲擊，造成當天有一百一十八人輕重傷。這場死鬥竟無人喪命，堪稱奇蹟。中核派、社學同、ML同盟、日大全共鬥等支援部隊使用投石、水泥塊、玻璃瓶、混入殺蟲劑的噴水器、爆竹等武器，搭配角材與鐵管進攻。內藤稱，「從屋頂上落下如雨般的大量石塊，經濟、教育兩學部的校舍瞬間遭破壞殆盡，只要是玻璃全被砸破，對建築物內放水搞得四處浸水。一進一退的攻防戰也把房間內部破壞得一片狼藉。」[335]

即便到了這個時期，全共鬥內部的新左翼黨派內鬥依然未息。柏崎稱，九日夜間革馬派及社青同解放派拒絕與中核派及社學同合作共鬥，不參加對教育學部的攻擊，改前往封鎖理學部一號館與工學部大講堂[336]。

經濟學部同志的領導者町村信孝日後如此描述當天的情形[337]：

就在匆忙搭建街壘時，石塊突然從上方與兩側飛來。街壘遭到拆毀，還陸續有人受傷。一旦經濟學部的學生大會被阻止，隔天的七學部集會大概也無法舉行了。我感到這樣下去恐怕會鬧出人命，於是打電話給加藤代理校長，要求出於正當防衛出動機動隊，接聽的加藤先生問：「這是經濟學部自治會的正式請求嗎？」我回答：「是正式請求。」

從當天夜裡到第二天為止，因為不論身在何處都可能遭到襲擊，我整夜都在本鄉一帶的旅館之間輾轉。

根據負責協助加藤代理校長的坂本義和教授回憶，因有一九六八年六月十七日引入機動隊導致學生重大反彈的先例，加藤代理校長擔憂「如果今天引入機動隊，十日的集會大概會流會」，原本「自行克制」引入機動隊。然而，當他聽見「許多目擊衝突的學生說：『老師，為何機動隊還沒來？』」時，判斷「學生的想法也改變了」，加藤與坂本立即決定引入機動隊[338]。

就這樣，晚上八點二十分與九點四十分，於校外等候的約三千名機動隊兩度進入東大校園，驅離學生並逮捕五十二人。因武裝內鬥與機動隊介入，光是由大學救護班經手的傷者便達一百零四人，有十一人被救護車送走[339]。此次機動隊導入與六月引爆東大鬥爭時不同，普通學生並未爆出反彈。因為普通學生已對反覆發生的武裝內鬥感到相當厭煩。

另根據東大全共鬥日後舉行的座談會稱，即便到了一月九日，仍處於「全校封鎖究竟是什麼？具體的內容根本還沒結論。」所以便想「反過來說只要把民青趕出去，隨便什麼時候都可以封鎖全校」，就在「沒什麼縝密計畫之下」實施襲擊。而對於引入機動隊，當時處於「攻入時完全不知該如何是好的狀態[340]。坂本義和回憶道，「武裝內鬥的學生們大概也覺得『不可能吧，不至於放（機動隊）進來吧』，當看到機動隊衝入，即作鳥獸散逃得不知去向。」[341]

柏崎千枝子的手記也記道，就在對民青窮追不捨之際，探子（收集與傳達情報的人員）來報「機動隊進入校園了」，「我還懷疑自己是否聽錯，抱著半信半疑的心情。」社學同、中核派、全鬥聯與ML同盟等雖一溜煙地逃跑，但仍有不少人被捕，這段期間還不斷遭到民青的投石攻擊。此時柏崎等人堅信「機動隊被引入，表明日共與警視廳存在密約。」[342]

日大全共鬥議長秋田明大在一九六八年十一月表示[343]：「在東大，（十一月四日至十二日軟禁林文學部長的）文學部團交，即便那麼長時間也沒引入警方。我絕對不認同引入警方，但站在日大的角度，我倒覺得因此得救了。這麼說對東大學生有點失禮，但那個團交與其說他們獲勝，不如說給人一種國家權力放任他們行動的感覺。」

無法否認，東大全共鬥抱著認定校方不會引入機動隊的樂觀想法。如前所述，十一月二十二日聯合集會上來到東大講堂前的日大全共鬥，形容東大鬥爭是「貴族的鬥爭」。東大全共鬥倡言「想及早洗刷日大全共鬥同學冠上的『貴族鬥爭』汙名！」[344]但這並非意識到政治上的緊張局勢而採取行動，而是無戒備地讓武裝內鬥朝更激進的方向邁進。

東大教授的福田歡一在安田講堂攻防戰之後敘述道[345]：「宣稱要進行『超過三百天的鬥爭』確實相當英勇，但採取的手段在校外連三天也不被允許，這是受東京大學（不讓警方進入校內）的特權保護才能做到，這點無庸置疑。而且他們對如此簡單的事實竟毫無自覺，陶醉在學生力量的成果中，若說這不是天真，那又是什麼？」丸山真男也在當時的筆記中評論東大全共鬥「一邊高喊著『自治』的幻想，卻沒有意識到自己的運動只有憑藉和依賴著東大的自治才有可能。」[346]

梅本克己也在一九六九年一月如此敘述[347]：「日大的街壘、日大學生的角材與頭盔，是在日本刀甚至砲彈的血腥鎮壓中逐漸練就出來的，但在東大，鬥爭是在東大自治的庇護下進行的，彷彿讓東大變成武裝內鬥的巢穴，如果是在直接面臨體制內暴力的狀況中產生抗爭的暴力，大概不可能這麼簡單就發生武裝內鬥吧。他們的暴力是概念式的。是有保護者在罩著他們的。」

此外，支持東大全共鬥的學生也批評一月九日的武裝內鬥。一月十日，醫學部的同志組織提出「恢復東大全共鬥主體性」的「緊急訴求」[348]：

我們對九日發生的悲慘事態感到悲傷。反代代木派的學生主張「我們的敵人一是民青，二是機動隊，三是大學。」（十日的《朝日新聞》）希望他們仔細想想，東大鬥爭從撤銷懲處鬥爭出發，歷經與國大協路線對決，走到今日要與國家權力全面對決的局面。……值此時刻，到底是誰還在為校內悽慘的「武裝內鬥」而狂喜雀躍？你們的行動無論出於多麼「純粹」的動機，最終卻變成背離「鬥爭勝利」的「不純」行徑。

說九日的襲擊具有壓倒其他大學的「先鋒性」。那不過是前一晚（？）共鬥會議上討論之「我們想壓抑自身的挑釁行動，但若其他大學生攻擊我們的話……」，把這種內心的「恐慌」澈底在現實中施行罷了。我們支持七項訴求，承認這場鬥爭到現在開拓出來的成果皆賴全共鬥，但這種無主體性的狀態，已經失去同學的支持，一味加深了自身的孤立。全共鬥諸兄，我們呼籲，立刻停止武裝內鬥，堂堂正正地透過論述與「敵人」對決。改變戰術「永不嫌遲」。

這份訴求更進一步呼籲，「人一旦失去生命便無法挽回。我們尊敬那些願意為東大鬥爭而死的同學，但在這種醜惡的武裝內鬥中死去，有多少價值呢？」東大鬥爭中雖未有人死亡，但一九六九年以後的武裝內鬥卻接連有人喪命。

之後，針對隔天的全校集會該如何召開，發生了一些混亂。一月九日晚間，成為東大全共鬥攻擊目標的經濟學部與工學部代表舉行記者會，公開表示在校內集會恐怕會發生慘事，即便只有自己這麼認為，也想在校外的秩父宮橄欖球場舉行集會。不過，兩學部代表遭到主張在校內舉行集會的民青與其他學部代表的猛烈批評，於隔天早上的記者會上撤銷了前晚的意見。但歷經一月九日慘狀，校方強烈主張在校外舉行集會，經濟學部代表表示贊同。最終為了避免代表團分裂，敲定選在秩父宮橄欖球場舉行集會，但只作為一種過場舉行約兩小時，之後再找時間進行代表談判[349]。

一月十日下午一點，於機動隊警戒下的秩父宮橄欖球場舉行了全校集會，聚集了約千名教授與七千名學生。坂本義和日後如此敘述[350]：

「比我們的預期來了更多的學生。原本以為被稱為非政治學生、普通學生的人會反彈前晚引入機動隊而不來參加，令人意外地竟來了大量的學生。這對我們而言是很大的鼓舞。」「我想普通學生已經感到『疲於紛爭』。因為全共鬥的無止境鬥爭，使鬥爭變成了主要目的。其他學生自然難以追隨，這大概也是自然而然的反應吧。」

約有二百五十名全共鬥派的學生前來妨礙此次集會，但由機動隊驅離且逮捕了一百四十九人。雖然部分學生對機動隊喊出「滾回去，滾回去」的口號，也有學生叫道「由機動隊保護的集會簡直是胡鬧」，但大多數人都表示引入機動隊是為了收拾事態，實屬「不得已而為之」[351]。

全校集會僅是短時間的儀式性做法，因此迅速走完流程。雖然同情全共鬥的學生叫囂「這算什麼大眾團交」，但也僅是零星發聲，集會旋即結束[352]。

之後代表團與大學展開磋商。最終，七項訴求中除了文學部完全撤銷懲處之外幾乎都獲得承認，「東大手冊」與「八・一〇告示」被廢止，而民青的設置協議會訴求則遭擱置。總體而言，與十二月二日校方的讓步提議，內容幾乎完全一致。

對於這樣的「十項確認書」，反應不一。即便設置協議會遭否定，東大民主化行動委員會仍將其定位成獲得一定程度的「勝利」。班級聯合的某學生回憶道，「難以讓人滿意，老實說有種輸了的心情。」[353]

普通學生的反應也很複雜。根據NHK於一九六九年二月實施的東大學生輿論抽樣調查，認為十項確認書「充分反映學生的要求」者為五%，認為「雖有不滿意之處，但已朝改革踏出第一步」者為四十一・六%。而認為「內容模糊，不知是否回應學生的要求」者有二十一・五%，認為「沒有反映學生要求，僅為單方面的收拾事態策略」者有二十・四%，認為「對學生的過度要求讓步太多」者有四・六%[354]。

之後罷課陸續解除。集會隔天的十一日有教育學部、理學部、農學部、教養學部解除罷課，十三日藥學部解除罷課，十四日工學部解除罷課。經濟學部與法學部已於十二月解除罷課，繼續罷課的僅有鬥爭引爆點的醫學部，以及革馬掌控自治會的文學部[355]。當時的雜誌報導「學生如雪崩般地解除罷課，超乎加藤執行部的預期，入學考中止派（的教授）也失去發言的依據。」[356]

一月十二日，NHK電視台播送〈大學紛爭──政治當局該如何應對〉的討論節目[357]。自民黨的田中角榮、社會黨的江田三郎、公民黨的矢野絢也、民社黨的春日一幸、共產黨的宮本顯治參加的這個節目中，宮本顯治主張因為自民黨與政府執行針對民青的戰術，意圖「指使」與民青對立的全共鬥，才讓「全共鬥一派」能跋扈至今。各政黨幹部也批評東大全共鬥。

之後，加藤代理校長雖在十項確認書中約定不讓警察進入校內，但仍在一月十四日的學部長會議與評議會上表明不惜借助警力解除封鎖，以利實施入學考。此主張很明顯與十二月二十九日與坂田文部大臣會談時，加藤代理校長提出如「一月十五日以後解除罷課」的話，將盡力實施入學考的時限有關，眼下已在時限內舉行全校集會，在此基礎上只需再驅逐全共鬥即可達成。

內藤國夫眼見事態在轉瞬之間化解，表示「說什麼『大學革命』，什麼『自我否定』的東大鬥爭，最終不過是這種程度而已嗎？」[358]當升級或就業遭遇危機就潮湧般前去投票解除罷課的「睡罷課」學生、沒有原則地妥協的民青、不顧確認書的約定打算借重警力實施入學考的大學當局、毫無前途地使用暴力的東大全共鬥等模樣，內藤描述道「誇言『大學革命』的東大紛爭也一舉墮落，露出馬腳。墮落成一場餘味非常不佳的大學紛爭。」[359]

東大鬥爭的抵抗依舊持續著。一月十日晚間，全共鬥攻擊教育學部，共產黨的行動隊襲擊安田講堂。但很明顯大勢已定，十一日法學部、工學部、農學部的各校舍，十三日第八本館以外的駒場各校舍以及醫學部本館皆解除了封鎖[360]。

教養學部為了解除罷課而於十一日舉行代議員大會，擔任社學同支援部隊而在駒場的荒岱介為阻止該大會，於前晚與民青行動隊對峙，他如此回憶當時的情況[361]：

我是社學同的委員長所以擔任現場的最高負責人，但連日的武裝內鬥讓人相當疲累。集合部隊，做鼓舞演講，一起呼喊「嘿！嘿！吼！」振作人心，完成部隊整隊，但我實在不認為這樣的狀態可以粉碎民青的代議員大會。我們嘗試闖入〔會場的〕明寮，但屋頂上投下數量驚人的石塊，同伴就在我的眼前一個一個倒下。日共民青竟然拿來投球機，用那東西朝著全共鬥的學生發射。

我打電話給政治局詢問方針〔因為社學同是共產同的學生組織，故受政治局的指揮〕。方針是「在現場自行處理」。這天的攻防從深夜持續到隔天早上，全共鬥以〔支援部隊的〕日大全共鬥為主，拷問擄獲的民青。痛揍一頓之後，拿麻袋套頭，綁上繩索後就這麼拉著四處走。夜間很冷，所以拆毀桌子或椅子在四處升起營火，看到有人想把俘虜拉入火中，瞬時感到一股震驚。我還記得與米田及山內的談話，說那簡直就像美國帝國主義在越南幹的事情一樣。

十一日雙方交換俘虜，民青那邊有幾個人傷重到不得不拿門板把他們抬走。民青似乎把〔俘虜到的〕全共鬥學生衣服剝光，也看到幾個只穿內褲的人。

當時作為支援部隊的一員而身在駒場的中野正夫也記道，遭俘虜的民青同盟成員遭毆打踹踢等私刑，被青醫聯的醫師和新左翼黨派幹部說「受了重傷會演變成大問題啊」，才終於停止私刑[362]。一月十一日的「俘虜交換」，因民青與東大全共鬥彼此不信任而無法傳話，幸賴學生部負責人西村秀夫助教授斡旋才得以實現。駒場的某職員評論道，「如果只靠學生，什麼都解決不了，這就是最好的範例。」[363]

這場「俘虜交換」相當講究。報導稱，帶著紅十字標章的女學生宣布「請退到一百公尺以外」，教授告知媒體團「因為兩派之間有協定，請絕對不要拍照」，之後「俘虜」垂頭喪氣又羞恥地接受交換。

見到這場「俘虜交換」的普通學生表示：「完全沒有什麼生還『俘虜的恥辱』感，只有一副我失敗了，該怎麼負責的態度，實在滑稽啊。如果這是真正戰爭中的俘虜交換，大概還能被稱讚是戰場上綻放的人道主義吧，可這僅是試著模仿那種形式罷了。東大紛爭也開始帶有搞笑劇的氣息了呀。」

根據當時的報導，隔天一月十二日夜間，東大全共鬥佔領了駒場合作社並搶奪食品。據合作社稱，約一千二百人份的料理準備材料、稻米五十公斤、味噌三十公斤、生菜五公斤、雞蛋八盒、香菸約五百盒、大量的巧克力、加糖煉乳與砂糖都遭洗劫，食堂的玻璃製品也遭砸破[364]。

根據報導，合作社常任理事表示，「之前發生過盜走牛奶瓶當作投石材料的事情，萬萬沒想到這次竟會做得這麼無恥，第一次知道全共鬥的人口中說的武力行動本質就是這樣。」而據報導，全共鬥用擴音器表示：「合作社是民青（代代木派）的私有物。摧毀加強嚴苛勞動的合作社是理所當然的。」

針對俘虜施加私刑與搶劫合作社等事件，有傳言指出犯人不是東大學生，而是日本大學的「外人部隊」所為。某教授表示，對俘虜施加私刑「聽說是日大學生幹的。我們大學的學生是不會幹那種事情的啦。」某普通學生也說，「據說合作社食堂的襲擊班是由日大學生擔任的啊。」[365]

另一方面，日大全共鬥的學生對此謠言感到憤怒，對合作社搶劫事件表示「開什麼玩笑。以日大的名譽發誓，絕對不幹那種事情，我可以斷言。」真相照例無從考證，然而，此處可以看出東大學生對日大學生的潛在歧視意識，如同某學生聲稱「身為東大的學生，實在不願相信是東大生幹下那種事情（合作社搶劫）。我想是日大學生幹的」，歧視背後還有「東大自己人的意識」在作用[366]。

第九章也提過，日大全共鬥因出動支援東大全共鬥，導致在校內失去支持。而東大全共鬥並未組織性地造訪日大鬥爭與提供支援。日大全共鬥只被當作東大武裝內鬥的重要角色應召前來，不僅沒有任何好處，還蒙上搶劫合作社與施加私刑的汙名。根據一九六九年二月的報導指出，日大全共鬥的學生們紛紛表示「在東大真是被整慘了。」[367]

一月十五日，對合作社襲擊感到憤怒的民青與無黨派學生約三百人，闖入駒場全共鬥據點的第八本館，切斷電源與供水[368]。當時約有兩百名全共鬥派的學生與研究生進駐第八本館，但當時只有五十人的「特別行動隊」留守，其餘學生都因外部活動而不在館中[369]。

根據全共鬥的說法，之後民青包圍第八本館實施「切斷補給線」戰術，為了讓寒風吹入館內而打破所有玻璃，妨礙全共鬥同情派輸送飲食。根據全共鬥學生的手記——雖然真偽不明——民青叫囂道「革命的時候啊，砍死一兩個托洛斯基分子也沒關係啦」，「你們可別妄想能毫髮無傷地走出那棟樓」，「機動隊不會來救你們啦。我們可不像機動隊那麼好對付喔。」[370]

一九六九年三月公開發表此手記的全共鬥派學生如此敘述[371]：

「東大鬥爭絕不是一場『民主化鬥爭』。相反地，是要澈底破壞『民主』、『大學自治』等詞彙產生出來的幻想。」「在『班級討論』這種閒聊之中，我們不可能不察覺人與人之間的嫌隙與矛盾關係，由此產生的甜美幻想實在讓人難以忍受。」「靠著一張學生證獲得『東大生』身分的保證，這樣的自己，與吸納自己的幻想式秩序體系，我們要追究的就是這種東西。」「即便先驗上是好的，但在這個秩序體系中卻讓人與人之間的關係荒廢，所以必須將其破壞，特別是名為『東京大學』的這個大學，必須從根『破壞』殆盡，為了達成這個目標，最需要的就是『武裝內鬥的季節』。」「遭『普通學生』孤立，與同樣追求秩序體系的『民青』敵對，最終受到國家權力的鎮壓，要說理所當然，也確實是理所當然。」

說東大鬥爭最初不是「民主化鬥爭」，這點違背了事實。但一九六八年秋天以後的東大全共鬥認為，作為資本主義體制的菁英培訓機構，東大的秩序導致「人與人的關係荒廢」，這正是他們面對的「現代的不幸」的源頭，一路對此展開鬥爭。東大全共鬥確實具有這種真摯的情懷。

但他們沒有把這種願望轉化為語言的能力，只能主張以武裝內鬥把「幻想的秩序體系」東大「『破壞』殆盡」，最終發展到批評「民主主義」，也不再參加班級討論。這樣的他們遭普通學生疏離是「理所當然」的。而關於那種內省，很遺憾並無法在上述手記中見到。

七月重新佔領安田講堂也是如此，他們不認為那是戰術性的行為，根據上述學生的手記，是為了「表達我們意志」的表現行為，據此做出繼續堅守第八本館這種從政治上來看毫無意義的行為[372]。在十九日安田講堂「陷落」的兩天後，他們放棄走出第八本館，被等候在駒場校區外的機動隊運輸車載走。東大全共鬥，在駒場就此失去根據地。一月十日的全共鬥派訴求中疾呼「我們必須格殺教育本身。對我們而言，不存在民主的教育，也不存在民主的教授。」「殺死教育！」[373]東大全共鬥已經徒留這類言詞，不斷重複武裝內鬥與街壘封鎖的戰術。一月十二日，本鄉的全共鬥發動反擊，從民青手中奪回法文一、二號館，法學部研究室以及工學部列品館，並築起街壘[374]。

一月十五日，新左翼黨派、反戰青年委員會、三里塚的農民代表被從全國各地動員，舉行「東大鬥爭勝利勞學總誓師集會」。集會上有標題為「從個別東大鬥爭到全國校園鬥爭一起攜手戰鬥，粉碎國大協自律路線」、「粉碎入學考，解體東京帝國主義大學」的鼓動演說[375]。東大全共鬥已喪失東大學生的支持，持續成為提供校外新左翼運動活動據點的團體。

但東大全共鬥對此並無反省，只是一味憎恨收拾事態的民青與普通學生。據《每日新聞》編輯部稱，在安田講堂攻防戰前不久，掉落在本鄉校區銀杏行道樹的東大全共鬥機關報《進擊》上，有如下的主張[376]：

「與日共＝民青武裝部隊的熾烈鬥爭。染紅講堂前廣場的鮮血。我滿溢著狂喜。自稱人道主義的傢伙虛脫而鐵青的臉。我們在其中歡欣舞蹈。……如果你們站在街壘的那一邊，你們就是我的敵人。『格殺敵人』——這句話就是權力的邏輯，是我們的邏輯。」

《每日新聞》對此評價道，「他們把自己塑造成反叛者且自我陶醉於其中。有股乳臭未乾玩『打仗遊戲』的味道。」「不知為何，覺得他們的行動中帶著任性撒嬌的感覺。」

安田講堂攻防戰前夜的幕後情況

東大全共鬥已經幾乎不受普通學生的支持，陷入孤立狀態。

某經濟學部學生表示，「許多學部都通過決議解除封鎖，而他們根本沒有代表東大的資格。我認為他們才是反動的。如果這樣出社會，誰也不會理睬他們吧。」安田講堂內同情派學生人數也大幅減少，東大全共鬥學生說道，「因為士兵人數很少，所以最高領導層也一同打造街壘，幹著與二等兵同樣的工作。」[377]

新聞界對東大全共鬥也變得冷淡，連對他們抱持善意的《朝日Journal》也寫道，「東大紛爭走到了三派系與民青爭奪運動領導權的階段，改變了原本性質。為了什麼，要做什麼，這個關鍵已然模糊」，「從政治力學來看，那麼做的話就會出現這種結果，他們應該懂這個道理。三派系被迫陷入孤立。」[378]

許多表示某種程度能理解東大全共鬥主張的教授，也認為全共鬥逃不掉把暴力帶入校內的責任。文學部教授堀米庸三在當時如此寫道[379]：

「共鬥派諸君把給他們的制度和秩序都當作是欺瞞，對此進行批判，打算進行改革，這些都很好。」但「批判是他們的選擇，甚至改革的手法也是如此。」「選擇使用暴力手段是他們的自由，不過他們也必須對後果負起全責。」「然而共鬥派的諸君急著追究這個社會的責任，認為是社會把他們逼入這些選擇，卻拒絕為自己選擇的後果承擔責任。這明顯是邏輯錯置，是自欺欺人。」

在四面楚歌的狀況下，許多東大全共鬥的學生都透露出不安。當時的報導記錄了他們的心聲[380]：

「我的心境是：已經不行了。原本普通學生也都為了守護安田講堂而奮起，但隨著形勢逐漸不利，他們也選擇離去。我們已經失去繼續死守的意義了。雖然打算與同伴一起幹到最後一刻，接下來機動隊進入，出現最後的激烈衝突後，這一章節也就結束了吧……。」

「大概是因為現在形勢非常不利，幹部也開始把重點轉向保衛戰，東大鬥爭的宗旨不斷變得模糊。對現狀感到不安，或者該說即便脫離困境，也無法取回已獲得的工作聘用，乾脆就一路蠻幹到底，就只能這樣給自己打氣啊。家裡人也不斷來嘮叨，說一點也不後悔那是在騙自己。但就算想脫離，周圍還有夥伴，心中實在非常混亂啊。」

「現在正好我老媽的身體微恙，如果繼續讓家人操心，往後就回不了家了。原本的就業沒了倒是無所謂，但遭大學退學，說出去可不好聽。大家都吃不下飯，身體變差，希望早點做個了結。老實說，我累了。」

沒有金援的安田講堂全共鬥學生，一餐只能分配到一片麵包、一個雞蛋、一顆橘子，不少人出現類似營養不良的狀態。早在十月二十一日新宿事件的隔天，日經聯即宣布取消雇用學生運動者，日經聯的雇用學生部長表示「到了這個階段，企業裡已有拒絕雇用參與紛爭的大學畢業生的打算，經營者都是慎重主義者，所以完全不打算聘請站在企業對立面任性胡搞的人。」[381]

東大全共鬥的學生中也有人表示「大學啥的去吃屎吧，我要挺起胸膛殉身於革命」，「對我們來說，敗北或勝利啥的，都不是問題。」對於社會上評價東大鬥爭是「革命扮演遊戲」，也有人表示「都賭上了自己的人生了，還能說是在玩『革命扮演遊戲』嗎？至少這一點，希望社會能理解啊。不管誰說了什麼，我們都會永久持續戰鬥下去。」[382]但看在外界眼中，那只是在「逞強」罷了。

另外也有關懷全共鬥的聲音，但都只是悲觀的同情。某新聞記者表示，「因為他們是菁英集團，本來應該踏在平順的道路上，各自走上社會的領導地位，他們的將來會如何，與其說擔心，不如說遺憾吧。可惜青春化為殘爐啊……。」法學部某教授吐露，「很遺憾，與代代木派相較，他們缺乏組織這種東西。被趕出大學後，就像斷了線的風箏，人生遲早變得七零八落吧。考量到每個人的才華，實在很可惜，最終不但會遭大學驅逐，還會徹底淪為社會孤兒吧。」[383]

很明顯地，東大全共鬥與支援部隊氣勢已竭。如前所述，一月十五日「東大鬥爭勝利勞學總誓師集會」上動員了各新左翼黨派的部隊，但根據報導，實際的狀況是聚集的人數「大約三千。與十一月二十二日的『東大、日大鬥爭勝利總誓師集會』的動員相較，人數不到一半，而且臉上寫滿疲勞的神色。」[384]

一月十三日，東大正門兩旁的門柱被寫上「帝大解體」與「造反有理」的大字，還掛著毛澤東的大照片。這是東大全共鬥內的新左翼黨派之一，支持毛澤東思想的ＭＬ同盟旗下學生組織「學生解放戰線」所為[385]。

「造反有理」是中國文化大革命的口號，而在東大鬥爭的最末期，一個新左翼黨派塗鴉寫下了這一詞。不過這個口號宛如整個東大鬥爭的象徵，在之後的全共鬥運動中被廣為傳頌和模仿。

為了防止機動隊進入，封鎖的各建築物中以各新左翼黨派的支援部隊為主配置防衛隊。法學部研究室為中核派及第四國際約一百五十人，工學部列品館以學生解放戰線為主約四十人，法文二號館以革馬派為核心約四十人，醫學部圖書館由社青同解放派約四十人負責，安田講堂由數個新左翼黨派的混合部隊加上東大全共鬥、全鬥聯的部分人手，共計約四百人死守[386]。山本義隆與川島宏等東大全共鬥的幹部為繼續今後的鬥爭遷往校外，校內剩餘的東大學生為一百零七人。

東大幹部中，今井澄留下擔任安田講堂防衛隊長。今井日後如此敘述[387]：「山本義隆當然說『我也留下』，不過大家認為『鬥爭不該就此結束。應該益發擴散到全國，所以讓山本出逃，不要被捕，指揮整體時不能沒有他』，硬把他趕出去了。除了他自己以外，全體意見一致，都要他離開。我覺得某種意義上，似乎對他做了很不好的事情啊。」

根據川島宏的說法，「決定留下或離開，各新左翼黨派與各鬥爭委員會進行過充分的討論，考量今後的鬥爭方針與個人的情況，在互相同意的基礎上做出決定」，但「東大全共鬥在安田講堂失去了主力部分。」[388]被分配為堅守組的學生或研究生，有的人透過同班同學聯繫指導教授，說「因為生病所以得暫時休息」，也有人告知家教的學生「有段時間不能見面」且幫著到處找家教接替自己[389]。

然而，留下的人選不可能如川島所言般那麼容易決定。以自由參加為原則的全共鬥，參加者幾乎是以不告而別的形式逃亡，就此消失身影的人不在少數。安田講堂的防衛隊長為今井澄，東大的大學部學生隊長為理學部的罷課實行委員長島泰三。島如此回憶安田講堂攻防戰前一天的模樣[390]：

……安田講堂中原本到處可見的全共鬥派學生明顯減少。大講堂下的二樓各學部鬥爭委員會房間毫無人煙，空空蕩蕩，看起來格外空曠。話說，舉行醫學部學生大會的理學部二號館解除封鎖時，憤怒地衝進玄關的數學科男子也不見蹤影。與日本共產黨派學生交鋒的全共鬥派物理學科男子也不在。生物學科裡有各式各樣的善變之士，心想大概會留下個一、兩個人吧，但卻不見任何人影。……

「不管哪個傢伙，平日說著豪言壯語，一遇事就一溜煙跑囉」，就這麼有一搭沒一搭地與來集合的守備隊成員聊著。

再怎麼說，東大全共鬥在本鄉號稱有五千人，守備隊卻不足百人，實在有點令人訝異。

大學部的學生若就此離去，便可回到就業路線上。此外，堅守戰作為鬥爭戰術毫無意義，僅是一種表達戰鬥意志的「表現行為」，而且這個方針是基於新左翼黨派的想法，大概有人會覺得這樣被捕根本沒有意義。

神水理一郎記道，「以『戰鬥者』為主體聚集而成的運動形體，這就是全共鬥。所以運動高昂時期相當強大，當運動開始低迷時，沒了『戰鬥者』，瞬間就瓦解了。」[391]「進攻的時候非常強大，但防守時則弱點百出」的全共鬥特徵，也表現在東大鬥爭中。

在公開場合選擇留守者時，志願留守的人都覺悟即將被逮捕。工學部都市工學科的自治會委員長石井重信於二〇〇五年過世時的追悼文集上，某位非留守的成員回憶石井決定留守時的會議情況[392]：

「情況益發緊急時，所有人都低著頭，沉默控制了一切。大家都知道必須有人留守，卻一直下不了決心自己留下。我自己也感受到或許無法活著走出這裡的恐懼，家中只有母親跟我過活，想到高齡的母親，只能低頭無語。經過一小段時間，石井君說出『那，我留下吧』，老實說，我真的鬆了一口氣。」

不過，留守安田講堂的學生似乎不見得都是士氣高昂的人。根據第十七章後述的田中美津稱，她曾與在安田講堂抗爭的男性同居，當田中問他「為何要留守安田」時，該男性回答[393]：「那時候無論幹什麼都遭遇挫折，所以籠罩著一股要把一切做個了結的氣氛。」這類學生中有些在遭逮捕後便感到「了結」，有些人便不再回頭參與運動。

新左翼黨派運動者中，也有些人嘲笑東大全共鬥大部分的無黨派激進派都選擇離開。社青同解放派的小嵐九八郎日後如此寫道[394]：「打開蓋子一看，城中堅守者以全國的黨派學生佔壓倒性的多數。東大的無黨派激進派幾乎沒人留下，這從戰鬥的質量也看得出來。無黨派的這種『夾尾而逃』……對當時身在黨派中的我們而言，就是『不過就是這種貨色』，引人訕笑的行徑。」

如前所述，新左翼黨派的目的早已不是在東大鬥爭中獲勝，而追求的是宣傳與訴求自家派系。安田講堂掛著寫上「中核」、「社學同」等黨派名大字的巨幅橫向布條，在安田講堂攻防戰的電視直播中也相當搶眼。當時還是高中生的四方田犬彥回憶道，「見到垂掛『中核』、『社學同』什麼的旗幟，讓我想起棒球場牆壁上掛滿企業宣傳的模樣。」[395]

負責哪棟建築，黨派也有自己的算盤。一九六八年十月，剛由社學同ML派改組而來的學生解放戰線負責工學部列品館的防衛，明治大學的ML同盟幹部瀧澤征宏日後這麼解釋選擇列品館的理由[396]：「因為在〔東大正門的〕正面，最顯眼，這就是我的想法。因為我的黨派屬於小派閥，老實說就是被電視拍到時很上相，選擇了透過大眾傳媒的採訪可以進行全國宣傳的場所，這純粹是憑直覺的判斷。」

而各黨派針對負責哪個建築也發生過武裝內鬥。根據社學同支援部隊長荒岱介的說法，社學同被分配到防守理學部一號館，但因理學部的研究生告知，如果建築物內的放射性同位素爆炸，將會飛向附近區域，所以率領著約兩百人移防安田講堂。就在此時，負責安田講堂的社青同解放派說「你們幹什麼？安田講堂不是你們的防衛區域吧」，接著雙方就展開互毆。最終決定，面對安田講堂左邊是社學同，右邊是社青同解放派[397]。

神水理一郎如此記述攻防戰前一晚安田講堂內的狀態[398]：「既空虛又充斥著謊言。七彩紛呈的頭盔布滿安田講堂，看似大團結的象徵，實際上卻七零八落。因為，即便大家在對抗國家暴力上立場一致，但這場決戰一結束，大家又會直奔武裝內鬥。」

據負責報導東大鬥爭的《朝日新聞》記者宇佐美承稱，面對新左翼各黨派為了爭面子搶建築，「該如何分配讓全鬥聯相當苦惱」。另外，宇佐美對剩下一百零七名東大學生一事的評價，與社會上的看法相反，他與同事「竊竊私語道『人真不少啊』。」[399]

ML同盟的瀧澤征宏回憶，「〔從校外〕動員來的學生感到非常不安。黨派性格堅定的學生大概有明確留下的理由，但對單純遭動員的學生而言，突然被告知『你要以會被逮捕的前提進去』，大概很難堅守吧。」但ＮＨＫ採訪班於一九九五年記下，「從地方被動員來的學生中，據說買來回票的人很多。還有初次來首都的大一、大二學生。他們抱著像參加遊行的輕鬆心態前來參與，黨派的幹部中也有不少人樂觀地認為『就算沒辦法真的被逮捕，也很少遭到起訴吧』。」[400]

支援部隊的學生之中也有人持同樣樂觀的看法。前中大全共鬥的天野惠一如此回憶[401]：「我隔壁社團的普羅學生同盟某成員，真的以為〔一月〕二十三日可以回來，豪爽地答應參加澈底抗戰〔安田講堂攻防戰〕。因為他判斷大概不至於搞到會遭起訴的狀況。當然，他出獄回到社會根本不是經過幾個月，而是將近一年。」

根據新左翼黨派的不同，有些派系也通知成員必須帶著被逮捕與遭長期拘留的覺悟。學生解放戰線的領導者於一月十六日告知大家：「若被逮捕，沒有半年走不出來。希望留守的人有這層覺悟。」聽聞此言，有數名學生就離開了列品館[402]。

不過某位高四生認為「進入這種協助越戰、變成資本家培訓人力機構的大學，也沒什麼意義。這場為了改革的戰役，我率先參加。」「在這裡被擊敗的話，成不了革命家」，因此留下[403]。不過，就算是學生解放戰線，也為了自家派系的宣傳而選擇了更容易上電視的防衛場地。

根據新左翼黨派的支援部隊，來自京都被派遣至安田講堂內擔任「小隊長」的學生說法，他們一月初起開始構建街壘，「置物櫃也被用來搭建街壘，不過裡頭都還放著滑雪橇或衣服之類的私人物品。」即便是放著私人物品或研究資料的置物櫃，支援部隊也毫不猶豫拿來做街壘[404]。

支援部隊也毫不遲疑地破壞建築。當時的報導稱，「支援部隊煽動地吼著『沒破壞東西不可能造出街壘，太天真！太天真啦！』就開始破壞〔安田〕講堂。目的是強化街壘，準備投石用的子彈。樓梯與扶手等昂貴的大理石逐一被拆下、打碎，講堂裡鎮日都響著匡噹匡噹的拆解聲。」「安田講堂裡完全變了樣。『不准動私人物品』、『小心火燭』、『煙頭不要扔在洗手間』等，一直以來都被遵守的『革命軍紀律』，在決戰前夕似乎已被忽視。」[405]

根據當時的報導，一月九日校方引入機動隊，讓東大全共鬥的支援部隊意識到全面引入機動隊已經迫在眉睫，他們也全面著手建築堡壘[406]：「在那之後，鐘樓被正式加固為要塞，十五日之後，法學部研究室與對面的工學部列品館也被破壞，以構築街壘。在此之前，法學部研究室既未被使用也沒遭破壞，法學部的教授也承認這點。例如十三日解除封鎖的醫學部本館中，牆上沒有任何塗鴉，『保持整潔』、『小心用火』等標語相當醒目，研究室的門都貼上封條保持原樣，並未對研究機構出手。」

但十五日以後，原本封鎖法學部研究室之際私下約定妥善保管文獻與資料，此時已形同具文。內藤國夫稱，「各新左翼黨派讓幾百名的武鬥支援部隊長期駐紮，搶走棉被、燒毀重要文件、為了打造街壘澈底破壞建築物和設備，學生們在校園內已經沒有任何幹不出來的事，全都放手幹到底。」[407]《每日新聞》記者松尾康二如此描寫這一時期[408]：

一月十五日夜間，當日共派與反日共派在本鄉校區正一邊醞釀著一觸即發的危機一邊對峙時，反日共派的示威隊伍出現異樣的光景。站在最前列的學生，隨著哨聲與齊呼的口號做出整齊劃一的身形動作，很接近舞蹈。均質（uniform）——〔戰中派的〕我腦海中劃過一個最厭惡的詞彙。見到掛在正門的毛澤東肖像時也給我同樣的印象。認為毛澤東思想正確，這當然屬於個人自由，但掛上肖像的行動則是另一回事。

用自己的頭腦思考，自己下判斷，與所有的矛盾之處澈底對抗到底——這不是共鬥會議的特徵嗎？對均質性的需求，應該完全限定在戰術層面上，不是嗎？

實際上，現在事態已經發展到需要均質性的時候。超越了邏輯對邏輯的處理本質階段，進入到物理性的戰爭階段。規則在暴力主義下不再通用。法學部研究室裡見到的漫無目的的破壞，昭示了這個階段的開始。

不過，支援部隊的學生在某種意義上也是受害者。根據荒岱介的說法，中核派的書記局員對被動員的學生進行鼓動演說：「在這裡努力幹，勞工必定會跟隨而來，你們先鋒性的戰鬥，勞工們必然會跟上。」[409]當然，這種黨派的幹部只會拚命鼓動學生，在引入機動隊前便會撤離。被留下來的支援部隊學生，成了為新左翼黨派的訴求戰鬥而可被捨棄的棄卒。

根據今井的回憶，「黨派從地方動員而來的學生中……不習慣鬥爭的人不在少數。當然，絕大多數的學生都沒投擲過汽油彈。」[410]可以推測，各新左翼黨派切割出可拋棄的成員，以地方大學低年級生的底層運動者來充當棄卒，藉此保護老手運動者。

天野惠一如此寫下中大某新左翼黨派在東大招募志願堅守城池者的情況[411]：「領導者問聚集的組織成員：有意願參加東大澈底抗戰的人舉手。……面對這種應加以反抗的倫理脅迫，全體參加者卻都順從地舉起手來。之後領導者們在眾人面前宣布早就已經選拔好的幾位獲選者（這不是要求他們志願成為神風特攻隊嗎！）。」

太平洋戰爭末期的特攻隊員，即便名義上是志願，但大部分都是預科飛行練習生的少年飛行兵或是學徒動員的預備士官，並由高層選出「C級飛行員」擔任，此於前作《「民主」與「愛國」》中已說明過。上述新左翼黨派的行為，與此大同小異。

這些被選中的、不習慣鬥爭的支援部隊學生，被逮捕後也有人在法官面前道歉。關於這點，宇佐美承如此寫道[412]：「審判時立刻服軟說『真的對不起』的學生，或許遭到社會的訕笑，但硬套在這些學生身上的『戰術』，純真的我卻無論如何都無法忍受。」「堡壘攻防戰隨著電視的電波，吸引眾多共鳴，使之後全國的鬥爭更加熾熱。對他們〔新左翼黨派幹部〕而言，大獲成功呀！但，這種操弄人們的表演，卻再也不想見到。」

為了保存組織力量，也有新左翼黨派選擇撤退。革馬派雖被指派負責法文二號館的防衛，但當十八日機動隊終於進入校園時，他們便撤退離去。

在東大全共鬥內，屬於理論派又能言善辯，卻不進行街頭鬥爭的革馬派，同樣遭無黨派或其他新左翼黨派厭惡。而原本在東大全共鬥內擁有最強發言權的革馬派，十一月底後遭無黨派激進派的大量批評並被剝奪主導權後，可以想像他們開始放棄東大全共鬥。對這樣的革馬派而言，可推測他們認為沒必要冒著組織成員可能大量被捕的風險去效忠東大全共鬥。

在安田講堂攻防戰後的東大全共鬥學生座談會上，革馬派遭到如下批評[413]：

「在機動隊到來之前站在最前頭耍帥與鼓動，最重要的時刻突然發現，竟然一個人也沒留下。」「就算輪到把風的時刻，時間到了不去叫他們就不來。總是嘴上說著一些了不起的話，幹出來的又是另一回事。」「雖說如此，武裝內鬥時革馬派可強大到不行啊。這樣講他們壞話，怎麼說呢，我還有點害怕呢。」當他們從安田講堂「逃亡」之後，革馬派遭各新左翼黨派的共鬥驅逐，最後朝著特別針對中核派的激烈武裝內鬥發展。

然而，命令自家派系撤退的，不只有革馬派。根據荒岱介的說法，革馬派的撤退方針早在十六日即傳達給共產同政治局。接著十六日晚間，荒等人接到政治局來的指令，說「革馬派捎來聯繫，說他們將從法文二號館撤退。社學同也撤吧。」[414]這大概是共產同幹部們想要保護包含社學同委員長荒在內的老手運動者而做出的決定。

但社學同的支援部隊憤慨地表示，「開什麼玩笑。撤退是在搞什麼。學生大家都拚了命在幹啊。竟叫我們陣前逃亡」，最終違背命令留下。荒回憶道[415]：「與現場的運動者毫無干係地……（新左翼黨派高層）透過派閥的邏輯與人脈在做政治活動。這種方針讓人覺得跟自民黨沒兩樣，實在讓人感到束手無策。」然而荒等人也為了保存組織實力，「遵從各大學的指揮部與學對提出的方針」，荒也留下堅守部隊，自己離去了（荒於一九六九年四月因其他事件而遭逮捕）。

梅本克己如此寫下針對一九六九年初東大鬥爭的評論[416]：「即便只是讓鬥爭平順地持續下去，在某一時刻終究會敗給普通學生的厭戰心情。」「面對這種敗北，他們的計畫就是玉碎主義，但實際上這個玉碎主義又不是真的玉碎，這裡就有問題。玉碎的話大概可以留下某種餘韻，但只讓大目標玉碎，各新左翼黨派卻著眼將來企圖擴大自家派系勢力的『目的意識』，只有這點不斷膨脹，這究竟算什麼？存在主義式的玉碎之後的虛脫感，在那種廢墟中留下黯淡悲慘、充滿敵意的派閥主義。」「說那是拒絕偽善妥協的存在主義式真誠，但我可從未聽說過被新左翼黨派俘獲利用的存在主義。」

也有一些東大全共鬥的成員對新左翼黨派的這種做法感到違和。今井澄在他遭逮捕出獄後的一九七〇年手記中批評「幾個黨派」，「我認為在東大一月決戰中逃亡的組織，只求保存與擴大自身實力，猶如把運動者當作為了政治曝光、宣傳的消耗品來利用。」[417]川島宏也在二〇〇五年如此敘述：「〔新左翼黨派〕就是在利用這次行動。所以看安田講堂〔攻防戰時〕的照片便可了解，中核派的旗幟掛在正中央，共產同的旗幟則在一旁懸掛。」「因中核派之後力圖把運動擴散到全國，所以澈底利用了安田講堂。」某東大全共鬥運動者在日後的訪談中表示，「安田講堂〔攻防戰〕僅僅是黨派的宣傳活動。」[418]

全鬥聯的成員鈴木優一於一九九五年如此表示[419]：

> 我自己打算留下，但因在外頭需要組織化的核心，所以被告知「你，離開」。那大概是十八日清晨五點左右。……還是該讓全體人員留在建築內。雖然留下也可能迅速被驅離，但十八、十九日的戰鬥看來僅僅猶如黨派宣傳，此事非常的糟糕。或許，全共鬥與全鬥聯像樣地下決定，抱著將被逮捕的覺悟說出「我留下」，即便彼時也仍可留下數千人。

如前所述，即便在一九六九年一月的問卷調查中，「參加」與「支持」全共鬥的人合計仍維持在三成左右，大野道夫概算「參加」全共鬥者約有三千人。如此考慮的話，如果東大全共鬥宣布全體留下與機動隊作戰，即便數千人稍嫌困難，但或許至少能留下數百名東大學生。然而，歷史沒有「如果」。

另一方面，在教育學部的民青於一月十五日撤走行動隊。根據川上徹的回憶，宮本顯治下令要求徹底打掃，在不留下武鬥棒與頭盔的狀況下撤退[420]。

東大民主化行動委員會的議長三浦聰雄在一九九五年如此說道[421]：「如果我們與機動隊直接衝突，當然會被逮捕，他們會以此為藉口拿走資料和物資。所謂的警察帶有鎮壓民主化運動與勞工運動的面向，與之衝突不過就是給他們鎮壓的機會。即便了解箇中道理仍要犯險給社會看，這就是全共鬥的路線，但我們並不採用那種戰術。我想只要稍微理解政治、具備社會和政治常識的人，都會這樣思考。全共鬥，特別在故意與警方衝撞這點上，相當英雄主義，而且如果不這麼做就會被指責當牆頭草，從成人的角度來看，這非常奇怪可笑。」

就在機動隊進場前，安田講堂與其他建築的牆上被寫上「尋求連帶而不畏懼孤立，不惜力竭倒下，也拒絕未盡全力而失敗」的東大全共鬥流行語。柏崎千枝子在一月十一日企圖阻止教養學部代議員大會而負傷後也寫道[422]：「至少我能這麼說，我們不是『未盡全力而失敗』，而是『力竭倒下』，澈底努力擺脫投機思想。我從未有過地深刻感受到那股充實感。」

不過佐藤誠三郎如此評價這段口號[423]：「這段句子是無黨派激進派的人最愛用的一段。不過，在政治上如此公然表明他們的不負責任態度，這種例子也確實罕見。政治的領導者，無論如何都必須避免遭孤立之危險與蒙受毀滅性的打擊，負責任的領導者不會容許『力竭倒下』這種事情。」然而，對厭惡「政治」，透過武裝內鬥嚐到「深刻充實感」的東大全共鬥學生與研究生而言，佐藤的批評不過是「旁觀者」的思維。

根據當時的報導，十項確認書中有原則上不引入警方的事項，因此即便到十七日晚間，安田講堂內的學生仍有以下對話[424]：「引入警方什麼的，說不定會在政治判斷的層次上被當作交易的條件吧。」

「不是吧，警察終究會來啦。」「是嗎？我還是半信半疑。」「不管如何，加藤與日共聯手引入機動隊把我們粉碎，這也太漫畫風格了吧。」「剝下東大現代主義者的假面具。」「那只是幻想啦。什麼現代主義、民主主義、進步派……良知學者啥的，全都是騙人的！」

一月十七日，加藤代理校長與坂田文部大臣於文部省進行會談。加藤表示：（一）希望恢復辦理入學考；（二）面對以武力妨礙教育、研究的狀況，決心透過警力將之排除；（三）即便實施入學考也會相當程度地縮減錄取人數。加藤已在記者會上發言表示「如果中止入學考，就會被認定缺乏管理大學的能力。」另外，文部省官僚、自民黨的幹事長田中角榮，以及在野黨均贊成恢復入學考[425]。

然而，在首相官邸的大學問題懇談會卻出現嚴厲的意見。特別是不滿民青主導十項確認書的自民黨文教族、國家公安委員會等，要求加藤代理校長承諾讓確認書附屬在政府中教審的答辯之下，以及今後引入警力時尊重警方的方針等[426]。最終無法達成結論，加藤代理校長被迫只能接受導入警力，維持恢復入學考的渺茫希望。

如此一來，十八日機動隊必然進入校園。十七日晚間，加藤代理校長與今井澄做最後的電話聯繫，加藤要今井撤離，今井則鄭重地拒絕。擔任加藤助教的坂本義和教授日後如此評價今井：「他啊，是個男子漢。不說謊，心胸寬廣，或許是因為他父親是軍人，他宛如一名武士。」坂本也在電話中「以拜託的心情說，『今井君，會造成大量學生受傷，所以，出來吧』，他則回答『不，我們留在這裡戰鬥』。」[427]

今井則在日後表示[428]：「在武力鬥爭的層面上來看，不管怎麼做都贏不了。敵人是專業集團，擁有強大權力。我們不過是大學生、研究生的集團。說是武裝，也就是頭盔、棍棒與石塊，以及若干汽油彈這種程度啊。綜觀日本戰後的歷史，沒有任何一種嘗試能靠這種裝備獲勝。我們肯定會遭驅離，但直到驅離為止，我們的主張能傳達給多少國民？又能否讓這次鬥爭發展成無止境的日後鬥爭？以及，在此過程中，在組織內如何能以最少的犧牲達成目標。這才是我們思考的事情。」

當時在駒場校區的最首悟於一九九八年如此敘述[429]：「〔警方說〕全共鬥在戰力上太弱，這是當然的吧。全共鬥是對自身的問題進行鬥爭，又不是在跟機動隊鬥爭。」東大全共鬥是在與「內心的東大」做鬥爭，街壘封鎖是表現「自我否定」的行為，所以並非與機動隊做實質性戰鬥的集團。

一月十七日夜晚，在成為半廢墟狀態的安田講堂內，據說川島宏與山本義隆等全鬥聯的研究生們互看著彼此的臉龐說：「在這裡相識的我們，今後還會繼續交往超過十年吧。」[430]不論是被進入校園的機動隊逮捕，或是在校外繼續鬥爭最終遭逮捕，之後等待著他們的將是漫長的法庭鬥爭。這天夜裡，支援部隊的女學生彈奏鋼琴的琴音流淌在寂靜的安田講堂內，此事也成為人們的話題。

在安田講堂中的支援部隊學生在手記上如此寫道[431]：「大概是戀人吧，四下零星可見與學長手拉著手交談的女學生。（真好，我也想要那樣的女學生同志當女朋友啊）這麼一想，就有點飄飄然的心情。」

根據當時《朝日Journal》的報導，東大全共鬥與支援部隊的學生們懷抱著「如果就此退下，七〇年代的階級鬥爭將嚴重缺乏前景，所以必須在六九年全力戰鬥，也得贏得與勞工的連帶關係……」的「悲壯『使命感』」[432]。在全鬥聯一月六日的〈鬥爭宣言〉中，指出擊垮東大全共鬥「對籌備七〇年安保的他們〔國家權力〕而言，完全是關乎生死的問題」，以此強調東大鬥爭的意義[433]。在東大全共鬥的官方見解上，這是他們的動機。

然而實際上，東大全共鬥也是摸著石子過河，摸索著如何推進鬥爭，而如前所述，提出「七〇年安保鬥爭」等事項，都是在一九六八年十一月底以後的事情。不過，他們已經沒有回頭路了。

攻防戰的開始與結束

一月十八日早上，機動隊進入本鄉校區。東大教授們對學生與行人散發加藤代理校長書寫的手冊[434]：

「我想對東大的共鬥會議諸君們說，借助警力將諸君從建築中驅離一事，我實在很不忍心，但我已經沒有其他方法與諸君對話以解除當前事態。諸君應正視自己的行動已失去大多數學生支持的現實，諸君當捨棄角材與頭盔回歸校園，衷心希冀早日與我們一同肩負學問研究與大學改革的課題。」

某全共鬥同情派的東大學生抓住教授抗議道[435]：

「加藤代理校長口頭上說著現代、民主云云，也承諾了十項要求，但那十項要求中有寫下引入多達一萬人的機動隊，驅離我們以守護『自治』嗎？沒有吧。全共鬥的諸君認為十項確認只是謊言，東大當局要以這種行動證實他們的說法嗎？怎麼樣？無法回答嗎？你這樣也算是教授嗎？」

然而，教授們沒有接受抗議的心情。據內藤國夫表示，「當局判斷東大鬥爭已非『東大的鬥爭』，而是『借東大這個場所進行的政治鬥爭或黨派鬥爭』，在這種認知下，大學當局不可能『忍受』，理所當然會以機動隊驅離，這樣的想法也逐漸在校內教授間擴散與加強。」[436]

許多的普通學生也如是想。一九六九年二月的ＮＨＫ東大學生民意調查中，對引入機動隊是「為了從部分過激學生的暴力中保護大學自治而不得已為之」表示贊成者佔四十五·七%，對「不容許擊潰大學鬥爭」與「無法認可自行破壞大學自治」表示反對者佔三十八·五%[437]。

十八日上午七點五分過後，約八千五百名機動隊員進入本鄉校區，安田講堂的鐘樓廣播局播送了以下聲音[438]：「這裡是鐘樓防衛司令部。告知所有學生，現在，機動隊已全數出動。請立刻進入戰鬥狀態。我們的任務，是歷史的、社會的、階級的任務。」

無論新左翼黨派的意圖如何，學生們都是認真且純真的。專攻社會思想史並想進入研究所深造的無黨派東大學生，在安田講堂攻防戰爆發前的手記中如此寫道[439]：

「全共鬥以不斷自我否定為媒介，每天都在自我變革，打算奪回完整的人性。」「東大作為當今日本統治機構的頂點，匯聚了優秀的頭腦——那不是為了人類的發展，而是統治者為了維護自身、持續壓迫人性的手段，我對於把頭腦和肉身都委託給統治者感到憤怒。為了奪回自己，獲得自由，必須對統治機構發動攻勢。」

另一方面，支援部隊學生並未共享東大全共鬥的思想，而是基於「全國校園鬥爭的最大據點」而參加戰鬥。ＭＬ同盟的學生們在十七日夜間提出訴求[440]：「全國的勞工、學生諸君！現在，東大鬥爭很明顯具有全人民普遍性，我們確信這是七〇年鬥爭成為重大階級鬥爭的重要一環，我們的敢死隊將堅決戰鬥到底，確認開拓出一·二一全國總罷工的突破口，最初的報告完畢！」

位於安田講堂的支援部隊女學生在被逮捕後的手記中如此寫道[441]：

可能是因為整晚未睡的緣故，從安田講堂看見的日出，如此的炫目。上午七點四分，鐘樓上的探子大喊「是機動隊！」

清晨微霧籠罩的銀杏行道樹下，排列著隊伍井然、令人畏懼的機動隊，不斷從龍岡門進入校園。我們從已無玻璃的窗戶看著他們的身影，瞬間身體僵直。就像小學運動會時，站在起跑線上的感覺。……

社學同的人們為了對街壘入口進行最後確認而下樓。我帶著藍色頭盔（社青同解放派的顏色），把從報紙推銷員宿舍拿來的毛巾穿過頭盔的繫帶，掛在下巴上，之後還是把從租房處拿來的三顆檸檬塞進外套的口袋裡，然後鑽進瞭望台底下的房間。我的任務是從這個房間投擲石塊。各個房間的任務分配，在三天前就經各黨派通知完了。我一到負責的崗位，立刻把被敲成嬰兒腦袋大小的石塊放上木板，搬到窗邊。

上午八點三十分，催淚彈轟隆作響地從三四郎池方向一齊發射。……我駐守的房間非常接近催淚彈落點，帶有獨特氣味的瓦斯隨風飄蕩而來。眼睛很痛。喉嚨也開始痛。我一口咬下帶來的檸檬。檸檬可以防止體力的消耗，還對催淚瓦斯相當有效。……

上午十點四十五分，為了發放飯糰，女生下到二樓，各小隊負責伙食者報告小隊的人數。數三個飯糰、三個橘子，交給負責伙食者。法政的反帝學評的L君說了句「甘溫！[xi]」這一句，在伙食分配所引起一陣哄笑。好久沒聽過笑聲了。……

就在那時，我腦海中突然浮現駿河台下的那條學生街。秋天澄澈的天空，以及刺眼陽光下行走往來的學生們。神田的舊書店一間連著一間地看過去，大樓之間有挽著手歡笑前行的情侶學生，學生……。全都是充滿歡欣，明晃燦爛的風景。

但是我無法成為那道風景。學習英語，與同班好友討論外國電影的評論，出席宗教學的課程，享受知名教授的講課風格，還有，偷偷地懷抱著「戀愛」的夢想。……

而現在的我，在全國校園鬥爭的最大據點，在這個東京大學安田講堂裡，遵從自己的良心與堅定意志，而身處於此。

我，是幸福的。

機動隊從醫學部、工學部的建築群中驅離學生，佔領法文一號館，筆直地瞄準學生發射瓦斯彈。ML同盟堅守的工學部列品館中，學生投下十二公斤的石塊，在薪柴上澆淋汽油放火抵抗，下午一點有學生遭瓦斯彈直擊顏面而受重傷，學生方告知機動隊「基於日內瓦條約要求停戰協定」後，宣布「無條件投降」但要求「請立刻幫忙叫救護車」[442]。

身為警視廳警備第一課課長而在現場的佐佐淳行回憶道，「日內瓦公約什麼的，他們真的當作在戰爭，讓我嚇了一跳。」[443]機動隊員中也有人表示「太天真了吧，這群傢伙。」之後，對抵抗感到憤怒的機動隊員拿警棒與硬鋁盾牌痛毆了投降的學生[444]。

中核派與第四國際所在的法學部研究室也在十八日下午三點遭機動隊攻克。根據松尾康二的說法，「被追至屋頂一隅的中核派外人部隊只是雙手抱頭跪在地上，對機動隊員的亂毆也放棄抵抗默默承受。其中一個隊員還像足球踢自由球一般，朝著戴頭盔的頭就踢了下去。」[445]

xi 譯註：原引用文為「ごっつあんです」，是「多謝招待」的訛音，因相撲力士常用而普及。

不過，機動隊被嚴格命令不准鬧出人命。六〇年安保鬥爭中樺美智子的死亡造成輿論反彈，讓警方備嚐苦果，因為有這個經驗所以下達該命令。學生也心知肚明這個潛規則，因此在安田講堂被逮捕的支援部隊學生也在日後回憶道，「我們內心深處知道不會就此被殺……。」[446]

據編輯小林良一稱，某計程車司機曾說「學生們也太過天真，既然要幹的話，不如多賠上幾條命硬是幹下去。」[447]自稱「心境上的三派」的作家野坂昭如也寫道，他認為「幹到這種程度，不如搭進兩、三條人命」，「他們在搞革命，難道有人受傷為了給他治療就得停止戰鬥嗎？」「結果還是大學校內的茶壺風暴，搞出那麼大的騷動，卻一個人都沒死，等於還是在玩些什麼模仿遊戲罷了。」[448]

四方田犬彥也抱持同樣的感想。四方田回憶，「我一直盯著電視畫面，心想某個時候大概會有人跳樓自殺吧，不過終究沒發生」，日後他根據自己與韓國學生運動家交流的經驗，於二〇〇三年寫道，「安田講堂的事件如果發生在首爾，必定會有人從鐘樓上跳下去吧。」[449]

另一方面，川島宏聽到傳聞說，某個教授表示「搞啥，結束得太潦草了吧。至少最後關頭來個五個人左右，從鐘樓上跳樓自殺，不挺好的」，聽後他寫下「一定要想辦法殺死這個王八蛋。現在我不能就這樣沒價值地死去。」川島感受到的是，有的人身處安全地帶卻把鬥爭現場當作看熱鬧，還要求學生去死的態度，根本就是毫無責任又卑鄙膽怯[450]。

還留有學生的只剩安田講堂。下午一點二十分，機動隊開始攻擊安田講堂。學生們除了投石之外，還使用一升瓶的汽油彈、巨大鋪地石，鋁製的桌椅向下投擲，而機動隊則用催淚瓦斯彈加上直升機噴灑催淚液進行攻擊。在安田講堂內的大橋憲三回憶道，「當時很可怕吶。我能做到的只有不說話。為了忍住不說害怕，花了好大力氣憋住不開口。」[451]

下午三點多，機動隊攻入安田講堂一樓，但講堂內部也以街壘保護，推進並不容易。對機動隊而言，幸運的是學生方常識不足，給樓梯加固的水泥未放入砂粒，很容易被敲碎[452]。但電動切割機對金屬製置物櫃堆起的街壘效果不大，因此推進困難[453]。

冬天日落早，因此攻擊暫時中止。據佐佐稱，「如果下定決心要一天攻克，肯定可以辦到」，「但警視廳的首腦判斷，天色變暗後進攻可能造成人員受傷，沒搞好還會弄出人命。」今井澄表示，「我覺得一天大概攻不下來。如果是這樣，既然已經撐了一天，趁機趕緊發出勝利宣言。」[454]根據先前引用的學生手記，學生們認為「只要死守到十八日的十二點，就算成功了。」[455]

從十八日到十九日，神田的學生街上出現了支援安田講堂的口號，號稱「神田拉丁區鬥爭」的學生與反戰青年委員會舉行了遊行。不過，雖然神田學生街一帶短暫成為「解放區」，卻因機動隊的管制而遭阻止，最終未能前往本鄉校區支援。最終，來自校外且抵達東大校區的，是十八日上午十一點多出現於本鄉約四百人的越平聯遊行隊伍，其中僅約二十人突破機動隊的警戒線，但旋即也遭機動隊驅散[456]。

另外，大眾傳媒並未報導機動隊的暴行。作家中野重治記道，「不管新聞或廣播根本比不上六〇年那時，媒體都自我審查規避殘忍的場面。」[457]在神田遭機動隊施暴的青年勞工如此敘述[458]：「我吼道：NTV的攝影師，快拍我們被揍的畫面！但對方沒有拍攝。當時內心冒出『你這個王八蛋』的咒罵。」

一月十九日，校外的東大全共鬥同志散發標題為〈我們為何戰鬥！向市民大眾的訴求〉的傳單[459]。調閱現存的文宣品確認後，這是東大全共鬥首次對校外的市民發出訴求，也是唯一的一次。然而，這樣的訴求為時已晚。

大原紀美子因東大全共鬥內部要求「女性與受傷的人離開〔校園〕」而事先被趕出校外。把同伴留在安田講堂而離開的罪惡感，讓她「以難以忍受的心情一直透過映像管關注十八和十九日兩天的激烈戰鬥」。大原按捺不住參加了神田拉丁區鬥爭，但只能「在催淚瓦斯攻擊下流著眼淚狼狽地四處奔走於神田的街道上」，「不禁深深感到在鐘樓戰鬥的他們與我之間，有一個無法填平的巨大深淵正在擴大。」[460]

今井澄如此回憶十八日夜間的情況[461]：「留下換班把風的成員，我們稍微睡了一下，除了衣服，連棉被也被摻入催淚液的噴水浸濕。不僅如此，還徹夜持續在噴水。讓我心想『越南人民的戰鬥，也是如此濕漉漉的狀態嗎？』飯糰等食品被摻入催淚液的噴水泡濕，又嗆又辣根本無法入口，實在是敗給他們了。」

當時的某週刊雜誌如此描述這場攻防戰[462]：「這場行動，究竟是為了什麼目的？熾烈燃燒的火焰照亮飄揚的『毛澤東萬歲』、『越南解放戰線』旗幟。這種做法，真的能達成大學改革的目的嗎？守護著荒廢母校的非政治學生哀痛表示，『即便在這個瞬間，還是有許多東大學生、教授只在自家電視機前冷眼旁觀啊。』甚至不能與同桌上課的好友對話，這算什麼改革？」

十九日上午六點半，機動隊再度展開攻擊。這天的攻擊進展得相當順利，正午機動隊進入二樓。當時的廣播錄音中留下了機動隊員對遭逮捕學生的言詞[463]：「怎麼突然變乖啦。」「還寫著什麼毫不猶豫要殺了我們，試試看啊，怎樣。」「剛才還那麼囂張的氣焰去哪兒啦。」

街壘被逐層攻克，下午五點多，學生們被逼上屋頂。鐘樓廣播傳出的「我們，要明確宣告拒絕身為東大學生」，成為著名的、最後播出的訊息[464]。「我們的戰鬥勝利了。全國學生、市民、勞工們，我們的戰鬥絕對沒有結束，在接替我們繼續戰鬥的同志重新解放講堂，再度播送鐘樓廣播之日之前，暫時停止廣播。」下午五點四十五分，所有的學生被逮捕，安田講堂的紅旗被降下，改升上日章旗。

學生的反應不一。今井澄回憶，「我全然不覺畏懼，也不感到緊張，維持一貫的冷靜。」「心中想著必須盡可能把受傷的人送出去，如果他們能平安被捕就好了之類的。」另一方面，大橋憲三表示，「老實說我覺得很開心。有股啊，終於結束了的喜悅。或許我看不太開，每天都胃痛。總是煩惱這場鬥爭將會走向何方，該怎麼辦才好。強烈感覺到：總之在權力的庇護下，暫時讓這件事結束了。」[465]

但機動隊員逮捕學生後施加暴行的狀況，也發生在安田講堂。據今井澄稱，「遭逮捕後，要求我們整隊把手舉到頭上，許多學生的臉部接連遭到毆打，或以腳踢踹。特別是戴某個特定的黨派頭盔的學生，被罵『這是為三里塚報仇』且遭到激烈毆打。」[466]

這場攻防戰中遭逮捕者共九百八十三人，學生負傷者達三百六十九人[467]。某中核派支援部隊的女學生如此記下安田講堂屋頂上被逮捕的模樣[468]：

> 機動隊來到我所在的安田講堂八樓，大概還有一、兩個小時吧。從窗戶看出去，遭到逮捕的學生陸續走至廣場。……加藤一郎的聲音空虛地響起：「繼續做出無謂的抵抗會有危險。請盡速出來。」我們彷彿要消除加藤一郎的聲音般唱起了《國際歌》。我們剩下唯一的抵抗，就只有唱《國際歌》，讓鐘樓廣播繼續播放。……

鞋子因噴水而濕透，寒冷讓身體不斷打顫。我與M同學同坐一把椅子，身體蜷曲著：「畜生，心煩啊。機動隊能不能早點來啊。」不知是誰低語道。時間竟然如此漫長。樓下傳來破壞街壘，猶如電鋸的嘎吱聲響，令人毛骨悚然的聲音。每一張臉都是筋疲力竭的模樣。已經什麼都無法思考了。

「鐘樓廣播報告，在此與各位約定一定會重新開始廣播，現在鐘樓廣播打算暫時中斷。」我急忙在牆壁上寫下「除了抗爭我們沒有其他道路」。為何手竟在發抖。……

——機動隊闖入。「停止唱歌，把手舉起來！」

我們不加抵抗地舉起手。「呀——」、「不要」，耳邊傳來女生的悲痛哭喊，回頭一看的瞬間，我的手被冰冷的手銬銬住。……我被拖出，機動隊朝腰部與大腿隨意猛踢。因為委屈與恐懼，連聲音都發不出來，除了忍耐挺住別無他法。……

……走下昏暗樓梯的途中，機動隊發出「女人耶」的聲音，幾個人伸手觸碰我的胸部與腰部。我回瞪臉上帶著賊笑的機動隊，實在太過分讓我連聲音都發不出，心中只有不斷罵道欺人太甚，胸中燃起熊熊的怒火。……

走出外頭，天色已全暗了。……〔報導班的〕相機閃光燈不斷閃爍。機動隊如此過分的私刑作為，為何報導人員一件都沒揭發呢。

女學生也遭辱罵「這個老女人」、「這個賤人」。報導班也毫不留情。某學生記道[469]：「我們在講堂前的銀杏行道樹前整隊排列，報社閃光燈暴風般襲來。我不禁低下頭。」機動隊員中也有人一邊說，「快看，攝影師想拍照吶。快說『我是女英雄』啊。你不是女英雄嗎？快，別藏起臉來」一邊以手抓住女學生的臉強迫對方抬頭[470]。

不過新聞記者中亦有同情學生的人。內藤國夫見到被逮捕的學生後如此陳述感想[471]：「見到認識的學生，不知為何想出聲叫對方。『為什麼你也參加了？你確實已獲得聘僱了不是嗎？這下全沒了吧。』某位激烈爭論東大鬥爭具備何種社會意義的研究生也被捕，如果沒有這件騷動事件，或許可以繼續走在菁英路線上吧。看著對方上手銬的背影，心中如是想著。」

吉野源三郎如此寫下在電視上看到安田講堂攻防戰的感想[472]：

佔領東大的工學部列品館、法學部研究室、安田講堂的學生陸續被機動隊驅離，實際情況相當悲慘。見到受傷的、被銬上手銬帶走的學生身影，內心十分傷痛。讓我心痛的是，無論是攻擊他們的機動隊青年，或者投擲石塊的學生，都是日本的青年。機動隊的年輕人，從出身階級來看，自然無法與東大學生相比，屬於底層階級。從學歷來看，恐怕連短大畢業的人都不多吧。從日本官僚機構來看，光是這個條件就已經限制了他們升遷的可能性。……與此相對，東大的學生們，許多人成長時都不知生活疾苦，畢業後選擇內務官僚的人生道路，年紀輕輕卻可從高級公務員做起，升遷也不受限。……而諷刺的是，這種特權，恰恰是這種圍繞著東大的特權，也是困守安田講堂的學生們自行拒絕，並誓言從根基破壞的東西。這些學生們，現在投擲石塊和汽油彈，傷害底層宿命的年輕人，年輕人也揮舞著棍棒攻擊學生。學生們意圖要對決的權力，卻絲毫未損。電視的實況，讓人看見痛心的諷刺。

安田講堂被攻陷後，立花隆在安田講堂與列品館等處尋找塗鴉[473]。立花表示，「無論是他們的邏各斯（Logos，邏輯）〔此指政治性的語言表現〕或與他們對立的邏各斯，都已經聽厭了。」不過他埋首抄寫那些塗鴉，很快地寫滿了兩冊，並表示「邏各斯看來如此單調無味的他們，情感（pathos）卻驚人地充滿豐富的色彩。」

塗鴉大多是新左翼黨派的口號或「民青笨蛋機動隊蠢貨」、「幹掉民青」、「殺死革馬」、「踏出世界革命的一步」等內容，此外也混著如下的內容：

「我的遺書／別了／心愛的女性呀／暫別那夜的歡愉」

「給女友／我堅持到最後沒有猶疑／雖然妳是我在這世上唯一的眷戀／但為了革命我得獻出生命」

「昨天的東大／明天的日大／為接連的武裝內鬥拚命／與可愛的那個女孩訣別／男人的命運是革命」

「我們渴望生存，所以革命」

「勞工諸君／學生只能幹到這裡／之後輪到你們登場」

「自己為何投身學生運動？／革命，那種事情不可能發生呀！／馬上就要去拘留所了／不想再有第二次！！」

「想成為人的人／為何最不被當作人」

「沒人理解我的靈魂！／拜託！／給我詩！」

「絕望吧！更加地絕望吧！」

「全都去死。全都是遊戲……」

「全狂頭[xii]大笨蛋」

接著立花提及，「就算抄下也暫時無法別開目光」的是「總是要（一字不明）／媽媽／爸爸／一直以來謝謝你們／MT」。對於這段塗鴉，立花如此敘述：

「拿綠色的粉筆，似乎是匆匆寫在牆上的東西。署名看似MT，也可能是MJ。位於ML派堅守的列品館二樓。大概是機動隊即將攻入之際，寫下這段話後逃往屋頂，並在樓梯放火吧。奉毛澤東主義為思想核心的ML派塗鴉，幾乎都是『毛澤東萬歲』、『造反有理』或是引用《毛語錄》。……MT寫下這段話，肯定感到相當羞恥。父母完全沒有機會見到這行塗鴉。即便如此，危機迫近之時，MT仍忍不住拿粉筆疾書。與其說是為了父母，不如說是為了自己。」

運動的倒退與丸山真男的批評

隔天一月二十日，加藤代理校長邀請佐藤首相等人前來本鄉校區，請願恢復入學考試。但佐藤見到本鄉百廢待舉的狀況，仍決定中止入學考。東大校方抗議「違反大學自治原則，實感遺憾」，但政

xii　譯註：「全狂頭」諧音全共鬥。

府方面卻不為所動[474]。

同時，山本義隆與秋田明大在日大理工學部舉行記者會，表示「中止入學考試顯示文部省與大學勾結的謀略爆出嫌隙，這是我們的勝利。」警視廳公安部當天夜晚取得山本等人的拘票，山本等人開始逃亡[475]。

包含自民黨文教族在內的保守派，對他們嫌惡的民青也參與制訂的十項確認書發起強烈反對。原因在於當中保留了「警察不介入大學事務」的條款。

自民黨文教制度調查會副會長內藤譽三郎表示，「如果『確認書』獲得承認，將凌駕任何法律與慣例成為東大的憲法，全日本的大學都將效法。那麼抓住一九七〇年這個機會，〔各地大學〕將成為暴力革命的據點。這點顯而易見。日本經濟受此影響將一蹶不振。」[476]這段發言有誇大之嫌，不過如實表現出當時自民黨文教族的認知。此外，確認書中的「否定產學合作」條款也引發包括日經聯在內的經濟界強烈反彈[477]。

面對黨內外的反對，自民黨總務會決定方針：「確認書乃依照民青的基調研擬並將大學當局捲入其中，因此絕對無法接受。政府應當立刻要求東大當局作廢確認書」，佐藤首相於一月二十二日發表聲明，「絕對無法接受確認書。今後政府不受確認書侷限，為使大學正常化將採取必要措施。」二十五日內閣法治局下達判斷，認定確認書中限制引入警力、限制學生懲處權與學生團交權等項目有違法之嫌[478]。

坂田文部大臣也評述，「無論是七學部集會或解除安田講堂封鎖，全賴警力協助，東大當局不應忽視這點。該說東大當局太小看社會，還是該說不知人間疾苦」，「當下全賴警察巡邏才得以保持東大校園的安穩，如果沒了警力，加藤君你該怎麼辦？有信心靠自己的力量維穩嗎？還是要靠民青的力量？那斷不可容許。」[479]如此，東大當局與民青意圖實施入學考、收拾事態的努力，全化為泡影。

而且，大學也以自己的手毀棄了十項確認書。一月二十六日，東大醫學部集會上全共鬥派學生與民青派學生發生亂鬥，大學引入了機動隊[480]。之後每當校內發生紛爭，大學當局即引入機動隊。對此坂田文部大臣稱讚道，「帶有警察過敏症的學界人士，已不再嚴防警方，成長到積極引入機動隊維持大學自治，守護大學秩序的程度。」[481]

大學已經不再是警方無法進入的聖域。法政大學教授益田勝實於一九六九年三月寫道[482]：「因為這次東大安田講堂的攻防戰，大學原本對警察權的潛在性半治外法權慣例，完全灰飛湮滅。」「安田講堂的要塞化、武裝內鬥，都受到低層次的學術自由所保護」，「這種慣例已然不存。」東北大教授宮田光雄也對東大全共鬥的行動評論道[483]：

> 中止入學考是反代代木派全共鬥會議當前的目標，因此政府的決定至少在客觀層面上實現了他們的目的，即便這是違反大學期望的。反過來說，全共鬥會議的行動，暫且不論其主觀意圖，至少在客觀層面上也給了政府、文部省強化大學管理機制的絕佳機會和藉口。在此狀況下，「解放區」游擊戰與汽油彈鬥爭造成的小型巷戰，也不過是讓政府利用集體暴力不安為名〔目〕，提出強化治安力量的鉅額預算措施，得以在輿論毫不抵抗的情況下通過。舉凡政治行動，應該盡可能冷靜且正確地預測該行動的政治後果，並對該後果抱持最低限度的責任感。玩鬧地誇耀感情上的純粹性藉以正當化行動的政治性，這是不被允許的，更何況膨脹「孤城落日」般的悲愴感，自

戀式地耽溺於犧牲本身，也毫無討論的必要。

對宮田或佐藤誠三郎這種試圖把東大鬥爭評價為「政治性行動」的人而言，東大全共鬥的行動僅僅反映出拙劣與愚蠢。但東大全共鬥原本就不關注「政治」，因此兩者的見解都有所偏差。

一部分的媒體對安田講堂攻防戰抱持肯定的態度。《朝日Journal》認為，安田講堂攻防戰與六〇年安保鬥爭不同，評價這是「質問所謂的大學是做什麼的地方、自己為何進入大學，亦即質問自己打算如何活下去」的鬥爭[484]。除此之外，《現代之眼》等新左翼媒體刊登了高度評價東大鬥爭的投書、東大全共鬥成員的投書及座談會內容。

但一般的評價大致都持否定的態度。社會黨左派理論家向坂逸郎評價道「以被社會孤立的手段進行鬥爭必然遭遇失敗。……說著『革命的敗戰主義』，高舉『毛澤東』旗幟的那夥人，他們的幹法就是『胡說八道』。搞出與他們主觀意圖相反的效果，反而助長了政府的反動政策。」[485]另外，中島對東大鬥爭的最後階段有以下批評[486]：

> 從掛著毛澤東彩色照片的東大正門一直線來到飄揚著社學同與中核派旗幟的安田講堂，都瀰漫著軍事優先於政治的理念。然而，若政治方針陷入一定程度的困境，才會轉為軍事優先，換言之，倚靠暴力進行佔領、死守、玉碎等等，甚至連軍事優先都談不上。
>
> 沒有什麼比未伴隨政治力量的軍事力量更危險、更無意義也更脆弱的東西了。……因為在稍微失去政治願景的瞬間，為了掩蓋政治上的無力就會主張軍事優先，東大鬥爭如有這種狀況，比

起奪取什麼館、被奪走什麼館的層次，在遠遠更本質之處，早已喪失了它的意義。

依照警視總監的說法，安田講堂攻防戰的電視收視率「超過了紅白歌合戰」[487]。許多媒體批評學生們的「戰爭遊戲」，其中《朝日新聞》連載漫畫《富士三太郎》，描寫微不足道的上班族三太郎見到東大被破壞而開心的模樣。不過那也是如劇作家寺山修司評價般的，不過是「一邊不斷說著『下地獄去吧，東大！』一邊對遭汽油彈燃燒的『學問殿堂』歡欣拍手的鄉下勞工；船員們聚集的酒館；只能讀二流大學的上班族」等等之流，才會在見到東大權威掃地時感到歡欣罷了[488]。

安田講堂攻防戰在海外亦有評論[489]。大多數都是類似「學生暴動未獲一般輿論支持，也未獲勞工、農民支持」（英國《泰晤士報〔*The Times*〕》）；「帶有強烈無政府主義色彩的學生，否定一切，對一切絕望，沒有任何建設性的啟示」（香港《星島日報》）；「暴行與流血，這是日本激進青年的老把戲，與學生問題毫無干係的目的與宣傳」（新加坡《東方太陽報〔*Eastern Sun*〕》等等論調。

再怎麼抱持善意的報導，最多也只到如下程度：「如果戰鬥性的學生掌握街頭行動領導權，類似一九六八年五月巴黎的情勢，也可能在一九六九或一九七〇年的東京發生。但，他們似乎難以掌握這樣的領導權。」（澳洲《雪梨晨鋒報（*The Sydney Morning Herald*）》；「對貴族主義寡頭統治的大學制度，學生採取否定的態度並獲得輿論的強力支持。但學生的暴行也給輿論帶來強烈衝擊，極度難以諒解激進的言詞」、「在東大校內戰鬥的並非東大的學生貴族，而是來自其他大學、被選拔出來的突擊隊」（法國《世界報（*Le Monde*）》。

其中也有「將學生驅離安田講堂雖告一段落，但學生們透過東大騷動究竟希望些什麼，這部分難以確定」（菲律賓《馬尼拉紀事報（*Manila Chronicle*）》）般，對東大鬥爭表示無法理解的評論。給予肯定評價只有中國共產黨旗下的報紙，寫道「他們高掛毛主席的照片，不斷高喊毛澤東思想萬歲的口號，攻擊比自身多三十倍的警察，頑強抵抗到最後。」

除了革馬派之外的各新左翼黨派，都強調透過此次鬥爭已完成七〇年安保鬥爭的準備，在機關報上刊登誇讚自家部隊勇敢戰鬥與批評他派的總結文章。

各派共通的，是對革馬派的批評。中核派指責「這簡直就是在戰場上的陣前逃亡，無論再怎麼差勁的軍隊也會以死刑論處」，基本上也對自家部隊下達撤退指令的共產同也宣言，「基於使用自保的黨派暴力，我們確定敵對的革馬派人格破產，建議將其解散。」[490]此外，據說中核派在一月二十一日的集會上主張「決定中止入學考，這是我們的勝利！」[491]

革馬派則批評東大全共鬥：「這些在『全共鬥運動』名下，放棄推展原則性的自治活動，宣稱『波茨坦自治會時代結束』等全共鬥內的空談主義者」，「即便面對在東大的敗退局面，這些小資產階級激進主義者仍在妄想與資本主義的對決＝創建蘇維埃和公社的鬥爭」，其機關報總結「毫不留情地暴露小資產階級激進主義者們的本質，必須粉碎他們所稱的『陣前逃亡』、『改良主義』等，為了他們自身利益之反動宣傳。」[492]之後革馬派與中核派進入激烈的武裝內鬥階段。

民青方面，在重重妥協後取得的確認書遭到校方毀約，在東大鬥爭中等於沒有任何實際上的成果。而且不斷妥協的民青的「政治」態度，給人比東大全共鬥排除一切妥協的「非政治」態度更不純粹的印象，因此普通學生也沒有增加對民青的支持。自慶大鬥爭以來，大學鬥爭後的大學黨派勢力無法獲得增長的現象，此時也是一樣。

福武直評論民青「對照於全共鬥諸君過於『非政治』，諸君則太過『政治』。可說因為這種政治性質，所以即便全共鬥諸君升級武力行動，對諸君的支持仍不見上升。」[493]內藤國夫則提出質疑，「對於學生們把『東大的民主化鬥爭』一詞轉而理解為『東大的民青化鬥爭』的實際狀況，他們〔民青〕的想法如何？」[494]

安田講堂攻防戰後，佐木隆三詢問東大普通學生「民青獲得了什麼？」，據說學生都異口同聲地回答「他們前功盡棄吧。」又根據佐木的說法，有傳聞指出「有良知的民青學生，苦於太過偏向右翼，率直地〔對組織〕說出不滿。結果遭到盤問甚至私刑對待。」[495]

根據大窪一志與村上徹的回憶，一九六八年十一月以後對共產黨中央的單向指導反彈的部分東大民青基層組織者，從一九七二年到七三年被當作「新投機派」受到盤問，許多人得知遭共產黨開除後自行退黨。宮崎學等行動隊成員也在此時幾乎都遭除名或自行退黨[496]。

「睡罷課」派的普通學生，又回到鬥爭之前的不關心政治狀態。這些東大學生多數派出動的時期，只有一九六八年六月從引入機動隊到暑假前進入無限期罷課的約兩週時間，以及暑假後討論熱烈的那兩週，最後是十一月底以後運動危及就業與升級而前往投票解除罷課的時期。雖說東大鬥爭被認為持續了將近一年，但同樣也無法擺脫全校熱烈響應的時間只有一週到一個月的規律。

內藤國夫寫道，「對於普通學生，只能說得等到火燒屁股了才開始慌張」，「持續了三個月到四個月的罷課，卻仍要求大學『要保障我們畢業與升級』，完全是缺根筋又貪婪」，「普通學生把明哲保身只在乎自己說成負起『實施入學考的社會責任』，又如洪水般湧入投票解除罷課的態度，只能說滑稽至極。」[497]福武直也批評「普通學生」，「首先想強烈批評諸君毫無責任感」，「說諸君一直到十一月才採取行動，會太失禮嗎？」「紛爭發生之前……連學生大會都無法湊到開會定額人數，諸君曾經反省過嗎？」[498]

東大教授則反應不一。有因安田講堂攻防戰中的機動隊暴行而倍感震撼的教授，也有給攻防戰拍攝紀念照的教授。內藤國夫記道，見到自己學生被逮捕，「也有教授不是因為催淚彈的影響，真心流下眼淚。」[499]而輔佐加藤代理校長的坂本義和在一九九八年如此敘述[500]：

「觀看安田講堂攻防戰，實在很痛苦啊。」「六八年九月左右為止，運動讓大學反省醫學部那種前現代的體質，對大學民主化起到幫助。但隨著理工科學生否定現代管理社會的思想，運動目的變得混亂，鬥爭變成了運動的目的。此外，大學捲入了日共派與非日共派的衝突以及反日共派新左翼黨派間的爭端，這與原本的大學問題並不相干。當大學捲入這些外部政治鬥爭時，應該早點察覺並提出解決方法。這樣或許就可以避免發展到安田講堂的悲劇了。」

不過，批評教授們的全共鬥學生傾向輕視這些教授們的複雜情緒。著名的馬克思主義經濟學者、東大名譽教授大內兵衛，投稿如下文章，刊登於一九六九三月號《世界》雜誌的卷首[501]：

一月十九日傍晚，長達一年的大學非法佔據解除了，警視廳的機動隊佔領安田講堂，將講堂中的三百七十四人全數逮捕。從前一天起便提心吊膽地坐在電視機前觀看的我，心想：這樣好，這樣很好，這樣就能舉行入學考，這樣東大就不會被毀。……因為那些我認為沒有好好思考校園與學問的不逞之徒，還口口聲聲說這都是為了學問，這些人的暴力佔領，讓我感到彷彿自己家中遭小偷襲擊的痛苦。然後，現在警察到來把人從暴力中解放出來。這實在是讓人感恩戴德的事情。敗給不逞之徒暴力的我，當然感到屈辱，因為我年老體衰，拿他們完全沒辦法。同樣的，大學對於這種暴力也無防備，所以當然得拜託警察，為此更加感謝警察，託你們之福得救了，書也得救了，研究室也得救了。這實在萬分感激。不知道該如何道謝才好。如果願意接受的話，就請帶走一箱點心當作謝禮吧。心情上想去對每一位警察道謝，說聲辛苦了。

大內還表示，「去年一月醫學部的教室開始被佔據時，我的想法是當下立刻請來警方將其驅離」，主張「日本的大學與警察應該彼此接近、互相理解，如此當可改善當前日本的大學無警察之狀況，若能如此，肯定能為大學與警方之間的關係，打開一條相互尊敬與感謝的康莊大道。而明治時期以來雙方情結上的誤解得以解開的話，又將是日本民主化的嶄新局面吧。」

這段文字出自知名進步知識分子暨馬克思主義經濟學者，而且還刊登在象徵「戰後民主主義」的雜誌《世界》卷頭，導致全共鬥派的學生群情激憤。這也讓他們更大力批判「戰後民主主義」。

此外，作為「戰後民主主義的欺瞞」事例而廣為人知的，即是丸山真男。丸山於一九六八年十一月文學部長林健太郎遭軟禁團交時，在要求釋放林學部長的教授共同聲明上署名。又如前述，丸山在法學部研究室封鎖之際，據說曾說過「我並不憎恨你們，只是輕蔑而已」，「你們這種暴行，軍國主義也沒幹過，納粹也沒幹過。」

根據劇作家寺山修司在安田講堂攻防戰後參觀東大校內寫下的實地報導，他如此描寫包含丸山在內的法學部研究室遭到何等的破壞[502]：

法學部研究室遭破壞的方式，因教授而各有不同，在牆壁或門上塗鴉的字句透露出學生的批判性，相當有特色。

平野龍一教授的〔研究室〕牆壁被寫上「日共御用學者，史達林主義者的典型知識分子」；辻清明教授是「站在安全地帶，帶著斜眼瞧人態度說話的中間主義者，喋喋不休抱怨的御用學者」；坂本義和教授是「靠《朝日Journal》吃飯的坂本義和。」

丸山真男教授的研究室門上寫著：

我對你呢
既無冤也無仇　只是
照規矩得給你來一下[xiii]

一打開門，果然裡面被搗得混亂不堪。

最慘的是加藤代理校長的研究室，門前的孔子像被用電線絞首，血紅色的墨水潑灑一片，還被胡亂寫上「精力充沛處理事情的加藤先生，我們也精力充沛地擊垮你」，「結拜兄弟　日大古田——東大加藤」，開門一看也是被破壞殆盡。

《每日新聞》如此描述安田講堂攻防戰後，丸山回荒廢的研究室察看的模樣[503]：「祈禱自己的研究室能死裡逃生的丸山真男教授，進入研究室後一時發不出聲音。『在房間中央的書架，整個消失了』——他終於開口，但肩膀也頹然下垂。他一邊說『學生以為研究室只是教授坐著休息的房間罷了』，一邊以小手電筒照射變得昏暗的研究室，逐一拾起散落一地、沾滿泥汙的書籍與文獻，就像愛惜自己的孩子般仔細地確認，邊呢喃『建築物的話可以重建，研究成果的話……。不說這是破壞文化，那什麼才是破壞文化呢？』他難以按捺憤怒，嘴唇禁不住地顫抖。」

如前所述，法學部研究室封鎖之際，法共鬥有私下約定不會破壞資料。研究室的破壞究竟是一月以後激進化的東大全共鬥所為，或是負責法學部研究室防衛的中核派支援部隊所為，抑或是與機動隊攻防戰造成的結果？此時已無從知曉。

但研究室的塗鴉內容是只有校內人士才寫得出的教授們內情或特徵，應該是出自他們之手。總之，東大各處的圖書、微卷、標本等大量毀損與遺失。馬克思主義古代史家爾津正志如此寫道[504]：

……我想介紹一下俄國革命時列寧的一段軼事。……如果〔反革命派的〕陸軍士官從停泊在首都彼得格勒灣內的曙光號巡洋艦（Avrora）砲擊頑強抵抗的皇宮，便可在轉瞬間迅速結束革命，但列寧為了避免一旁的艾米塔吉博物館（Hermitage Museum）保存的文物與建築物受到破壞，不許砲擊，最終只允許發射空包彈。另外……一些進入皇宮的革命人民想掠奪器物，發現此事的同伴說「從今天起這些都是我們人民的東西，不可盜走，掠奪的人不配稱為人民的鬥士」，於是那些人又把器物歸還。嚷嚷著「革命、革命」的學生聽到這段軼事，再比較一下東大校內的文物破壞、燒毀和掠奪，心中作何感想？

xiii 譯註：前二句以大阪腔書寫。第三句引自高倉健，原意為「依照世上的義理，我得這麼幹。」出自昭和殘俠傳系列《唐獅子牡丹》的電影台詞。

內藤國夫也批評[505]：「為何毫無意義地大肆毀壞法學部研究室的研究資料與大量藏書？共鬥會議的學生如果不是『破壞集團』，而是志在『革命集團』，應該重讀他們喜愛的格瓦拉或毛澤東著作。書中理應會告訴他們，所謂的『革命集團』就是『新道德集團』。沒有道德的『革命集團』如何能完成社會改革呢？」

梅本克己在安田講堂攻防戰後表示：「可以說，他們〈東大全共鬥〉表達自身思想的手段，實在太不成熟」，接著寫道[506]：「當引入機動隊成為定局，學生破壞了機動隊守護的東大權威，以及該權威象徵的現代文化最珍重之物，他們認定只有透過破壞才能揭露現代的基底。」

吉野源三郎在安田講堂攻防戰後的〈想對山本君說的話〉中如此寫道[507]：「無論多麼重要的文化財，如果危急數百數千人的安危時，必要時依舊得犧牲。……然而，在這樣的場合，透過這樣的犧牲究竟拯救了什麼？空虛地留在研究室牆壁上的，只不過是小混混口吻的幾段文字，閱讀這些字句時，我不禁咬緊了嘴唇。」

吉野在同一篇文章中記道[508]：「我尊重山本君站在民眾立場，面對東大這個在我國被視為最高最大的學府，毫無畏懼地提出批判。從這樣的立場質問學問應有的方法、研究的應有之道，從中剔除腐敗的部分，我對這樣的行為表達敬意。……但從這種動機發展出來的政治行動，我卻無法予以肯定。山本君等人在東大鬥爭中的所有行動，僅從政治行動來看，我無論如何無法贊同。」

前述丸山的發言出自新聞報導，故與丸山實際表達的內容相符到何種程度，並不清楚。但丸山死後發行的個人筆記《自己內對話》中，他對東大全共鬥如此寫道[509]：「如果想說自我否定這種耍帥話，首先該致力累積足以否定的學問。」「僅燃燒自己的情感來找出自我存在價值的精神，無論在『意識形態』上看起來多麼遙遠，在時代精神的深層脈絡中，仍極度類似於納粹。」「更悲慘的是，他們破壞既定形式，企圖從中獲取自由，但行動模式（頭盔、角材、面罩）卻是種令人驚懼的因襲主義（conformism）。成群結隊時盛氣凌人，孤單一人時卻纖弱不堪！」

安田講堂被攻陷後，全共鬥的殘餘勢力採取的行動都是妨礙授課。一九六九年二月至三月，全共鬥派學生為妨礙重啟的授課而闖入教室，丸山真男對其表示「為何你們無法一對一的對話？為何不放棄成群結隊，一個人前來？」「街頭巷尾充斥著討好你們、讓你們覺得搔到癢處的出版品。但為了你們好，我認為逢迎你們、放縱你們任性是不對的。我也會思考，你們也得想想。」但全共鬥派的研究生們卻對丸山群起攻之，咒罵「差不多該痛揍這傢伙了吧」，「哼，邊聽貝多芬啥的邊搞學問的傢伙！」[510]

丸山感嘆資料丟失的報導在全共鬥派學生間廣為人知。山本義隆在《現代之眼》雜誌上如此批判丸山[511]：「包含丸山真男在內的教授們，面對今年一月他們自己找來的機動隊把他們的財產——在他們眼中那絕非人民的財產——資料與書籍都泡水後，不斷哀鳴『廢墟，廢墟』，但眾所周知，對於學生被挖眼珠、逮捕後還上著手銬就遭催淚瓦斯彈與鐵管的私刑伺候，至今還被不當長期拘留強逼口供的現實狀況，他們卻隻字不提。」

就這樣，被視為「戰後民主主義」象徵的丸山，遭廣泛批評是個不理解鬥爭的意義，只為自己失去的資料而嘆息的自我本位學者。一九六九年四月號的《現代之眼》座談會上，也批評丸山「跳過自己佔據特權位置的問題……自恃為進步學者，就得以非常漫畫的方式行事，丸山真男就是典型例子。」[512]而受到全共鬥派學生歡迎的評論家齋藤龍鳳則形容丸山是「發現東大法學部研究室中『自己的』資料被燒毀時不斷哀嚎的教授」，「先不提燒毀的資料，一個大男人撲簌簌流淚的樣子，我覺得相當詭異。」[513]

只因丸山代表著「進步的文化人」，全共鬥派學生便把輕蔑都集中在丸山一人。全共鬥的小阪修平在回憶錄中如此敘述[514]：「代表戰後民主主義的政治學者丸山真男，其研究室被全共鬥封鎖時曾說過『納粹也幹不出這種暴行』的名言。在我們看來，這句話正代表戰後民主主義的知識分子，一旦問題波及到自己時，就只會慌張。」

然而，他們對丸山的批評也帶著無知與誤解的成分。日後成為《流言的真相》雜誌主編的岡留安則於一九七九年表示[515]：「東大某知名馬克思研究的教授，在他的研究室遭街壘封鎖時吼著『竟然對我做出二戰結束前、戰時下的軍部法西斯也不幹的暴行。』我們當時感到相當氣憤，心想『你一直鑽研的紙上談兵空論，權力方根本不怕。在權力方保護下做起來的學問，那算什麼？』」

岡留談及的「知名馬克思研究的教授」，很明顯直指丸山。但丸山並非馬克思主義研究者，就算一冊也好，只要讀過他的著作立刻就能明白，因此上述發言只反映直到一九七九年為止，岡留對丸山根本一無所知。恐怕，站在這種知識程度批評丸山的人並不在少數。

但丸山並非只對全共鬥採取批評態度。他對因東大鬥爭而揭發出來的所有醜惡樣貌，都幾乎感到絕望。他在一九六九年的筆記中如此寫道[516]：

透過東大紛爭映入我眼簾的，令人厭惡的知識分子，以及知識分子的預備軍。

○自認為自己的行動是非政治或反政治的，自欺欺人的無黨派激進派。

○心情上追隨全共鬥，卻在最後階段將其捨棄的「普通學生」。

○隨著紛爭到最後只心存被害者意識的校長與教授。

○法利賽派的黨徒（像□□□、□□□□等，不只《朝日Journal》的記者，還有那些全共鬥「覺得很不錯」的領導者們）。

○那些只會使用他人導向型（other-directedness）或者關係導向型價值判斷的教授們（或許只是天真）。

○把事件當作拓展自己市場的機會，不斷濫寫的評論家們。

○把過去或當下憎恨日共的經驗，當作幾乎是唯一行動準則的前日共黨員。

○把自己在職場上的無力感投射到大學，藉著這種補償作用（compensation）支持全共鬥的上班族。

○毫不猶豫把全共鬥學生稱為「暴力學生」的日共（民青）教授與學生。

○在最後，最終也只能這麼寫，「身為教授的」丸山。

——就這樣，對於住在日本這件事情，或許我厭倦了。

之後，丸山因為勞心導致宿疾肝病惡化，一九七〇年任期途中便從東大退休。

鬥爭之後

安田講堂攻防戰引起公眾關注之後，東大全共鬥與日大全共鬥幹部在大眾傳媒上發言與撰文的機會也隨之增加。藉此他們力陳全共鬥獨特的組織原理，主張「自我否定」的意義，批評以丸山為代表之「戰後民主主義的欺瞞」。

日大鬥爭與東大鬥爭的相關出版品，因安田講堂攻防戰讓全共鬥運動引發關注而開始販售。如第十三章所述，出版時期集中在一九六九年前半，而東大全共鬥和日大全共鬥幹部陳述的內容，多半不是他們在鬥爭初期主張的大學民主化理念，而是末期主張的「大學解體」、「自我否定」、「與國家權力的對決」等等。

他們屢屢提及對民青的憎惡，而新左翼黨派與民青在東大鬥爭中動員全國的同盟成員，等同於在全國境內播下武裝內鬥的種子。

例如，一九六八年弘前大的民青同盟員、日後參加聯合赤軍的植垣康博有以下回憶：一九六八年十一月下旬以後，弘前大的民青同盟成員及其他新左翼黨派運動者都在高層的指令下趕往東大鬥爭，「發展成弘前大的民青與反民青在東大對決的奇妙事態。」日後回到弘前大的他們，互相燃起仇恨的火焰，要麼破壞對方黨派的立牌看板，要麼毆打發傳單的其他黨派運動者。雖然植垣將此描述為「宛如把在東大的民青與反民青衝突，原樣搬回弘前大」，但恐怕這是在各地的地方大學發生的現象[517]。

不過，當東大全共鬥幹部們在大眾媒體上發言的一九六九年前半年，東大全共鬥正一路走向衰落。失去據點的東大全共鬥餘黨，雖然推動阻止（妨礙）授課與聲討教授，但只造成普通學生更加背棄他們，而再度引來警方介入。二月三日醫學部、三月十日文學部相繼解除罷課，全部學部都已解除罷課，代議員大會後仍留下的教養學部自治會委員長今村俊一，在二月二十六日的學部投票上，以總投票數三千五百票中三千一百票贊成的結果，遭到罷免[518]。

某位實習醫師表示，「進入罷課以來，沒有任何具體的改善。」[519]福武直在安田講堂攻防戰之後，一方面批評東大全共鬥的「自我陶醉」傾向，也率直承認「這次紛爭過程中，清楚呈現出制度與慣例的矛盾」，並寫道「造成〔教授們〕深刻自覺的，是學生諸君的武力行動。我們要把他們行使的武力當成暴力來追究，就必須端正我們自身的態度，必須對大學進行改革。」[520]

然而，東大教授們的意識，沒有那麼容易隨鬥爭而改變。安田講堂攻防戰後，助教共鬥的成員村尾行一等人，在所屬的農學部林學科舉行集會，逐一對教授、助教授「要求用自己的頭腦思考，在自己的責任範圍中，以自己的話語來說明。」但當場只搞清楚「他們沒有意識到自己必須負責的立場，對東大鬥爭的重要事實近乎無知，連收集資訊的慾望都沒有。」村尾等人表示，「對於把機動隊當作紅十字會之類的人，我們必須原原本本地說明事實並非如此。」[521]

而如第十三章所述，逃亡的山本義隆於一九六九年九月遭到逮捕。一九七〇年一月的《學內廣報》記載著「已經沒有〔妨礙〕授課事件需要報告了。」[522]

一九七〇年三月，東大在警隊的保護下舉行了入學考。東大全共鬥的餘黨對考生散發「你們對這樣的入學考不感到矛盾嗎？」的傳單，但幾乎沒人有反應，還可聽到「還在幹這種事情啊」，「東大神話毀於大學鬥爭，雖然這麼說，但社會對東大的看法不是一點都沒改變嗎？」等聲音[523]。之後，自主講座運動、部分的農學部雖仍有繼續鬥爭，但實際上東大鬥爭已然結束。

另一方面，加藤代理校長於一九七〇年三月正式就任校長，但在學生集會上約定的大學改革，也隨著紛爭結束戛然而止。豐川醫學部長與上田院長僅伴隨「八・一〇告示」辭去學部長與院長，之後毀棄了十一月一日退休的承諾，一九六九年二月五日發表意見書拒絕退休，仍繼續穩座大學教職的位置[524]。

豐川在之後的雜誌投稿中主張，自己在一九六八年十月三十一日通過電話告知即便退休也無所謂的想法，但沒想到與十一月一日大河內校長宣布辭職一起被當作校方表現反省的態度，直到今日自己仍認定醫學部懲處是正確的。因此，「不管他人說三道四，我完全沒有退休的打算」，「絕對要避免被部分學生以不合理的力量強迫，違反個人意志退休，這就是我抱持的信念。」[525]從大學與大學教授們的這些舉動來看，東大全共鬥對與校方交涉做出妥協一事，根本不抱任何期待，可說具有一定的道理。

在安田講堂攻防戰中遭逮捕的學生們，被以防止湮滅證據的理由遭到長期拘留，許多遭到起訴。大原紀美子聽聞，某位被「在宅起訴[xiv]」後獲釋的學生，對其他學生尚在拘留，自己卻獲釋感到罪惡感，並自責是他對檢方自白才獲釋。該學生談到他之所以自白的契機[526]：「在講堂中被捕時，一個機動隊員護住了我，邊說著『我其實不想這麼幹』邊保護我。這大概就是原因吧。」大原也只能安慰該名學生。

大原在救援對策活動上給被拘留的學生送去物資。學生方主張統一公審鬥爭，但檢察官對罪刑輕者只是加以訓斥，有些人接受這種處理並被分開公審。大原記下其中一人的狀況[527]：「T君聽聞故鄉的家人生病而非常難過，最終給Q君寫信說道，即便這次傳聞是假的，但如果將來奶奶生病時，我沒有自信還能說出『即便如此，這都是為了人民』這種話。聽到這段話時，我不禁再次感受到留在講堂與離開講堂的人之間，那道深沉的鴻溝。」

免於被捕的全共鬥派學生，大多也都帶著敗北的感受。某學生回憶道，「大家都帶著敗北感，煩惱著今後將如何活下去，例如去談場戀愛，或者回鄉下老家再也不出現在大學等，有各式各樣的想法。」[528]為了實踐「自我否定」，也有人從東大退學，或者成為臨時工，或者加入新左翼黨派，抑或投入勞工運動、居民運動等，將活動場域移往他處。

大原紀美子如此寫道[529]：「對拒絕體制內生活方式的我們而言，除了顛覆體制外，沒有別的生存之道。」「鬥爭遭強制結束的時候，就打算重新站到體制內，為將來的生活做打算，這是何等寡廉鮮恥的事情。」

但要放棄東大學生的既得利益，大多數人都辦不到。許多前全共鬥的運動者雖然感到彆扭，仍舊出席課堂，參加考試。某前運動者，心懷恐懼進到許久未出席的課堂時，手持木刀的體育會同學訓斥他，「如果你貫徹自己的理論，就應該離開大學。不如別再執著那些事情，來出席上課吧。」[530]

安田講堂攻防戰後不久的班級討論上，包括大原紀美子在內，沒留在安田講堂而得以逃過逮捕的全共鬥派學生，主張不承認解除罷課的理學部學生大會。但已厭倦鬥爭的無黨派學生回應他們：「若真的認為自己所言正確，為何不留在鐘樓？為何不從鐘樓牆邊一躍而下？如果從鐘樓牆邊跳樓，我會非常尊敬唷，還會獻上稱讚呢。」因未留在安田講堂而感到內疚的大原等人無法反擊，「我們只能扭

xiv 譯註：指在不逮捕犯罪嫌疑人的情況下，進行自由審問並提請地方法院公審。

頭而去。」531

大原詢問剩下的理學部鬥爭委員會成員，「對於打算畢業這件事，要不要重新考慮看看？」但「我只搞懂了一件事，那就是大家都對這個問題避之唯恐不及。」「〔即便是鬥爭委員會的成員也〕把畢業問題當作一種禁忌。大四生大家都還是想畢業。大部分都想進入研究所。」532最終，大原自己也畢業了。但她並未就業，也婉拒了已經錄取她的研究所，選擇一直致力於被捕學生的救援任務，一邊靠打工養活自己。

對於放棄攻讀研究所，離開大學的理由，大原寫道，「與那些我無法繼續叫老師、民青、右翼、同志的人們維持已然破碎的人際關係，而且在明知這種狀況下還要表現得很平靜，這樣的生活我實在過不下去。」雖然也考慮過在研究所繼續鬥爭，但她的結論是：「我沒有那樣的自信。沒有思想，甚至無法〔自食其力〕生活的人，如何能追求著理想而戰鬥呢？」533

在安田講堂攻防戰後的雜誌上，也有東大全共鬥的女學生表示「鬥爭至此，我們其實跟中學畢業就去工作的人一樣呀。只能去工地搬磚運土討生活了。」534而對於這樣的言論，大原則如此評價535：「在座談會上說：『我們其實跟中學畢業就去工作的人一樣呀，因為只能去當臨時工混口飯吃』的C子小姐啊，你在說謊。我們絕對不可能和中學畢業的勞工一樣。曾身為東大學生的過往，那是想甩也甩不掉的。」

前助教共鬥的醫學部助教於一九六九年底表示，「因為抗拒感而完全不出席課堂的，一個學年大概有四、五個人」，「身為學生的階段，實際上在東大鬥爭的時候就結束了。」536活動於駒場的前全共鬥派學生，在手記中如此寫道537：

〔昭和〕四十四年十二月，比往常晚了九個月升上法學部。打算出席上課。為了不跟原本同班的人見面，躡手躡腳地，宛如去偷看令人羞恥的東西似的。原本的同學知道我為何而來。他們就算見到我也不會指責我。但是他們的眼光中這麼說著。——你是個機會主義者。毫無節操的可憐蟲。——

大原紀美子於一九六九年出版的手記末尾如此寫道[538]：「打完工回來，深夜打開許久未看的〔鬥爭中的〕日記本，腦袋中模糊地盤旋著想法，齒輪已經脫落，我已經不再是學生，成為社會上的失敗者。」「我只剩下平凡的孑然一身。今後該如何是好？」

內藤國夫在一九八九年表示，一九六八年當時「是我大學畢業後的第七、八年，作為新聞記者是最能量充沛的階段，所以對『我要成為學生的代言人』一事充滿幹勁」，說罷，他接著對東大鬥爭整體做出評價[539]：

從〔一九六八年〕暑假到十一月的這段時期，學生們都很開朗。學生們彼此說出心底意見，歡欣地互相討論，看到這種模樣，內心感到這就是大學啊。那實在是個美好的時期。但到了冬天，許多學生被質問「打算怎麼做？」、「一輩子都要揮舞著棍棒嗎？」，便選擇離去，轉瞬之間運動土崩瓦解。一九六八年十二月到隔年五六月，鬥爭的緊張感也變淡了，是段暴力、對立與憎恨的，看了就很不愉快的時期。

然則安田講堂攻防戰已刺激了各地的大學生與高中生。以下兩位各自向雜誌投稿[540]。某高中生表示，「從去年起，內心便立誓支持日大、東大的鬥爭，嘗試要把這些鬥爭的意義納入自己的內在。身為一名無法直接做出貢獻的高中生，在那個十八、十九日，也只能緊盯著電視看。」在補習班的高四生櫻井哲夫則表示，「東大學生這種菁英不願被體制收編，真心思考內部改造，他們的身影，只有這種身影——確實表面上看來有點過於正直——才是真正的誠實且充滿人情味的身影啊」。

從這種刺激獲得能量，一如第十三章所述，一九六九年日本全國各地掀起了全共鬥運動。就像川本三郎所言，從「自我否定」這個詞彙感受到「那正是我在思考的東西啊」的年輕人不在少數。正因如此，「大學解體」、「自我否定」、「造反有理」、「波茨坦自治會批判」等詞彙，以及堅守鐘樓「玉碎」的戰術，宛如從鬥爭初期就已被計畫好般，被當作仔細斟酌後的成套理論受到模仿。

這樣的邏輯與戰術，在沒意識到東大與東大鬥爭特殊性的狀態下，被條件不如東大的大學模仿。本來東大全共鬥的幹部們對大眾媒體的陳述，或者東大全共鬥餘黨編纂的書籍所表達的，都是全共鬥失去普通學生支持的鬥爭末期形成的論調與戰術。即便其他的大學模仿，鬥爭也無成功的可能。此外，東大鬥爭之後，武裝內鬥也在白晝公然地蔓延。

這樣的東大鬥爭，不僅有別於以往的大學鬥爭，也形塑了所謂全共鬥運動的典型。而模仿這種典型的各地全共鬥運動一時間也盛況空前，但之後也將招致必然的「敗北」。

註釋

第八章　「激盪的七個月」

1 大野明男〈羽田事件と全学連の内幕〉（《中央公論》一九六七年十二月號）二七四，二七五頁。本章討論的各鬥爭，在筆者管見範圍內，並無先行研究。不過有許多關於三里塚的回憶錄、手記及若干研究，但許多都把焦點放在本章處理的初期以後，因此略去不提。

2 安東仁兵衛〈羽田闘争の運動論的総括〉（《現代の理論》一九六七年十二月號）九頁。

3 前揭川上（第三章）〈泡立つ時代経験〉一三三頁。

4 〈「第二の山崎」をめざす全学連の鼻息〉（《週刊現代》一九六七年十月二六日號）二二頁。

5 前揭大野〈羽田事件と全学連の内幕〉二七九—二八〇頁。

6 倉石一郎〈ボクはゼンガクレン〉（《現代》一九六七年十二月號）一二〇頁。

7 前揭藏田（第三章）《安保全学連》三六五頁。

8 前揭大野〈羽田事件と全学連の内幕〉二七四頁。倉石前揭〈ボクはゼンガクレン〉一一八—一一九頁。

9 關於此武裝內門事件，細節的敘述因人而異。首先前揭大野〈羽田事件と全学連の内幕〉二七六—二七七頁中的紀錄，十月六日在社共兩黨的集會上，中核派散發批評傳單，指出他派批判一九六七年九月在法政大發生的大量被捕乃「玉碎主義」的說法，是一種分裂行動。當天社學同與社青同解放派毆打數名中核派幹部，七日前往法政大的解放派幹部則遭中核派毆打。又，社學同運動者荒岱介的回憶錄前揭荒（第二章）《破天荒伝》五九—六〇頁指出，中核派在散發指責社學同與社青同解放派批評大量被捕的傳單後，十月六日在日比谷野外音樂堂舉行的「〔三派〕全學聯的統一行動」場上，憤怒的解放派全學聯書記局成員毆打了中核派的書記局成員，隔天七日在法政大舉行八日的預備會議時，解放派的三派全學聯書記長等人遭中核派處以私刑，聚集在中大的社學同與解放派將禮堂的長椅拆卸製作成武鬥棒，趕往法政大解救解放派幹部。

對此，前共產同運動者府川充男的〈あとがき〉（收錄於前揭府川〔第四章〕《ザ・一九六八》）三〇九頁中則如此記述此次武裝內門的原委。「十月一日，在日比谷野外音樂堂為十・八舉行奮起集會，集會上中核派散發批評解放派的傳單，中核派的全學聯書記局成員丸山淳太郎遭解放派都學聯委員長北村行夫毆打，在此之後大概也發生了各種衝突與糾紛。十月六日，發生法政大中核派毆打解放派事件，對此群情激憤的解放派在東大與法政大襲擊中核派。前往法政大襲擊的是早大的解放派運動者。十月七日，全學聯書記局為了十月八日舉行的戰術會議上，因秋山勝行（全學聯委員長）、吉羽忠、青木忠等未曾前來，為了通知他們而前往法政大的解放派高橋孝吉（全學聯書記長）、北村行夫等三人被中核派押至經濟學部自治會室，在革共同政治局成員清水丈夫的命令下，約二十名成員對此三人施以私刑。此處本多延嘉（革共同書記長）、北小路敏等也在場。集結在中大的社學同、解放派、ML派、第四國際等全學聯部隊遂拆解禮堂的長椅趕製武鬥棒，武裝後前往法政大對中核派施壓，才救出三人。」

另外，根據中核派幹部小野田襄二前揭（第三章）《革命的左翼という擬制》一一〇—一一一，一四九頁，十月一日中核派散發批評社青同解放派乃〈社民的投機〉傳單後，十月七日當高橋孝吉等三人終於來到法政大時，「除本多與清水丈夫、北小路之外，包含秋山與吉羽在內的中核派領導幹部等約二十人」對高橋等人施加私刑。此時小野田不在現場，「吉羽含著淚光毆打三人」，日後小野田對日大ML派運動者提起此事時，對方表示「為何秋山與吉羽，特別是吉羽要服從〔清水的〕命令呢？實在難以理解」，「中核派的每個人都是那麼軟弱的傢伙嗎？」

荒則回憶道，十月七日在法政大遭中核派處以私刑的解放派幹部是高橋孝吉與全學聯書記局成員渡木繁。而成島忠夫在前揭成島（第三章）〈激動の六〇年代とマル戦派〉一三五頁上指出遭私刑的是高橋與北村。前揭川上報導二七八頁指出——一如本文中所述——北小路敏在私刑事件後制止了亂鬥。

如此一般，這種事件當時的報導與個人的回憶出入甚多，何者為事實已難以確認。本文中盡可能重視各記述共通的部分來描寫。荒與成島的發言引自上述回憶內容。

10 前揭藏田《安保全学連》三六五頁。

11 前揭大野〈羽田事件と全学連の内幕〉二七八頁。內田雅俊〈学んだのは《権力との距離感》〉（收錄於荒ほか前揭〔第三章〕《全共闘三〇年》）二五九頁。

12 前揭大野〈羽田事件と全学連の内幕〉二七八頁。

13 前揭中野（第四章）《ゲバルト時代》二二頁。

14 前揭府川《ザ・一九六八》三〇八—三〇九頁。

15 前揭荒《破天荒伝》六〇頁。

16 前揭三上（序章）《一九六〇年代論II》九二頁。

17 前揭中野《ゲバルト時代》九—一六頁。但中野的回憶錄中寫道，民青的武裝內鬥部隊「曙行動隊」參加了這次一九六七年九月的武裝內鬥，但根據行動隊幹部宮崎學在前揭（第一章）《突破者》上卷的說明，行動隊成立於一九六八年秋天。即便從民青於一九六八年夏天肯定武裝內鬥乃「正當防衛」的角度來看，也能看出中野證詞的錯誤。但他回憶自己於一九六七年九月在法政大內鬥中使用武鬥棒應屬事實，因此加以採用。

18 前揭府川（第四章）〈「六八年革命」を遶る断章〉二九頁。

19 前揭荒《破天荒伝》六〇頁。

20 前揭三上《一九六〇年代論II》九二，九三頁。

21 前揭大野〈羽田事件と全学連の内幕〉二七八頁。大野記述當晚在法政大的中核派約有六百人，但如前所述倉石則記錄約有八百人。此類集會或遊行人數各紀錄間都有出入，幾乎已經成了一種模式。

22 藤本敏夫〈日本革命のための手記〉（《週刊新潮》一九七六年一月一日號）四九頁。

23 前揭中野《ゲバルト時代》一三頁。

24 前揭大野〈羽田事件と全学連の内幕〉二八〇—二八一頁。

25 當天機場大廳與機場外人數引自前揭安東〈羽田闘争の運動論

的総括〉九頁。但根據安東的說法，機場外共產黨的抗議團「背對機動隊，朝〔三派的〕遊行隊高舉拳頭吼著『暴力學生滾回去！』」。

26 同前報告二八四，二八六頁。

27 池山重朗〈羽田闘争と革新勢力〉（《現代の理論》一九六七年十二月號）一七—一八頁。

28 前掲成島〈激動の六〇年代とマル戦派〉一三三—一三四頁。

29 前掲大野〈羽田事件と全学連の内幕〉二八三頁、前掲荒《破天荒伝》六一頁。

30 内田前掲〈学んだのは「権力との距離感」〉二五九頁。

31 秋山勝行〈「羽田」から「佐世保」まで〉（《朝日ジャーナル》一九六八年三月一七日號）一〇三頁。

32 前掲荒《破天荒伝》六三頁。前掲成島〈激動の六〇年代とマル戦派〉一三四頁。但府川充男は〈覚書＝《歴史的対象》としての第二次ブントと赤軍派〉（《情況》二〇〇八年六月號）一四八頁上指出，與機動隊最初的衝突中總指揮者已經腦震盪，因此無法指揮引導，但真相如何不明。

33 前掲荒《破天荒伝》六四頁。

34 〈羽田で学生デモ流血〉（《読売新聞》一九六七年十月九日）。

35 前掲大野〈羽田事件と全学連の内幕〉二八四頁。

36 前掲中野《ゲバルト時代》二二頁。

37 同前書二三，二四頁。

38 前掲大野〈羽田事件と全学連の内幕〉二八四頁。

39 前掲中野《ゲバルト時代》三一頁。

40 大泉康雄《あさま山　銃撃戦の深層》（小学館，二〇〇三年）一七七頁。

41 前掲荒《破天荒伝》六五頁。

42 前掲荒《破天荒伝》六一頁。前掲大野〈羽田事件と全学連の内幕〉二八七頁。

43 〈緊急特報　流血の一〇・八羽田事件〉（《サンデー毎日》一九六七年十月二二日號）二一頁。

44 〈羽田空港　全学連の「死」の暴力デモ〉（《週刊読売》一九六七年十月二〇日號）一三—一四頁。

45 前掲中野《ゲバルト時代》二六頁。

46 前掲大野〈羽田事件と全学連の内幕〉二八五頁。

47 高橋徹〈背景の論理と心情〉（《朝日ジャーナル》一九六七年十月二二日號）六頁。

48 〈「実力闘争」の意味は〉（《日本読書新聞》一九六八年四月一日號）。

49 秋山前掲〈「羽田」から「佐世保」まで〉一〇三頁。

50 前掲〈「実力闘争」の意味は〉。

51 前掲大野〈羽田事件と全学連の内幕〉二八三頁。高橋前掲〈背景の論理と心情〉五頁。

52 前掲大野〈羽田事件と全学連の内幕〉二八六頁。

53 福田善之・柴田翔・野口武彦・佐藤信・いいだもも〈学生運動の思想の持続性〉（《中央公論》一九六七年十二月號）二九六頁。

54 同前座談会二九六頁。

55 同前座談会二九六頁。

56 道浦前掲（第四章）《無援の抒情》四頁。

57 《朝日新聞》與《讀賣新聞》引自十月九日第一次羽田事件的報導標題。《毎日新聞》引用自同報記者座談會〈学生の「暴走」原因は〉（《毎日新聞》一九六七年十月九日）。
58 前掲（第一章）〈全学連女性闘士の思想と行動力〉二〇頁。
59 三浦朱門〈あまりにお粗末〉（《週刊読売》一九六七年十月二〇日號）一五頁。〈羽田デモ事件の批評の仕方〉（《週刊新潮》一九六七年十月二一日號）一二九頁。石原慎太郎〈羽田事件は「風俗」だ〉（《週刊大衆》一九六七年十一月二日號）二四頁。
60 〈全学連の暴動をめぐる四つの謎〉（《月刊ひろば》一九六八年一月號）四頁。
61 〈羽田の波紋はなぜ小さい〉（《朝日ジャーナル》一九六七年十月二九日號）一二，一三頁。
62 秋山勝行〈法律は認めない〉（《読売新聞》一九六七年十月九日）。
63 〈学生運動正常化への道〉（《毎日新聞》一九六七年十月一六日社論）。〈犠牲者出した「学生暴徒」〉（《読売新聞》一九六七年十月九日）。
64 前掲〈羽田デモ事件の批評の仕方〉一二八，一三〇頁。
65 日高六郎〈言論と世論の力をよみがえらせよ〉（《朝日ジャーナル》一九六七年十月二二日號）一三頁。
66 〈羽田事件についての声明〉《ベ平連ニュース》一九六七年十一月號（第二六號）。前掲（第一章）復刻版八七頁刊載全文。
67 岩田前掲（第三章）〈闘わざる革新派の破廉恥さ〉一六頁。
68 前掲〈羽田デモ事件の批評の仕方〉一三一頁。前掲福田・柴田・野口・佐藤・いいだ〈学生運動の思想の持続性〉三〇〇頁。
69 〈羽田事件をめぐる社会党の微妙な心理劇〉（《週刊読売》一九六七年十月二七日號）一二頁。
70 同前報導一四頁。前掲〈羽田の波紋はなぜ小さい〉一五頁。
71 前掲〈羽田の波紋はなぜ小さい〉一四頁。前掲〈羽田事件をめぐる社会党の微妙な心理劇〉一三—一四頁。
72 篠原一〈二つの不熟慮のなかから〉、なだ・いなだ〈状況をみて戦術をねれ〉（ともに《朝日ジャーナル》一九六七年十月二二日號）一四，一五頁。
73 前掲〈「実力闘争」の意味は〉。
74 藤本前掲〈日本革命のための手記〉四九頁。
75 伊藤彰信〈一青年の死に深く考える〉《ベ平連ニュース》一九六七年十一月號（第二六號）復刻版八七頁。
76 〈政府、与野党の見解〉（《読売新聞》一九六七年十月九日付）。
77 前掲福田・柴田・野口・佐藤・いいだ〈学生運動の思想の持続性〉二九三頁。
78 〈緊急特報　その日の首相・学生・警官〉（《週刊朝日》一九六七年十月二〇日號）一九頁。
79 前掲〈全学連女性闘士の思想と行動力〉二〇頁。
80 上杉悠〈アジアのなかの羽田事件〉（《アジア》一九六八年一月號）四七，四八頁。
81 大宅壮一〈「革命ゴッコ」はコリゴリだ〉（《現代》一九六八年一月號）一三一頁。
82 前掲〈緊急特報　流血の一〇・八羽田事件〉二三頁。

83 同前報導二三頁。

84 前揭〈全学連女性闘士の思想と行動力〉二一頁。

85 〈羽田デモで死んだ山崎君一家の悲劇〉（《週刊サンケイ》一九六七年十月三〇日號）一六，一五頁。

86 前揭〈「第二の山崎」をめざす全学連の鼻息〉一九—二〇頁。

87 前揭〈羽田デモで死んだ山崎君一家の悲劇〉一四，一三頁。

88 〈死んだ山崎博昭君の日記〉（《週刊朝日》一九六七年十月二七日號）二二，二三頁。

89 關於山崎死因的討論，參照〈山崎博昭君の死因をめぐるナゾ〉（《週刊朝日》一九六七年十一月三日號）及律師小長井良浩〈山崎博昭君の死因について〉（《朝日ジャーナル》一九六七年十二月二四日號）。

90 安藤前揭（第二章）〈内なる山崎君との対話〉一六八—一六九頁。但津村喬編著前揭（第四章）《全共闘——持続と転形》中收錄的前日大全共鬥三橋俊明訪談〈自分が変わること世界が変わること〉二一一頁中寫道，津村提問山崎之死是否影響到日大鬥爭的爆發時，三橋如此回答：「那只限於一部分人知道，我則是完全不知道這件事情呢。幾乎所有人都不知道。日大全共鬥的夥伴，甚至連羽田鬥爭都不知道。」由此可確認，並非對山崎博昭之死感到震撼的人都跑去參加日大全共鬥。但無論在電視新聞或報紙上，十月八日第一次羽田鬥爭都是頭條新聞，因此「幾乎所有人都不知道」的說法令人難以置信。另外，日大全共鬥編輯的書籍中收錄了安藤的手記。津村聽聞三橋的發言後表示「因十・八而產生全共鬥的說法，是個謊言。」不過這也可說是拿三橋這個單獨的例子來斷章取義做整體評價，仍有不夠謹慎之嫌。

91 同前手記一七〇，一七一頁。

92 前揭ＮＨＫ取材班（第一章）〈東大全共闘〉二二八，二三一頁。此學生手記係由ＮＨＫ採訪班所發現，以假名「松田忠」進行引用。本文中的引用將兩處串接起來。

93 鈴木前揭（第一章）《高校生運動》七六頁再引用。

94 岡本敏雄〈我らの内なる一〇・八〉《ベトナム通信》（一九六八年十月號〔第九號〕）。前揭（第一章）復刻版四九頁。

95 高知聡〈山崎博昭は橋梁か〉（《現代の眼》一九六八年十一月號）八一—八二頁。

96 同前論文八一頁。

97 道浦前揭（第一章）〈わが遠き七〇年〉九五頁。

98 鶴見・上野・小熊前揭（第三章）《戦争が遺したもの》三四三頁。

99 柏崎前揭（第一章）《太陽と嵐と自由を》九三頁。

100 井上澄夫〈戦無派——一〇・八ショック組闘争宣言〉（收錄於小田実編《べ平連》三一書房，一九六九年）一八八，一九一，一九二頁。

101 川本前揭（第一章）《マイ・バック・ページ》八七—八八頁。

102 前揭〈羽田の波紋はなぜ小さい〉一三頁。

103 前揭大原（第二章）《時計台は高かった》九，七—八頁。

104 前揭〈死んだ山崎博昭君の日記〉二五，一七，二四頁。

105 野口武彦〈卒業生から新入生へ〉（《朝日ジャーナル》一九六八年四月二八日號）一二，一三頁。

106 同前論文一三頁。

107 野口武彦・長田弘・秋浜悟史・松原新一・氏原工作〈安保と羽田の落差〉（《朝日ジャーナル》一九六八年一月七日號）一三〇，一二八頁。
108 前掲福田・柴田・野口・佐藤・いいだ〈学生運動の思想の持続性〉二九八頁。
109 以下の調査内容は〈「暴力学生」をどう見る〉（《朝日ジャーナル》一九六七年十二月一七日號）五五頁。
110 前掲大野〈羽田事件と全学連の内幕〉二八九頁。但前掲中野《ゲバルト時代》二八頁中指出，山崎死亡的上午十一點半左右「有人被打死的傳聞開始傳開」，「領導者開始鼓動演說，最終傳成有人『被虐殺』。」如果中野的回憶正確，中核派在上午十一點半時已主張山崎之死是被警察撲殺。

這樣的差異可解釋成大野觀察的是中核派中央的反應，而中野觀察的是現場底層運動者與低階領導者的反應，不過中野的回憶錄除了有許多錯誤，而且還是事隔四十年的回憶，故有記憶混淆的可能性。因此，本文中採用該時代的紀錄，亦即大野的證詞。

111 前掲大野〈羽田事件と全学連の内幕〉二八八頁。
112 藤本前掲〈日本革命のための手記〉四九頁。
113 宇都宮徳馬・渡邉恒雄・大野明男・大島渚〈流血闘争を肯定する〉（《新評》一九六八年三月號）三二頁。
114 高田麦〈学生運動と羽田闘争〉（《現代の理論》一九六七年十二月號）一五頁。
115 前掲〈「第二の山崎」をめざす全学連の鼻息〉二一頁。
116 前掲成島〈激動の六〇年代とマル戦派〉一三六頁。
117 前掲安東〈羽田闘争の運動論的総括〉一〇頁。
118 前掲〈死んだ山崎博昭君の日記〉一八頁。
119 前掲安東〈羽田事件の運動論的総括〉一一頁。
120 前掲〈死んだ山崎博昭君の日記〉一八頁。
121 同前報導一九頁。前掲〈「第二の山崎」めざす全学連の鼻息〉一九頁。
122 前掲〈死んだ山崎博昭君の日記〉一九，二三頁。
123 同前報導二三，二五頁。
124 安東・上原・岡留・高野・宮崎・筑紫前掲（第六章）〈いまだ総括されず〉二〇九頁。
125 前掲ＮＨＫ取材班〈東大全共闘〉二三九頁。
126 前掲大野〈羽田事件と全学連の内幕〉二八〇頁。秋山前掲〈法律は認めない〉。
127 前掲ＮＨＫ取材班〈東大全共闘〉二四〇頁。
128 前掲荒《破天荒伝》六〇頁。
129 前掲大窪（第二章）〈パラノイドの青春が蹉跌するまで〉一九六頁。
130 前掲〈死んだ山崎博昭君の日記〉一九頁。
131 前掲（第一章）〈座談会　冷たい壁の中で彼らは何を考えたか〉二六頁。
132 前掲中野《ゲバルト時代》三六頁。
133 〈訪米阻止！　全学連の山崎報復作戦〉（《週刊サンケイ》一九六七年十一月二〇日號）一四－一五頁。
134 前掲〈全学連女性闘士の思想と行動力〉二〇頁。
135 〈佐藤訪米阻止・その日の羽田〉（《朝日ジャーナル》一九六六

七年十一月二六日號）一〇頁。

136 大隈秀夫〈報道されなかった羽田攻防二四時間〉（《現代》一九六八年一月號）一二八頁。

137 同前報導一二八頁。

138 同前報導一二九頁。

139 同前報導一二九，一三〇頁。根據大野明男〈駒場をゆるがせた十二時間〉（《中央公論》一九六八年一月號）二七四頁，十一月十一日在中大的集會上，因中核派的秋山三派全學聯委員長被捕，故由社學同成島副委員長與社青同解放派高橋書記長掌握主導權，中核派主張由革共同的北小路敏代替秋山進行演講，因而導致一片混亂。

140 前揭川上〈駒場をゆるがせた十二時間〉二七四頁。

141 前揭大隈〈報道されなかった羽田攻防二四時間〉一三〇，一三一頁。

142 同前報導一三一頁。前揭川上〈駒場をゆるがせた十二時間〉二七五頁。

143 前揭大隈〈報道されなかった羽田攻防二四時間〉一三三頁。

144 同前報導一三五頁。

145 前揭川上〈駒場をゆるがせた十二時間〉二七七頁。

146 前揭〈佐藤訪米阻止・その日の羽田〉一二頁。

147 〈またも羽田に血が流れた！〉（《サンデー毎日》一九六七年十一月二六日號）一九頁。

148 前揭大隈〈報道されなかった羽田攻防二四時間〉一三五，一三六頁。

149 前揭川上〈駒場をゆるがせた十二時間〉二七七頁。

150 前揭〈またも羽田に血が流れた！〉一九頁。

151 前揭大隈〈報道されなかった羽田攻防二四時間〉一三六，一三七頁。前揭川上〈駒場をゆるがせた十二時間〉二八一，二八二頁。

152 前揭大隈〈報道されなかった羽田攻防二四時間〉一三八頁。

153 同前報導一三八頁。前揭〈佐藤訪米阻止・その日の羽田〉一〇頁。

154 前揭大隈〈報道されなかった羽田攻防二四時間〉一三九頁。

155 同前報導一三九頁。

156 〈またも起った羽田の「市街戦」〉（《週刊朝日》一九六七年十一月二四日號）一七頁。

157 〈一一・一二羽田市街戦のさまざまな疑問〉（《週刊言論》一九六七年十一月二九日號）一〇頁。

158 同前報導一二頁。前揭〈座談会　冷たい壁の中で彼らは何を考えたか〉二七頁。

159 前揭〈佐藤訪米阻止・その日の羽田〉一一頁。

160 前揭〈またも羽田に血が流れた！〉二二頁。

161 前揭〈一一・一二羽田市街戦のさまざまな疑問〉一二頁。前揭〈またも起った羽田の「市街戦」〉一八頁。

162 前揭〈またも起った羽田の「市街戦」〉一七頁。

163 同前報導一八頁。前揭川上〈駒場をゆるがせた十二時間〉二七二頁。前揭〈一一・一二羽田市街戦のさまざまな疑問〉一二頁。

164 前揭〈またも羽田に血が流れた！〉二〇頁。

165 坂口弘《あさま山荘一九七二》（彩流社，一九九三年）上卷一一一頁。
166 前掲〈またも起った羽田の「市街戦」〉一九頁。
167 同前報導一九頁。
168 前掲〈座談会　冷たい壁の中で彼らは何を考えたか〉二九，三〇頁。
169 前掲大原《時計台は高かった》一七—一八頁。
170 同前書一九，二〇頁。
171 小山内宏〈エンタープライズ同乗記〉（《週刊現代》一九六八年一月三一日號）二七頁。
172 大森実〈佐世保報告〉（《中央公論》一九六八年三月號）二一四頁。
173 〈佐世保「第三の羽田」となるか〉（《週刊朝日》一九六八年一月一九日號）二四頁。
174 前掲荒《破天荒伝》六八頁。
175 前掲〈佐世保「第三の羽田」となるか〉二五頁。〈佐世保の警備体制〉（《サンデー毎日》一九六八年二月四日號）二三頁。
176 前掲〈佐世保「第三の羽田」となるか〉二四頁。倉田令二朗〈佐世保事件と大学の自治〉（《世界》一九六八年三月號）一〇一頁。
177 前掲〈佐世保「第三の羽田」となるか〉二四，二六頁。前掲倉田〈佐世保事件と大学の自治〉一〇二，一〇三頁。
178 前掲〈佐世保「第三の羽田」となるか〉二四頁。〈特報　佐世保の七日間〉（《サンデー毎日》一九六八年二月四日號）二二頁。
179 〈佐世保攻防の決定的瞬間〉（《週刊現代》一九六八年一月三一日號）二三頁。
180 矢動丸広〈佐世保市民誕生す〉（《朝日ジャーナル》一九六八年二月一一日號）一〇〇頁。
181 〈「エンプラ」で稼いだ五日間〉（《週刊文春》一九六八年二月五日號）二三頁。
182 いそべ前掲（第一章）〈燃える「中核」と一週間〉六七頁。榎本英夫〈ＳＡＳＥＢＯ　一九六八・1〉（《週刊言論》一九六八年一月一六日號）二三，二四頁。
183 〈「エンプラ」の影と戦う全学連〉（《週刊朝日》一九六八年一月二六日號）一一八，一一九頁。
184 〈第三の主役・佐世保市民の「戦い」〉（《週刊読売》一九六八年二月二日號）二一頁。
185 前掲榎本〈ＳＡＳＥＢＯ　一九六八・1〉二四頁。
186 〈佐世保攻防の決定的瞬間〉（《週刊現代》一九六八年一月三一日號）二四，二五頁。
187 いそべ前掲〈燃える「中核」と一週間〉六八，七〇頁。
188 同前報導六七。
189 〈暴徒になるひまのなかった学生〉（《朝日ジャーナル》一九六八年一月二八日號）四頁。
190 井上正治〈九州大学はなぜ門を開いたか〉（《中央公論》一九六八年三月號）二二三—二二四頁。
191 同前論文二二四，二二五頁。
192 いそべ前掲〈燃える「中核」と一週間〉七一頁。
193 前掲倉田〈佐世保事件と大学の自治〉一〇五，一〇六頁。
194 前掲〈暴徒になるひまのなかった学生〉六頁。

195 前揭井上〈九州大学はなぜ門を開いたか〉二二六頁。

196 前揭倉田〈佐世保事件と大学の自治〉一〇五，一〇六頁。いそべ前揭〈燃える「中核」と一週間〉一二頁。

197 前揭倉田〈佐世保事件と大学の自治〉一〇六頁。

198 前揭荒《破天荒伝》六九，七〇頁。關於新左翼各黨派給頭盔著色的習慣於何時固定下來，根據各回憶錄而異，並無定論。共產同運動者三上治回憶道，一九六六年十二月三派全學聯成立時，「在中大，學生們拿紅色油漆塗頭盔，要說為什麼這麼做，他們表示反正都得戴著頭盔，弄個上電視時看來顯眼的顏色豈不更好」，「共產同派的紅色頭盔就這樣誕生了。」（前揭三上《一九六〇年代論II》八一頁）。但專題報導過一九六八年初中大鬥爭的高知，在前揭（第七章）〈中央大学の叛乱〉一六九頁中記載「運動者們戴頭盔成為常態。『黃色』頭盔是中大主流派的社學同。『藍色』頭盔是民青。」但同樣是記錄中大鬥爭的前揭真下（第七章）〈中大闘争が残したもの〉七六頁中寫道，在完全撤銷學費調漲，讓一般學生歡聲雷動的二月十六日團交上，「頭戴紅色頭盔的社學同派學生們，卻似乎非常不滿，保持令人恐懼的沉默。」本文中也提及，荒在佐世保一開始戴著市面上販售的銀色頭盔，受到社青同解放派的刺激改把頭盔塗紅。這些紀錄彼此有所出入，難以斷定，但也參與第一次羽田鬥爭的荒表示，社學同是從佐世保鬥爭起決定把頭盔塗成紅色，這樣，如三上說一九六六年社學同決定紅色頭盔的說法便有些牽強。大致上應可如此推測，即一九六六到六八年一直是變動的狀態，到佐世保鬥爭前後新左翼各黨派的頭盔顏色才幾乎大致底定。

199 島田和子〈なぜ私は行動するのか〉（《婦人公論》一九六八年四月號）九九頁。

200 前揭〈佐世保攻防の決定的瞬間〉二〇頁。前揭（第一章）〈佐世保事件　機動隊のガスはベトナムの毒ガスか〉一六—一九頁。

201 山本和夫〈ゲバ棒を持って突っ込む瞬間〉（《週刊読売》一九六八年二月一六日號）一一九頁。

202 いそべ前揭〈燃える「中核」と一週間〉七三頁。

203 葉山岳夫〈権力の罠〉（《現代の眼》一九六八年三月號）二〇二頁。

204 大森前揭〈佐世保報告〉二〇四—二〇五頁。

205 同前報導一九九頁。

206 大森実・秦野章・林健太郎〈全学連よアマったれるな！〉（《勝利》一九六七年十二月號）。

207 大森前揭〈佐世保報告〉二〇六頁。

208 同前報導二〇六，二〇九頁。

209 〈庶民は機動隊に荒された〉（《週刊言論》一九六八年十月二三日號）六三頁。而根據前揭時事問題研究所（第一章）《全学連　その意識と行動》六七頁，當共同通信社給各地方報發出標題為〈「機動隊帰れ」と市民の声〉（市民發聲：『機動隊滾回去』）的報導時，《山陽新聞》的編輯局長把標題改為〈「全学連帰れ」と市民の声〉（市民發聲：『全學聯滾回去』），《信濃毎日新聞》則把標題改為〈機動隊も学生も帰れ〉（機動隊與學生都滾回去）後刊登。真相的細節不明，不過因為在《山陽新聞》竄改報導一事上記述相一致，因此採用《週刊言論》的內容。

210 〈情報交換に集まる人々〉（《朝日ジャーナル》一九六八年三月三一日號）九〇頁。

211 〈激動した基地の町の一週間〉（《週刊朝日》一九六八年二月二日號）一七頁。いそべ前掲〈燃える「中核」と一週間〉七三頁。

212 前掲〈特報　佐世保の七日間〉二六頁。

213 前掲〈佐世保攻防の決定的瞬間〉二一，二三頁。

214 吉田晋平〈同じ世代の敵と味方〉（《潮》一九六八年三月號）一三〇頁。

215 いそべ前掲〈燃える「中核」と一週間〉七四頁。

216 同前報導七四頁。

217 同前報導七四頁。

218 前掲倉田〈佐世保事件と大学の自治〉一〇六頁。

219 いそべ前掲〈燃える「中核」と一週間〉七四頁。

220 同前報導七四頁。

221 前掲〈佐世保攻防の決定的瞬間〉二六頁。

222 大森前掲〈佐世保報告〉二〇八頁。

223 山本前掲〈ゲバ棒を持って突っ込む瞬間〉一二〇頁。

224 前掲〈特報　佐世保の七日間〉二二頁。

225 同前報導二二，二三頁。

226 同前報導二二頁。

227 前掲〈佐世保攻防の決定的瞬間〉二二頁。

228 山本前掲〈ゲバ棒を持って突っ込む瞬間〉一二〇頁。前掲荒《破天荒伝》七〇頁。前掲〈特報　佐世保の七日間〉二三頁。

229 小田実〈「物」と「人間」〉（初出《世界》一九六八年三月號。ベトナムに平和を！　市民連合編前掲〔第一章〕《資料・「ベ平連」運動》に再録）上巻三一八頁。

230 大森前掲〈佐世保報告〉二一〇頁。

231 同前報導二一〇－二一一頁。

232 同前報導二一一頁。

233 前掲〈特報　佐世保の七日間〉二七頁。

234 〈革新陣営を追越したプロテスト〉（《朝日ジャーナル》一九六八年二月四日號）二一頁。

235 大森前掲〈佐世保報告〉二一一，二一二頁。大石健〈市民を揺り動かした学生達〉（《新日本文学》一九六八年三月號）一二八頁。前掲〈特報　佐世保の七日間〉二三頁。

236 前掲大石〈市民を揺り動かした学生達〉一二八頁。

237 前掲大森〈佐世保報告〉二一二頁。

238 前掲〈情報交換に集まる人々〉九〇頁。

239 前掲大森〈佐世保報告〉二一二頁。山本前掲〈ゲバ棒を持って突っ込む瞬間〉一二一頁。

240 前掲大石〈市民を揺り動かした学生達〉一二五頁。

241 前掲小田〈「物」と「人間」〉三一八－三一九頁。

242 前掲倉田〈佐世保事件と大学の自治〉一〇七頁。

243 〈「佐世保」後の学生運動〉（《朝日ジャーナル》一九六八年三月三日號）一〇五頁。

244 同前報導一〇五頁。

245 前掲大石〈市民を揺り動かした学生達〉一三〇頁。

246 島前掲田〈なぜ私は行動するのか〉一〇一頁。竹内静子〈市

民の怒りと日本共産党〉（《現代の眼》一九六八年三月號）一九四頁。根據竹內論文一九四頁，說共產黨為了要讓警察驅離三派系學生而請求出動機動隊其實是誤解，真相是共產黨的警備不足而向警察抗議，警方遂接受出動機動隊的請求。無論如何，共產黨為了驅離三派系學生甚至不惜借用警力的態度皆無可否認。

247 前揭〈特報　佐世保の七日間〉二五頁。

248 〈その日の佐藤首相〉（《サンデー毎日》一九六八年二月四日號）二五頁。

249 前揭〈激動した基地の町の一週間〉一八，一九頁。

250 〈《反戦市民》ここに誕生〉（《朝日ジャーナル》一九六八年三月一七日號）二六頁。

251 いそべ前揭〈燃える「中核」と一週間〉七五頁。前揭〈激動した基地の町の一週間〉一八頁。

252 安東・上原・岡留・高野・宮崎・筑紫前揭〈いまだ総括されず〉二〇〇頁。

253 前揭〈激動した基地の町の一週間〉一八—一九頁。

254 藤本前揭〈日本革命のための手記〉五〇頁。

255 前揭宇都宮・渡辺・大野・大島〈流血闘争を肯定する〉二三頁。

256 島泰三《安田講堂一九六八—一九六九》（中公新書，二〇〇五年）一二頁。

257 大熊信行〈全学連と日本史の問題〉（《潮》一九六八年三月號）一三五，一三四頁。

258 井上正治〈大学の自治と警察権力〉（《法学セミナー》一九六八年三月號）二頁。

259 前揭小田〈「物」と「人間」〉三三二頁。

260 児島襄〈一九七〇年の警告〉（《潮》一九六八年三月號）一二四頁。

261 井上光晴〈《基地市民》の感情に変化〉（《週刊朝日》一九六八年二月二日號）二五頁。

262 前揭大森〈佐世保報告〉二二四，二二八頁。

263 前揭秋山〈「羽田」から「佐世保」まで〉一〇四頁。

264 揭島前《安田講堂一九六八—一九六九》一〇頁。

265 前揭〈特報　佐世保の七日間〉二九頁。

266 前揭〈特報　佐世保の七日間〉三〇頁。此處根據記者三天募得「七〇萬日圓」的敘述，但如後述也有說法指出僅中核派就募集一五〇萬日圓，不同文獻的數字皆有出入。

267 前揭〈激動した基地の町の一週間〉一八頁。

268 前揭大石〈市民を揺り動かした学生達〉一三一頁。

269 安東・上原・岡留・高野・宮崎・筑紫前揭〈いまだ総括されず〉二〇〇頁。

270 前揭〈特報　佐世保の七日間〉二四頁。

271 猪又章臣〈「何ができるか」の一つの報告〉（《朝日ジャーナル》一九六八年二月一八日號）一一三頁。

272 倉田令二朗〈《十の日デモ》と佐世保市民〉（《朝日ジャーナル》一九六八年二月一一日號）。

273 前揭〈《反戦市民》ここに誕生〉二七—二八頁。

274 前揭〈特報　佐世保の七日間〉三〇頁。

275 前揭井上〈《基地市民》の感情に変化〉二四頁。

276 編集部〈七〇年にむけてゲリラ化する学生戦線〉（《二〇世紀》一九六八年十月號）九一頁。
277 前掲大石〈市民を揺り動かした学生達〉一三〇頁。
278 同前論文一三〇頁。前掲〈特報　佐世保の七日間〉三〇頁。
279 日高六郎〈政治運動・市民運動・学生運動〉（《朝日ジャーナル》一九六八年二月一一日號）一七，一九頁。
280 前掲〈激動した基地の町の一週間〉一八頁。
281 同前報導一九—二〇頁。
282 前掲小田〈「物」と「人間」〉三二七頁。
283 前掲〈特報　佐世保の七日間〉三〇，三一頁。前掲〈激動した基地の町の一週間〉一八頁。大石前掲〈市民を揺り動かした学生達〉一三一頁。
284 〈佐世保警備が教えたもの〉（《財界》一九六八年三月一日號）二五頁。
285 松本秀雄〈佐世保事件とテレビ報道〉（《現代の理論》一九六八年四月號）一一二頁。
286 辻一三〈佐世保の混乱は三派全学連の暴走が原因でした〉（《人物評論》一九六八年三月號）一五頁。
287 川口憲三〈佐世保闘争は何を残したか〉（《文藝春秋》一九六八年十二月號）一三五頁。
288 〈佐世保市長が国につきつけた請求書〉（《サンデー毎日》一九六八年二月二五日號）一七，二一頁。
289 〈機動隊に打ち向って〉（《週刊読売》一九六八年二月一六日號）一一八頁。
290 同前報導一一八頁。
291 同前報導一一八頁。
292 以下成田機場建設用地選定的原委，上野昂志《戦後再考》（朝日新聞社，一九九五年）一八七—一八八頁。
293 〈「三派」と結んだ成田農民〉（《朝日ジャーナル》一九六八年三月一〇日號）九頁。
294 政府的態度引自前掲上野《戦後再考》一八八，一八九頁。農民的發言引自前掲福田（第二章）《三里塚アンドソイル》一六三—一六四頁。一九七〇年十月一日第三次阻止強制測量鬥爭時的內容。
295 〈成田農民の土地を守る「気概」〉（《朝日ジャーナル》一九六八年三月二四日號）一二頁。
296 以下共產黨與三里塚農民的關係引自前掲〈「三派」と結んだ成田農民〉六—一〇頁。
297 〈王子の市民と成田の住民〉（《朝日ジャーナル》一九六八年四月一四日號）一一頁。
298 前掲〈「三派」と結んだ成田農民〉六頁。
299 前掲荒《破天荒伝》七五頁。
300 前掲〈「三派」と結んだ成田農民〉九，七頁。
301 前掲〈成田農民の土地を守る「気概」〉一九頁。
302 同前報導一四頁。
303 〈三班編成で突入〉（《朝日新聞》一九六八年四月一日付）。新左翼各黨派有自覺地採用這種戰術一事，在中島誠〈反代代木派全学連の「七〇年」の戦略と武器〉（《現代》一九六九年三月號）二六二頁上也記載有幹部這麼說。
304 以下對在市營球場的集會管制引自前掲〈成田農民の土地を守

る「気概」〉一四―一五頁。
305 成田市・一女性〈成田でなぐられて〉(《朝日ジャーナル》一九六八年三月二四日號)一二二頁。
306 前揭〈成田農民の土地を守る「気概」〉一六頁。
307 鈴木総太郎・野村正雄〈成田にも市民がいた〉(《朝日ジャーナル》一九六八年三月三一日號)一〇五頁。
308 前揭〈成田農民の土地を守る「気概」〉一六頁。
309 前揭荒《破天荒伝》七六頁。
310 前揭〈王子の市民と成田の住民〉一一四頁。
311 〈都心に入ってきたベトナム戦争〉(《朝日ジャーナル》一九六八年三月二四日號)二一頁。
312 同前報導二四頁。
313 同前報導二四頁。
314 同前報導二四,二五頁。
315 匿名希望〈デモ学生の母親の体験〉(《朝日ジャーナル》一九六八年五月二六日號)一二〇頁。
316 同前報導二〇頁。〈地元住民も止めに入った王子デモ〉(《週刊言論》一九六八年三月二〇日號)一六,一七頁。
317 前揭〈王子の市民と成田の住民〉一一五頁。
318 前揭大原《時計台は高かった》四八頁。
319 二上実〈「殺すな!」ということ〉(《朝日ジャーナル》一九六八年七月一四日號)一八―一九頁。
320 〈彼をロボットにするもの〉(《朝日ジャーナル》一九六八年五月五日號)九二―九四頁。
321 前揭大原《時計台は高かった》五三頁。
322 〈正体不明の「群衆」〉(《毎日新聞》一九六八年四月二日)。
323 〈群衆をかくれミノ〉(《朝日新聞》一九六八年四月二日)。
324 〈群衆、激しく投石〉(《朝日新聞》一九六八年四月三日)。
325 前揭荒《破天荒伝》七八頁。
326 引用は絓・高橋・前揭府川(第四章)〈「六八年」問題をめぐって〉五一頁。三月三日的武裝內鬥引自前揭府川(第四章)〈「六八年革命」を巡る断章〉二一頁。
327 絓・高橋・前揭府川〈「六八年」問題をめぐって〉五〇頁。
328 篠原一・高橋徹・見田宗介〈七〇年闘争のなかの群衆〉(《朝日ジャーナル》一九六八年五月一九日號)三九頁。
329 井上澄夫〈自主講座 反公害輸出の闘い〉(收錄於津村編著前揭《全共闘——持続と転形》)一五五頁。
330 前揭〈王子の市民と成田の住民〉一一〇頁。
331 前揭〈群衆、激しく投石〉。
332 中島編著前揭(第三章)《全学連》一七三頁。
333 前揭〈王子の市民と成田の住民〉一一一頁。
334 〈三派全学連の新しい暴れ方〉(《週刊現代》一九六八年七月一一日號)一三四頁。
335 〈ひとこと〉(猪野健治《ゼンガクレン——革命に賭ける青春》双葉社,一九六八年序文)。無頁數記載。
336 前揭立花(第三章)《中核VS革マル》上巻一一三頁。
337 猪野健治〈全学連のこの意外なスポンサーたち〉(《勝利》一九六九年九月號)五四頁。
338 大野明男〈激化一途の学生運動〉(《月刊ペン》一九六九年二月號)七五頁。

339 前掲〈都心に入ってきたベトナム戦争〉二四頁。
340 同前報導二四頁。
341 同前報導二五頁。
342 広津隆志「市民の出番だ」（《べ平連ニュース》一九六八年四月号〔第三一号〕）復刻版一二五頁。
343 「占領時代の再現に反発」（《朝日ジャーナル》一九六八年四月七日号）五頁。
344 前掲〈機動隊に打ち向かって〉一一八頁。
345 前掲〈情報交換に集まる人々〉八九頁。
346 佐藤宏〈野戦病院反対デモに参加〉（《朝日ジャーナル》一九六八年三月二四日號）一二一頁。
347 前掲〈「佐世保」後の学生運動〉一〇四頁。
348 同前報導一〇四頁。
349 羽仁・秋田前掲（第二章）〈日大闘争の意義〉二九二頁。
350 山本前掲（第一章）〈王子野戦病院撤去闘争の衝擊〉二二一頁。
351 前掲宗（第四章）〈腐食しやすい木材〉。
352 前掲編集部編〈七〇年に向けてゲリラ化する学生戦線〉八七頁。
353 前掲〈「佐世保」後の学生運動〉一〇四頁。
354 同前報導一〇五，一〇八頁。
355 同前報導一〇八頁。
356 中島春雄〈私も群衆の一人〉（《朝日ジャーナル》一九六八年四月二一日號）一〇九頁。
357 前掲〈成田農民の土地を守る「気概」〉一一一頁。
358 前掲時事問題研究所編《全学連　その意識と行動》七九－八〇頁。此輿論調查公開於《時事世論調査》一九六八年一月特別號。
359 前掲〈王子の市民と成田の住民〉一一七頁。
360 前掲篠原・高橋・見田〈七〇年闘争のなかの群衆〉四二頁。
361 前掲八木（第四章）〈世間と隔絶する学生たち〉。
362 前掲日高〈政治運動・市民運動・学生運動〉一九頁。

第九章　日大鬥爭

1 田村正敏・雛元昌弘・余村泰隆〈体験から何を展望するか〉（《現代の眼》一九七一年三月號）一三五頁。依筆者管見，並無對日大鬥爭進行學術性調查的論文。同時代發行的紀錄類資料有三一書房於二〇〇八年九月出版的日本大学文理学部闘争委員会書記局編前掲（第一章）《叛逆のバリケード》（初版一九六八年。如第一章所記之增補版《新版　叛逆のバリケード》，本書除有特殊說明外，皆引自一九九一年的復刻版）、日大全共闘編《バリケードに賭けた青春》（北明書房，一九六九年）、日本大学全学共闘会議・石田共編前掲（第一章）《日大全共闘——強権に確執をかもす志》、秋田明大編《大学占拠の思想》（三一書房，一九六九年）、稲垣真澄《日大アウシュビッツ》（三一書房，一九六九年）等。收錄當時日大學生的文宣品與手記等相當貴重，皆為站在日大全共鬥立場留下的鬥爭紀錄。在同一時代的紀錄中可視為較客觀者，有日本大学新聞研究会編《日大紛争の真相》（八千代出版，一九六九年）。其他的回憶錄有身處藝術學部鬥爭委員會的橋本克彥前掲（第一章）《バリケードを吹きぬけた風》，由當事者的觀點赤裸裸描述日

大門爭的實際樣貌，饒富深意，不過這僅是藝術學部的作者的觀點。本書除了上述書籍外，也活用當時的報導等資料，如本文中所述，本書把日大門爭定位為介於之前自發興起的大學民主化門爭，以及在東大門爭時確立下來的高舉「自我否定」與「大學解體」的全共鬥運動之間，一個過渡性的鬥爭。

2 井出孫六〈日大株式会社への破産宣告〉（初出〈日大バリケードの彼方に〉、《新日本文学》一九六九年一月號、日大全共闘編前掲《バリケードに賭けた青春》に再録）三二頁。旁點根據井出照錄。

3 同前論文三九頁。

4 丸山邦男〈日本大学の大いなる暗闇〉（《現代の眼》一九六六年十二月號）一五〇頁。

5 〈マンモス日大の泥沼騒動〉（《サンデー毎日》一九六八年六月三〇日號）二六頁。

6 同前報導二六頁。

7 前掲丸山〈日本大学の大いなる暗闇〉一五〇—一五一頁。

8 前掲橋本《バリケードを吹きぬけた風》二五七頁。

9 前掲丸山〈日本大学の大いなる暗闇〉一五二頁。

10 〈日本大学改善方策案細目〉（收錄於前掲《叛逆のバリケード》一三八—一四〇頁）。

11 前掲橋本《バリケードを吹きぬけた風》三〇頁。

12 高木正幸〈日大王国の破綻〉（《朝日ジャーナル》一九六八年六月三〇日號）一〇九頁。

13 前掲《日大紛争の真相》八二頁。

14 高木正幸〈「日大帝王」古田重二良の死〉（《朝日ジャーナル》一九七〇年十一月八日號）五頁再引用。

15 前掲丸山〈日本大学の大いなる暗闇〉一五一頁。

16 宇野裕〈創造の場としての大衆団交〉（《朝日ジャーナル》一九六八年十月二〇日號）二九頁。

17 日大学生座談会〈初めて組んだスクラムの中から〉（《中央公論》一九六八年十月號）三〇一頁。

18 前掲〈マンモス日大の泥沼騒動〉二四頁。

19 山上健一〈「単ゲバ」のこころ〉（收錄於前掲《日大全共闘》）一四一頁。

20 前掲吉川（第一章）〈父さん母さんへ〉一三一—一三二頁。

21 T・M〈放言〉（收錄於前掲《叛逆のバリケード》）二三三，二三四頁。

22 前掲橋本《バリケードを吹きぬけた風》三〇頁。

23 〈日大生座談会　自己変革の証言〉（收錄於前掲《バリケードに賭けた青春》）四六頁。

24 前掲大野（第二章）〈学生がかくも暴発する理由〉三一四頁。

25 前掲高木〈日大王国の破綻〉一〇九頁。〈ついに噴火したマンモス日大〉（《週刊朝日》一九六八年六月二八日號）二五頁。

26 前掲《日大紛争の真相》五一頁。

27 前掲〈初めて組んだスクラムの中から〉三〇四頁。

28 井出治〈けしつぶの嘆き〉（收錄於前掲《日大紛争の真相》）三一九—三二〇頁。

29 前掲《叛逆のバリケード》一三二—一三四，一三九頁。

30 前掲高木〈日大王国の破綻〉一〇六頁。

31 前掲井出〈日大株式会社への破産宣告〉三八頁。

32 同前論文三八頁。
33 前掲丸山〈日本大学の大いなる暗闇〉一四五，一五四頁。
34 前掲《叛逆のバリケード》一四七―一五四頁。前掲〈初めて組んだスクラムの中から〉二九七頁。
35 以下關於日大預算的記述引自前掲〈マンモス日大の泥沼騒動〉二六頁。
36 〈大学の危機　ここに問題がある！〉（《週刊読売》一九六八年七月五日號）一八頁。
37 前掲丸山〈日本大学の大いなる暗闇〉一四八頁。
38 前掲〈大学の危機　ここに問題がある！〉一七頁。
39 秋田明大・大川正行・栗原正行・田村正敏・高木正幸〈日大生座談会　110日の前と後〉（《朝日ジャーナル》一九六八年十月二〇日號）一七，一八頁。
40 前掲丸山〈日本大学の大いなる暗闇〉一五四頁。
41 同前論文一四六，一四七頁。
42 前掲高木〈日大王国の破綻〉一〇八頁。
43 小中陽太郎〈「東大よりカッコよく散るか」〉（〈ルポ　紛争地帯を行く〉《サンデー毎日》一九六九年二月二〇日臨時増刊號）三〇頁。
44 青地晨〈東京大学と日本大学〉（《中央公論》一九六九年一月號）一七五頁。
45 前掲稲垣《日大アウシュビッツ》四三―四四頁。
46 前掲《叛逆のバリケード》一五三―一五九頁。前掲丸山〈日本大学の大いなる暗闇〉一四九頁。
47 編集部〈砦を解かれたサムライたち〉（《中央公論》一九六九年四月號）一八〇頁。
48 前掲T・M〈放言〉二三四頁。
49 前掲《叛逆のバリケード》一七〇，一六七頁。
50 以下羽仁五郎講演會的事件過程出自前掲《叛逆のバリケード》一六二―一六七頁及前掲羽仁・秋田（第二章）〈日大闘争の本質〉二八四頁。
51 鳥越敏郎〈日大闘争の中から〉（《中央公論》一九六八年十一月臨時増刊號）一〇八頁。
52 前掲〈ついに噴火したマンモス日大〉二五頁。
53 前掲高木〈日大王国の破綻〉一〇六―一〇七頁より重引。
54 前掲《叛逆のバリケード》一五五頁。
55 前掲〈初めて組んだスクラムの中から〉二九九頁。
56 前掲《日大紛争の真相》六六，六七頁。
57 前掲〈ついに噴火したマンモス日大〉二五頁。
58 〈父兄も乗り出した大学紛争の行くえ〉（《週刊言論》一九六八年十一月二七日號）一九頁。
59 前掲（第七章）〈これから騒ぎそうな大学一覧〉四二頁。
60 前掲《叛逆のバリケード》九頁。
61 同前書九―一〇頁。
62 同前書一〇頁。
63 前掲橋本《バリケードを吹きぬけた風》三一頁。
64 前掲《叛逆のバリケード》一二頁。
65 匿名希望〈二〇億円はだれの金か〉（《朝日ジャーナル》一九六八年五月五日號）一一二―一一三頁。
66 前掲《叛逆のバリケード》一四頁。

67 〈三四億円使途不明金問題——クラス資料〉(收錄於前揭《叛逆のバリケード》)一六—一七頁。
68 〈行動スル時ガキタ! スベテノ困難ヲ乗リ超エテ立チ上ガレ〉(收錄於前揭《叛逆のバリケード》)一七—一八頁。
69 〈五・一六 第一回第三部室合同討論会〉、社会学科学生会〈明日ではおそい!!〉、〈古田体制を打ち破り新しい日大を!〉(收錄於いずれも前揭《叛逆のバリケード》)一八,二〇,二一,六二—六三頁。
70 前揭〈マンモス日大の泥沼騒動〉二五頁。
71 前揭青地〈東京大学と日本大学〉一七〇頁。
72 文理学部教授会〈声明文〉(收錄於前揭《叛逆のバリケード》)二四頁。
73 此極機密文書收錄於前揭《叛逆のバリケード》一五—一六頁。引用自一五頁。
74 社会学科学生会〈抗議文〉(收錄於《叛逆のバリケード》)二二頁。
75 K・M〈一年生の手記〉(收錄於前揭《叛逆のバリケード》)二二七,二二八,二二九頁。
76 前揭《日大紛争の真相》八一頁。
77 前揭〈初めて組んだスクラムの中から〉二九七頁。
78 前揭羽仁・秋田〈日大闘争の本質〉二八四頁。
79 前揭立花(第二章)〈実像 山本義隆と秋田明大〉一五六頁。
80 同前論文一五五頁。
81 同前論文一五六頁。
82 同前論文一五六頁。
83 前揭〈ついに噴火したマンモス日大〉二五頁。
84 秋田明大・福田善之〈学生叛乱から総叛乱へ〉(首見於《情況》一九六九年三月臨時增刊號,重新收錄於前揭情況出版編集部編〔第二章〕《全共闘を読む》)五三,五八,五四頁。
85 前揭立花〈実像 山本義隆と秋田明大〉一五六頁。
86 前揭鳥越〈日大闘争の中から〉一〇五頁。
87 前揭《日大紛争の真相》八一頁。
88 同前書八三頁。
89 同前書八三,八四頁。
90 同前書八四頁。
91 同前書八四頁。
92 同前書八六,八九頁。前揭《叛逆のバリケード》二四頁。
93 前揭《日大紛争の真相》八九—九〇,八七頁。
94 同前書八七頁。
95 同前書八九,九一頁。
96 同前書九一頁。
97 同前書九二—九三頁。
98 同前書九二—九三頁。
99 前揭鳥越〈日大闘争の中から〉一〇八—一〇九頁。
100 石田郁夫〈日大全共闘—— 強権に確執をかもす志〉(收錄於前揭《日大全共闘》)二四一頁。
101 前揭小中(第一章)《私のなかのベトナム戦争》九九頁。
102 前揭秋田・福田〈学生叛乱から総叛乱へ〉五一頁。
103 前揭〈ついに噴火したマンモス日大〉二五頁。
104 前揭橋本《バリケードを吹きぬけた風》三九頁。

105 〈カナエの軽重問われる秋田クン〉（《週刊サンケイ》一九六八年九月三〇日號）二一頁。
106 前掲立花〈実像 山本義隆と秋田明大〉一五五頁。
107 同前論文一四八頁。
108 同前論文一四九頁。
109 前掲高木〈日大王国の破綻〉一〇六頁。
110 前掲立花〈実像 山本義隆と秋田明大〉一四八頁。
111 前掲小中《私のなかのベトナム戦争》一〇三頁。
112 前掲《日大紛争の真相》九四，九八頁。
113 同前書九四—九六頁。另，在文理學部的集會人數在前掲《叛逆のバリケード》二八頁中記錄約二千人，在《日大紛争の真相》中記錄約一千人。
114 前掲《叛逆のバリケード》三〇頁。
115 T・K〈闘争の中で〉（收錄於前掲《叛逆のバリケード》）二四四頁。
116 前掲《叛逆のバリケード》三二頁。
117 同前書三三頁。前掲《日大紛争の真相》九七，一〇〇—一〇二頁。
118 前掲《日大紛争の真相》一〇二—一〇三頁。
119 前掲橋本《バリケードを吹きぬけた風》三三頁。引用時因換行而略為縮減。
120 同前書四五頁。
121 同前書二四頁。
122 前掲秋田・大川・栗原・田村・高木〈日大生座談会 110日の前と後〉一六頁。T・K前掲〈闘争の中で〉二四三頁。
123 前掲渡辺（第二章）〈もがきそして闘う〉一八一頁。
124 前掲《日大紛争の真相》二九一頁。
125 前掲〈日大生座談会 自己変革の証言〉七七，五四頁。前掲渡辺〈もがきそして闘う〉一七九頁。
126 前掲渡辺〈もがきそして闘う〉一七七—一七八頁。
127 前掲橋本《バリケードを吹きぬけた風》三三，四七，六八頁。
128 文理女性有志〈女子学生に訴える！〉（收錄於前掲《叛逆のバリケード》）三八頁。
129 前掲《日大紛争の真相》一〇四頁。
130 同前書一〇五，一〇六頁。
131 同前書一〇四頁。
132 同前書一〇一頁。
133 全学共闘会議〈倒れた文理生にかわり断固抗議する！〉（收錄於前掲《叛逆のバリケード》）四八頁。
134 前掲橋本《バリケードを吹きぬけた風》四九頁。
135 同前書三六頁。
136 同前書二四，六三頁。
137 前掲石田〈日大全共闘〉二四七—二四八頁。
138 前掲高木〈日大王国の破綻〉一〇八頁。
139 前掲《叛逆のバリケード》五六頁。
140 前掲《日大紛争の真相》一一四頁。
141 応用地理学科二年Y・K〈バリケードへの道〉（收錄於前掲《叛逆のバリケード》）二二三頁。
142 前掲〈日大生座談会 自己変革の証言〉五五頁。
143 〈最大の私学・最大の危機〉（《朝日ジャーナル》一九六八年

六月九日號）二二，二三頁。
144 前掲《日大紛争の真相》一一五，一一七，一一八頁。
145 前掲《日大紛争の真相》一二三頁。書中指出，六月十一日聚集學生約二千五百人，鈴木博雄・野口元〈日本大学はどこへ行く〉（《時》一九六九年二月號）二〇五頁則記為約五千人。這種數字上的差異經常出現，因當時並無任何人做出正確計算，大多憑各說明者的印象。
146 日本大学学生会議〈すべての良識派一般学友に六・一一共闘会議の本部前集会不参加を訴える〉（收錄於前掲《叛逆のバリケード》）八五頁。
147 前掲《日大紛争の真相》一二二頁。
148 前掲〈ついに噴火したマンモス日大〉二〇頁。
149 前掲《叛逆のバリケード》七〇頁。前掲《日大紛争の真相》一二一頁。
150 前掲《叛逆のバリケード》七〇頁。
151 前掲〈ついに噴火したマンモス日大〉二二頁。
152 前掲高木〈日大王国の破綻〉一〇五頁。
153 前掲沢登（第二章）〈バリケードとは何か〉九五頁。
154 前掲〈ついに噴火したマンモス日大〉二一頁。
155 同前報導二一頁。
156 同前報導二二頁。
157 前掲青地〈東京大学と日本大学〉一七五頁。
158 前掲《日大紛争の真相》一二一，一二二。前掲《叛逆のバリケード》七一頁。
159 前掲秋田編《大学占拠の思想》六一頁。
160 前掲高木〈日大王国の破綻〉一〇七—一〇八頁。
161 前掲〈マンモス日大の泥沼騒動〉二五頁。
162 前掲高木〈日大王国の破綻〉一〇七頁。
163 前掲三浦（第二章）〈日本大学よ甘えるなかれ〉二八九—二九〇頁。
164 前掲〈大学の危機　ここに問題がある！〉一六頁。
165 前掲〈マンモス日大の泥沼闘争〉二七頁。
166 前掲橋本《バリケードを吹きぬけた風》四一頁。
167 前掲〈ついに噴火したマンモス日大〉二三頁。
168 前掲《日大紛争の真相》一二四頁。前掲《叛逆のバリケード》七三，七五頁。
169 前掲石田〈日大全共闘〉二一七頁。
170 前掲（第八章）〈三派全学連の新しい暴れ方〉一三五頁。
171 下記の芸術学部スト突入の経緯は前掲橋本《バリケードを吹きぬけた風》一一一—一一五頁。
172 前掲《日大紛争の真相》一二七頁。
173 同前書一〇九頁。
174 前掲〈マンモス日大の泥沼騒動〉二四—二五頁。
175 同前報導二五頁。
176 前掲秋田・大川・栗原・田村・高木〈日大生座談会　110日の前と後〉一八頁。
177 前掲《日大紛争の真相》二三三頁。
178 前掲鳥越〈日大闘争の中から〉一〇八頁。
179 前掲《叛逆のバリケード》一四，一六頁。
180 前掲高木〈日大王国の破綻〉一〇八頁。

181 同前報導一〇八頁。但日大全共鬥對日大的教職員工會評價很低。前掲秋田・大川・栗原・田村・高木〈日大生座談会　10日の前と後〉中指出，工會雖然「反古田」，但那是因為校內的派系鬥爭之故，工會中雖「有部分代木的教職員」，但整體而言卻是「極右翼」。原因可舉「體育會與應援團中成績優秀的男子會在大學留任，也當高中職員，而教職員工會即以他們為主組成。」全共鬥書記長田村表示「直到昨天還在鎮壓我們的工會，突然喊著『我們是教職員工會』並展開抗爭遊行」，秋田則提及「六・一一是帶著武鬥棒的右翼在指揮」，藝術學部鬥爭委員會書記長栗原則斷言「根本不存在與學生之間的連帶關係。」因此，雖不同於東大的教職員工會屬於共產黨派而與全共鬥對立，日大的教職員工會也沒有和全共鬥合作共鬥。

182 前掲《日大紛争の真相》一二九—一三〇頁。

183 同前書一六〇頁。

184 同前書二八五頁。

185 高木正幸〈仮処分で高まった日大生〉（《朝日ジャーナル》一九六八年九月二二日號）二二頁。

186 前掲《日大紛争の真相》一三八—一四〇頁。

187 前掲橋本《バリケードを吹きぬけた風》一三七頁。

188 前掲高木〈仮処分で高まった日大生〉二三頁。

189 同前報導二二頁。

190 同前報導二三頁。

191 同前報導二二頁。前掲鈴木・野口〈日本大学はどこへ行く〉二〇三頁。

192 前掲鈴木・野口〈日本大学はどこへ行く〉二〇三頁。

193 前掲《日大紛争の真相》一四三—一四九頁。

194 前掲橋本《バリケードを吹きぬけた風》一七八—一八〇頁。

195 〈天王山の「八月四日」〉（《朝日ジャーナル》一九六八年八月一一日號）二一頁。

196 前掲《日大紛争の真相》一四九頁。

197 前掲橋本《バリケードを吹きぬけた風》一八〇頁。

198 前掲《日大紛争の真相》一五一頁。前掲橋本《バリケードを吹きぬけた風》一八一—一八四頁。

199 前掲《叛逆のバリケード》一〇六頁。

200 前掲橋本《バリケードを吹きぬけた風》一八五頁。

201 前掲石田〈日大全共闘〉二〇五頁。

202 同前論文二〇五頁。

203 前掲《日大紛争の真相》一五二，一五六頁。

204 前掲高木〈仮処分で高まった日大生〉二四頁。

205 前掲《日大紛争の真相》一五七頁。此書中指出八月四日參加集會者約一千五百人，但前掲橋本《バリケードを吹きぬけた風》一八六頁則記載約五千人。

206 前掲《日大紛争の真相》一五九頁。

207 前掲《叛逆のバリケード》四〇頁。

208 カンパ対策部〈闘争支援〉（收錄於前掲《叛逆のバリケード》）二九八頁。前掲山上〈「単ゲバ」のこころ〉一四三頁。

209 池田みち子・伊藤逸平・宇野重吉・佐古純一郎・沙羅双樹・当間嗣光・中桐雅生・埴谷雄高・後藤和子〈燃える怒りの火を消すな〉（《朝日ジャーナル》一九六八年六月三〇日號）一二九—一三〇頁。前掲《叛逆のバリケード》三〇一—三〇二頁に再録。

210 前掲佐々（第四章）《東大落城》二八頁。引用時因改行而稍有縮減。

211 前掲《日大紛争の真相》一二二頁。

212 〈敗北の総括〉（收録於クロード・トーギ編《敗北のヴィオランス》合同美術出版，一九六九年）九－一一頁。引用時因改行而稍有縮減。

213 〈日大騒動幕切れのハプニング劇〉（《週刊朝日》一九六八年十月一八日號）一二六頁。

214 前掲中野（第四章）《ゲバルト時代》一二〇頁。

215 全学共闘会議〈進撃へ！〉（收録於前掲《叛逆のバリケード》）七一頁。

216 藤代誠〈インターナショナル〉（收録於前掲《叛逆のバリケード》）一八四頁。但前掲《日大紛争の真相》一三〇頁中記載，日大全共鬥六月二十五日占領法學部本館時，同時插著大學顏色的粉紅色旗幟與紅旗。此面紅旗不如七月八日那面那樣顯眼，但說七月十八日日大首次插上紅旗，嚴格來說似乎不算正確。

217 前掲〈大学の危機　ここに問題がある！〉一六頁。

218 文理学部闘争委員会〈闘争通信　No.1〉（一九六八年四月三〇日，收録於前掲《叛逆のバリケード》）四〇頁。文理学部闘争委員会〈任務方針〉（一九六八年九月一二日，收録於前掲《叛逆のバリケード》）一二七頁。

219 前掲《日大紛争の真相》一〇三頁。

220 前掲〈日大生座談会　自己変革の証言〉六二頁。

221 前掲橋本《バリケードを吹きぬけた風》一四四頁。

222 同前書一四〇頁。

223 前掲Ｋ・Ｍ〈一年生の手記〉二三〇頁。

224 前掲〈日大生座談会　自己変革の証言〉六四頁。

225 前掲（第二章）〈全学連「籠城男女学生は中で何をしている？」〉二八頁。

226 〈構内に眠る名句百選〉（收録於前掲《叛逆のバリケード》）二六九頁。

227 前掲渡辺〈もがきそして闘う〉一七九頁。

228 前掲〈日大生座談会　自己変革の証言〉六四頁。

229 前掲山上〈「単ゲバ」のこころ〉一四二頁。

230 前掲大野〈学生がかくも暴発する理由〉三一四－三一五頁。

231 前掲鳥越〈日大闘争の中から〉一〇九－一一〇頁。

232 前掲三橋（第八章）〈自分が変わること世界が変わること〉二四－二五，二七頁。

233 前掲大森（第二章）〈終わりなき闘い〉一三七頁等。

234 前掲〈構内に眠る名句百選〉二六九頁。

235 前掲橋本《バリケードを吹きぬけた風》一四七頁。

236 前掲石田〈日大全共闘〉二〇九頁。

237 前掲橋本《バリケードを吹きぬけた風》一四四頁。

238 同前書一四七頁。

239 同前書一四七頁。

240 同前書一四九，一四七頁。

241 同前書一四八，一四九頁。引用的真武說法，是他進入一九八〇年代後面對橋本採訪時的回答。在一九六九年春天舉行名為

〈「大学の破壊」からの出発〉的座談會上（收錄於前揭《日大全共闘》）五一頁上，真武有如下表述：「在藝術學部最初也說不可以塗鴉，但有一個人塗鴉後其他人就跟著幹到底，進入罷課後立刻數度舉行古田的葬禮遊行，面對類似這種自由奔放的學生行動能加以約束並給予一定方向性，我認為仍得給全共鬥的領導能力高度評價。」恐怕，八〇年代他對橋本說的是當初參加日大全共鬥時期的心境，一九六九年春天的座談會發言，則是鬥爭中期加入中核派後的心境。

242 前揭〈「大学の破壊」からの出発〉五一頁。

243 前揭橋本《バリケードを吹きぬけた風》一五〇頁。

244 同前書一四六頁。

245 同前書一八九，一五二頁。

246 同前書一八九頁。

247 同前書一四一頁。

248 同前書一五七頁。

249 同前書一七一頁。

250 同前書一七一－一七二頁。

251 前揭K．M〈一年生の手記〉二三〇頁。

252 同前手記二三〇頁。

253 前揭橋本《バリケードを吹きぬけた風》一八八頁。

254 前揭沢登〈バリケードとは何か〉九七頁。

255 前揭〈日大生座談会　自己変革の証言〉七一頁。

256 前揭秋田編《大学占拠の思想》七九頁。

257 前揭《日大紛争の真相》三〇六頁。

258 佐藤松男〈日大紛争は学内権力闘争だ！〉（《二〇世紀》一九六八年十二月號）六二頁再引用。

259 文理学部闘争委員会〈大衆団交実現に全ての学友は総結集せよ〉（《変革のパトス》第六號，一九六八年八月四日，收錄於前揭《叛逆のバリケード》）一一二頁。

260 前揭橋本《バリケードを吹きぬけた風》二六七，二六九頁。不過橋本這段描寫是在九月三十日團交後理事會毀棄約定，運動陷入絕境的時期所寫。但暑假之後，橋本的紀錄中也表示新左翼各黨派持續滲透，推測暑假期間加入新左翼各黨派的日大學生們的動機也與九月三十日以後相同，因此引用此部分。

261 文理学部闘争委員会前揭〈大衆団交実現に全ての学友は総結集せよ〉一一二頁。

262 同前論文一一二，一一四頁。

263 前揭佐藤〈日大紛争は学内権力闘争だ！〉六二頁再引用。據佐藤稱，「取得這份〔手冊〕相當辛苦。雖然是由〔日大全共鬥〕所發行，但共鬥會議之外的學生幾乎都沒拿到。」（六二頁）。

264 前揭橋本《バリケードを吹きぬけた風》二六七頁。

265 同前書二六八頁。

266 同前書二七一頁。

267 前揭　田・三田・筑紫（第二章）〈全共闘って何〉九八頁。

268 前揭三橋〈自分が変わること世界が変わること〉三三頁。

269 津村喬〈異化する身体の経験〉（收錄於津村編著前揭〔第四章〕《全共闘——持続と転形》）五四頁。

270 前揭〈敗北の総括〉一二頁。

271 前揭（第一章）〈大学のニューラジカルズ〉七七頁。

272 前揭大塚（第一章）〈「人民派右翼」の闘い〉一五五，一五四頁。
273 前掲橋本《バリケードを吹きぬけた風》三一七頁。
274 同前書一八七頁。
275 前掲《日大紛争の真相》一六二，一六六，一六五頁。
276 同前書一六七，一六八—一六九頁。
277 同前書一六九—一七〇頁。
278 前掲橋本《バリケードを吹きぬけた風》二〇三頁。前掲《日大紛争の真相》一七三頁。
279 前掲《日大紛争の真相》一七三，一七四頁。
280 同前書一七五頁。
281 前掲高木〈仮処分で高まった日大生〉二〇—二一頁。
282 同前報導二〇頁。
283 前掲《日大紛争の真相》一七七頁。
284 前掲高木〈仮処分で高まった日大生〉二五頁。前掲《日大紛争の真相》一八八頁。
285 前掲橋本《バリケードを吹きぬけた風》二〇四頁。
286 全學共鬥會議緊急聲明〈スト破壊への怒りを、拠点強化——反撃へ〉及文理學部鬥爭委員會〈敵当局のスト破壊に反撃不滅の日大闘争の勝利へ！〉（皆收錄於前掲《叛逆のバリケード》）一二二，一二四頁。
287 文理学部闘争委員会〈文闘委アピール〉（收錄於前掲《叛逆のバリケード》）三二五，三二一頁。
288 前掲橋本《バリケードを吹きぬけた風》二〇五頁。
289 前掲《日大紛争の真相》一七八頁。
290 同前書一七九—一八〇頁。
291 前掲橋本《バリケードを吹きぬけた風》二〇五頁。
292 前掲《日大紛争の真相》一八〇—一八一頁。
293 同前書一八二頁。
294 同前書一八二頁，前掲橋本《バリケードを吹きぬけた風》二〇七頁。關於遊行人數，《日大紛争の真相》記載看熱鬧者約五千人，前掲橋本書中記載約七千人。
295 前掲《日大紛争の真相》一九一頁。
296 前掲橋本《バリケードを吹きぬけた風》二〇七頁。
297 前掲高木〈仮処分で高まった日大生〉二四頁。
298 前掲沢登〈バリケードとは何か〉九七，九八頁。
299 前掲橋本《バリケードを吹きぬけた風》二〇七—二〇八頁。
300 前掲《日大紛争の真相》一八四—一八七頁。
301 前掲高木〈仮処分で高まった日大生〉二五頁。但橋本前掲《バリケードを吹きぬけた風》二〇八頁中記載，七日在理工學部的抗議集會時「頭盔部隊約增加到五千人。」
302 同前報導二五頁。
303 前掲《日大紛争の真相》一九一頁。
304 同前書一九一—一九四頁。
305 〈日大騒動　検挙学生の「ブタ箱」生活を覗く〉（《週刊プレイボーイ》一九六八年十月八日號）四二頁。
306 前掲橋本《バリケードを吹きぬけた風》二〇九—二一〇頁。
307 前掲《日大紛争の真相》一九〇頁。
308 同前書一五四，一九〇頁。
309 小宮山慶一〈神保町太平記〉（《中央公論》一九六八年十一月臨時増刊號）一六八—一六九頁。

310 同前論文一六九―一七〇頁。
311 前掲《日大紛争の真相》一八五頁。
312 全学共闘会議前掲〈スト破壊への怒りを、拠点強化――反撃へ〉一二二頁。
313 前掲《日大紛争の真相》一七九頁。
314 前掲〈マンモス日大の泥沼騒動〉二五頁。
315 前掲〈大学の危機　ここに問題がある！〉一六―一七頁。
316 前掲《日大紛争の真相》一八八，一九四―一九五頁。
317 同前書一九七頁。
318 前掲橋本《バリケードを吹きぬけた風》二二一頁。
319 同前書二二一頁。
320 前掲（第一章）〈その前夜、田村正敏君に三〇問三〇答〉一四八，一四七頁。
321 前掲〈日大騒動　検挙学生の「ブタ箱」生活を覗く〉四二頁。
322 前掲秋田・大川・栗原・田村・高木〈日大生座談会　１１０日の前と後〉二一頁。
323 前掲橋本《バリケードを吹きぬけた風》二二五頁。
324 同前書二二九頁。
325 前掲〈敗北の総括〉二一頁。但前掲橋本《バリケードを吹きぬけた風》二二九頁指出「經鬥委特別不具黨派特色，被認為有中核派、ＭＬ派，一部分則為社青同解放派」，與前掲〈敗北の総括〉認為經濟學部乃ＭＬ派據點的見解有若干出入。
326 前掲〈大学のニューラジカルズ〉七七頁。
327 前掲橋本《バリケードを吹きぬけた風》二三一頁。
328 同前書二三一頁。
329 同前書二二二頁。
330 田村正敏〈地底からの闘争宣言〉（《現代の眼》一九六九年九月號）一六一頁。
331 前掲橋本《バリケードを吹きぬけた風》二一九，二二七頁。
332 同前書二二三頁。
333 同前書二二九頁。
334 前掲〈敗北の総括〉二一頁。
335 以下學生們的發言出自前掲〈カナエの軽重問われる秋田クン〉二〇，二一頁。
336 前掲〈日大騒動　検挙学生の「ブタ箱」生活を覗く〉四四頁。
337 同前報導二一頁。
338 前掲立花〈実像　山本義隆と秋田明大〉一五六頁。
339 前掲小中《私のなかのベトナム戦争》一〇〇頁。
340 前掲〈カナエの軽重問われる秋田クン〉二〇頁。
341 同前報導二一頁。
342 前掲《日大紛争の真相》一九七，一九八頁。
343 同前書二〇二，二〇八頁。
344 前掲橋本《バリケードを吹きぬけた風》二二九―二三〇頁。
345 前掲佐藤〈日大紛争は学内権力闘争だ！〉六三―六四頁。
346 前掲〈敗北の総括〉二二―二三頁中也指出，「在校方與學生之間秘密交易，被稱為高層交涉的日大，即便說絕對不做，也沒有半個人會信任這樣的約定」，以下舉兩個佐證。其一是不以全共鬥為交涉對象、彼此處於絕緣狀態的校方，突然在九月二十九日回應願意舉行「全校集會」。另一是，在九月三十日團交的場合，某位普通學生的證詞說，他聽見某位被要求立即辭職的理事對某新左翼黨派的運動者說「這件事不是早就談妥了嗎？」但這也談不上是決定性的證據，因此事實狀況仍舊不明。

347 〈九・三〇大衆団交〉（收錄於前揭《叛逆のバリケード》）三五五頁。此為九月三十日的「大眾團交」會議紀錄，關於這場當時由一點開始的日大有志會存在許多疑點。日大全共鬥在這天的爭吵中指責他們是從校方收取金錢的右翼學生，但自稱「普通學生」的有志會方則反駁「我們沒拿〔學校給的錢〕」、「我們不是右翼學生」（三五七頁）。而全共鬥派的紀錄類檔案（前揭橋本《バリケードを吹きぬけた風》二三三頁，前揭〈九・三〇大衆団交〉三六五頁）中，則指此團體名為「日新會」，乃「校方的學生」。

日大有志會的領導者法學部四年級學生佐藤松男在前揭佐藤〈日大紛争は学内権力闘争だ!〉中主張：新聞媒體雖把日大鬥爭視為追求大學民主化的行動，但他們實際上卻遵從新左翼黨派的方針，以七〇年安保鬥爭為目標，嘗試要改變日大鬥爭的體質。而如本文中所記，大學當局為了不讓有志會舉行總誓師集會，而在當天公布與全共鬥的「全校集會」。公布的二十九日夜間，有志會召開緊急會議，當場全數決議「我們不願遭校方利用，因此拒絕出席三點起以全校集會為名義的大眾團交。」（前揭佐藤論文六四頁）。

根據佐藤的說法，雖然新聞報導認為在日大講堂舉行集會的「右翼學生」是被日大全共鬥驅逐的學生，但「我們從一開始就拒絕參加三點起的集會，且當我們決定退場時，共鬥會議的學生還來我們的地方拜託不要都退場。」佐藤又稱，有志會成員在拒絕參加集會後於日大講堂前靜坐，古田會長乘坐的轎車抵達後，他們一邊咒罵一邊打算阻止古田進入會場，但「共鬥會議出動數百人的行動隊驅離我們，開道讓轎車通過，還抱著會長帶路進入日大講堂。」（前揭佐藤論文六四頁）。但這是佐藤方單方面的觀察與證詞，並沒有足資證明的證據，因此事實如何依舊不明。

348 前揭〈九・三〇大衆団交〉三五七，三五五頁。

349 同前議事録三六四頁。

350 這天聚集的日大學生人數根據前揭《日大紛争の真相》二一一頁記載共有約三萬五千人。前揭井出〈日大株式会社への破産宣告〉記載「《朝日新聞》隨便報出一萬人，NHK隨便報出一萬五千，《毎日新聞》則隨便報出兩萬人的數字」，「我推測超過三萬人。負責警備及其他雜務而到處奔走的一位學生甚至提出五萬這個數字。」結論是正確人數不明。

351 前揭《日大紛争の真相》二一一頁。

352 前揭〈日大騷動幕切れのハプニング劇〉一二八頁。

353 前揭〈九・三〇大衆団交〉三六九，三六五頁。

354 同前議事録三六八，三七三，三七四頁。

355 同前議事録三六九頁。

356 前揭《日大紛争の真相》二二一頁。又，前揭〈敗北の総括〉二二一－二四頁中敘述，古田會長等人認為在與日大全共鬥的高層交涉中已經大致談妥條件，因此假設「這樣大概三個小時就能搞定」，以這樣的前提出席「全校集會」，然而，全共鬥方的追究卻超乎想像地激烈，讓團交持續了十二個小時，古田因疲勞而倒下。此描述真偽不明。

357 前揭〈日大騷動幕切れのハプニング劇〉一三〇頁。

358 前掲橋本《バリケードを吹きぬけた風》二五一，二五二頁。
359 〈「大衆団交」か「人民裁判」か〉（《週刊読売》一九六八年十月一八日號）三五頁。
360 前掲橋本《バリケードを吹きぬけた風》二五二，二四五頁。
361 前掲〈「大衆団交」か「人民裁判」か〉三五頁。
362 前掲橋本《バリケードを吹きぬけた風》二五三，二五四頁。
363 秋田明大〈秋田日大全共闘議長の獄中日記〉（《朝日ジャーナル》一九六九年七月一三日號）四〇頁。秋田明大《獄中記》（全共社，一九六九年）三一—三三頁也有幾乎相同的記載。
364 前掲橋本《バリケードを吹きぬけた風》二五六頁。前掲《日大紛争の真相》二二七頁。
365 ＮＨＫ取材班前掲（第一章）〈東大全共闘〉三一八，三一九頁。
366 西条ユウ子〈ゲバルトに夫を殺されて〉（《文藝春秋》一九六九年一月號）二四四，二四七，二四五頁。
367 前掲秋田・大川・栗原・田村・高木〈日大生座談会　１１０日の前と後〉二二頁。前掲〈父兄も乗り出した大学紛争の行くえ〉一九頁。
368 南原輝〈新しい状況の新しい主体〉（《思想の科学》一九六八年十一月號）三頁。
369 前掲《日大紛争の真相》二二六頁。
370 前掲橋本《バリケードを吹きぬけた風》二五八頁。
371 前掲《日大紛争の真相》二二九頁。
372 前掲橋本《バリケードを吹きぬけた風》二六九頁。
373 同前書二五八頁。
374 前掲沢登〈バリケードとは何か〉九八頁。
375 前掲《日大紛争の真相》二二九頁。
376 前掲橋本《バリケードを吹きぬけた風》二六六頁。
377 同前書二六九頁。
378 同前書二七〇頁。
379 前掲三橋〈自分が変わること世界が変わること〉三五，三二頁。
380 前掲橋本《バリケードを吹きぬけた風》二七二頁。
381 同前書二七三頁。
382 同前書二七四頁。前掲〈敗北の総括〉二〇—二一頁。
383 前掲橋本《バリケードを吹きぬけた風》二七六，二七七頁。
384 同前書二七九頁。
385 鶴見俊輔・北沢恒彦・柴谷正博・高畠通敏・水戸巌・武藤一羊・村松博雄・室謙二〈文化革命としての学生運動〉（《思想の科学》一九六九年五月號）三〇頁。
386 桐生二郎〈日大全共闘と直接民主主義〉（《現代の眼》一九六九年九月號）一五五頁。
387 前掲沢登〈バリケードとは何か〉九八頁。
388 福富節男〈「反大学」の誕生〉（《思想の科学》一九六九年五月號）九〇，九一—九二頁。但此評論中，福富表明期許「反大學」這項「思想」能超越至今為止的自主講座，但「反大學」未能成為明確的思想或可實踐的行為，終究未被實現。
389 前掲秋田・大川・栗原・田村・高木〈日大生座談会　１１０日の前と後〉一七頁。
390 前掲橋本《バリケードを吹きぬけた風》二八〇頁。
391 同前書二八一頁。

392 前揭〈敗北の総括〉一三－一四頁。
393 前揭（第二章）〈日大父兄大会の実況録音〉一五〇頁。〈大量留年でイライラする就職予定者とその親たち〉（《週刊朝日》一九六八年十一月二五日號）一二八頁。
394 前揭〈大量留年でイライラする就職予定者とその親たち〉一二八－一二九頁。
395 前揭《日大紛争の真相》二三七－二四五頁。
396 同前書二四三，二四九－二五〇頁。三個項目中，前二者為藝術學部教授會的改革案，最後是法學部教授會給日大全共鬥的警告書。
397 同前書二六七頁。
398 前揭橋本《バリケードを吹きぬけた風》二八三頁。
399 前揭《日大紛争の真相》二六七頁。
400 以下關於十一月八日的「關東軍」襲擊與私刑事件的敘述，出自前揭橋本《バリケードを吹きぬけた風》二八六－二九五頁。
401 平栗清司〈バリケードのなかの一週間〉（《朝日ジャーナル》一九六九年二月二三日號）八頁。
402 前揭橋本《バリケードを吹きぬけた風》二九五頁。
403 〈大学・学生問題と治安対策〉（《世界》一九六九年二月號）九四頁。
404 前揭〈大量留年でイライラする就職予定者とその親たち〉一二三頁。前揭〈日大父兄大会の実況録音〉一五二，一五三頁。
405 前揭《日大紛争の真相》二五六，二五七頁。
406 同前書二六二頁。
407 同前書二六二，二六三頁。
408 同前書二六四頁。
409 同前書二五八頁。
410 同前書二五九，二六〇，二六二頁。
411 倉田令二朗〈占拠の思想〉（《思想の科学》一九六八年十一月號）二〇頁。
412 前揭〈ついに噴火したマンモス日大〉二四頁。前揭〈大学の危機　ここに問題がある！〉一六頁。
413 前揭羽仁・秋田〈日大闘争の本質〉二九三頁。
414 同前対談二九四頁。
415 前揭〈敗北の総括〉一三頁。
416 同前論文一八頁。
417 前揭《日大紛争の真相》二六二頁。
418 前揭平栗〈バリケードのなかの一週間〉七頁。
419 秋田明大・今井澄・大川正行・田村正敏・山本義隆〈権威と腐敗に抗して——日大・東大共闘会議・座談会〉（《中央公論》一九六九年一月號）一八九頁。
420 「セクトがない」という記述は前揭青地〈東京大学と日本大学〉一七九頁。桐生のコメントは前揭桐生〈日大全共闘と直接民主主義〉一五一頁。
421 此「反大學」座談會收錄於山本義隆《知性の叛乱》（前衛社，一九六九年）。引用出自同書二七八－二七八頁。
422 前揭石田〈日大全共闘〉二四九頁再引用。
423 同前論文二三七頁。
424 前揭渡辺〈もがきそして闘う〉一八二頁。
425 前揭安藤（第二章）〈内なる山崎君との対話〉一七一頁。

426 前掲秋田・大川・栗原・田村・高木〈日大生座談会　110日の前と後〉二一頁。
427 前掲石田〈日大全共闘〉二四七頁。
428 前掲三橋〈自分が変わること世界が変わること〉三四頁。
429 前掲小中〈「東大よりカッコよく散るか」〉三一頁。
430 前掲平栗〈バリケードのなかの一週間〉一三頁。
431 前掲山上〈「単ゲバ」のこころ〉一五一頁。
432 前掲平栗〈バリケードのなかの一週間〉一二—一三頁。
433 前掲羽仁・秋田〈日大闘争の本質〉二九四頁。
434 前掲沢登〈バリケードとは何か〉九九頁。
435 前掲橋本《バリケードを吹きぬけた風》三〇六頁。
436 同前書二九八頁。
437 同前書三〇一頁。
438 前掲山上〈「単ゲバ」のこころ〉一五〇頁。
439 前掲橋本《バリケードを吹きぬけた風》三〇六—三〇九頁。
440 前掲《日大紛争の真相》二六八—二六九頁。
441 前掲稲垣《日大アウシュビッツ》四三頁。
442 同前書二六九—二七〇頁。
443 前掲〈敗北の総括〉二九頁。
444 前掲《日大紛争の真相》二七〇頁。
445 前掲渡辺〈もがきそして闘う〉一八一—一八三頁。
446 前掲《日大紛争の真相》二七一，二七二頁。
447 中島誠・矢崎薫・館野利治・酒井杏郎〈あくまで大衆闘争として〉（《朝日ジャーナル》一九六九年六月一日號）一九頁。
448 前掲安藤〈内なる山崎君との対話〉一七三頁。前掲〈大量留年でイライラする就職予定者とその親たち〉一二八頁。
449 前掲渡辺〈もがきそして闘う〉一八〇—一八一頁。
450 前掲平栗〈バリケードのなかの一週間〉七—八頁。前掲安藤〈内なる山崎君との対話〉一七三頁。
451 座談会〈「私」にとっての日大闘争（上）〉（《朝日ジャーナル》一九七〇年六月七日號）九三頁。
452 前掲橋本《バリケードを吹きぬけた風》三一〇頁。
453 同前書一三一頁。
454 前掲《日大紛争の真相》二七二—二七三頁。
455 前掲小中〈「東大よりカッコよく散るか」〉三一頁。
456 前掲橋本〈バリケードを吹きぬけた風》三一一頁。
457 同前書三一一頁。前掲〈日大紛争の真相〉二七三頁。
458 前掲〈砦を解かれたサムライたち〉一八二頁。
459 以下對此傳單的引用摘自日本大学全学共闘会議〈敗北をのり超え勝利の前進を！〉（收錄於前掲《敗北のヴィオランス》）二，三頁。日期是二月四日。
460 前掲《日大紛争の真相》二七四頁。
461 前掲平栗〈バリケードのなかの一週間〉六頁。
462 同前報導四一五頁。引用時因換行而略有縮減。
463 同前報導八頁。
464 前掲橋本《バリケードを吹きぬけた風》三〇五頁。
465 同前書三一二頁。
466 前掲《日大紛争の真相》二七五頁。
467 同前書二七七頁。
468 秋田明大〈〈狂気〉の世界に生きて〉（《朝日ジャーナル》一

九七〇年一月一八日號〉二四頁。
469 前掲〈砦を解かれたサムライたち〉一七九頁。
470 前掲稲垣《日大アウシュビッツ》二九—三〇頁。
471 同前書四〇頁。
472 JUN〈私の日大闘争〉（收錄於前掲《新版　反逆のバリケード》）二六一頁。
473 前掲稲垣《日大アウシュビッツ》三四—三五頁。
474 同前書四〇頁。
475 同前書四一頁。
476 福田善之〈ある学生活動家の死〉（《現代の眼》一九七〇年五月號）二一〇頁。
477 〈夜明けにはほど遠い日大の新学期〉（《週刊新潮》一九六九年四月二五日號）一一二，一一三頁。
478 〈われら大学⑦　日本大学〉（《平凡パンチ》一九七三年六月二五日號）六九頁。
479 同前報導一一二，一一三—一一四頁。
480 〈学生座談会　シコシコやっていこう〉（《朝日ジャーナル》一九六九年十一月二三日號）一六，一七，一八頁。
481 中島・矢崎・館野・酒井前掲〈あくまで大衆闘争として〉一九，二一頁。
482 前掲橋本《バリケードを吹きぬけた風》三二四頁。
483 前掲〈夜明けにはほど遠い日大の新学期〉一一〇頁。
484 前掲山上〈「単ゲバ」のこころ〉一五一頁。
485 梅本克己〈民主主義と暴力と前衛〉（前掲〔第三章〕《民主主義の神話》收所）一五五—一五六頁。
486 前掲橋本《バリケードを吹きぬけた風》三三五頁。
487 前掲桐生〈日大全共闘と直接民主主義〉一五四頁。橋本前掲《バリケードを吹きぬけた風》三一二頁。「一萬人退學說」是根據橋本的說法，前掲〈われら大学⑦　日本大学〉七〇頁中亦有記載。

第十章　東大鬥爭（上）

1 前掲內藤〔序章〕《ドキュメント　東大紛争》九四頁。東大鬥爭的先行研究中，以前掲大野〔序章〕〈学生層の動向〉最為充實。另外大野的〈学園闘争の統計的研究と学生集団の事例研究〉（收錄於野宮大志郎編《社会運動と文化》ミネルヴァ書房，二〇〇二年）也處理東大鬥爭，不過前者著重學生如何形成勢力和如何採取行動，後者對全共鬥的支持率等進行統計上的分析，不像本章著眼於學生與教授們的心理狀態，且沒有從社會背景與學生反叛整體視野下定位東大鬥爭的觀點。同時代的紀錄類檔案，站在東大全共鬥立場者，有東大闘争全学共闘会議編《砦の上にわれらの世界を》（亜紀書房，一九六九年）或東大闘争全共闘会議編《果てしなき進撃》（三一書房，一九六九年），東京大学全学大学院生協議会・東大闘争記録刊行委員会共編前掲〔第二章〕《東大変革への闘い》、全学連中央執行委員会編《勝利へのスクラム》（新日本出版社，一九六九年）及日本民主青年同盟東大全学委員会編《嵐の中に育つわれら》（日本青年出版社，一九六九年）等站在民青立場的研究。而東京大学新聞研究所・東大紛争文書研究会編《東大紛争の記録》（日本評論社，一九六九年）則站在校內第三者立場，以及另有前揭內藤《ドキュメント　東大紛争》與本章提及的各種報導，加上ＮＨＫ取材班前揭〈第一章〉〈東大全共闘〉（此為一九九五年発刊）等站在媒體立場的作品，但大多數都是站在特定立場呈現片面的事實，本書中則盡力將其整合。當事者的手記、回憶錄或文集等，如本文中提及的山本義隆、大原紀美子、柏崎千枝子、唐木田健一、島泰三、大窪一志、宮崎學、神水理一郎等許多立場相異的人，這部分也盡可能相互參照加以統整。本章中將釐清東大鬥爭亦符合本書整體主題，即經濟高度成長下的社會變動，以及「現代的不幸」問題，除此之外，還將著重於東大特殊性如何成為之後全共鬥運動的範式。又，本章及下一章敘述的人物之中有一位「粒本良彥」，只有他在八〇年代以後東大鬥爭相關採訪書籍中以「Ｔ」等假名出現，有鑑於當事人可能不願公開自己的過往，故使用化名。在引文與註釋提及他的部分亦皆採用化名。

2 山本義隆〈バリケード封鎖の思想〉（初出《情況》一九六八年十一月號，收錄於前揭山本〈第九章〉《知性の叛乱》）八〇頁。

3 前揭ＮＨＫ取材班〈東大全共闘〉二四五頁。

4 編集部〈全調査　揺れ動く東京大学〉（《勝利》一九六八年十月號）二三六頁。

5 北野隆一《プレイバック「東大紛争」》（講談社，一九九〇年）八六頁。

6 生越忠〈さようなら東京大学〉（《現代の眼》一九六八年二月號）一六〇頁。

7 前揭北野《プレイバック「東大紛争」》二八九頁。

8 〈国家権力と対決せよ！〉（東大学生解放戦線〈闘争指令〉No.五二，一九九六年一月一六日。收錄於前揭《砦の上にわれらの世界を》）五〇八頁。

9 毎日新聞社会部編前揭（第二章）《ゲバ棒と青春》一八三頁。

10 同前書一八二―一八五頁。

11 《最低学府東大に見る「無能」と「無責任」》（《週刊現代》一九六八年十一月二八日號）四四頁。

12 大井武正〈青年医師連合の成立とその背景（上）〉（《現代の理論》一九六七年五月號）五八頁。大井是當時青年醫師聯合入局者會議議長。

13 兼光昭〈東大医学部「医局崩壊」の內幕〉（《現代》一九六八年十月號）八〇頁。

14 同前論文七九頁。

15 同前論文八一頁。

16 同前論文八一頁。

17 同前論文八二頁。

18 村松博雄〈医学部は燃えている！〉（《文藝春秋》一九六九年四月號）一二一頁。

19 同前論文一二二頁。

20 上述原委引自前揭內藤《ドキュメント　東大紛争》一九―二〇頁及大井武正〈青年医師連合の成立とその背景（中）〉（《現代の理論》一九六七年六月號）一二五頁。

21 前揭內藤《ドキュメント　東大紛争》二〇頁。

22 松尾康二〈東大紛争を追って三年間〉（《サンデー毎日》一九六九年二月二〇日號）三九頁。

23 前揭《砦の上にわれらの世界を》一四頁。前揭內藤《ドキュ

メント　東大紛争》二〇頁。
24 前掲兼光〈東大医学部「医局崩壊」の内幕〉八七頁。
25 同前論文七八頁。
26 同前論文七八頁。
27 記者座談会〈内輪もめさらした東大〉（《読売新聞》一九六八年十一月二日）。
28 前掲青地（第九章）〈東京大学と日本大学〉一七三頁。
29 前掲《砦の上にわれらの世界を》一二，一八，一七頁。前掲内藤《ドキュメント　東大紛争》二五頁。
30 東大四三青医連（準）〈「白い巨塔」の崩壊から国民医療へ（その1）〉（收錄於前揭〔序章〕《東大闘争資料集》第一二卷，一九六八年十月）。此時期民青派運動者脫離四三青醫聯，故此敘述應由社學同派運動者所為之。
31 前掲大野〈学生層の動向〉注二三頁。
32 藤田雄三・西岡正・佐藤公正〈卒業式を流した東大医学部紛争〉（《朝日ジャーナル》一九六八年四月一四日號）五〇頁。
33 藤田雄三・西岡正〈東大の自治の危機とはなにか〉（《朝日ジャーナル》一九六八年四月二八日號）一一〇頁。
34 同前報導一一〇頁。
35 前掲《砦の上にわれらの世界を》一八頁。前掲内藤《ドキュメント　東大紛争》二六頁。
36 戒能通孝〈東大紛争に遺産はあるか〉（《法学セミナー》一九六九年三月號）三五頁。
37 同前論文三六頁。
38 同前論文三五頁。
39 前掲ＮＨＫ取材班〈東大全共闘〉二五〇頁。
40 前掲内藤《ドキュメント　東大紛争》二四頁。
41 前掲〈最低学府東大に見る「無能」と「無責任」〉四四頁。
42 前掲藤田・西岡〈東大の自治の危機とはなにか〉一一〇頁。
43 前掲内藤《ドキュメント　東大紛争》二五頁。
44 同前書二五頁。
45 浅野茂隆〈交遊抄　セクトの違い超え〉（《日本経済新聞》一九九八年四月一六日）。
46 前掲内藤《ドキュメント　東大紛争》二七頁。
47 前掲松尾〈東大紛争を追って三年間〉四〇頁。
48 前掲戒能〈東大紛争に遺産はあるか〉三六頁。
49 最首悟・遅塚令二・上野豪志・井上望・安野真幸・桜井国俊〈知性はわれわれに進撃を命ずる〉（《現代の眼》一九六九年三月號）九一頁。
50 前掲藤田・西岡・佐藤〈卒業式を流した東大医学部紛争〉五二頁。
51 前掲最首・遅塚・上野・井上・安野・桜井〈知性はわれわれに進撃を命ずる〉八六頁。
52 前掲藤田・西岡・佐藤〈卒業式を流した東大医学部紛争〉五三頁。
53 同前報導四九頁。
54 前掲兼光〈東大医学部「医局崩壊」の内幕〉八二，八三頁。
55 前掲戒能〈東大紛争に遺産はあるか〉三八頁。
56 四三青医連東大支部〈「白い巨塔」の崩壊から人民医療へ（その4）〉（收錄於前揭《東大闘争資料集》第一二卷，一九六八年十月）三頁。
57 前掲〈最低学府東大に見る「無能」と「無責任」〉四四頁。
58 酒井前掲（第四章）〈学生反逆における生活への志向〉一〇二頁。
59 福武直〈東京大学の再建と新生のために〉（《世界》一九六九年四月號）一一三頁。
60 以下關於春見事件雙方的見解與原委引自前掲内藤《ドキュメント 東大紛争》二八頁。
61 同前書一七頁。
62 同前書二九頁。前掲松尾〈東大紛争を追って三年間〉四〇頁。
63 東大紛争文書研究会編前掲《東大紛争の記録》三〇—三一頁。從班會除名的聲明引自東大醫學部M4班會〈声明文〉（收錄於前掲《砦の上にわれらの世界を》）三二—三三頁。
64 以下引自前掲内藤《ドキュメント 東大紛争》二九，三〇頁。
65 同前書三三頁。
66 内藤国夫〈紛争の元凶は東大当局だ〉（《文藝春秋》一九六九年三月號）一二二頁。
67 前掲内藤《ドキュメント 東大紛争》三六頁。
68 前掲松尾〈東大紛争を追って三年間〉四一頁。
69 前掲ＮＨＫ取材班〈東大全共闘〉二五一頁。
70 前掲内藤《ドキュメント 東大紛争》五一，五二頁。
71 同前書四八頁。
72 〈結局、「学園紛争」とは何か〉（《週刊言論》一九六八年七月一七日號）一四頁。
73 前掲ＮＨＫ取材班〈東大全共闘〉二五二頁。
74 同前論文二五三頁。
75 前掲内藤《ドキュメント 東大紛争》三四，三五頁。
76 同前書三九，四〇頁。
77 同前書四一頁。
78 同前書四二頁。
79 前掲藤田・西岡〈東大の自治の危機とはなにか〉一〇八頁。
80 〈全学無期限スト態勢を！〉（收錄於〈理系闘争ニュース〉一九六八年九月一二日，前掲《砦の上にわれらの世界を》）一八四頁。
81 〈東大総長ら記者会見「警察の導入も辞さぬ」〉（《朝日新聞》一九六八年三月二四日）。
82 東京大学学生自治会中央委員会書記局〈医学部全学闘争委の方針を批判する〉（一九六九年四月，發行日不明，收錄於前掲《東大紛争の記録》）八五頁。
83 医学部全学闘争委員会〈東京大学にふさわしい入学式〉（一九六八年四月，發行日不明，收錄於前掲《東大紛争の記録》）八三頁。
84 以下大原的回想引自前掲大原（第二章）《時計台は高かった》四二—四四頁。
85 前掲内藤《ドキュメント 東大紛争》四二頁。
86 東大法学部助手・大学院生有志〈警官の学内導入に反対する〉（一九六八年三月二八日，收錄於前掲《東大紛争の記録》）七七頁。
87 前掲内藤《ドキュメント 東大紛争》四二頁。
88 前掲大原《時計台は高かった》四五頁。

89 〈その儀式の滑稽さ〉（《朝日ジャーナル》一九六八年四月一四日號）八九頁。

90 同前報導九〇頁。

91 前掲〈結局、「学園紛争」とは何か〉一三頁。

92 前掲内藤《ドキュメント 東大紛争》四六頁。

93 朱牟田夏雄〈東大紛争を憂える〉（《世界》一九六九年一月號）二六一頁。

94 前掲藤田・西岡〈東大の自治の危機とはなにか〉一〇八頁。

95 同前報導一〇八頁。

96 前掲内藤《ドキュメント　東大紛争》四三頁。

97 大野明男・増山明夫〈日本共産党の東大闘争戦略〉（《現代の眼》一九六九年三月號）一一二頁。

98 同前対談一一三頁。

99 前掲《砦の上にわれらの世界を》四〇頁。

100 前掲（第四章）〈東大紛争における青春の研究〉一二一頁。

101 座談会〈安田講堂占拠から「大学革命」へ〉（《中央公論》一九六八年九月號）一〇五頁。

102 前掲〈東大紛争における青春の研究〉一二三頁。

103 前掲青地〈東京大学と日本大学〉一七四頁。

104 前掲〈結局、「学園紛争」とは何か〉一三頁。

105 〈粒本良彦君の反逆とその年上の妻〉（《ヤングレディ》一九六九年四月七日號）五〇頁。引用時因換行而略有縮減。

106 前掲松尾〈東大紛争を追って三年間〉四一頁。

107 前掲山本〈バリケード封鎖の思想〉八八頁。雖然吉野源三郎與宇佐美承強調山本義隆性格純真，不是個會因政治策略而說謊的類型，但事實上山本的描寫與現實的鬥爭不必然一致。

108 山本義隆〈「あとがき」にかえて〉（收錄於前掲山本《知性の叛乱》）三三五頁。

109 内藤国夫〈東大紛争　その四つの争点〉（《文藝春秋》一九六八年十月特別號）二二六，二二四頁。

110 共闘会議製作〈時計台当局は如何に学生を操っているか〉（收錄於前掲《東大紛争の記録》）一〇〇頁。此資料是在占領安田講堂後，全共鬥方為暴露大學當局的學生對策，而將殘留在安田講堂中的當局秘密會議之會議紀錄與資料複製並加以發散。

111 前掲内藤《ドキュメント　東大紛争》五五頁。

112 前掲ＮＨＫ取材班編〈東大全共闘〉二五四頁。

113 〈ルポ「東大解放区」〉（《週刊読売》一九六八年八月三〇日號）二七頁。

114 前掲内藤《ドキュメント　東大紛争》六七，六八頁。

115 同前書六八頁。

116 前掲柏崎（第一章）《太陽と嵐と自由を》九九頁。

117 同前書九九頁。

118 前掲内藤《ドキュメント　東大紛争》六九頁。鈴木博雄・後藤文夫〈争点再構成　東大紛争〉（《時》一九六九年一月號）五九，六〇頁。

119 中島誠〈学園闘争の高揚と矛盾の上に〉（《朝日ジャーナル》一九六九年一月一二日號）四八頁。

120 前掲松尾〈東大紛争を追って三年間〉四一頁。

121 前掲《砦の上にわれらの世界を》五八頁。

122 全学闘〈時計台全面封鎖闘争とその展望〉（收錄於前掲《砦の上にわれらの世界を》）五五頁。
123 前掲內藤《ドキュメント　東大紛争》七〇頁。
124 同前書一五頁。
125 前掲ＮＨＫ取材班編〈東大全共闘〉二五九頁。
126 〈機動隊導入と大河内学長の誤算〉（《現代の眼》一九六八年八月號）四七頁。
127 〈機動隊導入でさらに混乱〉（《朝日ジャーナル》一九六八年六月三〇日號）一二三頁。
128 同前報導一二三頁。
129 前掲（第九章）〈大学・学生問題と治安対策〉九四頁。
130 前掲內藤〈紛争の元凶は東大当局だ〉一二二頁。
131 前掲松尾〈東大紛争を追って三年間〉四一頁。
132 以下內藤的描寫與感想引自前掲內藤《ドキュメント　東大紛争》一四頁。
133 前掲（第九章）〈大学の危機　ここに問題がある！〉一八頁。
134 前掲內藤〈紛争の元凶は東大当局だ〉一二二頁。
135 前掲ＮＨＫ取材班〈東大全共闘〉二五六頁。
136 前掲柏崎《太陽と嵐と自由を》一〇六―一〇七頁。
137 前掲內藤《ドキュメント　東大紛争》一五頁。
138 前掲鈴木・後藤〈争点再構成　東大紛争〉五〇頁。
139 前掲小阪（第一章）《思想としての全共闘世代》七一頁。
140 東京大学〈大学の自治と学生の自治〉（《朝日ジャーナル》刊登於一九六六年一月一六日號）一八，一九頁。
141 丸山邦男〈大河内一男・病めるソクラテスの「弁明」〉（《現代の眼》一九六八年九月號）二二五頁。
142 平田勝〈国大協「意見書」にふれて〉（《学生新聞》一九六七年一月一一日號）。
143 同前論文。
144 〈「東大紛争」の問題点〉（《週刊読書人》一九六八年十月二一日號）再引用。
145 大内力〈大学の自治・学生の自治〉（《経済評論》一九六六年十月號）七一，八二頁。
146 丸山眞男《自己内対話》（みすず書房，一九九八年）一七七，一七八頁。
147 大河内一男〈大学の現状を考える〉（《展望》一九六六年一月號）六二頁。
148 前掲〈大学の自治と学生の自治〉一七頁。
149 石原勉〈内と外、両面敵の大学自治〉（《時》一九六八年六月號）八〇頁。但此時軟弱的大河內校長表示「之後若被國會傳喚……我沒有在國會答辯的自信」，他對於學部長會議拒絕文部省召集學部長一事，據說感到相當焦慮。（〈東大総長の勇断？〉《朝日ジャーナル》一九六八年七月一四日號，一〇二頁）。
150 前掲大河內〈大学の現状を考える〉五六頁。
151 山本義隆〈攻撃的知性の復権〉（初出《朝日ジャーナル》一九六九年三月二日號。收錄於前掲山本《知性の叛乱》）二三三頁。
152 我妻栄〈大学紛争についての二つの反省〉（《世界》一九六九年七月號）七一頁。同年五月憲法問題研究會主辦的第十一回「憲法紀念講演會」中的演講。

153 〈学園バリケードの内と外〉（《サンデー毎日》一九六八年九月二八日號）二三頁。

154 杉捷夫〈東大紛争の傍で〉（《世界》一九六九年一月號）二六六頁。

155 前掲国語国文学科大学院生有志（第四章）〈東大闘争と研究の立場とに対する私たちの考え〉四一五頁。

156 前掲高畠（第二章）〈「発展国型」学生運動の論理〉二四四－二二四五。

157 大河内一男〈学生諸君へ〉（發表於一九六八年十一月辭職時。收錄於前掲大野〈学生層の動向〉注に）三七頁。

158 前掲〈全調査　揺れ動く東京大学〉二三六頁。

159 同前報導二三七頁。

160 前掲村松（第一章）《大学は揺れる》五八頁。

161 初山有恒・藤田雄三〈むき出しになった東大の本質〉（《朝日ジャーナル》一九六八年十一月一七日號）一〇八頁。

162 前掲内藤〈東大紛争　その四つの争点〉一三二頁。

163 増田義郎〈東大――このマダラの織物〉（《世界》一九六九年一月號）二六八頁。

164 〈大学紛争は世代の断絶が原因だ⁉〉（《週刊言論》一九六八年九月二五日號）二〇頁。

165 前掲内藤〈東大紛争　その四つの争点〉一二六頁。

166 前掲船曳（第一章）〈「東大闘争」とは何であったのか〉三九頁。前掲大野〈学生層の動向〉一四頁。前掲北野《プレイバック「東大紛争」》九七頁。

167 以下關於決議的經過，引自前掲内藤《ドキュメント　東大紛争》七五，七六頁及宇佐美承及其他〈危機のなかの東大〉（《朝日ジャーナル》一九六八年七月七日號）四，五頁。

168 大野明男〈東京大学十一月二十二日〉（《現代の眼》一九六九年一月號）一四四，一四三頁。前掲北野《プレイバック「東大紛争」》一三四頁。

169 前掲〈大学紛争は世代の断絶が原因だ⁉〉二〇頁。

170 クラス連合討論資料〈「学生諸君への提案」について〉（尾花清・柴田章編《あすを告げる青春――東大闘争と学生たち》新日本新書，一九六九年）六三頁再引用。

171 東京大学教養学部駒場祭委員会〈第一九回駒場祭基本方針〉（收錄於前掲《東大闘争資料集》第一二巻）一五頁。

172 前掲柏崎《太陽と嵐と自由を》七四－七五頁。

173 前掲宇佐美及其他〈危機のなかの東大〉九頁。

174 前掲宇佐美及其他〈危機のなかの東大〉九，一〇頁。前掲〈機動隊導入でさらに混乱〉一二三頁。西村秀夫〈「東大紛争」の意味」〉（《世界》一九六八年九月號）一五五頁。

175 前掲宇佐美及其他〈危機のなかの東大〉一〇頁。前掲西村〈「東大紛争」の意味」〉一五六頁。

176 前掲〈機動隊導入と大河内学長の誤算〉四八頁。

177 前掲内藤〈東大紛争　その四つの争点〉一二七頁。

178 同前報導一二七頁。

179 前掲ＮＨＫ取材班〈東大全共闘〉二五七頁。

180 村尾行一「東大農学部に見る「大学解体」」（《朝日ジャーナル》一九六九年七月二〇日號）一〇八頁。

181 前掲北野《プレイバック「東大紛争」》一四五頁。

182 前揭ＮＨＫ取材班〈東大全共闘〉二五八頁。

183 前揭〈東大紛争における青春の研究〉一二〇頁。

184 前揭小阪《思想としての全共闘世代》六九頁。

185 前揭大原《時計台は高かった》六九頁。

186 前揭宇佐美及其他〈危機のなかの東大〉六頁。

187 前揭〈大学の危機　ここに問題がある！〉一八—一九頁。

188 前揭丸山〈大河内一男・病めるソクラテスの「弁明」〉二二六頁再引用。

189 前揭柏崎《太陽と嵐と自由を》一一一頁。

190 以上校長會見的原委，引自前揭内藤《ドキュメント　東大紛争》八一頁。

191 前揭〈結局、「学園紛争」とは何か〉一五頁。

192 前揭北野《プレイバック「東大紛争」》九九頁。

193 前揭内藤〈紛争の元凶は東大当局だ〉一二三頁。

194 前揭〈結局、「学園紛争」とは何か〉一五頁。

195 前揭内藤〈紛争の元凶は東大当局だ〉一二三頁。

196 今井澄〈われらが運動に終幕なし〉（『月刊Ａｓａｈｉ』一九九三年五月號）九四頁。

197 前揭ＮＨＫ取材班〈東大全共闘〉二六二頁。

198 前揭〈最低学府東大に見る「無能」と「無責任」〉四五頁。

199 前揭最首・遅塚・上野・井上・安野・桜井〈知性はわれわれに進撃を命ずる〉八八，九三頁。

200 前揭〈最低学府東大に見る「無能」と「無責任」〉四六頁。

201 川島宏〈安田講堂再占拠宣言〉（《文藝春秋》一九六九年三月號）一〇八頁。

202 以下川島的敘述引自前揭川島〈安田講堂再占拠宣言〉一〇九，一〇八頁、西岡正「ある青年学究の軌跡——東大都市工学科大学院・川島宏君のばあい」（《朝日ジャーナル》一九六九年一月五日號）五，六，七頁。但川島高中時代起參加六〇年安保鬥爭，日後成為社學同馬戰派的運動者。根據他在二〇〇五年的證詞，一九六七年三月起已經在都市工學科展開反對講座制的運動。另，川島在東大門爭後加入赤軍派，一九七〇年七月遭到逮捕。參照聯合赤軍事件の全体像を残す会編・出版《証言・連合赤軍6　東大闘争を突き抜けた先に》（二〇〇五年）四三，九二頁。

203 前揭秋田・今井・大川・田村・山本（第九章）〈権威と腐敗に抗して〉一八九頁。

204 堀米庸三・菊池昌典・最首悟・山本義隆・岸本誠・平山基生〈研究・教育の場の疲弊と復興〉（《朝日ジャーナル》一九六八年十一月一六日號）一一八頁。

205 前揭〈最低学府東大に見る「無能」と「無責任」〉四五頁。

206 〈夏休みもない「解放区」安田講堂〉（《サンデー毎日》一九六八年八月四日號）一九頁。

207 以下引用自前揭国語国文学科大学院生有志〈東大闘争と研究の立場とに対する私たちの考え〉二一，一九，一〇頁。

208 「社会学系大学院自治会声明」（一九六八年六月一七日，收錄於前揭《東大紛争の記録》）一一四頁。

209 前揭〈夏休みもない「解放区」安田講堂〉一九頁。

210 前揭大原《時計台は高かった》五七—五八頁。

211 同前書六二頁。原本這種「封建性」的狀況並非東大全部研究所皆有。當時教養學部助教授增田義郎如此寫道：「社會上的人們被告知除了醫學部以外，各學部也充斥著對學生將來掌握生殺大權，穩坐講座制席位的教授時，肯定都會覺得這太差勁了。然而，如果認為東大從上到下都統一實施這樣的體制，那就大錯特錯了。」「二戰之後，校園已經徹底『民主化』到沒人有怨言，也有些學科到了幾乎不太區分教授與研究生的狀態。」「東大並非黑鴉鴉一片的前現代遺物，而是新舊交織的斑斕織錦。」（前揭增田〈東大──このマダラの織物〉二六五頁）。另一方面，法學部的助教授石井紫郎的主張與增田不同。石井稱「問題在於，講座的『世家』化與日本式的民主連結一氣」，認知中整個講座就是一個家族共同體，因此「〔教授〕自認〔堅信〕絕非君主專制，認為研究者在學問上是平等的，所以尊重年輕人的意見，基於他們的自主性使其從事研究的『良心的』、『民主的』教授」人數太多。（石井紫郎〈「教授会の自治」とその責任〉《世界》一九六九年四月號，一六〇頁）。上記增田與石井的意見，筆者認為雙方都具備正當性。

212 工学系大学院都市工学・修士二年（一四人）「六・二〇のストを契機に自治権確立の闘いに決起せよ！」（一九六八年六月中旬，發行日不明，收錄於前揭《砦の上にわれらの世界を》）七一，七二頁。

213 前揭大原《時計台は高かった》六八頁。

214 以下的引用出自東洋文化研究所助手有志〈新たなる大学自治創出のために〉（一九六八年七月三日，收錄於前揭《砦の上にわれらの世界を》）一〇九，一〇四頁。

215 前揭〈夏休みもない「解放区」安田講堂〉。

216 前揭最首・山之内・野間・廣末〈第一章〈東大闘争の意味するもの〉〉七七頁。

217 最首悟「『闘争と学問』──『漂う私』へ」（收錄於前揭〔第一章〕《連合赤軍　「狼」たちの時代》）一八頁。

218 同前訪談一八頁。

219 最前線記者座談会〈東大紛争とコミュニケーション〉（『ＴＢＳ調査情報』一九六九年三月號）二二頁。

220 同前座談會二七頁。

221 同前座談會二七，二八頁。

222 全門聯組成的原委，引自前揭《砦の上にわれらの世界を》六七─七〇頁。

223 前揭大原《時計台は高かった》六五頁。

224 前揭宇佐美及其他〈危機のなかの東大〉一〇頁。

225 前揭柏崎《太陽と嵐と自由を》一〇七─一〇八頁。

226 同前書一〇八頁。

227 前揭《砦の上にわれらの世界を》八八頁。前揭《東大変革への闘い》一三二頁。

228 工学系大学院闘争委員会〈我々は時計台解放支持を訴える〉（一九六八年七月三日，收錄於前揭《砦の上にわれらの世界を》）九〇頁。

229 社会主義青年同盟解放派東大細胞〈不滅の団結で本部封鎖＝無期限ストを戦い抜け！〉（機関紙《インターナショナル》第二號，一九六八年七月五日，收錄於前揭《東大紛争の記録》）一五九頁。

230 宇佐美承〈巻に出た山本義隆君のこと〉（《朝日ジャーナル》

一九七〇年十一月一五日號）一〇頁。但根據山本義隆的說法，「青醫聯、全鬥聯、反帝學評、社學同、學生解放戰線（原社學同ML派）」贊成七月二日實施再度佔領安田講堂，革馬派原本主張九月封鎖，但見到七月三日教養學部的代議員大會結果後改主張七月五日封鎖，FRONT則「態度不明顯」。（前揭山本《知性の叛乱》六四頁）。這與「除了反帝學評之外，各新左翼黨派態度冷淡」的宇佐美證詞相異，此處採用宇佐美的說法。

231 山本義隆〈生きのびた知性〉（初出《中央公論》一九六九年六月號，收錄於前揭山本《知性の叛乱》）六五頁。

232 全学自治会中央委員会「東大闘争の勝利の展望とは何か」（一九六八年七月三日，收錄於前揭《東大変革への闘い》）一三四，一三六頁。

233 全学闘争連合〈新しい闘いの展望〉一九六八年七月一日，收錄於前揭《砦の上にわれらの世界を》）九五頁。

234 闘う研修医・学生を支援する東大医師の会〈医学部処分白紙撤回・大河内学長、豊川医学部長及び上田病院長退陣まで、医学部教職員研究生は、教授命令にサボタージュで応えよ！〉（一九六八年七月，收錄於前揭《砦の上にわれらの世界を》）一〇三頁。

235 以下引自前揭工学系大学院闘争委員会〈我々は時計台解放支持を訴える〉九〇，九一，九二頁。

236 仮名座談会〈われわれは、なぜ、安田講堂を占拠するか〉（《朝日ジャーナル》一九六八年八月四日號）五，九頁。仮名座談会「安田講堂から「大学革命」へ」（《中央公論》一九六八年九月號）一一二頁。

237 前揭《砦の上にわれらの世界を》九六頁。

238 神水理一郎『清冽の炎——一九六八東大駒場』（花伝社，二〇〇五—〇八年）第二巻（二〇〇六年）六，五，一九頁。

239 前揭北野《プレイバック「東大紛争」》一〇〇頁。

240 前揭最前線記者座談会〈東大紛争とコミュニケーション〉三〇頁。

241 工学系大学院都市工学・修士二年（一四人）前揭「六・二〇のストを契機に自治権確立の闘いに決起せよ！」七三頁。

242 全闘連〈本部封鎖を契機に全学無期限バリケードストに起ち上がれ！〉（收錄於《中央公論》一九六八年九月號）一一七頁。

243 新聞研究所研究生自治会発行〈本部封鎖闘争をより強固に！もう一枚の「バリケード」を全身の重みをかけて支え続けよ〉（收錄於前揭《東大闘争資料集》第四巻）。

244 文学部D・M・G・〈われわれにとって『闘争』とはなにか〉（收錄於前揭《東大闘争資料集》第四巻）。原文的「鬥争」全都寫為「斗争」，但如凡例所記，考慮閱讀上的方便，本書皆改為通常的現代字體。

245 前揭NHK取材班〈東大全共闘〉二七〇頁。

246 前揭大原《時計台は高かった》一一三頁。

247 教養学部自治委員長「無期限ストに突入！　勝利の日まで学園自主管理で闘おう！」（一九六八年七月三日，收錄於前揭《砦の上にわれらの世界を》）九八頁。

248 経済学部大学院経済学研究科自治会〈六〇〇〇名の力を再び全学友は大学革命に決起せよ！　経済大学ストライキへ！

院より全学友に訴える！〉（一九六八年六月二二日，收錄於前揭《砦の上にわれらの世界を》）七五頁。

249 前揭NHK取材班〈東大全共闘〉二六三頁。

250 前揭《東大変革への闘い》一三二頁。

251 前揭毎日新聞社編（第四章）《安保と全学連》七〇頁。

252 前揭最首「『闘争と学問』」一一八頁。

253 前揭川島〈安田講堂再占拠宣言〉一〇五頁。

254 塩川喜信〈全共闘運動の組織構造〉（《現代の眼》一九六九年九月號）九五頁再引用。

255 前揭〈結局、「学園紛争」とは何か〉一三頁。

256 前揭〈東大総長の勇断？〉一〇一頁。

257 〈安田講堂籠城日記〉（《サンデー毎日》一九六九年二月二〇日號）四四頁。

258 同前報導四四頁。

259 前揭西村〈「東大紛争」の意味」〉一五六頁。前揭工学系大学院闘争委員会〈我々は時計台解放支持を訴える〉八八頁中也記載「我們對鐘樓本部，遂行光明正大的佔領。」。

260 前揭川島〈安田講堂再占拠宣言〉一〇五頁。

261 前揭山本〈生きのびた知性〉六五頁。

262 前揭内藤《ドキュメント　東大紛争》八八頁。

263 以下關於記者「遭暴行」事件雙方主張的原委與引用，出自東大全学共闘会議〈抗議文〉（收錄於前揭《砦の上にわれらの世界を》）一五〇頁及東大全学共闘会議〈読売新聞のペンによる暴力を弾劾する！〉（收錄於前揭《砦の上にわれらの世界を》）一五二—一五三頁。

264 參照前揭東大全学共闘会議〈読売新聞のペンによる暴力を弾劾する！〉（收錄於前揭《砦の上にわれらの世界を》）一五〇頁。

265 前揭座談會〈東大紛争とコミュニケーション〉二八頁。

266 前揭〈夏休みもない「解放区」安田講堂〉一七頁。

267 前揭座談会〈東大紛争とコミュニケーション〉三〇頁。

268 以下NHK的調查結果來自前揭大野〈学生層の動向〉一三一—一四頁。

269 工学系大学院都市工学・修士二年（一四人）前揭〈六・二〇ストを契機に自治権確立の闘いに決起せよ！〉七二頁。

270 前揭宇佐美及其他〈危機のなかの東大〉五頁。

271 前揭大野〈学生層の動向〉一五頁。

272 前揭大原《時計台は高かった》七〇頁。

273 前揭柏崎《太陽と嵐と自由を》一一〇頁。

274 前揭大原《時計台は高かった》七〇頁。

275 前揭〈東大闘争と研究の立場とに対する私たちの考え〉七頁。

276 前揭《砦の上にわれらの世界を》七四頁。

277 前揭内藤〈紛争の元凶は東大当局だ〉一一八頁。

278 〈ルポ「東大解放区」〉（《週刊読売》一九六八年八月三〇日號）二五頁。

279 前揭内藤《ドキュメント　東大紛争》七九，八〇頁。

280 前揭〈夏休みもない「解放区」安田講堂〉二二頁。

281 前揭内藤《ドキュメント　東大紛争》五七—五八頁。前揭〈粒本良彦君の反逆とその年上の妻〉五〇頁。

282 前揭内藤《ドキュメント　東大紛争》五七頁。

283 白須光美〈危機の本質は何なのか〉（《世界》一九六九年一月號）二五七頁。

284 前揭神水《清冽の炎》第二卷一七頁。

285 前揭宇佐美及其他〈危機のなかの東大〉五頁。

286 以下七月三日教養學部代議員大會的情形與引述來自前揭柏崎《太陽と嵐と自由を》一一二—一一五頁。但前揭神水《清冽の炎》第二卷一三頁的記述與柏崎不同。神水記載決議進入無限期罷課後，「議長宣布閉會時，以此為信號獲勝的三派聯合襲擊敗北的民主派［民青］。三派聯合的運動者們穿著鞋子踩在［會場］九〇〇號教室桌子上朝民主派進擊。民主派組起堅固的陣勢。普通學生飛也似地逃跑，會場一片騷亂」，並無提及柏崎手記中寫的民青代議員強行離開會場的狀況。但神水的敘述出自二〇〇六年出版的小說，一九六九年出版的柏崎手記可能更接近事實，因此採用柏崎的說法。不過，仍有可能因柏崎的政治立場導致其敘述有所偏差。

287 前揭東京大学学生自治会中央委員会書記局〈医学部全学闘争委の方針を批判する〉八五頁。

288 東京大学社会科学研究所助手会〈声明〉（一九六八年六月一八日，收錄於前揭《東大紛争の記録》）一一八頁。

289 前揭工学系大学院闘争委員会〈我々は時計台解放支持を訴える〉九〇頁。

290 全学闘自主講座局〈第一回自主講座報告〉（收錄於前揭《東大闘争資料集》第四卷）。但這份傳單中也可見到「明治以來的國立大學，簡單來說，就是研究者與官僚的培養場所」，此可視為一九六八年以降的東大全共鬥「解體東京帝國主義大學」呼籲的萌芽點。

291 東大医学部基礎・病院連合実行委員会〈医学部闘争の本質について〉（一九六八年八月五日，收錄於前揭《東大紛争の記録》）六六—六七頁。

292 今村俊一〈教職員組合の公開質問状に答える〉（一九六八年九月一八日，收錄於前揭《東大闘争資料集》第五卷）。前揭《砦の上にわれらの世界を》中亦有節錄，引用部分出自一七九頁る。

293 前揭〈東大闘争と研究の立場とに対する私たちの考え〉二二頁。

294 前揭〈夏休みもない「解放区」安田講堂〉一八頁。

295 以下引用出自社学同東大支部〈大衆団交路線の破産を確認し、無期限スト↓時計台再占拠で帝国主義権力と対決せよ!!〉（收錄於前揭《東大闘争資料集》第三卷）。

296 山本義隆〈知性の叛乱〉（收錄於前揭山本《知性の叛乱》）一〇八—一〇九頁。前揭內藤《ドキュメント　東大紛争》八七頁與前揭《砦の上にわれらの世界を》一一二頁等亦有刊載，但字句上有若干不同。但因有收錄之後成為問題的「完全撤銷文學部懲處」的「完全」字樣，所以引用山本的著作。

297 根據藤堂明保〈東大文学部への決別の辞〉（《朝日ジャーナル》一九七〇年十一月四日號），此事件經過為：在教授、助教、學生的聯絡會議上，當學生要求以觀察員參與時，教授方不允許且片面宣布散會，打算追上教授的一名學生從後拉住教授，教授回頭問「有什麼事嗎？」時，學生抓住教授領帶。然而此經過直到一九六九年六月的教授會才獲揭露，在此之前並無詳細說明，只以「學生對教授做出抓領帶的失禮行為」即做出懲處決定。

298 梅本克己〈東大紛争〉（《展望》一六六九年一月號）一一一頁。
299 以下川上的引用出自川上秀光〈東大紛争の経過と学生諸君の運動について〉（《世界》一九六九年三月號）二七，二八頁。
300 前掲船曳〈「東大闘争」とは何であったのか〉四一，四〇頁。
301 前掲《東大変革への闘い》一二三頁。
302 同前書一六四頁。
303 同前書一六四頁。
304 前掲〈安田講堂籠城日記〉四四頁。
305 初山有恒・藤田雄三〈東大収拾策は有効か〉（《朝日ジャーナル》一九六八年八月二五日號）一七頁。前掲内藤《ドキュメント　東大紛争》九一頁。
306 前掲〈夏休みもない「解放区」安田講堂〉二一頁。
307 〈潜行中の山本義隆全共闘議長に単独会見〉（《サンデー毎日》一九六九年二月二〇日）一八頁。
308 前掲内藤《ドキュメント　東大紛争》九〇頁。
309 同前書九〇頁。
310 同前書九一頁。
311 前掲〈東大紛争における青春の研究〉一二二頁。
312 前掲〈夏休みもない「解放区」安田講堂〉一七頁。
313 村尾行一〈東大全共闘——この奇妙なる「生態系」〉（初出《情況》一九六九年三月號，收錄於前掲情況出版編集部編〔第二章〕《全共闘を読む》）一二二，一二三頁。
314 同前論文一二三頁。
315 前掲全闘連〈新しい闘いの展望〉。
316 以下關於事務局會議與代表會議的理論，出自前掲毎日新聞社編《安保と全学連》一六五—一六八頁。
317 前掲村尾〈東大全共闘〉一二三頁。村尾行一〈紛争の根底に流れるもの〉（《世界》一九六九年三月號）一二八，一三〇頁。但，如本文中說明般，對東大全共鬥的「運動形體」理論有明確闡述的僅有村尾，依筆者管見，其他的東大全共鬥成員在該時代並無相同的主張（至少在文字上）（不過在日後的回憶錄等作品，包含前東大全共鬥學生橋爪在內，有不少人主張此為全共鬥的理論）。關於此點，與同一時代一樣幾乎全員採取個人參加原則的越平聯有所不同。
318 前掲ＮＨＫ取材班〈東大全共闘〉二六三頁。
319 前掲内藤《ドキュメント　東大紛争》九四頁。
320 塩川喜信〈東大闘争——運動の論理〉（初出《情況》一九六九年三月號，收錄於前掲情況出版編集部編《全共闘を読む》）一一六頁。
321 前掲座談会〈東大紛争とコミュニケーション〉二六頁。
322 前掲塩川〈全共闘運動の組織構造〉九四，九六頁。
323 前掲塩川〈東大闘争——運動の論理〉一一七頁。
324 前掲〈安田講堂籠城日記〉四四頁。
325 前掲鈴木（第二章）〈四半世紀ののちに……〉一〇〇頁。
326 前掲毎日新聞社編《安保と全学連》七〇頁。
327 前掲塩川〈全共闘運動の組織構造〉九四頁。
328 前掲毎日新聞社編《安保と全学連》一六七—一六八頁。
329 編集部〈東京大学紛争日誌〉（《中央公論》一九六九年一月號）

一八〇頁。

330 前掲内藤《ドキュメント　東大紛争》一五五頁。

331 前掲宮崎（第一章）《突破者》上巻二〇二頁。

332 前掲ＮＨＫ取材班〈東大全共闘〉二六五頁。川島宏二〇〇五年的證詞也指出「〔東大〕全共鬥領導層由山本、我與今井〔澄〕三人，形成這個鐵三角」，不過川島屬於社學同馬戰派，今井屬於社學同ＭＬ派，與此相對，山本實際上屬於無黨派。而川島表示自己「實際上是馬戰派，不過變成了無黨派。」在這個意義上，本文中也記錄的「無黨派激進派」研究生與助教中，可說不僅有眾多參加過新左翼各黨派的人，甚至有一些是黨派運動者卻不採取黨派的做法、「成為無黨派」的人。前掲連合赤軍事件の全体像を残す会編《証言　連合赤軍６　東大闘争を突き抜けた先に》四九頁。

333 最首悟〈序／無際限の闘いの視座に立って〉（收錄於前掲山本《知性の叛乱》）三—四頁。

334 前掲宇佐美〈巷に出た山本義隆君のこと〉九頁。

335 同前報導一〇頁。

336 前掲吉野（第七章）〈山本君に言いたかったこと〉四五頁。

337 前掲ＮＨＫ取材班〈東大全共闘〉二六五頁。

338 前掲吉野〈山本君に言いたかったこと〉四八—四九頁。

339 前掲山本〈攻撃的知性の復権〉および〈「あとがき」にかえて〉二二八，三三六頁。

340 〈成るか　文部大臣の全学連粉砕案〉（『週刊大衆』一九六八年八月一五日號）一二八頁。

341 同前報導一二八頁。

342 前掲〈夏休みもない「解放区」安田講堂〉一七頁。

343 前掲〈ルポ「東大解放区」〉二三，二四頁。

344 前掲〈成るか　文部大臣の全学連粉砕案〉一二九頁。

345 以下的東京大学〈告示〉（收錄於前掲《砦の上にわれらの世界を》）一二四，一二五頁。

346 前掲〈東大収拾策は有効か〉一九頁。

347 前掲内藤〈東大紛争　その四つの争点〉一二九頁。

348 大野明男編〈東京大学三〇〇日間闘争〉（『婦人公論』一九六九年一月號）一四〇頁。

349 院生Ｃ〈手記・八・一〇告示について思う〉（收錄於前掲《東大変革への闘い》）一五九頁。

350 全学助手共闘会議〈アッピール〉（收錄於前掲《東大闘争資料集》第六巻，一九六八年九月二七日）。

351 前掲〈内輪もめさらした東大〉。

352 池原富貴夫及其他〈座談会　われら東大生は訴える〉（《自由》一九六八年二月號）一三二頁。

353 東大闘争全学共闘会議〈大学当局の「最終決定」に対する我々の態度〉（一九六八年八月二一日，收錄於前掲《砦の上にわれらの世界を》）一二六，一三〇，一三一頁。

354 前掲工学系大学院闘争委員会〈我々は時計台解放支持を訴える〉九二頁。

355 前掲内藤《ドキュメント　東大紛争》一〇八頁。

356 同前書一〇八頁。

357 同前書一〇九頁。

358 同前書一〇九，一一七頁。

359 〈何のための闘い！〉（《週刊朝日》一九六八年九月二七日號）一七一一八頁。
360 以下參加考試派學生與今井的發言出自同前報導一九頁。
361 前掲内藤《ドキュメント　東大紛争》一一〇頁。前掲《砦の上にわれらの世界を》一四九頁。
362 前掲〈東大闘争と研究の立場とに対する私たちの考え〉九頁。
363 前掲内藤《ドキュメント　東大紛争》一一〇—一一一頁。此時封鎖醫學部本館的學生人數，前掲内藤書中記為「二百餘人」，前掲《砦の上にわれらの世界を》一四九頁中記為「四〇〇名」，而本文採取内藤的紀錄。
364 前掲内藤《ドキュメント　東大紛争》一一一頁。
365 前掲ＮＨＫ取材班〈東大全共闘〉二七七頁。
366 同前書二八一頁。
367 工系大学院〇生〈「現在の異常事態」の更なる深化を〉（〈テント村だより〉No.2、一九六八年九月一日，收錄於前掲《砦の上にわれらの世界を》）一三八頁。
368 前掲ＮＨＫ取材班〈東大全共闘〉二八三頁。
369 同前論文二八一頁。
370 前掲内藤《ドキュメント　東大紛争》五七頁。但此發言在〈学部集会に見る解決の兆し〉（《朝日ジャーナル》一九六八年九月二九日號）一一〇頁中則指出「只要做現場調查便可理解，卻沒這麼做，只是主觀的下判斷，這是種令人悲傷的背叛。如果這是東京大學的真實樣貌，那麼東大不應該存在。」內容的旨趣存在若干出入，不過此處採用內藤的記述。
371 前掲〈粒本良彦君の反逆とその年上の妻〉五〇頁。
372 前掲〈東京大学紛争日誌〉一八二頁。前掲内藤《ドキュメント　東大紛争》一一八頁。前掲〈「最終」をのりこえる東大闘争〉（《現代の眼》一九六八年十一月號）六〇頁。根據前掲内藤書籍，小林學部長的發言是「朝延後畢業考的方向努力。延遲重啟授課。」
373 前掲内藤《ドキュメント　東大紛争》一一九頁。
374 東京大学工学部教職員組合〈工学部教官に訴える〉（收錄於前掲《東大闘争資料集》第五卷，一九六八年九月一八日）。
375 原島・塩川（無署名）〈農学部助手有志声明へのよびかけ〉（收錄於前掲《東大闘争資料集》第五卷，一九六八年九月二〇日）。
376 前掲青地〈東京大学と日本大学〉一七四頁。
377 前掲堀米・菊池・最首・山本・岸本・平山〈研究・教育の場の疲弊と復興〉一一八頁。
378 同前座談會一一八頁。
379 前掲ＮＨＫ取材班〈東大全共闘〉二六八頁。
380 東大Ｃストライキ実行委員会・野村博〈一號館封鎖に関する声明〉（收錄於前掲《東大闘争資料集》第五卷）。
381 村尾行一〈「実学の府」における学問の荒廃〉（《世界》一九六九年四月號）一五四頁。
382 前掲ＮＨＫ取材班〈東大全共闘〉二八七頁。
383 湯浅勝〈研究室を封鎖されて〉（發行日不明，收錄於前掲《砦の上にわれらの世界を》）一九二—一九三頁。
384 前掲〈東大闘争と研究の立場とに対する私たちの考え〉九頁。
385 前掲松尾〈東大紛争を追って三年間〉四一，四二頁。

386 前掲内藤《ドキュメント　東大紛争》一一九頁。
387 前掲宇野（第九章）〈創造の場としての大衆団交〉二七頁。
388 前掲〈東京大学紛争日誌〉一八二頁。
389 なだ・いなだ司会〈反代々木と代々木が本誌で決闘！〉（《週刊プレイボーイ》一九六八年十二月一七日號）三二頁。
390 〈多くの人命に脅威〉（《毎日新聞》一九六八年八月二九日付）。
391 前掲〈東京大学紛争日誌〉一八一頁。
392 塚本健・教養学部職員一同〈公開質問状〉（收錄於前掲《東大闘争資料集》）第五巻）。但在東大全共鬥日後編纂的《砦の上にわれらの世界を》一七五頁中，指責此質問書「教職員工會的思想性，甚至工會成員的人格如此卑劣」，且非經工會會議「而是由工會承認塚本氏個人的自身見解。」（一七五頁）。儘管如此，如後述封鎖一號館後旋即由「教養學部事務職員同志」提出名為〈学生諸君に訴える〉（對學生諸君的訴求）〉的抗議文，難以一概斷定這是全共鬥主張的公開質問書是塚本的「自身見解」。
393 全学助手共闘会議駒場支部〈事務封鎖をひかえて〉（收錄於前掲《砦の上にわれらの世界を》）一七六頁。同訴求亦收錄於前掲《東大闘争資料集》第五巻。
394 前掲今村〈教職員組合の公開質問状に答える〉。
395 東京大学教養学部事務職員一同（收錄於前掲《東大闘争資料集》第五巻，一九六八年九月一七日）。
396 東Cスト実委員長　野村博〈事務封鎖にあたって東職組に心から訴える〉（收錄於前掲《東大闘争資料集》第五巻）。
397 以上引用與解除封鎖、再度封鎖的原委，引自全学連行動委員会（柴田）〈昨日、500の学友事務封鎖を解除！　しかし、一部学生再封鎖を強行！　断固として自治会民主主義を守れ！〉（收錄於前掲《東大闘争資料集》第五巻，一九六八年九月一八日）。
398 四三青医連（準）執行委員会〈日本共産党——民青批判（その1）〉（收錄於前掲《東大闘争資料集》第五巻，一九六八年九月二〇日）。
399 東大工学部教職員組合執行委員会〈工学部中央事務封鎖反対集会報告〉（收錄於前掲《東大闘争資料集》第五巻，一九六八年九月二五日）。
400 文学部事務職員一同〈抗議声明〉（收錄於前掲《東大闘争資料集》第五巻，一九六八年九月二五日）。
401 前掲柏崎《太陽と嵐と自由を》一八二—一八三頁。
402 前掲全学助手共闘会議〈アッピール〉。
403 前掲山本〈知性の叛乱〉一二二—一二三頁。
404 西片三郎〈大学紛争を歪めたマスコミ総点検〉（《月刊ペン》一九六九年四月號）八〇頁再引用。
405 前掲理学部フロント（準）〈新たなる収拾策動と民青協議会路線を粉砕し大学革新闘争を闘い抜け！〉（收錄於前掲《東大闘争資料集》第一二巻，一九六八年十月下旬）。
406 四三青医連〈「白い巨塔」の崩壊から人民医療へ　その4〉（收錄於前掲《東大闘争資料集》第一二巻，一九六八年十月）四頁。
407 〈医学部共闘会議結成宣言〉（医共闘機関紙《炎》創刊號，一

九六八年十月二五日，收錄於前掲《砦の上にわれらの世界を》）二一〇頁。

408 都市工学大学院ストライキ実行委員会〈研究者にとって東大闘争とは〉（一九六八年十一月一二日，收錄於前掲山本《知性の叛乱》）一四八頁。山本形容此傳單乃「東大鬥爭期間發行的無數文宣品中最為優秀的作品之一。」（一四七頁）。

409 前掲堀米・菊池・最首・藤沢・山本・岸本・平山〈研究・教育の場の痕弊と復興〉一一九頁。

410 前掲大原《時計台は高かった》一三一，一三二頁。

411 梅沢秀夫〈我々は少しも前進していない　当局のサル芝居をぶちこわせ〉（四二 L III 6ストライキ実行委員会機関紙《自己権力》第二號，收錄於前掲《東大闘争資料集》第一二卷，一九六八年九月）。

412 新聞研究所ストライキ実行委員会〈無期スト体制を共同研究で実質化しよう！〉（收錄於前掲《東大闘争資料集》第五卷）。

413 C・X・〈Courrier de Réformation〉（收錄於前掲《東大闘争資料集》第六卷，一九六八年十月一一日）。

414 前掲理学部フロント（準）〈新たなる収拾策動と民青協議会路線を粉砕し大学革新闘争を闘い抜け！〉。

415 最首悟〈玉砕する狂人といわれようと〉（《朝日ジャーナル》一九六九年一月一九日號）一〇一頁。最首悟〈自己否定は持続する〉（《現代の眼》一九七一年三月號）一一九頁。

416 前掲村尾〈「実学の府」における学問の荒廃〉一四九頁。

417 前掲柏崎《太陽と嵐と自由を》一五一頁。

418 同前書一八四，一八五頁。

419 前掲大原《時計台は高かった》三二，二九頁。

420 前掲川上〈東大紛争の経過と学生諸君の運動について〉三六頁再引用。

421 同前論文三六頁。

422 前掲内藤《ドキュメント　東大紛争》九四頁。

423 東大全闘連〈全都全国の全共闘の結合により大学立法粉砕・反戦反安保闘争を闘いぬけ〉（收錄於東大全共闘・全闘連・水谷宏編《全国全共闘》亜紀書房，一九六九年）五一頁。

424 前掲村尾〈「実学の府」における学問の荒廃〉一五三頁。

425 石井出〈「東大」闘争を超えて〉（《世界》一九六九年三月號）一一三頁。

426 前掲柏崎《太陽と嵐と自由を》二六七頁。

427 前掲今村〈教職員組合の公開質問状に答える〉。

428 前掲東大Cストライキ実行委員会〈一號館封鎖に関する声明〉。

429 前掲理学部フロント（準）〈新たなる収拾策動と民青協議会路線を粉砕し大学革新闘争を闘い抜け！〉。

430 見田宗介〈失われた言葉を求めて〉（《世界》一九六九年二月號）六九頁。

431 前掲宇野〈創造の場としての大衆団交〉二八頁。引用處因換行而略有縮減。

432 前掲最首（第四章）〈一般教育・その二重の幻〉一七頁。

433 前掲北野《プレイバック「東大紛争」》九九頁。

434 前掲〈「最終」をのりこえる東大闘争〉五九頁。

435 〈大学紛争の焦点〉（《時》一九六八年十月號）四八頁。

436 前掲NHK取材班〈東大全共闘〉二六九—二七〇頁。
437 初山有恒・藤田雄三〈胸つき坂の東大紛争〉(《朝日ジャーナル》一九六八年九月一五日號)九五頁。
438 前掲北野《プレイバック「東大紛争」》一〇〇頁。
439 前掲大野・增山〈日本共産党の東大闘争戦略〉一一四頁。
440 東Cスト実・東C全学闘・東Cテント村〈公開自主講座 我々の手で新しい大学を〉(收錄於前掲《砦の上にわれらの世界を》)二二六—二二七頁。
441 前掲《砦の上にわれらの世界を》二二八頁。
442 新聞研究所ストライキ実行委員会〈自主講座体制の当面のスケジュール〉(收錄於前掲《東大闘争資料集》第五卷)。
443 前掲理学部フロント(準)〈新たなる収拾策動と民青協議会路線を粉砕し大学革新闘争を闘い抜け!〉。
444 講座実行委員会〈連続水曜講座—第一回「マルクス主義における科学と哲学」講師黒田寛一氏〉、学生対抗カリキュラム委員会・全学闘争委員会自主講座局〈明日より対抗ゼミ開始 対抗カリキュラムへと全面化せよ!〉(二者皆收錄於前掲《東大闘争資料集》第五卷,皆為一九六八年九月三〇日)。
445 緑会憲法研究会〈我々自身による主体的研究体制の構築のために〉(收錄於前掲《東大闘争資料集》第六卷,一九六八年十月一日)。
446 緑会憲法研スト実〈何をなすべきか、何をなさざるべきか そして理性的解決とは何か〉(收錄於前掲《東大闘争資料集》第六卷,一九六八年十月一日)。
447 四三青医連東大支部(準)〈「白い巨塔」の崩壊から人民医療へ(その3)〉(收錄於前掲《東大闘争資料集》第一二卷,一九六八年十月)。
448 古川純〈問われている主体性〉(《世界》一九六九年一月號)二五四—二五五頁再引用。
449 四三LI・II一五〈東大闘争における産学協同路線のとらえ方〉(《勝利》第五號,收錄於前掲《東大闘争資料集》第六卷)。
450 〈化学科闘う学生の会ニュースNO5〉(收錄於前掲《東大闘争資料集》第六卷,一九六八年十月上旬)。
451 東大闘争医学部連絡会議〈君は今何を問われているのか〉(收錄於前掲《東大闘争資料集》第六卷,一九六八年十月一一日)、前掲理工系社会科学研究会(第二章)〈理工社研への招待——君は今、何を為し、何を為そうとしているのか!?〉(收錄於前掲《東大闘争資料集》第六卷,一九六八年十二月二日)、前掲緑会法研スト実〈何をなすべきか、何をなさざるべきか そして理性的解決とは何か〉。金族(教育系院生協議会)〈諸君はどちらの道を選ぶのか!〉(收錄於前掲《東大闘争資料集》第九卷,一九六九年一月八日)。
452 初山有恒・藤田雄三〈追いつめられた東大当局〉(《朝日ジャーナル》一九六八年十月二〇日號)二四頁。
453 前掲内藤《ドキュメント 東大紛争》一二〇—一二一頁。
454 同前書一二一頁。井上清《東大闘争》(現代評論社,一九六九年)二二四頁。
455 清水英夫「東京大学法学部」(《展望》一九六八年四月號)一一四—一一六,一二二—一二四頁。調査年度由一九六三年到一九六五年。

456 〈東大法学部が認めた「学生のストライキ」〉（《週刊新潮》一九六八年十月二六日號）一三六頁再引用。
457 前掲今井〈われらが運動に終幕なし〉九五頁。
458 前掲〈東京大学紛争日誌〉一八二頁。
459 同前日誌一八二頁。
460 前掲〈内輪もめさらした東大〉。
461 前掲〈東京大学紛争日誌〉一八二頁。前掲内藤《ドキュメント　東大紛争》一二二，一二五頁。
462 〈豊川教授「元医学部長」「退官拒否」の理由〉（《週刊新潮》一九六八年十二月二〇日）一一五頁。
463 前掲内藤〈東大紛争　その四つの争点〉一三二頁。
464 〈ついにサジを投げた東大大河内総長〉（《週刊言論》一九六八年十一月一三日號）二〇頁。前掲〈内輪もめさらした東大〉。
465 前掲〈東京大学紛争日誌〉一八三頁。
466 同前報導一三〇頁。
467 前掲初山・藤田〈むき出しになった東大の本質〉一〇八頁。
468 前掲内藤〈東大紛争　その四つの争点〉一三〇頁。〈糾弾された東大教授の内職〉（《週刊文春》一九六八年六月三日號）三二，三三頁。
469 前掲内藤〈東大紛争　その四つの争点〉一三二頁。
470 前掲内藤〈紛争の元凶は東大当局だ〉一二四頁。
471 社会学系大学院闘争委員会及其他〈無期限ストライキ宣言〉（一九六八年十月二三日，收錄於前掲《砦の上にわれらの世界を》）二一三—二一四頁。
472 遠藤健〈わたしたちは九月の地球を愛せるか〉（四二LIII 6 ストライキ実行委員会機関紙《自己権力》第二號，收錄於前掲《東大闘争資料集》第二巻，一九六八年九月）。
473 前掲秋田・今井・大川・田村・山本〈権威と腐敗に抗して〉一九〇頁。
474 以下柏崎的軼事引用自前掲柏崎《太陽と嵐と自由を》一二四—一二五頁。
475 〈林健太郎教授の八泊九日〉（《週刊文春》一九六八年十一月二五日號）一五六頁。
476 前掲北野《プレイバック「東大紛争」》一二九頁。
477 全共闘学生座談会〈幻想だけが人間を動かす〉（《文藝春秋》一九六九年三月號）一四二頁。
478 同前座談會一四二頁。
479 〈特に名を秘して語る東大教授たち〉（《週刊文春》一九六八年十二月二日號）一五四頁。
480 前掲〈われわれは、なぜ、安田講堂を占拠するか〉九頁。
481 前掲〈幻想だけが人間を動かす〉一四四頁。
482 前掲茜・柴田（第一章）《全共闘》一〇七頁。
483 前掲遠藤〈わたしたちは九月の地球を愛せるか〉。
484 前掲茜・柴田《全共闘》七七頁。
485 同前書一〇六—一〇七頁。
486 緊急マンモス座談会〈東大はどこへ行くのか〉（《文藝春秋》一九六八年十二月號）一〇七頁。
487 〈マンガ家が先生とよばれる時代〉（《朝日ジャーナル》一九六八年十二月八日號）二四，二五頁。

488 〈林文学部長を軟禁した学生指導者と三〇問三〇答〉（《女性自身》一九六八年十一月二五日號）三二頁。

489 小田実・高橋武智・福富節男・吉川勇一・室謙二〈澈底的破壊は構築への論理か〉（《現代の眼》一九六九年三月號）一四六頁。

490 藤田雄三〈「入試中止」をめぐるその動揺〉（《朝日ジャーナル》一九六九年一月一九日號）九七頁。

491 前掲〈安田講堂籠城日記〉四四頁。

492 前掲東洋文化研究所助手有志〈新たなる大学自治創出のために〉一〇五頁。

493 パトリシア・スタインホフ《死へのイデオロギー》（初版一九九一年，河出書房新社。岩波現代文庫版二〇〇三年）文庫版七一頁。但此篇文章並非評論東大門爭，而是評論之後大學立法規定的佔領期間，不過此處仍引用「美國不可能出現如此長時間佔領」的說法。以下對此書的引用出自文庫版。

494 前掲〈何のための闘い！〉二〇頁。

495 前掲初山・藤田〈胸つき坂の東大紛争〉九五—九六頁。

496 同前報導九五頁。

497 同前報導九六頁。

498 前掲〈何のための闘い！〉二〇頁。

499 同前報導一七頁。

500 〈クラス連合について〉（收錄於前掲《東大闘争資料集》第一二巻）二，六頁。此為記錄級聯合組成經過的手冊。

501 前掲〈何のための闘い！〉二一頁。

502 鈴木博雄〈新宿騒乱——民主主義への警鐘〉（《自由》一九六八年十二月號）一三九頁再引用。

503 〈時評　東大はどこへゆく〉（《展望》一九六九年一月號）四九頁。

504 前掲〈最低学府東大に見る「無能」と「無責任」〉四四頁。

505 〈東大に「夜間部」が生まれる〉（《週刊読売》一九六八年十月二五日號）二三頁。

506 前掲〈内輪もめさらした東大〉。

507 前掲池原及其他〈座談会　われら東大生は訴える〉一三四頁。

508 茅誠司〈強硬派は一部〉（《週刊読売》一九六八年七月五日號）二一頁。此處茅敘述的工學部罷課決議並非十月的無限期罷課，而是六月的有限期罷課，此處當作說明當時學生大會的情況的資料而加以引用。

509 前掲池原及其他〈座談会　われら東大生は訴える〉一三四頁。

510 前掲大原《時計台は高かった》八八，八九頁。

511 同前書九一頁。

512 前掲池原及其他〈座談会　われら東大生は訴える〉一三〇頁。

513 理学部学生大会の模様は前掲大原《時計台は高かった》九八—一〇〇，一〇八—一一〇頁。

514 前掲〈東大法学部が認めた「学生のストライキ」〉一三七，一三八頁。

515 前掲〈何のための闘い！〉二一頁。

516 堀米庸三〈収拾ではなく解決を〉（《世界》一九六九年一月號）二二五頁。

517 前掲〈最低学府東大に見る「無能」と「無責任」〉四三頁。

518 都市工学科ストライキ実行委員会〈工八號館・列品館封鎖を

突破口に、工学部號館封鎖を貫徹し、全学バリケード封鎖の內実をかちとれ！〉（都市工〈スト実ニュース〉No.9，一九六八年十一月二日，收錄於前揭《砦の上にわれらの世界を》）二四六頁。

519 前揭NHK取材班〈東大全共闘〉三〇三頁。

520 東大医学部基礎病院連合実行委員会〈封鎖闘争宣言〉（一九六八年九月二七日，收錄於前揭《砦の上にわれらの世界を》）一九九頁。

521 〈一〇・八集会　基調報告〉（收錄於前揭《東大変革への闘い》）一九五頁。

522 中央委員会書記局〈東大闘争の勝利の展望は何か〉（一九六八年七月三日，收錄於前揭《東大変革への闘い》）一三六頁。

523 全学助手共闘会議〈東大闘争の決定的局面を闘いぬけ！〉（一九六八年十月二六日，收錄於前揭《砦の上にわれらの世界を》）二三九頁。

524 前揭島（第八章）《安田講堂一九六八─一九六九》一三六頁。

525 のんぽり反戦集団〈「きみ」に呼びかける〉（收錄於前揭《東大闘争資料集》第五巻）。

526 前揭理工系社会科学研究会〈君は今、何を為し、何を為そうとしているだろうか!?〉。

527 前揭島《安田講堂一九六八─一九六九》二〇八─二〇九頁再引用。

528 D・M・G〈蜂起せよ、さらに蜂起せよ!!〉（收錄於岡本雅美・村尾行一採録《大学ゲリラの唄──落書　東大闘争》三省堂新書，一九六九年）八〇頁。

529 〈「砦の狂人たち」〉（初出《進撃》第三號，重新收錄於前揭津村編著（第八章）《全共闘──持続と転形》）七五，七六頁。

530 前揭大原《時計台は高かった》二七，一一九頁。

531 同前書二七頁。

532 前揭遠藤〈わたしたちは九月の地球を愛せるか〉。

533 前揭柏崎《太陽と嵐と自由を》一五二頁。

534 以下引用自前揭見田〈失われた言葉を求めて〉六五，六六，七〇，七一頁。

535 福田　一〈東大紛争と大学問題〉（《世界》一九六九年四月號）一三二頁。

536 前揭小阪《思想としての全共闘世代》八五頁。

537 前揭福田〈東大紛争と大学問題〉一三五頁。佐藤誠三郎〈学生反乱の背景と可能性〉（《中央公論》一九六九年六月號）六一頁。

538 前揭都市工学科ストライキ実行委員会〈工八號館・列品館封鎖を突破口に、工学部號館封鎖を貫徹し、全学バリケード封鎖の內実をかちとれ！〉二四六頁。

539 前揭柏崎《太陽と嵐と自由を》一八三頁。

540 学生座談会〈角材を捨てて話そう〉（《サンデー毎日》一九六八年十二月八日）二七頁。

541 前揭遠藤〈わたしたちは九月の地球を愛せるか〉。

542 梅本克己〈大学闘争と現代への挑戦〉（《現代の理論》一九六九年二月號）七六頁。安東為採訪者。

543 前揭村尾〈「実学の府」における学問の荒廃〉一五四頁。

544 前揭都市工学科ストライキ実行委員会〈工八號館・列品館封

鎖を突破口に、工学部號館封鎖を貫徹し、全学バリケード封鎖の内実をかちとれ！〉。

545 全学闘争連合駒場支部・全学助手共闘会議駒場支部〈封鎖闘争宣言〉（收錄於前掲《東大闘争資料集》第七卷），一九六八年十一月一四日）。

546 同前論文一五四頁。

547 山本義隆〈いま、こう考える〉（初出《中央公論》一九六九年三月號，收錄於前掲山本《知性の叛乱》）二一九頁。

548 前掲〈われわれは、なぜ、安田講堂を占拠するか〉五頁。

549 前掲なだ主持〈反代々木と代々木が本誌で決闘！〉三三頁。

550 同前座談會三五頁。

551 以下對宇野的引用出自前掲宇野〈創造の場としての大衆団交〉三〇頁。

552 前掲内藤《ドキュメント　東大紛争》二二六—二二七頁。

553 前掲大野・増山〈日本共産党の東大闘争戦略〉一一六頁。

554 前掲井上《東大闘争》二四〇頁。

555 前掲《東大変革への闘い》一九六頁。

556 前掲井上《東大闘争》二四〇頁。

557 前掲《東大変革への闘い》一九六頁。

558 前掲〈われわれは、なぜ、安田講堂を占拠するか〉九，一〇頁。

559 前掲〈潛行中の山本義隆全共闘議長に単独会見〉一八—一九頁。

560 前掲〈安田講堂占拠から「大学革命」へ〉一一二頁。

561 前掲初山・藤田〈むき出しになった東大の本質〉一一二頁。

562 前掲〈大学紛争の焦点〉四七頁。

563 川上徹・大窪一志〈補注としての対話③　東大闘争の裏側〉（收錄於前掲川上・大窪〔第二章〕《素描・一九六〇年代》）二五〇—二五一頁。

564 前掲大窪（第二章）〈パラノイドの青春が蹉跌するまで〉二〇二頁。

565 同前論文二〇〇頁。

566 前掲ＮＨＫ取材班〈東大全共闘〉二三四頁。

567 前掲〈結局、「学園紛争」とは何か〉一四頁。

568 前掲北野《プレイバック「東大紛争」》一四四頁。

569 以下川上的回憶引用自川上徹〈東大闘争前後〉（收錄於前掲川上・大窪《素描・一九六〇年代》）二二三—二二四頁。

570 前掲《東大変革への闘い》一四八頁。

571 前掲宮崎《突破者》上卷一九〇，二〇〇頁。

572 同前書一九一頁。

573 以下關於在明治大學的武裝內鬥狀況，引自前掲川上〈東大闘争前後〉二二四—二二六頁。但宮崎的回憶錄中並無記載明治大學的武裝內鬥。推測大概指揮行動隊的人是宮崎以外的人物。又，川上指出在此明治大學的武裝內鬥中行動隊員自稱「曙行動隊」，之後並無法確認有任何資料顯示他們以此自稱。若川上的回憶無誤，恐怕起因於此次乃破曉奇襲，故而行動隊員隨興以此自稱，之後成為他們的別稱而被廣為知曉，此處一如本文說明。

574 天野道映及其他〈東大紛争の最終局面〉（《朝日ジャーナル》一九六八年十二月一日號）五頁。

575 前掲宮崎《突破者》上巻二〇四，二〇五頁。
576 前掲《東大変革への闘い》一七九頁。
577 安田講堂テント村編集局「號外　テント村だより」報導〈七日夜何が起ったか！〉（一九六八年九月八日，收錄於前掲《東大紛争の記録》）二五四—二五五頁。
578 以下宮崎的回憶引用自前掲宮崎《突破者》上巻二〇六—二〇九頁。
579 前掲柏崎《太陽と嵐と自由を》一二二頁。
580 前掲内藤《ドキュメント　東大紛争》一四一頁。前掲大野〈学生層の動向〉二三頁。
581 前掲宮崎《突破者》上巻二一二，二一三頁。
582 前掲内藤《ドキュメント　東大紛争》一四一頁。
583 以下東大全共鬥，特別是革馬派對民青派的破壞與暴行，參照七者協〈三派・革マルを名のる暴力学生集団のテロ・強盗行為を糾弾する決議〉（收錄於前掲《東大闘争資料集》第五巻）。而關於襲擊駒場宿舍民青派社團活動室「桑之實」的事件，在第五五期第一懲罰委員会〈「桑の実」事件に関して〉（收錄於前掲《東大闘争資料集》第五巻，一九六八年九月二〇日）中有詳細說明。但這些傳單中並無前掲宮崎《突破者》上巻或前掲内藤《ドキュメント　東大紛争》九月八日東大全共鬥闖入破壞自治會中央委員會室的紀錄。如果執行這樣的行動，上述傳單中不可能沒有記載，故雖真相不明，仍採用内藤與宮崎的敘述。總而言之，本文中認為有闖入自治會中央委員會室的事件。
584 前掲川上〈東大闘争前後〉二二七—二二九頁。
585 前掲大窪〈パラノイドの青春が蹉跌するまで〉二〇三頁。
586 前掲川上〈東大闘争前後〉二三一頁。
587 同前論文二三一頁。
588 同前論文二三一頁。
589 前掲大窪〈パラノイドの青春が蹉跌するまで〉二〇三頁。
590 〈当面する大学問題の解決のために〉（初出《赤旗》一九六八年十一月一日，收錄於日本共産党中央委員会出版局編・発行《当面する大学問題》一九六九年）二四，二八，三四，二〇，二二頁。
591 前掲《砦の上にわれらの世界を》三一〇頁。
592 同前書三一〇頁。
593 全学助手共闘会議〈封鎖闘争宣言〉（收錄於前掲《砦の上にわれらの世界を》，一九六八年十一月一二日）三一五頁。
594 前掲〈ルポ「東大解放区」〉二六頁。
595 全学助手共闘会議〈情況に溺れた仔犬たちへ——有志連合諸君の非難に応える〉（收錄於前掲《砦の上にわれらの世界を》，一九六八年十一月二二日）三五一頁。
596 全学闘争連合〈工・一號館封鎖をテコに全学バリケードへ進撃せよ〉（收錄於前掲《砦の上にわれらの世界を》，一九六八年十一月一三日）三一六頁。
597 前掲宮崎《突破者》上巻二一四頁。
598 同前書二一五頁。
599 〈東大　全学封鎖で流血の攻防〉（《読売新聞》一九六八年十一月一三日）。
600 法学部緑会委〈《全共闘》一派の不当なファッショ的暴力・

卑劣な闘争破壊を糾弾する！〉（收錄於前揭《東大闘争資料集》第七卷，一九六八年十一月一四日付）。此傳單中指出闖入圖書館封鎖的新左翼各黨派隊伍中，約半數來自「其他大學的自家派系學生」，但真偽不明。

601 林健太郎〈軟禁一七三時間の記〉（《文藝春秋》一九六九年一月號）一〇二頁。

602 〈憎しみと無法の学府〉（《読売新聞》一九六八年十一月一三日）。

603 同前報導。〈泣き出す女子学生〉（《朝日新聞》一九六八年十一月一三日）。

604 前揭〈憎しみと無法の学府〉および前揭〈泣き出す女子学生〉。

605 前揭〈泣き出す女子学生〉。

606 前揭〈憎しみと無法の学府〉。

607 同前報導。

608 前揭宮崎《突破者》上卷二一七頁。

609 前揭ＮＨＫ取材班〈東大全共闘〉三〇九頁。

610 前揭柏崎《太陽と嵐と自由を》一二三，一二七頁。

611 前揭《砦の上にわれらの世界を》三二〇頁。

612 前揭〈幻想だけが人間を動かす〉一四〇，一四一頁。

613 前揭福武〈東京大学の再建と新生のために〉一一五—一一六頁。

614 前揭吉野〈山本君に言いたかったこと〉四六頁。

615 前揭内藤《ドキュメント　東大紛争》一四三頁。

616 前揭天野及其他〈東大紛争の最終局面〉五頁。

617 〈「全員留年」はすばらしい代償〉（《週刊サンケイ》一九六八年十月二一日號）二七頁。

618 反帝学生評議会〈一〇・二一国際反戦闘争を安保粉砕の突破口へ〉（收錄於前揭《東大闘争資料集》第六卷，一九六八年十月）。

619 前揭学生座談会〈角材を捨てて話そう〉二九頁。

620 前揭秋田・今井・大川・田村・山本〈権威と腐敗に抗して〉一八七頁。

621 前揭宮崎《突破者》上卷二五五頁。因宮崎的回憶以傳聞的方式書寫，並無明確出處，故推測可能聽自東大民青的傳聞。根據他的回憶錄，東大共產黨員緊急召集會議在十一月十二日「圖書館前亂鬥發生後不久」，但大窪的回憶則在十一月十六日「東大民主化行動委員會」發出傳單之後。推測大窪的回憶方為正確。

622 以下大窪的回憶出自前揭大窪〈パラノイドの青春が蹉跌するまで〉二〇三，二〇四，二一八頁。

623 前揭大野〈学生層の動向〉三八頁。

624 同前論文三九頁。

625 隅谷三喜男〈現代の学問と大学像の再建〉（《世界》一九六九年一月號）二二九頁。

第十一章　東大鬥爭（下）

1 〈国立大の学生部長会議——大学紛争に強い姿勢〉（《読売新聞》一九六八年十一月八日）。

2 同前報導。

3 〈「軟禁団交」は遺憾〉（《読売新聞》一九六八年十一月八日）。

4〈東大閉鎖で対抗〉（《読売新聞》一九六八年十一月一二日）。

5坂田道太〈大学問題と学生問題〉（《講演》一九六九年二月號）八一九頁。

6〈編集後記〉（四二ＬⅢ６ストライキ実行委員会機関紙《自己権力》第二號，收錄於前揭〔序章〕《東大闘争資料集》第一二巻，一九六八年九月）。

7〈カンヅメ団交に耐えぬく？　東大「若返り内閣」〉（《週刊朝日》一九六八年十一月二二日號）一二七頁。

8前掲内藤（序章）《ドキュメント　東大紛争》一二六，一二七，一四七頁。

9〈愚者の楽園に落ちた「東大」の行方〉（《週刊大衆》一九六八年十二月五日號）二二頁。

10前掲〈カンヅメ団交に耐えぬく？　東大「若返り内閣」〉一二六頁。

11前掲内藤（第十章）〈東大紛争　その四つの争点〉一二九頁。

12前掲増田（第十章）〈東大——このマダラの織物〉二六九，二六八頁。

13同前論文二六七頁。

14十一月一八日「公開初步磋商」的會議記錄引自〈ドキュメント　全学共闘会議との公開予備折衝〉（《朝日ジャーナル》一九六八年十二月一日號）。引用自九，一〇頁。

15前掲（第十章）〈われわれは、なぜ、安田講堂を占拠するか〉八頁。

16〈東大「教官決起大会」腰くだけ〉（《読売新聞》一九六八年十一月一二日）。

17前掲全学助手共闘会議（第十章）〈アッピール〉。

18東大本郷解放戦線情宣部〈もはや当局との交　はありえぬ〉（《闘争指令》第二二號，收錄於前揭《東大闘争資料》第七巻，一九六八年十一月一日）。

19前掲全学闘争連合（第十章）〈工・一號館封鎖をテコに全学バリケードへ進撃せよ〉三一七頁。

20前掲島（第八章）《安田講堂一九六八—一九六九》一四一頁。

21前掲宇佐美（第十章）〈巻に出た山本義隆君のこと〉一〇頁。

22同前報導一〇頁。

23前掲（第十章）《砦の上にわれらの世界を》三二二頁。

24前掲（第十章）〈当面する大学問題の解決のために〉一一頁。

25前掲内藤《ドキュメント　東大紛争》一四八頁。

26東大民主化行動委員会〈トロツキスト暴力集団（「全共闘」一派）の暴挙を粉砕し、大学の自治と民主主義を守りぬこう〉（收錄於前揭《砦の上にわれらの世界を》，一九六八年十一月一六日付）三三二頁。

27前掲大野・増山（第十章）〈日本共産党の東大闘争戦略〉一一七頁。

28前掲平井・高畠（第一章）〈大学には何ができるのか〉七六頁。《世界》一九六九年九月號中刊載了東大學生問卷調查的評論對談。

29全学闘争連合〈日共民青の東大闘争破壊を断固としてはねのけ今こそ「新執行部」と徹底的に追及せよ！〉（一九六八年十一月一八日，收錄於前揭《砦の上にわれらの世界を》）三二五，三二四頁。

30 前掲内藤《ドキュメント　東大紛争》一四九頁。
31 同前書一五〇頁。
32 前掲〈ドキュメント　全学共闘会議との公開予備折衝〉一〇頁。
33 清水英夫〈加藤代行の論理と心理〉（《中央公論》一九六九年三月號）一二六頁。
34 前掲大原（第二章）《時計台は高かった》一四一頁。
35 前掲川上（第十章）〈東大紛争の経過と学生諸君の運動について〉二九頁。
36 前掲佐藤（第十章）〈学生反乱の背景と可能性〉六六頁。
37 前掲〈獄中書簡〉発刊委員会編（第一章）《東大闘争獄中書簡集》第I巻一一七頁。
38 前掲最首悟（第十章）〈玉砕する狂人といわれようと〉一〇一頁。
39 前掲村尾（第十章）〈紛争の根底に流れるもの〉一三〇頁。
40 東大闘争全学共闘会議〈全学封鎖に際し職員　働者に訴える〉（收錄於前掲《砦の上にわれらの世界を》，一九六八年十一月二五日）三五五—三五六頁。
41 前掲石井（第十章）〈「東大」闘争を超えて〉一一二頁。
42 前掲山本（第九章）〈知性の叛乱〉一一二頁。
43 前掲座談会（第十章）〈東大はどこへ行くのか〉一〇四，一〇五頁。
44 〈「全学バリケード」の波紋〉（《朝日ジャーナル》一九六八年十二月八日號）一〇九頁。
45 前掲福田（第十章）〈東大紛争と大学問題〉一三五—一三六頁。
46 北沢方邦〈ステューデント・パワーの　廃〉（《世界》一九六九年一月號）二八一頁。益田勝実〈ポスト・東大をめぐって〉（《世界》一九六九年三月號）六六頁。
47 以下引用自阿部和彥〈一月一八日の思想〉（《世界》一九六九年三月號）一〇〇，一〇一頁。
48 前掲池原及其他（第十章）〈座談会　われら東大生は訴える〉一二六頁。
49 前掲（第十章）〈安田講堂占拠から「大学革命」へ〉一一二頁。
50 前掲〈われわれは、なぜ、安田講堂を占拠するか〉一〇，一一頁。
51 前掲全学助手共闘会議（第十章）〈情況に溺れた仔犬たちへ——有志連合諸君の非難に応える〉三四九頁。
52 前掲高畠（第二章）〈「発展国型」学生運動の論理〉二四七頁。
53 社会学系大学院文化人類学コース自治会闘争委員会〈封鎖敢行で全学の自主管理を!!〉（收錄於前掲《東大闘争資料集》第七巻，一九六八年十一月一日）。
54 第五五期寮委員会〈方針の違いはどこにあるのか!〉（收錄於前掲《東大闘争資料集》第五巻，一九六八年九月二〇日）。
55 同前ビラ。
56 全学闘書記局〈民青の三者協路線を粉砕し教授会の解体をかちとれ!〉（收錄於前掲《東大闘争資料集》第六巻，一九六八年十月）。
57 引用は〈東大闘争の中間総括の深化と更なる勝利の為に（その1）〉および農学部行動委員会〈論戦〉（皆收錄於前掲《東大闘争資料集》第六巻，前者為一九六八年十月四日，後者為一九六八年十月）。

58 前掲（第四章）〈東大闘争と研究の立場に対する私たちの考え〉一二頁。

59 前掲白須（第十章）〈危機の本質は何なのか〉二六〇頁。

60 前掲なだ主持（第十章）〈反代々木と代々木が本誌で決闘！〉三五頁。

61 理学部闘争委員会〈理学系大学院受験生諸君に訴える！〉（收錄於前掲《東大闘争資料集》第五巻，一九六八年九月一六日）。

62 東大Cストライキ実行委員会〈本日総長＝評議会団交を獲ち取れ！〉（收錄於前掲《東大闘争資料集》第五巻，一九六八年九月二〇日）。

63 前掲全学助手共闘会議（第十章）〈東大闘争の決定的局面を闘いぬけ！〉二四〇頁。反帝学生評議会前掲（第十章）〈一〇・二一国際反戦闘争を安保粉砕の突破口へ〉。

64 前掲（第十章）〈工八號館・列品館封鎖を突破口に、工学部號館封鎖を貫徹し、全学バリケード封鎖の内実をかちとれ！〉二四七頁。

65 前掲全学闘争連合〈日共民青の東大闘争破壊を断固としてはねのけ今こそ「新執行部」を徹底的に追及せよ！〉及全学助手共闘会議〈理性の自己欺瞞を粉砕せよ！　日共機動隊を撲滅せよ！〉（收錄於前掲《砦の上にわれらの世界を》，一九六八年十一月一八日）三二五，三三〇，三三九頁。

66 法共闘〈学友諸君に訴える！〉（《法学部共闘》創刊號、收錄於前掲《砦の上にわれらの世界を》，一九六八年十一月二〇日）三三八頁。

67 四三青医連東大支部〈日共＝民青は「民主主義」の「守護神」なのか？〉（收錄於前掲《砦の上にわれらの世界を》，一九六八年十一月二〇日）三三五頁。

68 前掲東大闘争全学共闘会議〈全学封鎖に際し職員労働者に訴える〉三五七頁。

69 五十嵐顕〈大学人は無力をなげいていてよいか〉（《文化評論》一九六九年一月號）七四頁再引用。

70 前掲（第十章）〈夏休みもない「解放区」安田講堂〉一七頁。

71 前掲（第十章）〈ルポ　「東大解放区」〉二九頁。

72 同前報導二五頁。

73 小中陽太郎主持〈座談会　東大時計台のなかの「玉砕主義」〉（《朝日ジャーナル》一九六八年十二月二五日號）二二頁。

74 前掲大野（序章）〈学生層の動向〉三五頁。

75 前掲鈴木（第二章）〈四半世紀ののちに……〉一〇三頁。

76 前掲大野〈学生層の動向〉六一—六四頁。

77 前掲《世界》編集部（第一章）〈東大闘争と学生の意識〉六四頁。

78 菊地昌典〈あえてノンセクト・ラジカルに〉（《朝日ジャーナル》一九六九年一月二六日號）一六頁。

79 前掲大野〈学生層の動向〉六二頁。

80 前掲《世界》編集部〈東大闘争と学生の意識〉六四頁。

81 東大医学部学生有志〈全駒場の学友に責任ある判断と行動を訴える〉（收錄於前掲《東大闘争資料集》第五巻，一九六八年九月二日）。

82 前掲大原《時計台は高かった》四五頁。
83 以下的原委引自〈本紙記者暴行事件　事実経過〉（《東京大学新聞》一九六八年十二月二日號）。共産黨派的前掲尾花・柴田編（第十章）《あすを告げる青春——東大闘争と学生たち》一七六—一七七頁亦有刊載，採取混合「松井君」口述的形式，但編輯上讓人讀來覺得不是解放戰線或普羅軍團的成員所為，而是全門聯的成員施加的暴行。
84 〈暴行を厳しく告発する〉（《東京大学新聞》一九六八年十二月二日號）。
85 前掲北野（第十章）《プレイバック「東大紛争」》二〇五，二〇六頁。
86 同前書二一〇頁。
87 同前書一七〇頁。
88 前掲（第十章）〈幻想だけが人間を動かす〉一四二頁。
89 前掲平井・高畠〈大学には何ができるのか〉七四頁。
90 前掲福武（第十章）〈東京大学の再建と新生のために〉一二〇頁。
91 前掲大野〈学生層の動向〉八七頁。
92 前掲《砦の上にわれらの世界を》三二二頁。
93 前掲福武〈東京大学の再建と新生のために〉一二〇頁。
94 前掲《世界》編集部〈東大闘争と学生の意識〉六四頁。
95 前掲川本（第一章）《マイ・バック・ページ》一四—一五頁。
96 前掲内藤《ドキュメント　東大紛争》一五八，一五九頁。
97 以下の内藤と山本の対話は同前書一五六—一五七頁。
98 前掲山本（第十章）〈バリケード封鎖の思想〉九五頁。
99 山本義隆・海老坂武〈近代合理主義を告発する〉（《情況》一九六九年三月臨時増刊號）一二頁。
100 前掲佐藤〈学生反乱の背景と可能性〉六七頁。
101 前掲ＮＨＫ取材班（第一章）〈東大全共闘〉三〇六頁。
102 前掲内藤《ドキュメント　東大紛争》一五九頁。
103 前掲井上（第十章）《東大闘争》二八九頁再引用。
104 前掲内藤《ドキュメント　東大紛争》一五九頁。
105 前掲（第十章）学生座談会〈角材を捨てて話そう〉三二頁。
106 前掲全学助手共闘会議（第十章）〈封鎖闘争宣言〉三一五頁。
107 前掲川上〈東大紛争の経過と学生諸君の運動について〉三八頁。
108 以下普通學生的發言前掲〈愚者の楽園に落ちた「東大」の行方〉二一，二四頁。三番目は前掲池原及其他〈座談会　われら東大生は訴える〉一三三頁。最後的發言引自〈紛争の中の「ノンポリ」〉（《サンデー毎日》一九六八年十二月八日號）二四—二五頁。
109 前掲なだ主持〈反代々木と代々木が本誌で決闘！〉三四頁。
110 前掲《世界》編集部〈東大闘争と学生の意識〉六六頁。
111 前掲（第十章）〈東大法学部が認めた「学生のストライキ」〉一三八頁。
112 前掲《世界》編集部〈東大闘争と学生の意識〉六八，六七頁。
113 〈高級公務員に合格した学生運動家〉（《週刊新潮》一九六八年九月二一日號）四〇頁。
114 同前報導四〇頁。
115 前掲《世界》編集部〈東大闘争と学生の意識〉六八頁。

116 同前調查六八，六九頁。

117 前揭內藤《ドキュメント　東大紛争》五七頁。

118 前揭池原及其他〈座談会　われら東大生は訴える〉一三〇，一三四頁。

119 前揭內藤《ドキュメント　東大紛争》一五二—一五三頁。

120 前揭全学助手共闘会議〈情況に溺れた仔犬たちへ——有志連合諸君の非難に応える〉三四九頁。

121 前揭（第十章）〈東京大学紛争日誌〉一八二頁。

122 前揭ＮＨＫ取材班〈東大全共闘〉三一二頁。

123 前揭〈紛争の中の「ノンポリ」〉二一頁。

124 瀨山俊一〈東大紛争におけるノン・セクト〉（《世界》一九六九年三月號）一一七頁。前揭座談會〈東大はどこへ行くのか〉一〇七頁。又，根據民青派的學生說法，瀨山「去年四月從八幡製鐵進入法學部學士班就讀」，是「為了執行學生對策」而進入東大的人物，法學部懇談會也「以預定在八幡製鐵就業者集團為核心」組建而成。（平山基生〈東大問題の新局面〉《世界》一九六九年三月號，一二四，一二五頁）。

125 前揭鈴木・後藤（第十章）〈争点再構成　東大紛争〉五七頁。

126 前揭大野〈学生層の動向〉四八頁。

127 前揭大野・增山〈日本共産党の東大闘争戦略〉一一八頁。

128 以下，班級聯合的組成經過引用自前揭（第十章）〈クラス連合について〉一，二，八頁。

129 前揭大野〈学生層の動向〉六六頁。

130 前揭〈紛争の中の「ノンポリ」〉二四頁。

131 〈東大はどこへ行く?〉（《サンデー毎日》一九六八年十二月一日號）二六頁。

132 前揭（第四章）〈東大紛争における青春の研究〉一二四，一二五頁。

133 同前報導一二五頁。

134 前揭《世界》編集部〈東大闘争と学生の意識〉六四頁。

135 同前調查七〇，七一頁。

136 〈東大就職戦線少しも異状なし〉（《週刊大衆》一九六八年十二月二六日號）二八頁。前揭〈紛争の中の「ノンポリ」〉二〇，二一頁。但，〈東大就職戦線少しも異状なし〉二八頁中指出，此年度大藏省預定任用的二十三人當中，東大學生佔二十一至二十二人。

137 〈「全員留年」の悲劇と喜劇〉（《週刊読売》一九六八年十月一八日號）三七頁。

138 前揭（第九章）〈大量留年でイライラする就職予定者とその親たち〉一三一頁。前一段落的法學部學生大會票數也出自同頁。

139 前揭大野（第八章）〈激化一途の学生運動〉七三頁。

140 東京大学全学共闘会議・日本大学全学共闘会議〈一一・二二東大＝日大闘争勝利全国学生総決起大会に結集せよ〉（一九六八年十一月二二日，前揭《砦の上にわれらの世界を》三四一—三四二頁。

141 〈ゲバルト学生にアメをしゃぶらせた母親の自己陶酔〉（《主婦と生活》一九六九年三月號）一三八頁。同報導記載此發送焦糖糖果的行動是在十一月二十一日，前揭內藤《ドキュメント　東大紛争》一九三頁中記載之後的十二月十八日這些家長們組成了「希望東大恢復入學考的考生、都民、父母之會（東大の入試復活を望む受験生、都民、父母の会）」。

142 恩地豊志〈家と権力〉（四二ＬⅢ6ストライキ実行委員会機関紙《自己権力》第二號，收錄於前揭《東大鬪争資料集》第一二巻，一九六八年九月）。

143 前揭ＮＨＫ取材班〈東大全共闘〉三五三頁。

144 前揭大原《時計台は高かった》一四三頁。

145 同前書一五六，一四二頁。

146 前揭大野（第十章）〈東京大学十一月二十二日〉一四一，一四二頁。

147 池田信一〈大衆団交をめぐる潮流〉（《現代の眼》一九六九年一月號）一三二頁。

148 同前論文一三二頁。

149 前揭大野〈東京大学十一月二十二日〉一四三頁。

150 大野明男〈東大生は何を考えているのか〉（《時》一九六九年一月號）六五頁。

151 上記二者出自〈東大戦争に志願した七〇〇〇人の外人部隊〉（《週刊サンケイ》一九六八年十二月九日號）一八頁。下記二者出自前揭大野〈東大生は何を考えているのか〉六五—六六頁。

152 前揭（第九章）〈父兄も乗り出した大学紛争の行くえ〉二〇頁。

153 前揭大野〈東大生は何を考えているのか〉六六頁。

154 前揭川上（第十章）〈東大鬪争前後〉二三四頁。

155 前揭〈「全学バリケード」の波紋〉一一〇頁。

156 〈一般学生が激突防いだ〉（《読売新聞》十一月二三日）。

157 同前報導。

158 務台理作〈十一月二十二日〉（《世界》一九六九年一月號）二三八頁。

159 石田雄〈東大の片すみで〉（《世界》一九六八年一月號）二三七，二四一頁。

160 務台前揭〈十一月二十二日〉二三八頁。

161 前揭宮崎（第一章）《突破者》上巻二三六，二三七頁。

162 前揭内藤《ドキュメント　東大紛争》一六一頁。

163 以下從柏崎手記中的引用出自前揭柏崎（第一章）《太陽と嵐と自由を》二〇六，二〇七，二二五—二二六頁。但，柏崎在二二五頁記道「作為黨派間協調機構的性質濃厚，在此之前只扮演著輔助性的角色」，而後述的宇佐美與《毎日新聞》採訪班則寫道，十一月二十二日或十二月十三日之後，比起事務局會議，代表會議更具權力，雙方的描述看似相互矛盾。但這不過是之前事務局會議與代表會議浮上檯面的矛盾不多，十一月二十二日的集會是由事務局會議主導決策的。此後，代表會議與事務局會議進入對立狀態，代表會議逐漸占據上風。如大原紀美子所述，從十一月十八日晚間起安田講堂內開始分配房間的證詞來推測，在此之前內部並無太多齟齬，行動尚能推進，而新左翼各黨派的發言力增強，各黨派之間及黨派與無黨派的矛盾開始激化，可推估應始於十一月下旬。

164 前揭柏崎《太陽と嵐と自由を》二一〇頁。

165 前揭大原《時計台は高かった》一四六，一四七頁。

166 安岡章太郎〈雲の中の革命劇〉（《週刊朝日》一九六八年十二月六日號）二五頁。

167 前揭山本〈知性の叛乱〉一六〇—一六一頁。

168 前揭大野〈東大生は何を考えているのか〉六六頁。
169 前揭〈「全学バリケード」の波紋〉一一〇頁。
170 前揭大野〈東大生は何を考えているのか〉六二頁。
171 同前報導六三頁。
172 前揭〈「全学バリケード」の波紋〉一一〇頁。
173 同前報導一一一頁。
174 全学助手共闘会議〈流血回避で虚脱状態におちいった教官諸兄へ〉（收錄於〈立て看板、ビラに見る東大三つの潮流〉《時》一九六九年一月號）七一頁。
175 前揭北沢〈ステューデント・パワーの　廃〉二八二頁。
176 前揭梅本（第十章）〈大学闘争と現代への挑戦〉七七頁。安東以訪談者身分發言。
177 前揭川前（第十章）〈安田講堂再占拠宣言〉一〇五頁。
178 前揭秋田・今井・大川・田村・山本（第九章）〈権威と腐敗に抗して——日大・東大共闘会議・座談会〉一九二頁。
179 前揭青地（第九章）〈東京大学と日本大学〉一七七頁。
180 前揭（第十章）〈安田講堂籠城日記〉四五頁。
181 前揭最首・山之内・野間・廣末（第一章）〈東大闘争の意味するもの〉八〇頁。
182 同前座談會八〇，八一頁。
183 前揭川上〈東大紛争の経過と学生諸君の運動について〉三七頁。
184 以下宇佐美的引用前揭宇佐美〈巻に出た山本義隆君のこと〉一〇—一一，六頁。不過川島宏採取與宇佐美、最首等人稍微不同的見解，他於二〇〇五年敘述，東大全共鬥最初由山本、川島、今井等理科系研究生的「三人組」加上助教共鬥一起「掌握權力」，但十一月十二日集會後，「黨派」特別是革馬派開始介入。川島被革馬派威脅「要對你處以私刑」，但由於他在「代表會議的場合絕不退卻」的態度，故在事務局會議派出代表的革馬派、社青同解放派、FRONT等有力的新左翼黨派開始自行其是，導致東大全共鬥陷入「已然無法統一方針」的狀態。（連合赤軍事件の全体像を残す会編前揭〔第十章〕《証言　連合赤軍6　東大闘争を突き抜けた先に》四七頁）。按照川島的這個見解，東大全共鬥的無黨派激進派（先不論山本義隆，至少如川島在第十章註釋三三二所述「變成無黨派」的人物）並無力控制新左翼各黨派，而宇佐美與最首所見的無固定型態的運動形體，實際情況則是東大全共鬥作為一個運動形體卻「已然無法統一方針」。究竟何者更接近真相存在著不同的見解，但如本文所述，十一月底或從十二月起，宇佐美、最首、丸山、《每日新聞》等都認為無黨派掌握了主導權，而川上光秀指出，東大全共鬥自同時期起因陷入新左翼各黨派間的對立而導致運行困難，有賴全鬥聯加以支持。川上的見解雖與川島的證詞不同，但因新左翼各黨派間對立導致作為「新左翼各黨派聯合」的東大全共鬥陷入難以運行的窘境，說這是無黨派（助教共鬥或全鬥聯）掌握主導權，或者說只剩下無黨派能夠支持東大全共鬥，並無差別。因此可說並無矛盾之處。
185 前揭柏崎《太陽と嵐と自由を》二二七頁。
186 前揭〈われわれは、なぜ、安田講堂を占拠するか〉一一頁。
187 同前座談會一一頁。
188 前揭塩川（第十章）〈全共闘運動の組織構造〉九六頁。但基於塩川的評論有補充若干作者的解釋。

189 以下引自前掲佐藤〈学生反乱の背景と可能性〉六二—六三，六四頁。

190 以下大野的引用出自前掲大野（第十章）〈学園闘争の統計的研究と学生集団の事例研究〉一八一，一八六頁。

191 吉野源三郎・藤田省三〈戦後民主主義の原理を考える〉（《現代の理論》一九六九年九月號）一七頁。

192 前掲丸山（第十章）《自己内対話》二二九—二三〇頁。

193 前掲内藤《ドキュメント　東大紛争》一六〇頁。

194 同前書一六〇頁。

195 前掲柏崎《太陽と嵐と自由を》二三二頁。

196 前掲ＮＨＫ取材班〈東大全共闘〉三三五頁再引用。

197 同前書三三六頁。

198 前掲田村・雛元・余村（第九章）〈体験から何を展望するか〉一三二頁。此外，我們並不清楚「波茨坦自治會」這個詞彙究竟從何時開始使用，至少在筆者確認範圍內，東大全共鬥文宣品開始使用這個詞彙始於一九六八年十一月以後。從而，田村稱一九六八年六月在東大以「波茨坦自治會」展開批評，從用詞方面推測應當是一九七一年以後才追加的敘述。

199 前掲大原《時計台は高かった》一一五，一一六頁。

200 同前書一一六頁。

201 前掲内藤《ドキュメント　東大紛争》一六五頁。

202 前掲大野〈学生層の動向〉六七頁。

203 全学闘争連合—工系闘争委〈我々は今、何を為すべきか！〉（一九六八年十二月一二日，收錄於前掲《砦の上にわれらの世界を》）三九七頁。

204 前掲大原《時計台は高かった》一三二頁。

205 〈東大「予備折衝」難航の背景〉（《朝日ジャーナル》一九六八年十二月二九日號）一〇七頁。

206 前掲毎日新聞社編（第二章）《ゲバ棒と青春》一五八—一八九頁。

207 唐木田健一《一九六八年には何があったのか——東大闘争私史》（批評社，二〇〇四年）二一五頁。

208 此十一月五日的代議員大會經過，引自柴田章〈このような不正とひきまわしは断じて許せない！〉および東大闘争勝利行動委員会〈見よ、この仕くまれた陰謀〉（皆為十一月六日的手冊，收錄於前掲《東大闘争資料集》第七巻）。柴田是民青派全學聯行動委員會的成員。關於此代議員大會的非法行徑，民青方面並無留下主張或資料，故真相不明。

209 〈ついに来た　大学入試の非常事態〉（《サンデー毎日》一九六八年十二月二二日號）二四，二五頁。

210 〈東大紛争の経緯〉（《世界》一九六九年三月號）八三，八四頁。

211 前掲内藤《ドキュメント　東大紛争》一七二頁。

212 同前書一七三頁。

213 前掲ＮＨＫ取材班〈東大全共闘〉三三二頁，前掲（第二章）《東大変革への闘い》三一九頁。

214 前掲大原《時計台は高かった》一六一頁。

215 前掲島《安田講堂一九六八—一九六九》一三七頁。

216 前掲大野〈学生層の動向〉四六頁。

217 前揭北野《プレイバック「東大紛争」》一三八頁。
218 前揭柏崎《太陽と嵐と自由を》二二八頁。
219 同前書二二九頁。
220 前揭宮崎《突破者》上卷二四一頁。
221 前揭大野〈学生層の動向〉五三頁。
222 前揭尾花・柴田編《あすを告げる青春——東大闘争と学生たち》一五八頁。
223 前揭〈東大「予備折衝」難航の背景〉一〇六頁。
224 前揭大野〈学生層の動向〉六六頁。
225 前揭柏崎《太陽と嵐と自由を》二〇一—二〇二頁。
226 同前書二〇二—二〇三頁。
227 前揭尾花・柴田編《あすを告げる青春——東大闘争と学生たち》六九頁。
228 前揭大原《時計台は高かった》一二九頁。
229 同前書一三六，一六〇頁。
230 前揭〈東大紛争の経緯〉八一頁。前揭尾花・柴田編《あすを告げる青春——東大闘争と学生たち》五八頁。
231 前揭宮崎《突破者》上卷二四七—二四九頁。
232 前揭唐木田《一九六八年には何があったのか》一九三頁。
233 安東仁兵衛・上野宏志〈学生運動5年の軌跡〉（《世界》一九七二年六月號）二二一頁。
234 前揭川上〈東大紛争の経過と学生諸君の運動について〉三八，三九頁。
235 前揭吉野（第七章）〈山本君に言いたかったこと〉四九頁。
236 前揭大原《時計台は高かった》一四八頁。
237 同前書一三七，一五四頁。
238 同前書一五一，一八六頁。
239 同前書一五二，一五四頁。
240 同前書一五八頁。
241 前揭毎日新聞社編（第四章）《安保と全学連》一六九頁。
242 前揭柏崎《太陽と嵐と自由を》二三四，二三五頁。
243 以下包含革馬派在內的新左翼各黨派與無黨派的爭執，引自前揭毎日新聞社編《安保と全学連》一六九—一七二頁。
244 前揭〈東大就職戦線少しも異状なし〉二八，二九，三〇頁。
245 同前報導三一頁。
246 前揭〈紛争のなかの「ノンポリ」〉二五頁。
247 〈このおかしな 居家族・東大駒場寮〉（《ヤングレディ》一九六八年十二月二日號）四一頁。
248 前揭NHK取材班編〈東大全共闘〉三二七頁。
249 前揭內藤《ドキュメント　東大紛争》一八二頁。前揭〈東大紛争の経緯〉八三頁。
250 前揭藤田（第十章）〈「入試中止」をめぐるその動揺〉八三頁。
251 〈法学部研究室封鎖〉（《毎日新聞》一九六八年十二月二四日）。
252 浜田富士郎〈全学共闘会議の諸君に訴える〉（收錄於前揭《東大闘争資料》第八卷，一九六八年十二月）。文中濱田（浜田）被記為「法學部研究所勞動法專家」。
253 前揭柏崎《太陽と嵐と自由を》二三三頁。
254 前揭內藤《ドキュメント　東大紛争》一八九頁。
255 同前書一八一頁。

256 前掲鈴木〈四半世紀ののちに……〉一〇一頁。
257 前掲ＮＨＫ取材班〈東大全共闘〉三三一頁。
258 同前論文三二七頁。
259 前掲內藤《ドキュメント　東大紛争》一八七—一八八頁。
260 前掲堀米・菊池・最首・山本・岸本・平山（第十章）〈研究・教育の場の疲弊と復興〉一二一，一一六頁。
261 同前座談会一二〇頁。
262 小中主持前掲座談會〈東大時計台のなかの「玉砕主義」〉一九，二三頁。
263 前掲吉野〈山本君に言いたかったこと〉五二頁。
264 前掲佐藤〈学生反乱の背景と可能性〉六六頁。
265 前掲ＮＨＫ取材班〈東大全共闘〉三二八頁。
266 前掲大野〈学生層の動向〉六九頁。
267 〈今年はまだいい、来年の大学入試はえらいことになる！〉（《週刊現代》一九六九年二月二七日）二七頁。〈このままでは東大入試は不可能だ〉（《週刊現代》一九六八年八月二二日號）一三一頁。
268 〈東大入試中止と大学改組〉（《エコノミスト》一九六九年一月一四日號）三八頁。
269 前掲〈このままでは東大入試は不可能だ〉一三三頁。
270 同前報導二三頁。
271 前掲山本（第十章）〈いま、こう考える〉三三一頁。末尾有「一九六九・二・一〇記」的字樣。
272 前掲（第十章）〈潜行中の山本義隆全共闘議長に単独会見〉一七頁。
273 以下大原的引用前掲大原《時計台は高かった》三〇頁。
274 前掲〈潜行中の山本義隆全共闘議長に単独会見〉一七頁。
275 中島誠〈収拾の論理と鎮圧の論理〉（《現代の眼》一九六九年三月號）六三頁。
276 前掲堀米・菊池・最首・藤沢・山本・岸本・平山〈研究・教育の場の疲弊と復興〉一一七頁。
277 前掲座談会〈東大はどこへ行くのか〉九三頁。
278 前掲〈時評　東大はどこへゆく〉四六，四九頁。
279 前掲丸山《自己内対話》一二七頁。
280 前掲唐木田〈一九六八年には何があったのか〉一九六頁。
281 前掲最首〈玉砕する狂人といわれようと〉九九頁。
282 前掲朱牟田（第十章）〈東大紛争を憂える〉二六四頁。
283 小田実〈自分に立ちかえる〉（初出《世界》一九六九年三月號，收錄於前掲（第一章）《資料・「ベ平連」運動》中巻）一七—一八頁。
284 前掲全学闘自主講座局（第十章）〈第一回自主講座報告〉。
285 東大全共闘有志〈僕たちはなぜ闘っているのか！　市民のみなさんに訴える〉（收錄於前掲《東大闘争資料集》第九巻，一九六九年一月一九日）。推測是在神田拉丁區鬥爭中散布。在此《東大鬥爭資料集》內收錄的文宣品中，依照筆者管見，是東大全共鬥對校外一般市民進行的唯一宣傳。
286 安岡章太郎〈幻想の「自治」によりかかって〉（《週刊朝日》一九六八年十二月二七日號）二五頁。
287 安岡章太郎〈銀杏一葉落ちて……〉（《週刊朝日》一九六九年一月一七日號）一一九，一二〇頁。

288 前掲〈潛行中の山本義隆全共闘議長に単独会見〉一七頁。
289 大宅壮一・中曽根康弘・上田哲・生越忠〈東大紛争の解決の仕方はなってない〉（《現代》一九六九年三月號）八八頁。
290 前掲西片（第十章）〈大学紛争を歪めたマスコミ総点検〉八〇頁再引用。
291 前掲平井・高畠〈大学には何ができるのか〉七八頁。
292 小中主持前掲座談會〈東大時計台のなかの「玉砕主義」〉一八頁。
293 全学連中央書記局情宣部編《闘う全学連第七集——一九六八年一二月全学連臨時全国大会報告決定集》（一九六九年）一八七頁。
294 前掲（第十章）〈「全員留年」はすばらしい代償〉二七頁。
295 梅本克己〈まず粉砕すべきもの〉（《展望》一九六九年二月號）七四頁。
296 前掲鈴木〈四半世紀ののちに……〉一〇一頁。
297 宇奈月亨〈東大事件、民青恐怖症が生んだもの〉（《潮》一九六九年三月號）一一一—一一二頁。
298 前掲鈴木〈四半世紀ののちに……〉一〇二頁。
299 前掲NHK取材班〈東大全共闘〉三三〇頁。
300 西川潤〈全共闘運動のゆくえ〉（《潮》一九六九年十一月號）一八一頁。
301 前掲鈴木〈四半世紀ののちに……〉一〇一頁。
302 同前論文一〇二頁。
303 前掲山本・海老坂〈近代合理主義を告発する〉一〇頁。
304 前掲大原《時計台は高かった》一三四頁。
305 前掲安岡〈雲の中の革命劇〉二四頁。
306 前掲（第十章）〈農学部助手有志声明へのよびかけ〉。因農學部助教會的聲明是在指責「實施封鎖的學生」，故助教同志們召集眾人發出不同意見的聲明，指稱前者乃為了負起「主體責任」才發出如此「聲明」。附帶的聲明書原草案記載著「學生採取暴力的武力行動，其直接責任在於大學當局。」
307 理学系大学院闘争委員会〈日常的研究活動を未だに継続している理系院生諸君へ理系大学院闘争委員会より訴える〉（《理科系闘争委ニュース》第二五號，收錄於前掲《東大闘争資料集》第七巻，一九六八年十一月二日付）。
308 前掲田村・雛元・余村〈体験から何を展望するか〉一三五，一三六頁。
309 前掲川前〈安田講堂再占拠宣言〉一〇六頁。
310 前掲阿部〈一月一八日の思想〉一〇一，一〇二頁。
311 前掲内藤（第十章）〈紛争の元凶は東大当局だ〉一一三頁。連合赤軍事件の全体像を残す会編前掲《証言　連合赤軍6　東大闘争を突き抜けた先に》四七頁。
312 初山有恒・平栗清司・藤田雄三〈終息局面の苦渋〉（《朝日ジャーナル》一九六九年二月二日號）一〇頁。
313 加藤一郎〈大学の危機の克服をめざして〉（收錄於前掲《東大変革への闘い》）三五九，三六〇頁。
314 前掲内藤《ドキュメント　東大紛争》一九四頁。
315 同前書一九四頁。
316 前掲大野〈学生層の動向〉七〇頁。
317 前掲《東大変革への闘い》三一七頁。

318 前揭《東大変革への闘い》三一七頁。
319 前揭大野〈学生層の動向〉七〇頁。
320 前揭座談会〈東大はどこへ行くのか〉一〇二頁。
321 直原弘道〈現時点で語るとすれば……〉（《現代の理論》一九六九年三月號）一二三頁。
322 前揭《東大変革への闘い》三一六，三一七，三二〇頁。
323 前揭〈東大「予備折衝」難航の背景〉一〇七頁。
324 同前報導一〇七頁。
325 佐木隆三〈民青論〉（《中央公論》一九六九年三月號）一四三頁。
326 前揭川上・大窪（第十章）〈補注としての対話③〉二五二頁。
327 前揭大窪（第二章）〈パラノイドの青春が蹉跌するまで〉二〇四頁。前揭川上・大窪〈補注としての対話③〉二五二頁。
328 中島誠〈東大闘争をめぐる現情況〉（《現代の理論》一九六九年二月號）八四頁。
329 前揭《東大変革への闘い》三四三，三四五頁。
330 前揭大野〈学生層の動向〉六七，六八頁。
331 同前論文七二頁。
332 同前論文七二頁。前揭内藤《ドキュメント　東大紛争》一九四頁。
333 前揭内藤《ドキュメント　東大紛争》一九七頁。
334 前揭柏崎《太陽と嵐と自由を》二四六頁。
335 前揭内藤《ドキュメント　東大紛争》一九五頁。大野明男〈反代代木派〉（《現代》一九六九年三月號）二六二頁。
336 前揭柏崎《太陽と嵐と自由を》二四八頁。
337 前揭ＮＨＫ取材班〈東大全共闘〉三三四頁。
338 坂本義和〈大学教授も学んだ東大紛争〉（收錄於前揭〔第一章〕《連合赤軍「狼」たちの時代》）一九頁。
339 〈東京大学「運命の二日間」〉（《エコノミスト》一九六九年一月二一日號）三〇—三一頁。此受傷人數與前述內藤國夫的「輕重傷者一百八十人」有所出入，但此類事件根據紀錄不同，有可能出現這種程度的差異。
340 本多秀一・長田保正・水木茂・横山達郎・中村美保子〈激闘の三日間（1・9〜一一）〉（收錄於前揭《砦の上にわれらの世界を》）四七七，四七六頁。
341 前揭坂本〈大学教授も学んだ東大紛争〉一九頁。
342 前揭柏崎《太陽と嵐と自由を》二五一頁。
343 前揭羽仁・秋田（第二章）〈日大闘争の本質〉二八七頁。
344 〈当局—右翼—民青の収拾策動を粉砕し尽くし、全学バリケード封鎖へと前進せよ！〉（一九六八年十二月一九日，四二SⅡⅢ4闘争委《烽火》No.7，收錄於前揭《砦の上にわれらの世界を》）四三二頁。
345 前揭福田〈東大紛争と大学問題〉一三八頁。
346 前揭丸山《自己内対話》二〇五頁。
347 前揭梅本〈大学闘争と現代への挑戦〉六五頁。
348 東大医学部保健学科非暴力活動会議班〈東大全共闘は主体性を取戻せ〉（收錄於前揭《東大闘争資料集》第九巻，一九六九年一月一〇日）。
349 前揭大野〈学生層の動向〉七五，七七，七八頁。
350 前揭坂本〈大学教授も学んだ東大紛争〉一九頁。

351 前揭〈東京大学「運命の二日間」〉三二頁。
352 前揭内藤《ドキュメント　東大紛争》一九七頁。
353 前揭大野〈学生層の動向〉九二頁。
354 同前論文八八頁。
355 前揭内藤《ドキュメント　東大紛争》二〇二頁。
356 〈批判者抜きの東大改革案〉（《エコノミスト》一九六九年二月二五日號）二四頁。
357 這次電視討論前揭中島〈東大闘争をめぐる現情況〉八〇頁。
358 前揭内藤《ドキュメント　東大紛争》二〇三頁。
359 前揭内藤〈紛争の元凶は東大当局だ〉一一八頁。
360 前揭内藤《ドキュメント　東大紛争》二〇六頁。
361 前揭荒（第二章）《破天荒伝》九三頁。
362 前揭中野（第四章）《ゲバルト時代》一五三頁。
363 以下關於交換俘虜的描述與發言引自〈捕虜を交換したヒューマニズムの中身〉（《週刊サンケイ》一九六九年二月三日號）一一三，一一四，一一五頁。
364 以下關於合作社竊盜事件的經過與發言引自〈生協強盗も「解放だ」という名分〉（《週刊サンケイ》一九六九年二月三日號）二一一，二二二，二二三頁。
365 前揭〈捕虜を交換したヒューマニズムの中身〉二〇頁。前揭〈生協強盗も「解放だ」という名分〉二二頁。
366 前揭〈生協強盗も「解放だ」という名分〉二三頁。
367 前揭平栗（第九章）〈バリケードのなかの一週間〉七頁。
368 前揭〈生協強盗も「解放だ」という名分〉二三頁。
369 S・A生〈駒場第八本館籠城記〉（《中央公論》一九六九年三月號）一五六頁。
370 同前手記一五八頁。
371 同前手記一五六，一五九，一五五頁。
372 同前手記一五九頁。
373 前揭（第十章）〈諸君はどちらの道を選ぶのか！〉。
374 揭内藤《ドキュメント　東大紛争》二〇六頁。
375 同前書二〇七，二〇九頁。
376 以下的傳單與每日新聞方的評論，引自前揭毎日新聞社編《安保と全学連》一三〇，一三一頁。此傳單内容出自〈「崩壊」の季節〉（《進撃》第二號），前揭津村編著（第四章）《全共闘——持続と転形》中收錄了完整全文。
377 〈共闘会議学生のこれからの生き方〉（《週刊現代》一九六九年一月三〇日號）四五頁。
378 風速計〈東洋的悲壮感〉（《朝日ジャーナル》一九六九年二月二日號）三頁。
379 堀米庸三〈紛争所感〉（《中央公論》一九六九年三月號）一一一頁。
380 以下全共鬥學生的發言出自前揭〈共闘会議学生のこれからの生き方〉四六—四七頁。
381 同前報導四四，四七頁。前揭〈安田講堂籠城日記〉四三頁。
382 前揭〈共闘会議学生のこれからの生き方〉四六，四八頁。
383 同前報導四七，四八頁。
384 藤田雄三及其他〈「勇断」に見る混迷〉（《朝日ジャーナル》一九六九年一月二六日號）五頁。
385 前揭井上《東大闘争》三二七—三二八頁。

386 前掲杉岡〈第一章〉〈東京大学　一・一八〜一九〉一七〇頁。
387 前掲ＮＨＫ全共闘〉三三九頁。根據川島宏的證詞，今井澄自十二月底「態度顯得虛與委蛇」並從鬥爭現場消失，約一週後才出現，說道「很抱歉，老實說我剛從妻子那裡回來」，並回歸隊伍。今井不在的期間，原本預定由川島擔任安田講堂的防衛隊長，但今井表示「為了贖罪，請讓我來」，故由今井擔任隊長，而川島則擔任神田拉丁區鬥爭的指揮。出自前掲連合赤軍事件の全体像を残す会編《証言　連合赤軍6　東大闘争を突き抜けた先に》四九，五〇頁。
388 前掲川前〈安田講堂再占拠宣言〉一〇四頁。
389 〈完全黙秘女子学生『菊屋橋一〇一號』〉（《週刊新潮》一九六九年五月一〇日）三五頁。前掲〈安田講堂籠城日記〉四六頁。
390 前掲島《安田講堂一九六八―一九六九》二〇三―二〇五頁。
391 前掲神水〈第一〇章〉《清冽の炎》第二巻一九頁。
392 前掲島《安田講堂一九六八―一九六九》二〇六頁再引用。
393 前掲田中〈第二章〉《いのちの女たちへ》新装版一三六―一三七頁。
394 小嵐九八郎《蜂起には至らず》（講談社，二〇〇三年）八二頁。
395 前掲四方田〈第一章〉《ハイスクール一九六八》七一頁。
396 前掲ＮＨＫ取材班〈東大全共闘〉三三八頁。
397 前掲荒《破天荒伝》九六頁。
398 前掲神水《清冽の炎》第四巻（二〇〇七年）三四三頁。
399 前掲宇佐美〈巻に出た山本義隆君のこと〉一一頁。
400 前掲ＮＨＫ取材班〈東大全共闘〉三三八頁。
401 前掲天野〈第二章〉《「無ノンセクト党派」という党派性》一九一―一九二頁。
402 〈ガス弾の直撃をうけたあの重傷青年と会見！〉（《女性セブン》一九六九年三月一九日號）三六頁。
403 同前報導三六頁。本文中說自己決意留下的高四生，在列品館攻防戰中遭機動隊的瓦斯彈直擊臉部，結果學生解放戰線宣布投降。
404 〈私の証言　あれは価値ある戦いだ〉（《週刊読売》一九七二年三月一八日號）四〇頁。
405 前掲〈安田講堂籠城日記〉四五，四六頁。
406 前掲初山・平栗・藤田〈終息局面の苦渋〉八頁。
407 前掲内藤《ドキュメント　東大紛争》二〇七頁。
408 前掲松尾〈第十章〉〈東大紛争を追って三年間〉四二頁。
409 前掲荒《破天荒伝》九七頁。
410 前掲今井〈第十章〉〈われらが運動に終幕なし〉九八頁。
411 前掲天野《「無ノンセクト党派」という党派性》一九一頁。
412 前掲宇佐美〈巻に出た山本義隆君のこと〉一一頁。
413 前掲〈幻想だけが人間を動かす〉一三八頁。
414 前掲荒《破天荒伝》九九頁。
415 同前書九九，一〇〇頁。
416 前掲梅本〈まず粉砕すべきもの〉七五頁。
417 今井澄〈安田講堂・下獄・そして今〉（《中央公論》一九七〇年三月號）一八二頁。
418 連合赤軍事件の全体像を残す会編前掲《証言　連合赤軍6　東大闘争を突き抜けた先に》四八頁。前掲大野〈学生層の動向〉八七頁。
419 前掲ＮＨＫ取材班〈東大全共闘〉三三九頁。
420 前掲川上〈東大闘争前後〉二三一頁。
421 前掲ＮＨＫ取材班〈東大全共闘〉三四〇頁。
422 前掲柏崎《太陽と嵐と自由を》二五九頁。
423 前掲佐藤〈学生反乱の背景と可能性〉六五頁。
424 前掲杉岡〈東京大学　一・一八〜一九〉一七六頁。
425 〈東大入試中止を決定したもの〉（《世界》一九六九年三月號）二二三，二二四頁。
426 同前報導二二四頁。
427 前掲坂本〈大学教授も学んだ東大紛争〉一九頁。
428 前掲ＮＨＫ取材班〈東大全共闘〉二二一頁。
429 前掲最首（第十章）〈「闘争と学問」〉一八頁。
430 前掲川前〈安田講堂再占拠宣言〉一〇四頁。
431 〈それでもぼくは革命の日を信じて〉（《女性自身》一九六九年二月三日號）三二頁。
432 前掲初山・平栗・藤田〈終息局面の苦渋〉九頁。
433 安藤紀典〈闘争に終りはない〉（《朝日ジャーナル》一九六九年二月二日號）一七頁再引用。
434 加藤一郎〈警察力導入に関して学生諸君に訴える〉（一月一七日的手冊）。前掲杉岡〈東京大学　一・一八〜一九〉一七五—一七六頁再引用。
435 前掲杉岡〈東京大学　一・一八〜一九〉一七八頁。
436 前掲内藤《ドキュメント　東大紛争》二一〇頁。
437 前掲大野〈学生層の動向〉八九頁。
438 前掲ＮＨＫ取材班〈東大全共闘〉三四一頁。
439 小中陽太郎〈反権力・反権威の現認報告書〉（《現代の眼》一九六九年三月號）一〇〇，一〇二頁。小中轉載無黨派學生的手記作為報導，在報導末尾寫道「必須奮起而行，這次，輪到我們了」，以此表明對東大全共鬥的支持。（一〇九頁）。
440 Ｕ・Ｓ生〈東大「列品館」脱出記〉（《中央公論》一九六九年三月號）一六〇頁。引用時因換行而略有縮減。
441 匿名〈独房の青春譜〉（收錄於前掲〔第九章〕《敗北のヴィオランス》）六〇—六四頁。
442 前掲ＮＨＫ取材班〈東大全共闘〉三四三頁。
443 同前論文三四三頁。
444 前掲杉岡〈東京大学　一・一八〜一九〉一八〇頁。
445 前掲松尾〈東大紛争を追って三年間〉四二頁。
446 前掲〈私の証言　あれは価値ある戦いだ〉一八頁。
447 鈴木優一・瀬戸秀助・岡安茂祐・小沢　司・後藤伸介・小林良一〈東大闘争　一・一八以後〉（《展望》一九六九年四月號）八五頁。
448 野坂昭如〈機動隊は怖かった〉（《文藝春秋》一九六九年三月號）四九頁。
449 前掲四方田《ハイスクール一九六八》七一頁。
450 前掲川前〈安田講堂再占拠宣言〉一〇六頁。
451 前掲ＮＨＫ取材班〈東大全共闘〉三四五頁。
452 〈「四四・一・一八東大安田講堂攻防戦」炎の中で傷ついた青春の意味（前編）〉（《週刊大衆》一九七四年六月一三日號）四一頁。

453 〈花咲ける機動隊武士道──東大構内への警備出動をめぐる総監と機動隊中隊長との座談会〉（《朝日ジャーナル》一九六九年二月二三日號）三九頁。
454 前掲ＮＨＫ取材班〈東大全共闘〉三四六頁。
455 前掲小中〈反権力・反権威の現認報告書〉一九三頁。
456 前掲杉岡〈東京大学　一・一八〜一九〉一七八頁。
457 中野重治〈暴力という言葉と　金という言葉〉（《世界》一九六九年三月號）七〇頁。
458 前掲杉岡〈東京大学　一・一八〜一九〉一八七頁。
459 前掲東大全共闘有志〈僕たちはなぜ闘っているのか！　市民の皆さんに訴える〉。
460 前掲大原《時計台は高かった》一六八、一七〇─一七二頁。大原在一月九日晚間因「女性與負傷者離開的要求」而暫時撤離，之後又返回安田講堂，最終又於十四日離開。不過如本文中的引用，安田講堂攻防戰的支援部隊中仍留有女學生。推測原因可能有（一）女性與傷員離開大學並未成為明確的東大全共鬥方針，故希望參與者仍盡可能留下；（二）十五日之後新左翼各黨派的支援部隊中混合著女學生抵達，因此女性離開大學的方針未能持續。
461 前掲今井〈われらが運動に終幕なし〉九八頁。
462 〈総本山・安田砦の最後〉（《週刊サンケイ》一九六九年二月三日號）一六頁。
463 前掲ＮＨＫ取材班〈東大全共闘〉三四七頁。
464 同前書三五〇頁。前掲北野《プレイバック「東大紛争」》一八〇頁。
465 前掲ＮＨＫ取材班〈東大全共闘〉三五〇頁。
466 前掲今井〈われらが運動に終幕なし〉九九頁。
467 前掲井上《東大闘争》三五九頁。
468 湯本幸子〈留置場の二三日間〉（《婦人公論》一九六九年四月號）一六一─一六二頁。
469 前掲〈独房の青春譜〉七四頁。
470 〈安田講堂　落最後の一五分間のドラマ〉（《ヤングレディ》一九六九年一月二七日號）三〇頁。
471 前掲内藤《ドキュメント　東大紛争》二二〇頁。
472 前掲吉野〈山本君に言いたかったこと〉四八頁。
473 以下引自立花隆〈東大ゲバルト壁語録〉（《文藝春秋》一九六九年三月號）一二六、一二七、一二八、一二九、一三〇、一三二頁。但「幹掉民青」、「殺死革馬」、「踏出世界革命的一步」等三者出自前掲（第十章）《大学ゲリラの唄》一一二、一〇九、一一三頁。
474 有倉遼吉〈大学の自治と国家権力〉（《世界》一九六九年三月號）四一頁。
475 前掲杉岡〈東京大学　一・一八〜一九〉一九〇頁。
476 内藤誉三郎〈大学の危機と改革の道〉（《エコノミスト》一九六九年二月一一日號）六五頁。
477 前掲〈東大入試中止を決定したもの〉二二五頁。
478 前掲有倉〈大学の自治と国家権力〉四二頁。編集部〈保守党政治と大学改革〉（《世界》一九六九年四月號）一八一頁。前掲〈東大入試中止を決定したもの〉二二五頁。
479 〈坂田文相に聞く〉（《サンデー毎日》一九六九年二月二〇日

號』六六—六七頁。
480 前掲〈安田講堂籠城日記〉四六頁。
481 前掲〈坂田文相に聞く〉六六頁。
482 前掲益田〈ポスト・東大をめぐって〉六六，六七頁。
483 宮田光雄〈東大入試中止に思う〉（《世界》一九六九年三月號）六二頁。
484 〈安田トリデの攻防〉（《朝日ジャーナル》一九六九年二月二日號）二三頁。
485 向坂逸郎〈受験生に一言〉（《週刊読売》一九六九年二月七日號）二三頁。
486 以下的中島批判引自中島誠〈闘争の「自殺」を恐れる〉（《朝日ジャーナル》一九六九年二月二日號）二二頁。
487 前掲〈花咲ける機動隊武士道〉四二頁。
488 寺山修司〈東大なんて何だ！〉（《サンデー毎日》一九六九年二月二日號）二〇頁。
489 以下海外媒體的報導引自前掲毎日新聞社編《安保と全学連》九四—九八，一〇三頁。只有《ル・モンド》評論的第二點引自〈世界の論調——東大紛争の反響〉（《エコノミスト》一九六九年二月一一日號）六六頁より。
490 革共同中核派〈東大奪還・再占拠をかちとれ〉（《前進》第四一九號），共産主義者同盟政治局〈安田講堂・死守の闘い〉（《戦旗》一六一號）。各派的安田講堂攻防戰之總結報導引自〈新左翼諸潮流と東大・日大闘争〉（刊載於《情況》一九六九年三月一〇日臨時増刊號）。
491 〈中核ゲバルト派〉（收錄於〈番外知・六九〉《現代の眼》一九六九年三月號）八四頁。
492 島崎有蔵〈日共のスト破壊策動と小ブル急進主義者の破産に抗して〉（《解放》一三一號）。
493 前掲福武〈東京大学の再建と新生のために〉一二一頁。
494 前掲内藤《ドキュメント　東大紛争》二二六頁。
495 前掲佐木〈民青論〉一四四頁。
496 川上徹〈民青本部における新日和見主義事件〉（收錄於前掲川上・大窪（第二章）《素描・一九六〇年代》）。前掲宮崎《突破者》上卷二五六—二五七頁。關於新投機派事件，共産黨方面的見解参見日本共産黨中央委員會出版局《新日和見主義批判》（日本共産党中央委員会出版局，一九七三年），關於接受査問一方的回憶，詳参川上徹《査問》（筑摩書房，一九九七年）。
497 前掲内藤《ドキュメント　東大紛争》二二七頁。
498 前掲福武〈東京大学の再建と新生のために〉一二一，一二三頁。
499 前掲内藤《ドキュメント　東大紛争》二一八頁。
500 前掲坂本〈大学教授も学んだ東大紛争〉一九頁。
501 以下引自大内兵衛〈東大は滅ぼしてはならない〉（《世界》一九六九年三月號）八，二一，一九頁。
502 寺山前掲〈東大なんて何だ！〉二二頁。
503 〈東大「無法地帯」〉（《毎日新聞》一九六八年一月一九日）。
504 ねずまさし〈市民としての立場から〉（《世界》一九六九年三月號）七四頁。
505 前掲内藤《ドキュメント　東大紛争》二二六頁。

506 梅本克己〈潰滅が訴えるもの〉（《展望》一九六九年三月號）五六—五七頁。
507 前掲吉野〈山本君に言いたかったこと〉五〇頁。
508 同前論文五一頁。
509 前掲丸山《自己内対話》二三〇，二四二，一九七頁。
510 同前書一三九，一三七，一三三頁。
511 山本義隆《東京大学》（初出《現代の眼》一九六九年六月號，收錄於前掲山本《知性の叛乱》）二五頁。
512 阪上孝・田端英雄・今村仁司・森本忠紀・黒田末寿・中川清〈欺瞞的民主制へのあくなき闘い〉（《現代の眼》一九六九年四月號）一六六頁。
513 斎藤龍鳳〈東大全共闘〉（《中央公論》一九六九年三月號）一三三頁。
514 前掲小阪（第一章）《思想としての全共闘世代》一〇七頁。
515 安東・上原・岡留・高野・宮崎・筑紫前掲（第六章）〈いまだ総括されず〉二一一頁。
516 前掲丸山《自己内対話》一七四—一七五頁。
517 前掲植垣（第二章）《兵士たちの連合赤軍》四七，四九頁。
518 前掲北野《プレイバック「東大紛争」》二五六頁。前掲尾花・柴田編《あすを告げる青春——東大闘争と学生たち》一五七頁。
519 〈まだ生きていた東大病院の「大名回診」〉（《サンデー毎日》一九六九年二月一六日號）一三九頁。
520 前掲福武〈東京大学の再建と新生のために〉一二三頁。
521 前掲村尾（第十章）〈東大農学部に見る「大学解体」〉一〇九頁。
522 前掲北野《プレイバック「東大紛争」》二五六頁。
523 〈『ポスト・ゲバ』おめでとう〉（《朝日ジャーナル》一九七〇年三月一三日號）八五，八六頁。
524 前掲ＮＨＫ取材班〈東大全共闘〉三五三頁。村松前掲（第十章）〈医学部は燃えている！〉一一八頁。
525 豊川行平〈「元凶」にも言わせてほしい〉（《文藝春秋》一九六九年四月號）一一四頁。
526 前掲大原《時計台は高かった》一八二頁。
527 同前書一九八頁。
528 前掲ＮＨＫ取材班〈東大全共闘〉三五五頁。
529 前掲大原《時計台は高かった》一五六頁。
530 前掲北野《プレイバック「東大紛争」》二五七頁。
531 前掲大原《時計台は高かった》一七四頁。
532 同前書一九二頁。
533 同前書一九九，一九七頁。
534 前掲〈幻想だけが人間を動かす〉一四四頁。
535 前掲大原《時計台は高かった》三二頁。不過，座談會中大原提及的那位發表聲明之「E子」是假名，且座談會上稱「E子」為「武門子」，有可能是在東大全共鬥內擁有同樣綽號的柏崎千枝子。（編註：正文為「C子」，疑為筆誤）
536 岡田靖雄・村尾行一〈神話の再生を阻むもの〉（《朝日ジャーナル》一九七〇年一月一八日號）一一頁。
537 前掲ＮＨＫ取材班編〈東大全共闘〉三五六頁。
538 前掲大原《時計台は高かった》二〇〇—二〇一頁。

539 前掲北野《プレイバック「東大紛争」》二六九，二七〇頁。

540 小林明隆〈「東大事件」とぼく〉（《現代の眼》一九六九年四月號）二〇頁。桜井哲夫〈予備校生のみた一月一八日〉（《朝日ジャーナル》一九六九年二月二日號）一二五頁。

國家圖書館出版品預行編目(CIP)資料

1968：日本現代史的轉捩點，席捲日本的革命浪潮 第二冊／小熊英二著；黃耀進；馮啓斌；羅皓名譯. -- 初版. -- 新北市：黑體文化出版：遠足文化事業股份有限公司發行，2024.12
面； 公分. --（黑盒子；30）
譯自：1968.上：若者たちの叛乱とその背景
ISBN 978-626-7512-31-9（平裝）

1. CST：學運 2. CST：現代史 3. CST：日本史

731.2793 113017905

黑體文化　　讀者回函

黑盒子30

1968：日本現代史的轉捩點，席捲日本的革命浪潮 第二冊

1968〈上〉若者たちの叛乱とその背景

作者・小熊英二｜譯者・黃耀進｜責任編輯・張智琦｜封面設計・林宜賢｜出版・黑體文化／遠足文化事業股份有限公司｜總編輯・龍傑娣｜發行・遠足文化事業股份有限公司（讀書共和國出版集團）｜電話：02-2218-1417｜傳真・02-2218-8057｜客服專線・0800-221-029｜讀書共和國客服信箱・service@bookrep.com.tw｜官方網站・http://www.bookrep.com.tw｜法律顧問・華洋法律事務所・蘇文生律師｜印刷・中原造像股份有限公司｜排版・菩薩蠻數位文化有限公司｜初版・2024年12月｜ISBN・9786267512319｜EISBN・9786267512241（PDF）｜EISBN・9786267512234（EPUB）｜書號・2WBB0030｜套書ISBN・9786267512340｜套書EISBN・9786267512302（PDF）・9786267512296（EPUB）｜套書不分售・定價3600元